SNOB
SOCIETY

Francis Dorléans

SNOB SOCIETY

Flammarion

ISBN : 978-2-0812-2361-5

À Franceline, Farida et Isabelle.

Introduction

Pourquoi me suis-je intéressé tout jeune à cette société brillante dont l'écho m'attirait à travers mes lectures ? Par quel mimétisme littéraire me suis-je ensuite cru autorisé à m'approprier ces personnalités pour en faire mes personnages ? On pourrait penser, avec Simone de Beauvoir, qu'on ne naît pas snob mais qu'on le devient. Pourtant, sans une prédestination particulière, je ne m'expliquerais pas cette attirance pour un milieu assez éloigné de mon quotidien et dont, par la suite, je n'ai guère fait d'efforts pour me rapprocher. Que mes amis me pardonnent, mais j'ai davantage fréquenté la mauvaise société que la bonne. Davantage fréquenté les boîtes de nuit que les soirées mondaines. Les terrasses des cafés que les salons littéraires. Pour ma défense, je me permets de préciser qu'à l'époque de mes « débuts dans le monde », la société renonçait déjà à ce qu'elle n'aurait jamais dû cesser d'être : un exercice de style. Le grand genre battait de l'aile. Les voitures de maître, les aboyeurs, les fracs, les robes à traîne appartenaient à un passé révolu. Je n'en conservais pas moins la nostalgie d'une société qui n'a peut-être jamais existé que dans mon imagination, en fantasmant comme un attardé sur les mondanités de l'entre-deux-guerres ou la haute couture triomphante des années 50 (en gros de la café-society à la jet-society). Convertir cette nostalgie en une sorte de feuilleton sans en altérer le charme m'a demandé plus d'efforts et d'obstination que je ne l'imaginais.

Le lecteur reconnaîtra que je ne manque pas de suite dans les idées en apprenant que j'ai écrit, il y a une quinzaine d'années, à l'époque où je travaillais au journal *Vogue*, pour un supplément de *L'Œil de Vogue* dont je m'occupais, un article intitulé « Snobs ».

Article qui réunissait un certain nombre d'anecdotes dont chacune pouvait passer pour un comble du snobisme. Un florilège d'extravagances et de ridicules qu'il serait prétentieux de présenter comme la genèse de cet ouvrage, mais qui n'en constituait pas moins son balbutiement. Pour mettre de l'ordre dans mes idées j'avais dressé un plan, avec le nom de tous mes futurs personnages, reliés entre eux par des flèches, et ensuite regroupés dans des bulles qui correspondent, en gros, aux différents chapitres de ce livre. Celui-ci devait emprunter au film *La Ronde*, de Max Ophuls, ses enchaînements. Une histoire d'amour débouchant sur une nouvelle histoire d'amour... Seulement ce plan, avec ces flèches qui partaient dans tous les sens et ces bulles, comme autant de cœurs percés, était aussi proche de la course relais de *La Ronde* qu'un échangeur d'autoroute aux heures de pointe. Mon pauvre plan raturé ressemblait à un embouteillage de noms propres et je me désespérais de n'arriver jamais à donner un peu de fluidité à l'ensemble.

De ce plan initial, il ne reste que les grands axes. Des chapitres entiers sont tombés, emportant avec eux des personnages que j'aimais beaucoup mais qui encombraient. Où êtes-vous Freddie McAvoy, lord Breners, Violette Trefusis, Vita Sakville West, Marie-Blanche de Polignac... ? Et vous, marquise Casati et d'Annunzio ? Chips Channon, Edward James ? Disparus. À la trappe. En revanche d'autres protagonistes – comme Zsa Zsa Gabor, Gloria Vanderbilt ou Peter Lawford – se sont imposés alors que je ne m'attendais pas à leur voir prendre une telle importance. J'ai également dû faire mon deuil de la parfaite symétrie que je me proposais d'établir entre le début et la fin de l'ouvrage. S'ouvrant sur le monde de Proust, le livre devait se clore sur le bal Proust donné par Marie-Hélène de Rothschild à Ferrières. Seulement le monde de Proust appartenait à Proust. Après son biographe Painter, il n'était pas utile d'y revenir. De ce monde il ne reste plus que quelques lignes sur la comtesse de Chevigné. Et aussi pas mal de Misia Sert, mais déjà *déproustisée*. L'influence de l'auteur de la *Recherche* ne s'en fait pas moins sentir du début à la fin de l'ouvrage. La madeleine *of course*, mais surtout le concept des deux côtés qui tendent insidieusement à se rejoindre. Le côté de Guermantes et le côté de chez Swann, revisités par la *jet-set*, avec des fuseaux horaires à désespérer le promeneur de Combray.

Si cette introduction avait le mérite que, par la suite, plus personne ne me demande ce que je pense du snobisme – ou pis, quelle est ma définition du snobisme – cela me délivrerait d'un poids. Je n'ai aucune envie d'être considéré comme un spécialiste en la matière. Ce livre n'a d'autre prétention que de divertir. Il ne s'agit en aucun cas d'une étude sociologique sur le snobisme, mais d'un ouvrage *avec* des snobs. Des snobs qui se croisent. Plus de snobs qu'aucun autre livre n'en a jamais réunis. Un carnaval de snobs. Une pluie de confettis de snobs. Tous ont existé et pourtant ils n'en demeurent pas moins des personnages. Je n'ai pris aucune liberté avec leur histoire, en revanche, j'ai mis dans chacun d'eux une part de moi-même que l'on serait en droit de me reprocher si j'avais voulu faire œuvre d'historien. J'ai inventé certaines scènes de fantaisie et, fâché avec les dates, je n'en ai pas toujours tenu compte. J'ai même parfois jonglé avec. La copie d'un mauvais élève. *Mea culpa*. Maintenant que vous savez tout cela et que je me sens quitte envers mon éditeur (il a beaucoup insisté pour que j'écrive cette introduction), j'ajouterais en guise de conclusion qu'on pourrait tirer de ce livre un formidable feuilleton pour la télévision. S'occuper du service après-vente de son œuvre peut paraître vulgaire, mais cela m'amuserait énormément. Un feuilleton à n'en plus finir. Le découpage s'y prête, les enchaînements sont tout trouvés, les dialogues en partie écrits...

Et comment ne pas fantasmer en imaginant un générique de fin pompé sur celui de *Si Versailles m'était conté*? Quand tous les protagonistes reviennent descendre le grand escalier de l'Orangerie dans leurs costumes d'apparat pour un baroud d'honneur. Avec, par ordre d'entrée en scène : Nancy Mitford, Cecil Beaton, Bébé Bérard, Marie-Laure de Noailles, la princesse Nathalie Paley, Lucien Lelong, Jean Cocteau, le baron Hoyningen-Huene, Horst, Serge Lifar, Gloria Swanson, Henry de la Falaise, Constance Bennett, Rose et Joseph Kennedy, Barbara Hutton, Jimmy Donahue, le duc et la duchesse de Windsor, Lady Mendl, le prince Ali Khan, Thelma Furness, Gloria Vanderbilt et Little

Gloria, Syrie Maugham, Black Jack Bouvier, Janet Bouvier, Doris Duke, Misia et José Maria Sert, Diaghilev, Elsa Maxwell, les frères Mdivani, Roussy Mdivani, Chanel, Luchino Visconti, La princesse Jane de San Faustino, Marlène Dietrich, Greta Garbo, Cary Grant, Howard Hughes, Katharine Hepburn, Dorothy di Frasso, Louise de Vilmorin, Duff et Diana Cooper, Orson Welles, Rita Hayworth, Bettina, Jacques et Geneviève Fath, Truman Capote, Porfirio Rubirosa, Flor Trujillo, Danielle Darrieux, Evita Perón, Oleg Cassini, Gene Tierney, Grace Kelly, Zsa Zsa Gabor, Pamela Churchill, Gianni et Marella Agnelli, John et Jackie Kennedy, la marquise de la Falaise, la comtesse Bismarck, Marilyn, Bob Kennedy, Onassis, Maria Callas, Winston Churchill, Stas et Lee Radziwill, Charles de Beistegui, Richard Burton et Elisabeth Taylor, Jacques Chazot, Marie Hélène de Rothschild… Ça vous a quand même de la gueule.

1

Révolte du prince de Galles. Sa bande de noceurs. Nancy Mitford et ses déconvenues. Les Bright Young Thing *et les* Flappers. *Ces fols enfants des années folles. La pernicieuse Thallulah Bankhead.*

Le commencement d'une époque pour les uns. La fin d'un monde pour les autres. Et ainsi de suite. Dans les siècles des siècles. La guerre de 14-18 avait encore creusé le fossé qui sépare entre elles les générations. Au lendemain de l'Armistice, parents et enfants ne vivaient plus sur la même planète. À Londres, la famille royale reproduisait ce phénomène jusqu'à la caricature : le roi George V et la reine Mary incarnaient les vertus austères de la vieille Angleterre, alors que David, leur fils aîné (le futur Édouard VIII, qui deviendra le duc de Windsor), se voulait résolument *up to date*. Idolâtre de la culture américaine ! Si l'on veut bien tenir l'argot, le charleston, les Ziegfeld Follies et la décontraction vestimentaire pour des fleurons de la culture américaine. Avec de tels paramètres, il savonnait lui-même les marches du trône. Il se croyait avant-garde, mais les recherches esthétiques des frères Sitwell ou les prises de positions du groupe de Bloomsbury le laissaient complètement indifférent. Noel Coward était son grand homme et Fred Astaire, évoluant au bras de sa sœur Adèle, un des modèles d'élégance qui l'avait le plus impressionné. Ce portrait serait cependant incomplet si l'on ne précisait qu'il était alors la beauté et la grâce personnifiées. Sa blondeur et son teint de pêche agissaient sur tous les cœurs. Il jouissait d'une popularité qu'aucun prince de Galles n'avait connue avant lui. Les foules l'adoraient.

David était l'aîné de six enfants. Fortement marqué par la marine, le roi George V traitait ses garçons à la dure. Comme des enseignes de vaisseau à bord d'un cuirassé. Ils devaient toujours être en grande tenue. Prêts pour une revue de détails. Cela ne suffisait pas à en faire des enfants martyrs, mais cette oppression contribua à la rébellion du prince au moment de son adolescence. Rébellion qu'il partageait avec la plupart des jeunes gens de son âge. À la différence qu'il était censé incarner l'autorité à l'échelle de la nation. Jeune homme, il prit le contre-pied de tout ce qu'on attendait de lui. On attendait qu'il donne l'exemple, il donnait le mauvais. On attendait qu'il se marie, il ne courtisait que des femmes mariées. On attendait qu'il soit à l'heure – la politesse des rois –, il s'arrangeait pour être toujours en retard. Son père lui répétait continuellement « de ne pas oublier qui il était ». « Qui suis-je ? » s'interrogeait le prince de Galles. Tous les princes ont le droit de connaître le doute, seulement David avait le *to be or not to be* d'une girouette. L'interprétation qu'il donnait de la vie d'un prince semblait empruntée à un magazine de mode. « Qu'est-ce qui commence par une pomme et se termine dans une boîte de nuit ? » demandait une journaliste de la presse américaine, avant de donner la solution de cette devinette en reproduisant l'emploi du temps du prince.

Les boîtes de nuit favorisèrent, au lendemain de la Première Guerre mondiale, un brassage de populations décisif pour la haute société. Si le roi George V et la reine Mary n'avaient jamais mis les pieds dans ce genre d'endroit, le prince de Galles les y représentait avec un entrain et une assiduité au bar qui faisaient craindre pour sa santé. Il menait un train d'enfer. Tous les soirs dehors. Il régnait sur une bande de noceurs furieusement à la mode. Les hommes encore en habit, avec le plastron piqué et la cravate blanche. Les femmes, très charleston, en robe courte rebrodée de paillettes. Nancy Mitford qui avait croisé le prince, l'avant-veille, dans le hall du *Kit-Cat*, n'en finissait pas de s'extasier sur son allure juvénile : « Il était juste devant moi, à trois mètres. Il portait une longue cape de cachemire doublée de soie rouge, c'était tout bonnement sensationnel. » Après un épuisant après-midi de shopping, Nancy et son amie Nina Scafield avaient sauté dans un taxi.

Ayant perdu toute sa famille alors qu'elle était encore enfant, Nina avait hérité, à dix-huit ans, de plusieurs châteaux et d'une fortune qui l'autorisaient à vivre à sa guise. Nancy enviait son indépendance et profitait de ses invitations pour sortir aussi tard qu'il lui plaisait en faisant croire à ses parents qu'elle séjournait chez son amie à la campagne. Nancy Mitford passait à juste titre pour une fille à la mode. Elle s'affirmait comme une des égéries les plus déterminées de cette jeunesse dissipée qui sévissait alors, à Londres, sous le nom de *Bright Young Thing*.

Les *Bright Young Thing* étaient l'exact pendant des *Flappers* dont la renommée scandaleuse s'accompagnait, aux États-Unis, de la même désapprobation. Peut-être n'est-il pas mauvais de rappeler ce qu'étaient les *Flappers* ? Pour comprendre l'origine du mot, il faut savoir qu'on portait, afin de protéger ses souliers des intempéries, ce qu'on appelait des caoutchoucs. Une sorte d'imperméable qu'on enfilait par-dessus ses chaussures. Par une réaction analogue à celle des ados d'aujourd'hui, qui se contentent d'enfiler leurs baskets sans les lasser, les filles chic prirent l'habitude, au début des années 20, de ne plus fermer les boucles de leurs caoutchoucs. Ces boucles défaites, pendantes et brinquebalantes, produisaient lorsqu'elles marchaient une sorte de *flip flap* qui donna le mot *flapper*. Que faisaient-ils de si terrible, ces enfants ? Ils buvaient comme des trous, dansaient le charleston, sortaient jusqu'à plus d'heure, jetaient l'argent par les fenêtres, etc. Rien de bien scandaleux au regard de ce que l'on a connu depuis, mais à l'époque c'était nouveau. L'affectation de leur langage achevait de déconsidérer les *Bright Young Thing* : « C'est par trop écœurant ! », « Trop chou ! », « Totalement divin ! » s'écriaient-ils en se pâmant.

Nancy Mitford n'échappait à aucun de ces ridicules. Elle se distinguait par son esprit caustique. Complètement dépassés par les événements, lord et lady Redesdale, ses parents, baissaient les bras. Revenant de chez le coiffeur où elle avait sacrifié sa chevelure à la mode, sa coupe à la garçonne lui valut ce commentaire acerbe de sa mère : « Avant vous étiez quelconque, maintenant vous êtes franchement laide. » En fait, Nancy était mignonne, mais sans plus. Que n'avait-elle hérité des yeux bleus des Mitford ? Celui qui a dit que la beauté ne se mange pas en salade n'avait pas de filles à marier. Avec six filles à caser, lady Redesdale savait de quoi il en retournait. Diana, la cadette, venait de se fiancer au jeune Bryan Guinness, un très beau parti, mais toutes les autres se bousculaient derrière à la file. Cela représentait énormément de travail. Il fallait les habiller pour qu'elles paraissent à leur avantage et ensuite les sortir pour montrer comme elles étaient bien habillées et surtout organiser un grand bal chaque saison. Après la construction de son nouveau château, lord Redesdale affirmait ne plus en avoir les moyens. « Il aurait alors été plus charitable de les noyer à la naissance », se défendait lady Redesdale. Elle n'avait pas besoin que Nancy donne le mauvais exemple à ses sœurs. Nancy maniait l'ironie comme un chasse-mouches, ce qui tenait éloignés tous les prétendants sérieux. Elle avait la rage d'être amusante. Coiffer Sainte-Catherine continuait d'être vécu comme une tragédie et elle allait sur ses vingt-quatre ans. Ses fiançailles avec le jeune Hamish St Clair-Erskine apportaient la preuve de son manque total de discernement.

Le taxi n'avançait pas. Bloquée depuis un quart d'heure dans Bond Street, Nancy meublait la conversation en récapitulant pour Nina, qui arrivait de la campagne, tous les événements de la semaine précédente. Une semaine de délire, selon Nancy. La fête des Bébés à Rutland Gate, la fête des Héroïnes historiques au *Claridge*, et un dimanche de folie chez Cecil Beaton. « Totalement divin », décréta Nancy à propos de la soirée « Chute de l'Empire romain » à laquelle Nina regrettait de n'avoir pu assister. « Hamish et moi nous nous étions drapé la taille d'une soie couleur cuir, avec des feuilles de vigne mordorées, poursuivit Nancy. Je portais une couronne de roses rouges et j'avais frisé au fer les cheveux d'Hamish. Il était plus que mignon. Tu aurais dû nous voir tous les deux dans la baignoire en train de nous faire des taches avec du café...

— Où en es-tu avec Hamish ? lui demanda Nina.

— Comment ça, où j'en suis ? Mais je l'aime.

— Oui, ça, je sais, ma chérie, mais plus concrètement ? Comme Nancy ne répondait pas, Nina ajouta :

— Il y a quelque chose qui me gêne chez lui.

— Comme quoi, par exemple ? demanda Nancy sur la défensive.

— Comme si l'alcool ne lui suffisait pas. Et puis je n'aime pas les gens qu'il fréquente.

— C'est vrai qu'il nous arrive d'aller dans des fêtes effroyables, mais si on ne peut être heureux, ne vaut-il pas mieux chercher à s'amuser ?

— Ah non, chérie, pas à moi. Pas ce couplet. Ce n'est pas le problème. Que tu le veuilles ou non, Hamish a cinq ans de moins que toi. Il vient tout juste d'entrer à Oxford et avec son manque de concentration, ses études risquent de s'éterniser.

— J'attendrai, se buta Nancy. »

Comme la plupart des amis de Nancy, Nina s'inquiétait de la passion dévorante qu'éprouvait son amie pour le jeune et svelte Hamish St Clair-Erskine, fils cadet du comte de Rosslyn. Très prétentieux et plutôt bête pour les uns. Extrêmement amusant pour les autres. Déjà perdu de réputation de l'avis général. Son immoralité fascinait Nancy alors même qu'elle ignorait de quoi il s'agissait. Selina Hastings, une des biographes de Nancy, n'hésite pas à le décrire comme « le plus scintillant et le plus narcissique de tous les papillons de cette coterie d'homosexuels ». À l'époque, personne ne se serait risqué à le désigner de la sorte. Pour la bonne raison qu'on ne parlait pas de ces choses-là. Ou à mots couverts. Comme dans les romans de Rosamond Lehmann. « Mark dit qu'Hamish est un véritable abîme de péchés et qu'il sait des choses dont Mark n'a jamais entendu parler ! », écrivait Nancy à son frère Tom. Celui-ci désapprouvait cette liaison, mais ces révélations ne le surprenaient qu'à moitié, lui-même ayant eu un flirt avec Hamish à Eton. Tout ça très anglais et encore très impressionniste.

Du point de vue de la sexualité, les *Bright Young Thing* ne se montraient guère plus futés que la moyenne des jeunes gens de leur âge. L'expression « en rodage » convenait parfaitement à définir leur approche de la sexualité. Entre l'homosexualité des uns et la frigidité des autres, ils ne risquaient pas de faire d'énormes progrès. Non contents d'avoir entre les mains des voitures flambant neuves, ils ne savaient pas conduire. Aussi se réfugiaient-ils dans l'alcool.

Prendre le volant en état d'ébriété n'est pas la meilleure façon d'avancer. Nancy se croyait très maligne, mais c'était une oie. Une petite oie submergée par des flots d'émotions contradictoires.

« Chérie, tu peux me déposer, demanda tout à coup Nancy. Je suis horriblement en retard. Je crois que j'irai plus vite à pied. J'avais promis à Hamish… ajouta-t-elle sans finir sa phrase.

— Te déposer où ?

— N'importe, là, si tu veux bien, je vais descendre. Je te laisse payer le taxi ?

— Ne prends pas mal ce que je t'ai dit », insista tendrement Nina en l'embrassant. Une fois dans la rue, Nancy enfonça davantage son chapeau cloche. Elle sentait les larmes lui monter aux yeux. Dans cinq minutes, elle allait pleurer. Il faisait un temps épouvantable. Elle risquait d'abîmer ses souliers. Sans nouvelles d'Hamish depuis une semaine, elle se rongeait les sangs. Nancy craignait qu'il ne lui soit arrivé quelque chose. Et en même temps elle ne se faisait pas d'illusions. Elle savait très bien ce qui lui était arrivé. Depuis une semaine, tout le monde se ruait au *Café de Paris* pour voir le nouveau spectacle de Tallulah Bankhead. Hamish se flattait d'être un de ses amis. Pourquoi Tallulah le considérait-elle comme son protégé ? Tout laissait à penser qu'il la fournissait en coke (une mauvaise habitude de la star qui lui vaudra un de ses meilleurs mots d'esprit : « Ne me dites pas que la coke crée une dépendance, depuis dix-sept ans que j'en prends je suppose que je serais au courant. ») Quand elle se produisait à Londres, Hamish ne la quittait pour ainsi dire pas. Nancy jouait les filles émancipées, mais comparée à Tallulah Bankhead, elle ne faisait pas le poids. Jusqu'à quel degré de compromission descendait Hamish lorsqu'il disparaissait avec la scandaleuse Tallulah Bankhead ?

2

Désordre et snobisme de Bébé Bérard. Kochno et le caravansérail des Ballets russes. Diaghilev, Lifar, Chanel, etc. Marie-Laure de Noailles. Son goût pour les arts. Ses ascendants Sade-Chevigné-Bischoffsheim

Sortir Bérard de son lit représentait toute une histoire. D'ailleurs il donnait toujours l'impression de sortir de son lit. Même en smoking, il arrivait à avoir l'air dépenaillé. Il n'empêche que personne, à Paris, n'aurait songé à lui disputer le titre d'arbitre des élégances. Il s'y entendait comme personne pour trouver l'atmosphère d'un décor, la couleur d'une robe et, quand les cartons d'invitation à un bal costumé mettaient la société en émoi, les élégantes vivaient suspendues à ses lèvres comme à celles de l'oracle. C'est, bien sûr, une image. Pour vivre suspendu à ses lèvres, il aurait fallu commencer par lui débroussailler la figure. Afin de réduire au maximum ses efforts de toilette, Bérard s'était laissé pousser une barbe abondante qui le faisait ressembler à une divinité de la mer tombée dans la mouise. Pour Harold Acton, il évoquait davantage une femme à barbe de fête foraine. Comme ses cheveux longs et hirsutes lui mangeaient un autre quart du visage, on ne voyait plus que ses yeux. De grands yeux bleus, au regard mouillé, reflétant un air de candeur et d'innocence qui lui avait valu le surnom de Bébé. Un gros bébé Cadum, baroque et décadent, dont les facéties et les innombrables étourderies ravissaient son entourage.

Ce décalage (entre son aspect déglingué et son goût exquis) se retrouvait dans le choix de ses relations qui oscillaient entre le grand monde et les milieux interlopes des faubourgs. Aussi à l'aise avec les uns qu'avec les autres, Bérard pouvait passer, dans la même journée, d'une conversation de boudoir aux ragots d'un bar à putes avec une aisance qui trahissait une absence totale d'a priori. Comme les enfants, il n'en avait pas. Son snobisme participait davantage d'une quête du merveilleux que d'un quelconque système de discrimination. Il partageait avec Boris Kochno une vie de bohème qui les conduisait d'hôtels borgnes en garnis et de dîners mondains en soirées de gala. Ce qui n'allait pas sans quiproquos comme en témoigne ce monologue d'un de leur taulier parlant au téléphone avec le baron Robert de Rothschild : « Qui demandez-vous ?... M. Bérard... De la part de qui ?... Comment... comment du baron de Rothschild ?! Le baron de Rothschild ! Si vous êtes le baron de Rothschild, moi je suis Napoléon Bonaparte ! » Kochno, qui rapporte cette scène dans un livre de souvenirs, ajoute que secoué d'une crise de rire, le brave homme ne retrouva son sérieux qu'en voyant arriver la Rolls du baron Robert de Rothschild. Mazette ! Ça vous la coupe.

Enrôlé tout jeune homme dans l'éblouissant caravansérail des Ballets russes, Kochno avait d'abord vécu dans l'ombre de Diaghilev avant de rencontrer Bérard : il devait aimer vivre à l'ombre d'une forte personnalité. À la mort de Diaghilev, dans une scène digne du Satiricon, il s'était battu avec Serge Lifar au pied de la dépouille de l'agonisant : deux gitons mêlant dans la lutte leurs cris de haine et leurs imprécations de désespoir. Chanel avait été obligé de s'interposer pour les séparer. Ce morceau de bravoure, que l'on retrouve dans nombre de biographies, ne donne pas à Kochno un rôle très élégant, mais il est vrai qu'une forme de dévotion idolâtre devait entrer dans le sentiment amoureux qu'il portait à ses partenaires. Jeune homme, il était beau garçon. Peut-être pas aussi beau que Lifar, mais très beau. Cole Porter aurait composé pour lui *I've got you under my skin*. La mort de Diaghilev laissa Kochno inconsolable. Un veuf mode au temps du *Bœuf sur le Toit*. Peu de temps après il rencontrait Bérard. Au regard des hommes qui ont marqué son existence, on peut penser qu'il attachait moins d'importance au physique qu'à la personnalité de ses amants, mais la vie en couple n'implique pas forcément la fidélité. Ni même le sexe (surtout quand l'héroïne est un des ciments de ce couple : ils se défonçaient pas mal tous les deux). Les dispositions de Kochno pour le veuvage allaient malheureusement se confirmer une nouvelle fois, au lendemain de la guerre. Bérard succomba en 1949 à une crise cardiaque sans avoir eu le temps de donner toute la mesure de son talent.

D'une manière générale, Bérard aimait le désordre. Ne pas se lever, ne pas se laver, ne pas ouvrir son courrier, prendre la nuit pour le jour, se laisser distraire de la peinture par d'incessantes commandes de dessins de mode faisaient partie d'un système de défense qui lui permettait de tenir face aux angoisses de la création. Quand il s'éveilla ce jour-là, le soleil qui filtrait à travers les volets clos lui permettait d'avoir une idée approximative de l'heure. Il ne devait pas être loin de quatre heures. La vicomtesse de Noailles s'était annoncée pour le thé. Bérard avait commencé son portrait. Elle venait chaque jour consciencieusement poser pour lui. En d'autres temps, Marie-Laure de Noailles aurait vécu entourée d'une ribambelle de nains, de bossus, de négrillons et de perroquets, mais le renouvellement de la sensibilité qui, depuis les années 20, modelait la société, la poussait à ne rechercher et à n'aimer que des artistes. Elle ne fréquentait que des artistes. Un comportement qu'on a pris l'habitude de louer même si cette prétendue ouverture d'esprit ne fait qu'ajouter des prétentions intellectuelles aux préventions de l'aristocratie et de la grande bourgeoisie.

Pour la prétention, Marie-Laure de Noailles avait de qui tenir. « Tous les sangs sont dans le sien », disait l'abbé Mugnier à propos du mélange Sade-Chevigné-Bischoffsheim qui avait présidé à sa naissance. Si elle n'était pas la seule aristocrate à avoir du sang juif, elle était la seule à pouvoir se vanter de descendre du marquis de Sade. Avec le temps, le divin marquis était devenu un sujet de fierté pour les siens. Ils s'arrangeaient à ne voir dans les perversions sexuelles de leur ancêtre qu'une manière très aristocratique d'envisager les rapports de classes : enculer des boniches et fouetter des catins s'apparentaient, à leurs yeux, à une sorte de droit de cuissage qui ne manquait pas de panache. Les Chevigné s'appropriaient également (contre toute vraisemblance, cette fois) la Laure de Pétrarque dont ils prétendaient descendre par les femmes. Le meilleur restait cependant à venir puisque pour leur plus grande gloire, la comtesse de Chevigné (la grand-mère de Marie-Laure) devait, à son tour, entrer dans l'histoire littéraire pour avoir servi de modèle à la duchesse de Guermantes. La comtesse occupait une place de premier plan dans le Paris mondain de la Troisième République. Une place qu'elle ne devait qu'à son mérite et à son allure car les Chevigné ne roulaient pas sur l'or. Elle n'avait que sa langue. Avec sa langue elle pouvait tailler des costards, mais elle ne pouvait pas piquer des bottines.

C'est une rude de position de se tenir au sommet de l'échelle sociale sans en avoir les moyens. Aussi s'était-elle résolue à vendre sa fille au plus offrant. À un banquier juif, Maurice Bischoffsheim, dernier rejeton d'une de ces grandes familles de la finance qui, à l'égal des Rothschild, des Pereire et des Camondo, s'étaient illustrées, sous le Second Empire et la Troisième République dans des magouilles financières ayant permis à la France de devenir un des plus puissants pays d'Europe. Tuberculeux et très accommodant, le jeune Maurice Bischoffsheim s'arrangea pour disparaître deux ans après la naissance de sa fille, Marie-Laure, en lui laissant une fortune immense. Sa dot la destinait à faire un beau mariage et rachetait son physique ingrat (sa mâchoire un peu lourde tirait son visage vers le bas). Elle épousa Charles de Noailles. Bérard se montrait extrêmement flatté de compter la vicomtesse parmi ses relations, mais il lui était difficile de la considérer véritablement comme une amie. À l'époque elle était pourtant déjà la maîtresse d'Igor Markevitch, ce qui leur faisait un lien de parenté, Markevitch et Kochno étant tous deux d'anciens amants de Diaghilev. Pour reprendre une plaisanterie d'un goût douteux, il n'est pas faux, en l'occurrence, de dire qu'ils avaient servi dans le même corps puisqu'il s'agissait aussi d'un corps de ballet. Ce lien de parenté amusait beaucoup Bérard. Continuant de rêvasser alors qu'il se savait déjà très en retard, il s'arrangea pour se laisser surprendre dans son lit par le coup de sonnette de Marie-Laure de Noailles.

3

Colère de Marie-Laure de Noailles. La princesse Nathalie Paley et Jean Cocteau. Le happening *permanent de la vie de Marie-Laure. Nathalie Paley et Serge Lifar. Marie-Laure et Igor Markevitch. Désillusions.*

Tout en peignant, Bérard ne résista pas à la tentation de révéler à la vicomtesse de Noailles que la princesse Nathalie Paley et Jean Cocteau vivaient maintenant ensemble. À la colle ! Nathalie Paley (mariée au couturier Lucien Lelong) se trouvait être la meilleure amie de Marie-Laure et Cocteau son ami d'enfance. Bref, ils appartenaient au premier cercle de ses relations et, en raison de sa position, la vicomtesse n'était pas loin de penser qu'ils lui appartenaient pour de bon. Bérard chercha-t-il, en lui faisant cette révélation, à réveiller Marie-Laure d'une torpeur qui lui donnait l'air maussade (comme il le prétendit par la suite) ? S'amusait-il, comme les enfants, « à appuyer où ça fait mal ? » Il espérait qu'une étincelle dans le regard de la vicomtesse l'aiderait à terminer ce portrait qui ne lui donnait pas satisfaction. Trop figé. Le moi profond de la vicomtesse se dérobait. Le résultat de sa perfidie dut dépasser les espérances du peintre : un amalgame de sentiments passa en accéléré sur le visage de Marie-Laure. Fureur, désarroi, incrédulité... « Quel barbouillage. Elle me prend pour Picasso », pensa Bérard horrifié. « Et de qui tenez-vous cette nouvelle ? Dites-moi un peu ? J'aimerais savoir ? j'ai le droit de savoir », explosa la vicomtesse. S'étant trop avancé pour faire marche arrière, Bérard chercha à atténuer la portée de son scoop. « Tout le monde le sait », bredouilla-t-il sans se rendre compte que cette précision ne pouvait qu'aggraver la colère de Marie-Laure. « Tout le monde ! Et qui tout le monde ? » D'avoir été tenue à l'écart représentait pour la vicomtesse un affont supplémentaire. Elle étouffait. Il lui fallait sortir au plus vite de cette pièce mansardée dont le papier peint à fleurs lui faisait soudain horreur. « Mais où est mon chapeau ? », s'énerva-t-elle en déplaçant une pile de livres. « Vous avez dû le laisser à côté, sur le divan », objecta le peintre en rattrapant un des livres que Marie-Laure lançait maintenant à la volée. La rage qui animait ses recherches dénonçait la vraie nature de la vicomtesse : une folle. Voilà comment il aurait du la peindre, en furie. « Et mon sac ? » Nouveau livre. « Et mon parapluie ? » Nouveau livre. Ne sachant plus quoi faire, Bérard renvoyait maintenant les livres à la vicomtesse qui les lui relançait à nouveau. La partie risquait de se prolonger. « Là ! là, sur la cheminée, votre chapeau », hurla Bérard qui venait de bloquer trois livres à la suite. En ajustant son chapeau, la vicomtesse s'aperçut qu'elle faisait la tête de la méchante reine à qui son miroir vient d'annoncer que Blanche-Neige est la plus belle. Elle portait ce jour-là, un chapeau parfaitement ridicule, une sorte de petite calotte de drap noir, hérissée de ressorts en velours, qui, compte tenu de la situation, donnaient l'impression de s'échapper de son cerveau en ébullition pour exprimer d'une manière naïve (et pourtant sophistiquée, son couvre-chef venait de chez Reboux) la violence de son courroux.

« Après tout ce que j'ai fait pour lui ! », se répétait Marie-Laure dans la voiture qui la ramenait place des États-Unis. Elle fulminait. Au sortir de l'adolescence, Marie-Laure était tombée amoureuse de Cocteau. Comme on peut être amoureux à cet âge-là. Il se répandait déjà dans le monde et venait de commencer une petite carrière de poète. Enfant prodige, il avait frôlé le scandale en s'affichant, à seize ans, lors d'un bal costumé, dans le sillage de l'acteur De Max. Avec du mascara sur les yeux, des boucles rousses, une tiare, des bagues aux orteils et les ongles peints. De Max était une grosse folle perdue de réputation. La comtesse de Chevigné avait raisonné sa petite -fille. Ce n'était pas tant les mœurs du poète qui lui posaient un problème que son manque d'argent et son absence de particule. Du bagout, de l'entregent, mais pas de répondant. Fils d'un agent de change ruiné qui s'était tiré une balle dans la tête, le jeune

Cocteau n'avait aucune des qualités requises pour épouser une des plus riches héritières de France. Marie-Laure pouvait prétendre à beaucoup mieux. Elle en était elle-même persuadée et n'aurait pas osé envisager un mariage aussi disproportionné à sa situation de fortune. C'était un amour malheureux comme toutes les jeunes filles aiment à se flatter d'en avoir éprouvé un, au moins une fois dans leur vie.

Avec une certaine muflerie, Marie-Laure ne pouvait s'empêcher de faire la liste de ses bienfaits : l'esprit comptable des femmes trompées. Cocteau n'avait pas dû manquer d'abuser de ses largesses. Il vivait depuis toujours au crochet des uns et des autres. Sa mère, la baronne d'Erlanger, Coco Chanel étaient régulièrement mises à contribution. Marie-Laure avait dû en éponger des ardoises ! « Le scélérat, le fourbe », pensa-t-elle. Étrangement, elle en voulait moins à Nathalie Paley dont le narcissisme agissait comme un bouclier. Marie-Laure la comparait à du cristal. La volonté de la princesse Nathalie Paley s'affirmait d'autant plus dure que cette dureté était d'abord insoupçonnable. Comme transparente. Se mesurer à elle revenait à rentrer dans une porte vitrée : on n'avait pas le temps de comprendre sa douleur. Comment Marie-Laure s'était-elle entichée de Nathalie ? Elles n'avaient pourtant pas grand-chose en commun. Mme de Staël et Mme Récamier non plus n'avaient pas grand-chose en commun, ce qui ne les empêche pas d'être régulièrement citées comme un modèle d'amitié féminine réussie. C'était d'ailleurs le même genre d'attelage que reproduisaient Marie-Laure et Nathalie. La verve de l'une mettait en valeur la placidité de l'autre. Elles se complétaient. Elles sortaient tous les soirs et semblaient mettre un point d'honneur à ne se choisir que des homosexuels pour amants. Comme si, cherchant à s'affranchir de la tutelle de leur mari, elles se refusaient encore à couper les ponts. Nathalie venait de vivre une passion romanesque avec Serge Lifar et l'on voyait beaucoup Marie-Laure avec le jeune Igor Markevitch.

On peut présenter la vicomtesse de Noailles comme une victime de la surenchère. Au fil des années sa vie se transformera en une sorte de *happening* permanent mâtiné de théâtre de Boulevard.

Avec des portes qui claquent et des claques qui se perdent ; des brouilles, des réconciliations, des suicides ; des formules lapidaires, des phrases à l'emporte-pièce, des cris, des pleurs et des grincements de dents. Avec le temps, elle en arrivera à dire n'importe quoi. Allant un jour jusqu'à apostropher, au cours d'un déjeuner, une malheureuse cousine débarquée la veille de sa province par un retentissant : « Et toi, Geneviève, ton mari, tu le suces ? » Avec les asperges, ça jette un froid. « Je suis barrée du cul », confiera-t-elle encore à Roger Peyrefitte, certainement la personne la plus apte à recevoir ce genre de confidence. On lui doit également ce chef-d'œuvre d'analyse littéraire : « Les lecteurs de Proust ont tous un petit sexe. » En comparaison de ce que l'on entend aujourd'hui, cela paraît peu de chose. Seulement à l'époque on ne parlait pas de ces sujets. Il y avait des mots qu'une honnête femme se refusait de prononcer. Il fallait être la vicomtesse de Noailles ou la dernière des dernières pour les employer. Fréquentant des artistes, sans doute se croyait-elle autorisée à parler comme les plus sauvages d'entre eux.

Tout ce qui touchait à l'art touchait, en effet, Marie-Laure, mais tout ce qu'elle touchait ne se transformait en art qu'au moyen d'espèces sonnantes et trébuchantes. Elle n'était bonne qu'à acheter, mais quand elle achetait, elle était bonne. Les œuvres accumulées par les Noailles au cours de leur vie se révéleront toutes d'excellents placements. Au début de leur mariage, elle exercera sur son mari l'ascendant qu'ont les esprits forts sur les esprits faibles. Tous ses amis s'accordent à décrire Charles de Noailles comme un modèle d'urbanité. Le plus policé des hommes. Un parangon de bonne éducation. Ce ne sont pas les qualités d'un chef. Alors qu'en revanche Marie-Laure débordait d'un aplomb qui désigne généralement les meneurs. Elle s'intéressa la première à l'art contemporain. C'est elle qui poussa à l'achat des tableaux de leur collection : Picasso, Juan Gris, Klee, Miro, Max Ernst, Chagall... C'est elle encore qui avait rêvé de la villa ultramoderne qu'ils se feront construire sur les hauteurs de Hyères par Mallet-Stevens. La fameuse villa *Saint-Bernard*. Les Noailles y régalaient leurs invités d'activités sportives. Gide séjournant à la villa avec son tendancieux neveu, Marc Allegret, est tout émoustillé de découvrir le volley-ball et ne peut se retenir d'y aller, dans ses mémoires, d'un couplet sur la Grèce antique et les dieux du stade. Il faut croire qu'un certain relâchement des mœurs allait de pair avec les joutes sportives de cette moderne Arcadie : un jour, Marie-Laure, en rentrant dans la chambre de son mari, le trouva au lit avec le professeur de gymnastique. Elle aurait du frapper. Ils n'en reparleront, paraît-il, jamais.

Comment voulez-vous faire confiance aux hommes ? Son premier amour, pédé, son mari, pédé, son amant, pédé. Comment voulez-vous faire confiance aux hommes qui couchent avec d'autres hommes quand ils couchent aussi avec votre meilleure amie ? Marie-Laure de Noailles avait des raisons d'être amère. L'idée que Cocteau aimait d'amour une femme pour la première fois ne lui faisait pas spécialement plaisir. L'idée que cette femme était sa meilleure amie n'arrangeait rien. Quant aux rumeurs persistantes qui couraient au sujet d'une liaison entre Cocteau et Igor Markevitch, elles mettaient le comble à la mesure. Les choses se compliquent en effet lorsqu'on apprend que Markevitch, qui courtisait Marie-Laure, aurait également eu, à la même époque, une aventure avec Cocteau. « Marie-Laure croyait que j'étais amoureux de Markevitch et que nous étions amants lorsque j'habitais chez lui » avouera Cocteau. Igor Markevitch était un transfuge des Ballets russes. Découvert à seize ans par Diaghilev qui fondait de grands espoirs sur sa musique, il fut traité à l'égal d'un enfant prodige. Comme toutes les découvertes de Diaghilev, il avait bien fallu qu'il y passât. En dehors de Balanchine, ils y étaient tous passés. Chinchilla (surnom qu'une mèche de cheveux blancs avait valu à Diaghilev) était glouton dans le plaisir.

4

Condensé de la vie trépidante de Gloria Swanson. Sa rencontre avec Henri de la Falaise sur le tournage de Madame Sans-Gêne. *Les origines aristocratiques et la vie amoureuse d'Henri.*

« Marquise de la Falaise de la Coudraye. » Gloria Swanson répéta une seconde fois en prenant un ton en dessous : « Marquise de la Falaise de la Coudraye. » Décidément, cela lui plaisait. Elle sourit à son miroir en ajustant un œillet à la boutonnière de son ensemble d'après-midi en crêpe satin beige. Elle se coiffa d'une petite cloche assortie. Gloria ne se contentait pas d'être expressive : habituée à minauder, elle ne pouvait s'empêcher de reproduire dans la vie certaines mimiques qui faisaient son succès dans les films muets. Le bonheur, elle le faisait très bien. La tête rejetée en arrière, elle allumait, en se pâmant, ses magnifiques yeux bleus comme des ampoules électriques. Pour faire la marquise, Gloria avait repris une expression qui lui servait à contrefaire au cinéma la dignité offensée. Pour un petit bout de femme de rien du tout, elle arrivait à se hisser à des hauteurs épatantes. Elle était faite au moule, mais comme un tanagra. Avant de quitter la pièce, elle tendit encore sa main à baiser à un personnage imaginaire, amorça une révérence, et courut se marier. « Le bonheur n'attend pas, Madame », se dit-elle en dévalant les escaliers. Elle empruntait une réplique du film adapté d'après *Madame Sans-Gêne*, qu'elle était venue tourner à Paris.

Depuis sa rencontre avec Henri de la Falaise, Gloria Swanson voyait la vie en rose. Ce n'était pas la première fois qu'elle rencontrait l'homme de sa vie, mais celui-là avait sur les autres l'avantage d'être marquis, beau garçon, d'une moralité irréprochable, d'un courage exemplaire… Enfin, il avait toutes les qualités. Même la franchise désarmante avec laquelle il lui avait avoué ne pas posséder de fortune personnelle parlait en sa faveur. À plusieurs reprises, dans ses mémoires, elle le désigne comme un athlète en faisant comprendre qu'elle n'était pas insensible à ses pectoraux. Un marquis bien foutu, cela ne courait pas les rues. Celui qu'elle appelait déjà « son adorable mari » s'affirmait comme « le repos de cette guerrière » qui, à vingt-six ans, comptabilisait dix ans de carrière et une cinquantaine de films à son actif. Un repos bien mérité, compte tenu des cadences qu'on lui avait imposées depuis son enfance. Pionnière parmi les pionnières, le cinéma lui était tombé dessus en 1914. Le rythme accéléré des films muets donne une idée de la tournure que prit son existence à partir du jour où elle pénétra, par hasard, dans un de ces studios de fortune qui fleurissaient aux quatre coins du pays. L'assistant du metteur en scène la remarqua et trouva moyen de l'inclure dans une des scènes en préparation. On lui demanda de revenir le lendemain. Et ainsi de suite. C'était parti.

Sautant d'un film à l'autre sans jamais s'arrêter, elle tournait parfois jusqu'à six films par an. Quatorze ans, première figuration, quinze ans, premier rôle, seize ans, vedette dans l'équipe de Mack Sennett, dix-sept ans, premier mariage avec l'acteur Wallace Berry (une catastrophe : violée le soir de ses noces et bafouée le lendemain), trois mois après, premier divorce. À dix-huit ans, elle intégra la Paramount et enchaîna trois films sous la direction de Cecil B. De Mille. Tournés à la va-vite, montés à la va-vite, projetés à la va-vite, les films muets obéissaient à des impératifs commerciaux assez semblables à ceux d'une usine de conserve. C'est dans la boîte, Coco ! Le plus souvent il s'agissait d'une suite de gags, grossièrement ficelés, dont le fil conducteur ne méritait même pas d'être comparé à une intrigue. Seuls Cecil B. De Mille et Griffith s'élevaient au-dessus du lot. Tourner avec Cecil B. De Mille représentait un honneur. Promue star après le succès de *L'Admirable Crichton*, Gloria rejoignit le peloton des acteurs les mieux payés d'Hollywood. Sans que la pression de la Paramount ne se relâchât pour autant : *Le Droit d'aimer* (avec Valentino), *La Tricheuse, L'Heure suprême, Les Larmes de la reine, Les Loups de Montmartre...* Elle continuait de boucler ses quatre à cinq films par an, tout en menant parallèlement une vie sentimentale plutôt agitée : remariage avec Herbert K. Somborn, premier enfant, adoption d'un second enfant pour que le premier ne s'ennuie pas, nouveau divorce...

Les trépidations des films muets semblaient, en effet, aussi animer sa vie privée. Elle était toujours amoureuse et à deux doigts de se marier. À deux doigts de se marier avec Craney Gartz, à deux doigts de se marier avec Mickey Neilan, à deux doigts de se marier avec le beau Rod La Roques. S'il n'avait tenu qu'à elle, Gloria les aurait tous épousés, mais la lenteur des procédures de divorce et les clauses morales que les studios faisaient figurer dans ses contrats l'en empêchaient. Elle n'en épousait qu'un sur trois. Elle se mariera quand même sept fois. Le tourbillon dans lequel l'avait plongée le cinéma facilitait cet abattage sentimental. Ses partenaires, ses metteurs en scène, ses admirateurs, ses producteurs, multipliaient les occasions, sans qu'on puisse l'accuser de dévergondage : elle était intrépide. Ce n'était pas sa faute si chaque fois qu'elle était avec un homme, elle en rencontrait un autre qui lui plaisait davantage. Elle croyait au grand amour, seulement elle y croyait avec une régularité déconcertante. Avec Henri, elle était sûre et certaine d'être tombée sur la perle rare.

Pour arriver jusqu'à Henri de la Falaise, il faut impérativement passer par les femmes. Ensuite c'est facile, c'est comme fléché : Alice Cocéa, Pearl White, Gloria Swanson, Constance Bennett, Emita Maldonado jalonnent un parcours jonché de pétales de rose et de conquêtes féminines. Il occupe sur la carte du Tendre une place à part. À mi-chemin entre Paris et Hollywood, entre le monde, le demi-monde et le monde du cinéma. Rien ne prédestinait ce hobereau à devenir un des *french lovers* les plus prisés de sa génération. Sa naissance l'assignait plutôt au sabre ou au goupillon : un père officier de cavalerie, issu d'une famille d'aristocrate vendéen plus royaliste que le roi et une mère d'origine irlandaise. Une Hennessy, qui se distinguait par sa sévérité. Pas très froufroutant comme point de départ. D'autant qu'Henri perdit rapidement son père et que la guerre de 14 éclata alors qu'il sortait de l'enfance. On ne plaisantait pas avec les grands sentiments chez les aristos. L'amour de la patrie chevillé au corps, Henri s'engagea, à dix-sept ans, pour sauver la France. La France, pas la République. Le 32e dragon, les chasseurs à cheval, le corps franc d'Alsace, la Somme, le chemin des Dames : sa conduite se signala par une bravoure exemplaire que n'auraient pas désavouée ses aïeux. Il ne rechigna pas à payer cet impôt du sang qui, de tout temps, faisait partie des prérogatives de sa classe. Le sien coula dans la Somme où il fut blessé aux jambes par des éclats d'obus. En convalescence dans le Paris des planqués, il attirait tous les regards. Il portait l'uniforme à ravir et sa claudication le désignait comme un héros.

Lors d'une fête chez les Wendel on lui présenta Alice Cocéa, la jeune Roumaine qui triomphait dans *Phi Phi.* Tout Paris fredonnait : « C'est une gamine charmante... » Coup de foudre réciproque. Ils avaient tous les deux dix-huit ans et formaient un couple adorable. Henri, qui ignorait tout du mode de vie d'une artiste de variétés, repartit pour le front avec la certitude qu'elle l'attendrait. Seulement en l'attendant, elle trompait son beau militaire avec un homme plus âgé. Un soir de « perm », Henri tomba sur le micheton qu'il laissa sur le carreau. Fallait-il qu'il fût naïf pour arriver ainsi à l'improviste ? Il faut dire pour sa défense qu'il ne connaissait rien à rien en dehors des tranchées. On apprend à mourir dans les tranchées. Il lui fallait apprendre à vivre. À quelque temps de là, son aventure avec Pearl White se termina abruptement pour la même raison : Henri manquait cruellement d'argent. Tout lui souriait sauf la fortune. Du côté des la Falaise, il n'y avait rien à attendre, et rien à espérer du côté des Hennessy, pourtant mieux lotis. Sa mère, qui tenait les cordons de la bourse, les tenait serrés. Une fois démobilisé, le problème de sa subsistance se posa avec encore plus d'acuité. La brièveté de ses études le condamnait aux petits boulots honorifiques : un peu de figuration dans les assurances, de la présence dans des conseils d'administration, etc. Les émoluments qu'il touchait pour ces jobs ne suffisaient pas à couvrir les pourboires qu'il laissait dans les boîtes de nuit.

Aussi sauta-t-il sur l'occasion lorsqu'un ami lui proposa de travailler sur le tournage de *Madame Sans-Gêne*. D'autant que cela l'amusait. Par une volonté de reconstitution historique, tout à fait inhabituelle à Hollywood, l'équipe du film s'était transportée en France pour tourner sur les lieux même où avait vécu Napoléon : Malmaison, Fontainebleau, etc. Engagé par la production pour être le traducteur particulier de Mlle Swanson, Henri devint aussi son mentor dans la vie parisienne. Travailler à Paris représentait une récréation pour Gloria. La beauté de la capitale l'amollissait. Entre elle et Henri il ne fut bientôt plus question de traduction. Traduire quoi ? Ce qu'ils se répétaient, jour et nuit, dans le creux de l'oreille ? « Je t'aime, tu m'aimes, on s'aimera... » Du moment qu'on s'occupait d'elle exclusivement, sans relâcher son attention d'une seconde, Gloria Swanson était plutôt facile à vivre. Facile, mais fatigante. C'était un vrai bélier. Elle fonçait droit devant elle sans s'occuper des dégâts que pouvait occasionner sa course furibonde. Rien ni personne ne pouvait l'arrêter. Elle serait passée sur le corps de ses enfants et celui de sa propre mère pour parvenir à ses fins. La certitude d'avoir trouvé le grand amour et l'idée de faire bisquer ses rivales en devenant une authentique marquise décida Gloria à se marier sur-le-champ

5

Retour triomphal de Gloria Swanson aux États-Unis. Débuts aux Artistes Associés. Intrusion de Joseph Kennedy dans la vie de la star. Rose et Joe Kennedy. Leur sens de la famille. Leur catholicisme. Naufrage de Qeen Kelly.

L'accueil que l'Amérique réserva à Gloria Swanson, lors de son retour de France, tenait du triomphe romain. Le marquis enchaîné à son char faisait une prise de guerre d'une rare distinction. New York en délire donna le ton de ce qui les attendait : plus de 50 000 personnes se massaient au débarcadère pour les voir descendre du bateau. Leur arrivée à Broadway déchaîna une tempête de serpentins et de confettis comme on n'en avait pas vu depuis Lindbergh. Le voyage qui les conduisit ensuite, en train, jusqu'à la côte Ouest, se révéla tout aussi mouvementé. Chaque apparition de Gloria provoquait la même hystérie collective. Du délire, avec des escadrons de photographes et de journalistes, des enfants agitant des bouquets et même des cow-boys et des Indiens qui surgissaient du désert pour caracoler le long du train en tirant des coups de feu. Ce retour en fanfare coïncidait pour Gloria Swanson avec un tournant dans sa vie professionnelle. Son contrat avec la Paramount arrivant à expiration, elle avait décidé de rejoindre les Artistes Associés qui lui offraient la possibilité exaltante de mener sa carrière à sa guise. Exaltante, mais aussi périlleuse : elle ne connaissait rien à la production. Quand Mary Pickford, Douglas Fairbanks et Charlie Chaplin avaient fondé les Artistes Associés, un journaliste remarqua : « Les fous ont pris la direction de l'asile. » Plus on est de fous plus on rit.

Encore très amoureuse d'Henri, Gloria décida de l'associer à ses affaires, mais il lui fallut rapidement déchanter. Alors qu'à Paris le marquis était l'homme de la situation, à Hollywood il ne touchait pas une bille. Gloria se rendit compte qu'il ne faisait pas le poids face aux requins du cinéma. Il avait toutes les qualités du monde, mais on ne pouvait pas s'appuyer dessus. Et elle avait besoin de s'appuyer sur un homme d'affaires. Dans ses mémoires, l'importance qu'elle accorde à son « adorable mari » rétrécit alors comme une peau de chagrin. Après un flirt avec Raoul Walsh, qui dirigeait son premier film aux Artistes Associés, l'intrusion tonitruante de Joseph Kennedy dans sa vie acheva de mettre le marquis au rancart. Kennedy était une force de la nature. Il savait ce qu'il voulait. Il savait l'obtenir. En moins de deux il prit les affaires de Gloria en main et sa carrière en otage. Il se chargea même de régler les détails de la sortie du marquis en l'expédiant en France comme directeur de Pathé. Henri n'avait pas vu venir le coup. En dehors de le trouver « à côté », il n'arrivait pas à se forger une opinion sur ce personnage hors du commun. Commun et hors du commun. Parfois Kennedy dépassait les bornes. Un soir, alors qu'ils prenaient un dernier verre entre hommes sur la terrasse de la villa de Kennedy dont ils étaient les invités à Palm Beach, le marquis, désignant comme « une perle » la jeune fille que Gloria venait d'engager pour s'occuper des enfants, s'entendit répondre en écho : « Une perle, oui, sauf qu'on ne peut pas l'enfiler. » Une plaisanterie servie avec un gros rire qui acheva de décontenancer le marquis. Comme il finissait de se préparer pour se mettre au lit, il s'en ouvrit à Gloria qui était déjà couchée. « Tu ne trouves pas qu'il exagère ? », l'interrogea-t-il depuis la salle de bains dont il avait laissé la porte ouverte. N'obtenant pas de réponse, il pensa qu'elle n'avait pas bien entendu, mais en rentrant, dans la chambre, il s'aperçut qu'elle dormait déjà.

Gloria avait rencontré Kennedy pour parler du financement de son prochain film. Ils se trouvèrent un puissant dénominateur commun : Gloria Swanson. Sexuellement, Gloria attirait Kennedy. À plus long terme, il voyait en elle l'instrument dont il avait besoin pour réussir au cinéma. « Gloria Swanson dans une production de Joseph Kennedy », l'idée de son nom associé à celui d'une des stars les plus célèbres du monde le faisait saliver. Ses objectifs étaient clairs. En revanche, pour comprendre ce qu'elle lui trouvait, il faut remonter aux exigences primitives de la nature. À l'époque lointaine des cavernes où l'accouplement participait d'un rapport de forces basé sur la brutalité. L'ascendant qu'exerçait Kennedy sur Gloria Swanson ne s'expliquait pas autrement. Il était le plus fort. Il était l'homme. C'est lui qui pissait debout. Il ne la prenait pas de force, mais il la prenait brutalement, sans s'occuper de lui donner du plaisir et Gloria se plaisait à plier devant la volonté de cet homme qui la dominait. Leur amour ne s'embarrassait pas de sentimentalités. Tout laisse à penser que le marquis était un bien meilleur amant. Il était plus beau, plus élégant, mieux élevé… Et pourtant le magnétisme de Joe Kennedy effaçait toutes ces belles qualités. Avec Kennedy, Gloria se retrouvait en pays de connaissance. Ils étaient du même bois. Ils partageaient les mêmes valeurs. S'enivraient des mêmes combats. Gloria était au moins aussi dure que lui, même si elle se plaisait à jouer les faibles femmes.

« Croissez et multipliez », a dit le seigneur. Joe et Rose Kennedy ne prenaient pas les injonctions des Évangiles à la légère. Des cathos de base pour qui l'amour physique entre mari et femme ne tendait qu'à la reproduction. Joe ne mollissait jamais et Rose ne se soustrayait pas au devoir conjugal, alors qu'elle en ignorait les agréments. Joe était un rapide. Pour la plupart des femmes, la grossesse ne représente qu'une étape. Pour elle, coucher et accoucher allaient toujours de pair. À peine avait-elle mis bas que Joe lui en recollait un. Leur premier enfant était né neuf mois, jour pour jour, après leur mariage. À la suite de quoi ils en avaient eu un tous les ans pendant les cinq années qui suivirent. Après une interruption de trois ans, les affaires reprirent jusqu'à ce que Rose lui en eût fait neuf. Il la laissa ensuite tranquille. Il n'y a que les animaux pour se reproduire avec cette régularité. Neuf enfants, ce n'était plus une famille, c'était un cheptel. Une meute. Joe aimait les siens, mais il entretenait une idée moyenâgeuse de la famille. Il en était le suzerain. Le Seigneur et maître. En dehors des appareils électroménagers, le mode de vie des Kennedy ne différait guère de celui des habitants d'une ferme fortifiée du Moyen Âge. Très soudés, repliés sur eux-mêmes, avaricieux, ils ne participaient guère à la vie mondaine de Palm Beach ou de New York. Seul Joe faisait des incursions à l'extérieur.

Joe Kennedy poussait jusqu'à la caricature le personnage du catholique irlandais. Sans la confession, les accommodements qu'il prenait avec la religion l'auraient envoyé tout droit griller en enfer. Avec leur morale relâchée, les catholiques avaient toujours fait désordre comparés aux W.A.S.P. Les hordes d'Irlandais affamés qui s'abattirent sur l'Amérique, au milieu du XIXe siècle, achevèrent de déconsidérer une religion déjà tenue pour excentrique. Des voleurs de poules, des va-nu-pieds, des gibiers de potence… Joe Kennedy appartenait à la deuxième génération. Il n'avait jamais souffert de la misère. C'est le père de son père qui avait émigré. Il était le fils d'un cafetier de Boston, déjà frotté de politique, car c'est dans les cafés que se recrutait le gros des voix pour le Parti démocrate. Ces braillards d'Irlandais adoraient refaire le monde et boire à des jours meilleurs. Après ses études à Harvard, Joe Kennedy étonna tout le monde en épousant la fille du maire de Boston. Catholique irlandais lui aussi, mais qui ne l'appréciait guère. Ils se ressemblaient trop. John Francis Fitzgerald interdisait à sa fille de fréquenter le jeune Kennedy. Rose le voyait en cachette. Un mensonge dont son confesseur ne lui tenait pas rigueur. Il connaissait les convictions religieuses de Rose. Sa conduite irréprochable. Le mariage mettrait bon ordre à ces cachotteries.

Joe avait trouvé en Rose Fitzgerald la femme idéale pour le seconder. Il ne la traitait guère mieux qu'un paillasson, mais elle partageait les mêmes valeurs que lui. D'aucuns l'ont accusée d'aimer davantage sa famille qu'elle n'aimait ses enfants. Seulement, on ne s'occupe pas d'une meute comme on élève un enfant unique. Dans la répartition des tâches, Joe lui laissait le soin de faire régner la discipline. Et de régenter la demeure. Elle économisait sur tout. Les domestiques étaient sous-payés, les aliments rationnés et le chauffage, en hiver, à peine suffisant. Quand Joe rentrait au bercail, elle n'existait plus. Les enfants ne recherchaient plus que les faveurs de leur père. Joe leur enseignait que la fin justifiait les moyens. Qu'ils pouvaient tout se permettre du moment qu'ils triomphaient. Il entretenait entre eux un esprit de compétition qui les obligeait continuellement à se dépasser. Le vainqueur avait toujours raison. Ses cours d'éducation sexuelle étaient encore plus déroutants. Un jour que John (le futur président) le surprit en train d'embrasser fougueusement Gloria Swanson, loin d'être gêné, il éclata de rire et encouragea son fils à rester. Il aurait été jusqu'à demander à Gloria de déniaiser ses deux aînés. C'est elle qui l'affirme. « À l'époque où il me fit cette proposition, plus rien de ce que me demandait Joe Kennedy ne pouvait plus me surprendre », écrit-elle. On sent une certaine lassitude. Le coup fatal lui fut porté lorsqu'elle découvrit que Joe faisait débiter sur son compte la plupart des cadeaux dont il la couvrait.

Sans cracher sur la mémoire de Joe Kennedy, on peut s'interroger sur les valeurs qu'il défendait. Valeur n'est d'ailleurs pas le mot qui convient pour désigner les plans qu'il tirait sur la comète : toujours plus de fric, de pouvoir, de sexe. Après s'être fixé le but d'être milliardaire à trente-cinq ans (on estimait sa fortune à 700 millions de dollars), il cherchait à étendre son influence. Le cinéma était une des étapes de sa course au pouvoir. Alors que les banques traînaient les pieds pour financer cette attraction foraine, Kennedy avait, lui, pigé tout le parti qu'on pouvait en tirer. Une fois à Hollywood, il se mit en tête de produire un chef-d'œuvre. Rien de moins. Il voulait Von Stroheim et n'en démordait pas. Un choix d'une certaine audace pour quelqu'un qu'on accusait de manquer d'ambitions esthétiques. Un choix risqué. Si tout le monde s'accordait à reconnaître un immense talent au réalisateur autrichien, son perfectionnisme revenait très cher. Il venait d'en coûter 2 millions de dollars à la Paramount. Arrivé à Hollywood comme acteur, pour jouer les officiers prussiens, Stroheim avait surpris tout le monde en passant derrière la caméra. Depuis *Les Rapaces*, il était considéré à l'égal des plus grands. Il ne se prenait pas pour une merde. Gloria non plus et Kennedy encore moins. À eux trois, ils formaient la plus grande concentration d'ego de toute la côte Ouest. Ils accoucheraient d'un fantôme : *Queen Kelly*.

Queen Kelly restera dans les annales comme le plus grand désastre de l'histoire du cinéma. Von Stroheim commença par tourner quelques milliers de kilomètres de pellicule d'une beauté à couper le souffle, mais dont l'utilité se réduisait à fort peu de chose. Peut-être dix minutes de projection. Tiré par les cheveux comme la plupart des scénarios de films muets, *Queen Kelly* mettait en scène une jeune pensionnaire, un prince amoureux et une méchante reine que le prince s'apprêtait à épouser. Plus expérimentée que Kennedy, Gloria Swanson s'inquiétait des libertés que Stroheim prenait avec la censure. Entre autres une histoire de petite culotte dérobée que le prince passait sur son visage en la reniflant avant de la glisser dans sa veste d'uniforme. Dans les années 20 ! Le sort s'acharnait sur *Queen Kelly* puisque le parlant le rendit tout à coup obsolète. Ils jetèrent l'éponge. Le plus grand et le dernier des films muets ne devait jamais voir le jour. Finalement Gloria Swanson devait boucler la boucle en tournant, en 1949, *Sunset Boulevard*, hanté de bout en bout par *Queen Kelly* et la nostalgie du muet (Billy Wilder trouvant même moyen de regrouper, autour de Gloria, ses vieux complices, Cecil B. De Mille et Erich Von Stroheim). Au lendemain de la Seconde Guerre, les extravagances et les folies du muet paraissaient déjà appartenir à une autre planète. Pourtant ce n'était pas si vieux. Cela faisait quoi ? Une vingtaine d'années. La vie s'en était allée à tire-d'aile. Au point que Norma Desmond, la star déchue interprétée par Gloria Swanson, semble revenir de la vallée des morts. Où étaient-elles les Pola Negri, les Musidora, les Pearl White, les Theda Bara, les Barbara La Marr, les May Murray… ?

6

La princesse Nathalie Paley et Jean-Michel Frank. Leurs destinées dramatiques. Égoïsme de Nathalie. Son mariage avec le couturier Lucien Lelong. Les Russes blancs en exil. Une princesse et un porte- manteau.

« Si on fait les boiseries en laque, on laisse les murs en droit-fil. » S'apercevant la première de sa bévue, la princesse Nathalie Paley fit semblant d'éclater de rire avant de corriger : « En mat, je voulais dire en mat. Je perds la tête, tout en parlant je pensais à un satin laqué que l'on hésite encore à utiliser en biais. L'approche des collections… » Se rendant compte que ses explications achevaient de la ridiculiser aux yeux des ouvriers, elle laissa sa phrase en suspens. « Je dois être fatiguée », ajouta-t-elle, à l'intention de Jean-Michel Frank qui se tenait en retrait derrière elle. Très élégant dans son costume à rayures, il arpentait avec la princesse le chantier dont elle l'avait chargé. Il ne s'agissait rien moins que de refaire la décoration des salons de Lucien Lelong. Le nettoyage par le vide auquel s'était livré le décorateur avait dans un premier temps affolé le personnel de la maison de couture. (Les mauvaises langues disaient qu'il excellait à donner aux appartements les plus cossus l'aspect impersonnel d'une suite de pièces inhabitées.) L'élégance de sa composition misait, en effet, sur le dépouillement, en faisant jouer une symphonie de blanc cassé et de coquille d'œuf. D'immenses draperies de staff et des vases en plâtre, réalisés par Giacometti, achevaient de signer le décor

Aussi peu démonstratifs l'un que l'autre, Jean-Michel Frank et Nathalie Paley étaient cependant faits pour se comprendre.

La fatalité qui avait marqué leur adolescence les rapprochait, même si rien n'indique qu'ils en aient un jour parlé ensemble. (On imagine assez mal la conversation : « Alors, comme ça, votre père a sauté par la fenêtre ? ») Si le destin tragique de Nathalie Paley, fille du grand-duc Paul Alexandrovitch, la plaçait au-dessus du lot du commun des mortels, les malheurs du décorateur méritaient qu'on les prenne en considération. Avant d'avoir compris ce qui lui arrivait, il avait perdu toute sa famille. Ses frères, son père et sa mère. Ne pouvant supporter la perte de ses deux fils aînés, morts à la guerre, son père s'était jeté par la fenêtre. À la suite de quoi sa mère, devenue folle, avait fini ses jours dans un asile. Ils avaient un holocauste d'avance dans la famille. Sournoisement, on ne peut s'empêcher de mettre sur le compte des nazis la disparition de la famille Frank, ce qui, dans les années 20, s'affirmait très avant-gardiste et un peu exagéré. Même si Frank finira, lui aussi, par sauter par la fenêtre, en 1943, à New York où il s'était réfugié pour échapper aux persécutions des S.S. Et même si sa nièce n'est autre que là célèbre Anne Frank.

Au bout du grand salon, un jeu de draperies de velours grège ménageait plusieurs voies d'accès au podium. Le coup d'œil en valait la peine et fit passer sur le visage fatigué de Nathalie un air satisfait. Ce summum du faux luxe lui paraissait plus précieux que tous les palais ruisselants d'or, de cristal et de pierres semi-précieuses qu'elle avait connus à Saint-Pétersbourg. Petite-fille d'un tsar, elle régnait sur une maison de couture. Dans du staff ! Loin d'en souffrir, elle en était reconnaissante au destin. Comme si toutes les épreuves qu'elle avait traversées dans la Russie à feu et à sang n'avaient eu d'autres buts que de la ramener à Paris afin d'être une des dix femmes les mieux habillées du monde. Elle pouvait déjà imaginer l'effet qu'elle ferait, le jour de la présentation, en prenant place au premier rang, à côté de son amie Marlène Dietrich. Un numéro parfaitement rodé (Marlène était une habituée) et dont les échotiers raffolaient. Quelle aubaine pour les journalistes : côte à côte la descendante des Romanov et l'interprète de *L'Impératrice rouge*. La vraie et la fausse.

Quand on est la petite-fille d'un tsar, on n'épouse pas un couturier. Même un grand couturier. Pour une Romanov, c'était déchoir. Seulement la princesse Nathalie Paley en avait par-dessus la tête de la sainte Russie et de son cortège de calamités. D'ailleurs, tous les hommes de sa famille qui auraient pu chercher à la dissuader de faire une union aussi mal assortie étaient morts et enterrés. Hormis son demi-frère, le grand-duc Dimitri, plutôt mal placé pour lui donner des conseils après la liaison tapageuse qu'il avait entretenue quelques années auparavant avec Mlle Coco Chanel. Au grand dam de la colonie russe qui voyait en Dimitri un possible héritier du trône. Toutes proportions gardées, le mariage de Nathalie Paley avec le couturier Lucien Lelong ne les transportait pas de joie. Par son père, le grand-duc Paul Alexandrovitch, Nathalie était la petite-fille du tsar Alexandre II et la petite cousine de Nicolas II. Comme tous les aristocrates en exil, les Russes blancs vivaient en vase clos. Ce n'était plus un microcosme, c'était une nébuleuse dérivant dans d'infinies galaxies où aucune espèce de réalité ne pouvait plus les atteindre. De doux dingues passant leur vie au café à ressasser leurs souvenirs de la sainte Russie. La conduite de Nathalie alimentait les conversations des grandes dames déchues. Alors que sa mère et sa sœur se dépensaient sans compter pour pallier les innombrables carences dont souffraient leurs compatriotes, Nathalie ne demandait qu'une chose : ne plus en entendre parler !

La naissance de son frère Vladimir, hors des liens du mariage, avait représenté un des grands scandales de la fin du XIXe siècle, à Saint-Pétersbourg. En prenant l'allure d'un coup de foudre, l'amour du grand-duc Paul Alexandrovitch pour Olga Valeriononovna Karnovitch frappa les imaginations. Coup de foudre réciproque. Olga, qui était encore mariée, n'avait pas hésité à quitter son mari et ses enfants qu'elle adorait pour vivre avec le grand-duc. En régularisant cette situation, leur mariage ne l'avait pas réglé pour autant. Le tsar Nicolas II n'acceptait pas que son oncle s'unisse à une divorcée. Comme cadeau de noces, il les exila à Paris (où Nathalie et sa sœur Irène devaient venir au monde). En cassant cet ukase, en 1914, à la veille de la Première Guerre mondiale, Nicolas II leur réservait une drôle de surprise. Un cadeau empoisonné. Ils n'étaient rentrés en Russie que pour assister à la rapide décomposition du régime avant de vivre en direct, et au péril de leur vie, la révolution. Le temps de s'installer, c'était la guerre, le temps de digérer la guerre, c'était la révolution et le temps de comprendre ce qui arrivait, c'était trop tard. On s'attarde toujours trop dans ces moments-là. Faudrait même pas prendre le temps de réfléchir. À force de remettre au lendemain ce qu'ils pouvaient faire le jour même, le destin trancha pour eux en faveur du pire : le grand-duc Paul fusillé, Vladimir jeté dans une fosse commune et achevé à coups de pierre et de gourdin. Si les princesses avaient finalement réussi à s'enfuir, c'était à pied, dans la neige, en passant par la Finlande et la Suède, ce qui rallonge.

Parties en 1914, elles étaient de retour à Paris en 1920. Incapable de réduire son train de vie, la grande-duchesse avait commencé par vendre ses bijoux et les propriétés qu'elle possédait en France, mais leurs ressources fondaient comme neige au soleil. C'est le moment que choisit Nathalie pour épouser le couturier Lucien Lelong. On est parfois étonné de rencontrer chez certains rêveurs plus de détermination et d'entêtement que chez des personnes ayant la réputation d'avoir les pieds sur terre ; mais de vivre en marge de la réalité les amène à croire possible ce qu'un esprit plus réaliste n'oserait pas seulement envisager. Quand on a la vocation d'être une des femmes les mieux habillées de son temps, c'est pratique d'être l'épouse d'un grand couturier. Dût-on, pour y arriver, transgresser quelques interdits. D'ailleurs, si le couple formé par Lucien Lelong et la princesse Nathalie Paley n'était pas des mieux assortis (différence d'âge, de condition, d'éducation, de caractère), leur association donnera en revanche d'excellents résultats. Le couturier laissera dans l'histoire de la mode une réputation d'élégance qui doit beaucoup à son mariage avec Nathalie. Autant qu'une princesse, il avait épousé un portemanteau.

7

Le baron Hoyningen-Huene. Le studio de Vogue. *Rencontre d'Hoyningen-Huene et de Horst. Apprentissage de la photo de mode. Le culte de soi de la princesse Nathalie Paley. Elle forme avec Serge Lifar un duo épatant.*

Si en épousant Lucien Lelong, la princesse Nathalie Paley avait cherché à couper les ponts avec la vieille Russie, elle n'en fréquentait pas moins nombre de compatriotes de son âge. Au premier rang des amis russes de la princesse se tenait le baron Hoyningen-Huene dont les origines remontaient aux Croisades. On mentirait en le présentant comme un joli garçon, mais il cachait sous les dehors d'une rudesse tout estonienne une sensibilité très vive qui voilait sa physionomie de mélancolie. Avec Lifar, Horst et le peintre Pavel Tchelitchev, ils formaient une bande assez bohème dont Nathalie Paley était le joyau. La vie d'Hoyningen-Huene recoupe avec précision celle de la princesse : Saint-Pétersbourg, Paris, Hollywood. C'est-à-dire l'aristocratie, la mode et le cinéma. De quelques années son aîné, il la précéda dans chacun de ces milieux. C'est lui qui l'introduisit à *Vogue*, dont il était devenu le photographe attitré, et tout laisse à penser que c'est sur ses conseils que Cukor pensa à Nathalie pour compléter la distribution de *Sylvia Scarlett* (le grand photographe étant devenu entre-temps le conseiller du metteur en scène). Ayant réalisé sa première photo pour *Vogue* en 1926, Hoyningen-Huene mérite de figurer parmi les pionniers d'un genre dont Édouard Steichen et le baron de Meyer sont les inventeurs : la photographie de mode. Un genre pas encore très bien vu.

Hoyningen-Huene n'était pas facile à vivre. Originaire des pays baltes, son caractère offrait un mélange prussien et russe de ce que l'on peut faire de plus hautain (dans sa famille, les Hohenzollern passaient pour des parvenus). Il tenait ce charmant caractère de son père, grand écuyer du tsar. Au studio de *Vogue*, certains n'hésitaient pas à le décrire comme un tyran, mais c'est un milieu où il faut apprendre à se faire respecter. On a pris l'habitude de tenir les chromosomes masculins pour seuls responsables de tous les dérèglements que l'on a pu observer, au cours de l'histoire, dans le comportement des hommes une fois arrivés au pouvoir ; il suffit d'avoir travaillé dans un magazine féminin pour savoir à quel point cette idée reçue est fausse. Non seulement les femmes partagent tous ces excès, mais l'hystérie qu'on prête à leur nature ne fait qu'ajouter à la violence du procédé. Sèche, cassante, autoritaire, Edna Woolman Chase n'échappait pas à cette constatation. Responsable de la rédaction du *Vogue* américain, du *Vogue* anglais et du *Vogue* français, elle multipliait par trois les raisons d'être désagréable. Elle ne supportait pas l'arrogance d'Hoyningen-Huene : ce sont toujours ses propres défauts que l'on ne peut souffrir chez les autres.

Huene avait heureusement les qualités de ses défauts. Il était fidèle en amitié. Sa solidité morale le désignait pour être distribué dans le rôle d'un grand frère, d'un Pygmalion ou d'un protecteur. La relation amoureuse qu'il entretiendra, plusieurs années, avec Horst, donne une idée de ses dispositions : Horst est l'élève et lui le maître. Huene enseignera au jeune Allemand les rudiments de l'art et de la technique photographique, en le faisant entrer comme assistant au studio de *Vogue*. Leur rencontre à la terrasse d'un café, à des milliers de kilomètres de chez eux, relevait du hasard. Mais le Paris cosmopolite de la fin des années 20 multipliait ce genre de hasards. Né dans une petite ville de Thuringe, Horst était venu en France pour faire un stage chez Le Corbusier, qu'il admirait. Il rêvait de devenir architecte et s'était adressé à lui au culot. Un culot payant. Le Corbusier l'avait pris dans son équipe. Mais une fois dans la place, Horst l'avait trouvé assommant. En revanche, il s'était senti immédiatement chez lui au studio de *Vogue*, où il faisait l'apprentissage d'un métier qui l'amusait et d'une société mondaine dont il ne connaissait jusqu'alors l'existence qu'à travers la lecture des journaux. Marie-Laure de Noailles, Chanel, Louise de Vilmorin, Gala, Nathalie Paley devinrent vite ses amies.

Poser pour *Vogue* représentait une des figures imposées de la réussite mondaine. Considérés comme de simples faire-valoir, les mannequins ne profitaient encore d'aucune espèce de considération, alors que les particules affolaient les lectrices. En lisant *Vogue* elles cherchaient à démonter les rouages de ces femmes mystérieuses. Chez qui elles s'habillaient ? Se coiffaient ? Se chaussaient ? Nathalie représentait pour Huene le modèle idéal et, de son côté, elle adorait poser pour lui. Entre eux s'instaurait un rituel comme dans n'importe quel culte. Pour Nathalie ce n'était pas une religion de tout repos : le culte de soi n'est pas une religion de tout repos. Les heures passées par la princesse afin d'être égale à l'image glacée qu'elle se plaisait à donner d'elle-même représentaient un travail à plein temps. Aux essayages quotidiens chez Lelong, s'ajoutaient les séances chez le bottier – Perrugia –, chez la modiste – Reboux –, chez son esthéticienne – Mme Marciano –, chez son coiffeur – Raymond – et chez sa manucure qui lui frictionnait les mains avec de l'huile de mimosa. Des mains qu'elle enduisait chaque soir d'une crème, au secret jalousement gardé, avant d'enfiler des gants perforés en chevreau lavable.

Au moment des collections de haute couture, le studio de *Vogue* se transformait en une sorte de club où l'on veillait très tard. À l'époque, Nathalie vivait une passion romantique avec Serge Lifar qui passait souvent la chercher après avoir fini de danser à l'Opéra. Leurs origines russes les rapprochaient. La beauté de la princesse s'affûtait à celle du danseur étoile : aussi blonde qu'il était brun, aussi diaphane qu'il était charnel, ils formaient un duo épatant. Un duo qui empruntait à l'amour courtois sa forme platonique. Quel plaisir un homme peut-il attendre d'une femme qui dort avec des gants perforés en chevreau lavable ? Avec Lifar, cela ne posait pas de problème. De l'avis général, Lifar était trop beau. Il ne se contentait pas d'être beau, il cherchait continuellement à mettre ce fond de commerce en valeur en faisant étalage de ses dents, de ses pectoraux, de son extraordinaire souplesse… Il s'aimait trop et aimait trop se donner en spectacle. Lucien Lelong, qui se déchargeait sur le danseur du soin d'escorter sa femme dans les soirées mondaines, ne prenait même pas la peine d'être jaloux. Ni même de faire semblant. Au début de leur mariage, le couturier, qui y voyait une excellente publicité, avait encouragé Nathalie à sortir. Il n'avait plus aujourd'hui le courage de la suivre. Son travail l'accaparait et leur mariage battait de l'aile. Avait-il seulement pris son envol ? Le bruit courait qu'il n'avait jamais été consommé. Si tous les torts étaient du côté de la princesse, elle ne manquait pas de circonstances atténuantes. Tout laisse en effet à penser que lors de sa captivité, les bolcheviks lui avaient fait subir les derniers outrages. Dans *Souvenirs de Russie*, la princesse, sa mère, parle d'atrocités sans s'étendre sur leur nature. Qu'elle ait été violée, bousculée ou simplement agressée verbalement ne change rien quant au résultat : Nathalie ne pouvait contrôler la répulsion physique que lui inspirera toute sa vie l'acte sexuel.

8

Débuts de Barbara Hutton dans le monde. Son cousin Jimmy Donahue. Les frasques de Jimmy. La fausse idylle de Barbara et de Phil Morgan Plant. Colère de Franklin Hutton. Il conduit sa fille chez Cartier.

Comment une soirée de mille personnes aurait-elle pu ressembler à autre chose qu'à une cohue ? D'autant que la neige était au rendez-vous de cet événement que la presse new-yorkaise présentait, depuis plusieurs jours, comme « la fête du siècle ». Le bal organisé par Franklin Hutton, pour les débuts de sa fille, Barbara, dans le monde, avait fait couler beaucoup d'encre. Et maintenant il neigeait ! Pare-chocs contre pare-chocs, une file de Rolls-Royce et de voitures de maître s'étirait sur plus d'un kilomètre aux abords du *Ritz*. Les invités peinaient à se frayer un passage jusqu'à la porte à tambour de l'hôtel. Massés derrière un cordon de police, les badauds appréciaient les efforts des élégantes qui cherchaient à passer entre les flocons. À l'extérieur il neigeait, à l'intérieur il avait neigé. S'accordant à la saison, la décoration transformait les salons de réception en une somptueuse suite de paysages immaculés, plantés de sapins croulant sous la neige. On s'y serait cru, s'il n'avait fait une chaleur à crever. Il y avait décidément trop de monde. Il y avait trop de tout : dix mille roses blanches dans une moisson d'asparagus, une forêt de branchages transformés en cristaux de givre, deux mille bouteilles de champagne, deux cents serveurs, pas moins de quatre orchestres… Avec en prime Maurice Chevalier qui accueillait les invités, déguisé en Père Noël. De l'avis général, Franklin Hutton n'avait pas fait les choses à moitié.

C'était bien le moins pour la petite-fille de Franck Woolworth, dont Franklin gérait l'héritage (la pauvre enfant avait perdu sa maman).

« On a eu du mal à atteindre la banquise, mais tous ces pingouins sont forts sympathiques », s'exclama Jimmy Donahue en découvrant les cohortes de jeunes gens en habit qui encombraient les abords enneigés de la piste de danse. Jimmy était le cousin préféré de Barbara et son meilleur ami. De six mois son cadet, sa précocité ne laissait pas d'être inquiétante quand on songeait qu'il la dépensait principalement dans les bars homosexuels de New York, mais il faisait rire Barbara aux larmes. Elle adorait sa décontraction, son style, ses réparties. Il comptait déjà un certain nombre d'amants célèbres et savait tout sur les autres « déviants » de cette infernale métropole. Il régalait sa cousine d'informations graveleuses sur un milieu dont beaucoup de gens, à l'époque, ignoraient encore l'existence. Prenant ses désirs pour des réalités, Jimmy exagérait son savoir. Si on l'avait écouté, on aurait fini par penser que tous les garçons de New York étaient homosexuels. Les beaux garçons, s'entend. « Bien sûr qu'il en est », affirmait-il d'un air entendu à Barbara. « Bien sûr qu'il en est », répétait-il cinq minutes après en croisant un autre beau garçon.

L'influence de Jimmy détermina-t-elle le goût de Barbara pour les beaux garçons ? La plupart des amis de Jimmy étaient plus beaux que des acteurs d'Hollywood. Trop beaux même pour être crédibles au cinéma. Elle soupçonnait certains d'entre eux d'avoir recours à la poudre et au fard. Ils s'affirmaient aussi différents des autres garçons du même âge qu'elle connaissait que les orchidées le sont des fleurs des champs. Elle pouvait s'en approcher, frôler du doigt la chair de leurs pétales, mais elle n'aurait jamais eu le front de les cueillir. D'ailleurs s'ils l'acceptaient, elle ne faisait pas réellement partie de leurs jeux. Lorsqu'elle sortait avec eux, il y avait toujours un moment où ils la laissaient tomber pour filer vers des plaisirs qui lui restaient interdits. Elle aurait adoré que Jimmy l'emmenât dans un bar d'homosexuels. Un vrai bar d'homosexuels. Seulement la plupart d'entre eux restaient interdit aux femmes. Au *Cerruti*, seule Thallulah Bankhead arrivait à forcer la consigne. Les boîtes de nuit mal famées de Greenwich Village, comme le *Luba's*, où les travestis se donnaient en spectacle, sentaient trop l'attrape-touriste pour satisfaire la curiosité de Barbara. L'ambiance y était aussi peu exclusive que celle d'un match de base-ball. Si bien qu'en ce qui concernait les lieux de rencontres homosexuels, Barbara aurait pu reprendre à son compte la célèbre phrase de Groucho Marx : « Je ne voudrais pas faire partie d'un club qui m'accepterait pour membre. »

On imagine que Jimmy ne faisait pas l'unanimité dans la bonne société. Les mauvaises langues disaient que Jessie Donahue avait élevé ses enfants pour en faire des *play-boys* et que, même de ce point de vue, elle avait échoué. Si on pouvait compter sur Jimmy et ses copains pour réchauffer l'ambiance d'une fête, leurs espiègleries s'éloignaient souvent du bon goût. Ils s'étaient mis en tête, ce soir-là, de se saouler en buvant du gin à la bouteille. Ayant échappé à la surveillance de son père, Barbara rejoignit son cousin alors que celui-ci organisait des concours de glissades. Il s'élançait, avec ses camarades, sur la piste de danse comme sur une patinoire en bousculant les couples enlacés. Il faillit renverser Barbara qui arrivait en sens inverse. S'agrippant à elle, il la serra dans ses bras avec des transports d'affection quelque peu déplacés. « Mon Dieu, mais tu es déjà complètement saoul, lui dit-elle en cherchant à se dégager de son étreinte. – On verra comment tu seras quand tu auras fait igloo avec nous. » Et, pour lui faire comprendre ce qu'il voulait dire, il se mit à répéter : « Igloo, igloo, igloo », en mimant avec la main le geste d'un homme qui boit à la bouteille. Il était déchaîné. Le décor semblait exciter tout particulièrement sa verve. Rien ne trouvait grâce à ses yeux. « Tu exagères, c'est ravissant, lui reprocha Barbara dépitée.

— Peut-être. Je ne sais pas pourquoi toute cette neige me fait penser à des saucisses de Francfort.

— Tu es décidément trop saoul.

— Ne te vexe pas, ce n'est qu'une association d'idées. La neige, l'Allemagne, les saucisses. En tout cas, ton père à bien fait les choses, je n'ai jamais vu autant de ploucs réunis en même temps.

— Et encore, toi, tu n'as pas à leur serrer la main ». se plaignit Barbara.

Après voir prit une rasade de gin, Barbara retourna rejoindre le clan familial. « Où étais-tu ? », lui reprocha Franklin Hutton, avant de la prendre par le bras afin de la présenter à des amis. Depuis le début de la soirée, on n'arrêtait pas de lui présenter des jeunes gens qui ne savaient pas quoi lui dire et à qui elle ne savait quoi répondre. Connaissant le peu d'enthousiasme que montrait d'ordinaire son père à lui voir fréquenter des inconnus, ces présentations à la chaîne faisaient sourire Barbara. Franklin Hutton vivait dans la terreur de voir sa fille épouser un coureur de dot. (Tout laissait à supposer qu'il n'avait pas été lui-même insensible à celle de sa femme.) En dépit de l'affection qu'il portait à Barbara, elle restait associée, dans son esprit, aux millions de dollars légués par son grand-père. Il se comportait comme le gardien d'un trésor. Les barrières qu'il élevait autour de sa fille se montraient tellement dissuasives que seuls les aventuriers arrivaient à les franchir : il fallait du cran ou alors se foutre de tout. Si bien que l'arsenal de précautions déployé par Franklin Hutton agissait comme un filet qui aurait laissé passer les requins pour ne retenir que le menu fretin.

Le seul requin qui se présenta à elle ce soir-là avait une réputation déjà solidement établie. En dehors d'être un *play-boy* de la pire espèce, la célébrité de Phil Morgan Plant se bornait à avoir été marié à l'actrice Constance Bennett. Pour Barbara, cela représentait un titre de gloire. Elle idolâtrait Constance Bennett. Phil aborda Barbara au nez et à la barbe de son père et l'entraîna sur la piste de danse. Cet enlèvement réveilla l'instinct de propriété de Franklin Hutton. Il n'attendit pas la fin de la soirée pour sermonner Barbara. Quand il apprit qu'elle lui avait accordé un rendez-vous, il la conjura de réfléchir. Phil faisait régulièrement la une des journaux à scandales. On le disait coureur, joueur, alcoolique, sans scrupule et sans idéal. Franklin avait raison de lui trouver tous les défauts. Il avait tous les défauts. En revanche, il avait tort de se braquer contre lui : en aucun cas Phil n'en voulait à la vertu de Barbara. Elle n'était vraiment pas son type. Avec sa tresse de cheveux blonds et ses gros seins, elle ressemblait à la publicité d'un fromage de Hollande. Alors qu'il aimait les femmes allurées, style garçonne. Le seul après-midi qu'ils passèrent ensemble dura à ses yeux une éternité. Il la raccompagna le plus vite possible et ne chercha plus à la revoir. Elle le relança. Le téléphone sonnait dans le vide ou il lui faisait répondre par son valet de chambre qu'il était sorti. La seule fois ou elle tomba directement sur lui, elle eut tellement peur qu'elle raccrocha et pensa ensuite à se suicider. Comment s'y prenait-elle, dans ces conditions, pour faire croire à son père qu'elle voyait Phil Morgan en cachette ? Elle poussa la plaisanterie jusqu'à prétendre que Phil l'avait demandée en mariage. Toutes les adolescentes sont un peu mythomanes, et elle aurait tellement aimé que ce fût vrai.

À l'approche des vacances de Pâques, le conflit entre le père et la fille prit un tour plus précis. Barbara refusait maintenant de l'accompagner en Europe. Pour une fois, Franklin Hutton se montra diplomate. Au lieu de chercher à la convaincre, il lui fit une proposition. Si elle acceptait de passer, comme tous les ans, les vacances en famille, il s'engageait à lui offrir le bijou de son choix. Après lui avoir mis le marché en main, il la conduisit chez Cartier. Devant elle, sur des plateaux de velours, s'offrait tout ce que la bijouterie comptait de rubis exceptionnels : cinquante-deux bagues qui, chacune, réclamait l'attention de Barbara. Absorbée dans la contemplation muette des pierres précieuses, elle s'accorda un long moment de réflexion avant d'en désigner une du doigt, dans un geste qui avait encore quelque chose d'enfantin.

« Tu en es sûre ? lui demanda Franklin Hutton.

— Oui, certaine », acquiesça Barbara.

L'air satisfait du vendeur renseigna Franklin Hutton sur le bon goût de sa fille. Elle venait instinctivement de choisir une des pierres les plus chères de la maison Cartier. Alors qu'il pensait s'en tirer avec 20 000 dollars, Franklin Hutton se vit obligé de mettre dix fois plus. Il s'acquitta de cette somme extravagante avec le sentiment du devoir accompli. La suite des événements allait se charger de lui démontrer que le danger ne vient jamais du côté où on l'attend. C'est en effet au cours de ce voyage en Europe que Barbara allait rencontrer le prince Mdivani qui deviendrait son premier mari. Et le premier d'une longue liste de gigolos qu'elle prendra toute sa vie un plaisir pervers à entretenir. Elle profitera également de ce séjour pour se faire dépuceler par un professeur de tennis, mais sans que cela portât à conséquence. Si la morale attachait encore une certaine importance à la virginité d'une jeune fille, dans le cas de Barbara Hutton, son pucelage ne pesait pas lourd en proportion de la dot qui récompenserait l'heureux élu : avec deux mille millions de dollars à la clef, il eût fallu que celui-ci fût bien mesquin pour se dire volé sur la marchandise.

9

Arrivée de Wallis Simpson à Londres. Son parcours chaotique. Amitié avec Thelma Furness et Gloria Vanderbilt. Scandale du procès opposant Gloria à Gertrude Vanderbilt. Rencontre de Wallis et du prince de Galles.

Les membres de la famille royale restaient, en Angleterre, au centre de toutes les préoccupations mondaines. Chacun dévorait, souvent en cachette, le *Court Circular*, compte rendu officiel de leurs occupations, publié chaque jour dans le *Times*. Wallis Simpson, qui venait de s'installer à Londres après son mariage avec Ernest Simpson, n'en perdait pas une miette. Elle souffrait d'une *prince-de-gallomania* chronique. Ayant appris à lire dans les magazines, c'était un sujet à risque. Cette Américaine n'avait pas attendu d'être au Royaume-Uni pour attraper le virus. Toutes les petites filles de sa génération découpaient les photos du prince, publiées dans la presse, pour les coller dans leurs journaux intimes. Wallis n'avait que un an de différence avec lui. Comparable à une friandise, la beauté du prince dans son enfance lui valait tous les suffrages. En grandissant, ce petit prince en sucre rose n'avait rien perdu de son charme. Sa visite officielle aux États-Unis, en 1922, prouva à quel point cette popularité sévissait partout dans le monde. Il s'était arrêté à San Diego où Wallis (alors mariée à l'enseigne de vaisseau Wim Spencer) se morfondait en attendant des jours meilleurs. L'annonce de la venue du prince de Galles l'avait fait revivre. Seulement, n'ayant pas été invitée au banquet offert par le maire, elle n'avait pu que l'apercevoir.

Depuis son arrivée à Londres, Wallis lisait également le carnet mondain. Elle s'était familiarisée avec les noms des femmes à la mode : Phillis de Janzé, Alexandra Metclafe, Paula Casa Mauri, Diana Cooper, Edwina Mountbatten... On parlait déjà un peu moins de Frieda Dudley Ward (qui avait été la première maîtresse recensée du prince de Galles) et davantage de lady Thelma Furness, dont l'étoile montait. Tout cela à mots couverts car la presse britannique se montrait d'une discrétion exemplaire sur la vie privée de la famille royale. Wallis savait lire entre les lignes. Quand elle s'était installée à Londres, l'existence de Wallis avait changé. Son mariage avec Ernest Simpson lui apportait une certaine stabilité et un semblant de position sociale. Ernest s'occupait d'import-export. Pour l'instant, Wallis se contentait de faire partie de la colonie américaine où l'on appréciait sa bonne humeur. En revanche, son accent et sa voix criarde posaient un problème aux Britanniques. La retenue s'imposait encore, pour eux, comme la première qualité qu'une jeune femme se devait de déployer dans le monde. Wallis était loin du compte.

Si Wallis appartenait à une ancienne famille du Sud, dont l'origine remontait au début de la colonisation, les Warfield, elle y était entrée par effraction. Son père n'avait pas encore épousé sa mère lorsqu'elle était venue au monde. Pour tout arranger, il était phtisique. On aura compris qu'il ne s'agissait pas d'un don Juan, mais d'un être fragile à la charge des siens. Il trouvera finalement le courage de régulariser, mais l'autel de ses noces ne fut pas très éloigné du lit d'hôpital où il devait rendre l'âme en serrant sur son cœur une photo de sa fille. De bâtarde, elle s'était retrouvée orpheline. À la charge d'une famille aisée qui la considérait comme une parente pauvre et un objet de scandale. Depuis *Autant en emporte le vent*, on aime à se représenter les femmes du Sud avec la détermination de Scarlett O'Hara. Courageuse, emportée, prête à tout, sans scrupule... Wallis était un peu tout cela, mais la chance ne lui souriait guère. Alors qu'elle avait réussi à s'imposer chez les Warfield et jouissait d'une certaine cote parmi la jeunesse de Baltimore, son premier mariage allait la faire retomber dans une situation confuse et dégradante.

Wim Spencer, un officier de marine qu'elle avait épousé par amour, se révéla un mari déplorable. Son alcoolisme et son homosexualité allaient avoir rapidement raison de leur couple. Commença alors la période la plus mystérieuse de la vie de Wallis puisqu'on l'accusa d'avoir été tour à tour putain, espionne et trafiquante. Elle échoua d'abord à Washington où elle fut sans doute recrutée par les services secrets (en sa qualité de femme d'officier de marine). On l'expédia en Chine où son mari, qui venait d'y être muté, lui servait de couverture. L'espionnage, la prostitution et le trafic n'étant pas des activités sur lesquelles on aime s'étendre, on n'en sait que ce qu'ont bien voulu en dire des tiers, généralement mal intentionnés. On lui connaît au moins trois ou quatre amants, dont le comte Ciano (le gendre de Mussolini), mais cela ne suffit pas à en faire une putain. Ce passé interlope, dont elle parlait peu, ajoutait du soufre à sa réputation. Elle avait beaucoup voyagé. Pour les autres femmes c'était excitant. Elle devint vite assez populaire. Elle n'était pas à Londres depuis deux ans que l'ambassadeur des États-Unis la conviait à assister au derby d'Epson du haut d'un bus à deux niveaux, loué pour la circonstance. Avec champagne, caviar, aspic de volaille et de foie gras. C'était encore un peu plouc comme ambiance, mais pour Wallis, c'était Byzance.

Cette colonie américaine allait la conduire à faire la connaissance de Thelma Furness et Gloria Vanderbilt. Wallis avait rencontré, à Washington, Consuelo, leur sœur cadette. L'homosexualité de Consuelo agaçait Wallis, mais elle fermait les yeux sur ses avances pour arriver jusqu'aux deux autres. La rumeur prêtait à Thelma une liaison avec le prince de Galles et, pour une Américaine, le nom de Vanderbilt équivalait à ce qu'on pouvait faire de mieux. Aussi imposant et fourni que ceux de l'aristocratie européenne, leur arbre généalogique ruisselait d'or et de diamants comme un sapin de Noël. Sœurs jumelles et, par le fait même, inséparables, Thelma et Gloria Morgan profitaient dans le monde d'une célébrité comparable à celle des Dolly Sisters au music-hall. Dans sa chronique mondaine, Cholly Knickerbocker ne les désignait jamais autrement que comme les « fabuleuses » sœurs Morgan ou les « irrésistibles » sœurs Morgan.

Filles d'un obscur diplomate américain, elles étaient devenues le point de mire de la société en épousant Reginald Vanderbilt et lord Furness. Les sœurs Morgan étaient restées des *Flappers* dans l'âme : ces enfants – fols enfants – des années folles, épris de jazz et de liberté, qui peuplent les romans de Scott Fitzgerald et dont Louise Brooks et Colleen Moore sont restées les figures emblématiques. Elles appliquaient avec une rare détermination la formule qu'Evelyn Waugh a mise dans la bouche d'un de ses personnages : « Je ne crois pas qu'on puisse être triste pendant longtemps, pourvu qu'on fasse exactement ce qu'on veut quand on veut. » Lord Furness vivait dans le midi de la France et fichait une paix qu'on peut qualifier de royale à Thelma. Quant à Reginald Vanderbilt, qui avait vingt-cinq ans de plus que Gloria, il ne quittait plus sa propriété de Sandy Point où il s'occupait de chevaux. D'ailleurs, la différence d'âge et l'alcool aidant, il devait bientôt décéder d'une maladie du foie. Un malheur n'arrivant jamais seul, la lecture du testament révéla qu'il avait dissipé la plus grande partie de sa fortune, ne laissant qu'un capital bloqué de 25 millions de dollars qui devait revenir à sa fille, Little Gloria. Un arrangement assez contraignant pour Gloria mère, réduite à piocher dans l'héritage de la petite pour continuer à tenir son rang de femme à la mode.

Convaincue du scandale que représentait l'éducation de sa nièce, l'irascible Gertrude Payne Withney Vanderbilt se décida à réclamer la garde de l'enfant. Le procès qui s'ensuivit donna lieu à un déballage de linge sale dont la presse fit pendant de longs mois ses gros titres (déballage qui atteignit Wallis, comparse d'une escapade sur la Riviera, empoisonnée par une affaire de saphisme entre Gloria et la marquise Milford Haven. Au cours des interrogatoires, Gloria accusa Wallis d'avoir eu, elle aussi, des relations homosexuelles. Wallis avait entre-temps piqué le prince de Galles à sa sœur, ceci expliquant peut-être cela). Ayant fondé le Withney Museum après avoir exercé un imposant talent de sculpteur académique, Gertrude Payne Withney Vanderbilt semblait incarner la caution morale, intellectuelle et artistique de la famille Vanderbilt. Une grosse caution : elle avait hérité à la mort de son mari d'un capital de 47 millions de dollars. Avec qui voulez-vous lutter ? De toute façon le scandale de la vie de Gloria était de notoriété publique. Gertrude devait avoir gain de cause, mais après avoir récupéré Little Gloria, elle donna l'impression de ne plus trop savoir qu'en faire. C'est encombrant une enfant. Après avoir témoigné contre elle au procès, Little Gloria se rapprochera finalement de sa mère et deviendra, comme l'on sait, célèbre à son tour pour ses aventures et ses mariages retentissants

En devenant amie avec Thelma Furness, Wallis était passée de l'autre côté du miroir. Du bon côté. L'accuser alors d'arrière-pensées reviendrait à aller plus vite que la musique. Le refrain d'une chanson populaire des années 20 répétait : « J'ai dansé avec un homme qui a dansé avec une femme qui a dansé avec le prince de Galles. » Wallis était aujourd'hui amie avec une femme qui était « l'amie » du prince de Galles. Nuance. Alors qu'elle ne s'y attendait plus, elle voyait soudain son horizon s'élargir. « Sauvée par le gong », comme on dit d'un boxeur qui n'aurait pas manqué de se retrouver K.O. si le match s'était prolongé encore longtemps dans les mêmes conditions. Elle revenait de loin, mais il lui restait encore un combat à livrer. Le climat londonien, qui ne lui convenait pas, était la seule ombre au tableau. Elle se retrouvait continuellement enrhumée. Avec le nez rouge et les yeux humides ou le nez qui coule et les yeux rouges. Ces rhumes devaient être à l'origine du dialogue qui marqua d'une pierre blanche sa rencontre avec le prince de Galles. Wallis était arrivée chez lady Furness, à Burroughs Court, mourante et reniflante, et n'avait guère brillé au cours de la première soirée. Heureusement pour elle, un brunch informel réunissait le lendemain les invités dans l'ordre de leur apparition à la salle à manger. Profitant de cette absence de protocole, Wallis s'était assise à côté du prince de Galles. Au culot. Habitué à engager la conversation avec les auditoires les plus divers, le prince s'inquiéta d'une manière assez protocolaire : « Le chauffage central doit vous manquer, Mrs Simpson.

— Détrompez-vous, sir, j'adore les maisons froides de Grande-Bretagne », répondit effrontément Wallis qui, à l'évidence, n'en pouvait plus d'être enrhumée, avant d'ajouter : – Je suis navrée, sir, mais vous me décevez.

— Comment cela ? Mrs Simpson, s'étrangla le prince.

— Eh bien sir, soupira-t-elle, toutes les Américaines qui arrivent en Europe s'entendent poser la même question. J'attendais un peu plus d'originalité de la part du prince de Galles. »

10

Wallis se débarrasse de Thelma Furness. Les assiduités du prince auprès des Simpson. The importance of being Ernest. *Interrogation sur le sens du mot maîtresse et sur la sexualité du prince. Sadomaso & co.*

D'un point de vue stratégique, laisser son amant livré à lui-même pendant plus d'un trimestre relevait de l'inconscience. Mais le coup de génie de Thelma Furness en embarquant pour les États-Unis fut de confier le prince de Galles à Wallis Simpson. « Occupe-t-en. » Même si elle le lui avait dit sans y attacher d'importance, la réflexion mérite, avec le recul, d'être considérée comme une belle bourde. Elles venaient de déjeuner au *Ritz* où Wallis avait convié Thelma pour lui faire ses adieux. Elles se voyaient maintenant assez souvent. Elles partageaient le même intérêt pour les ragots et la mode. Bruissant de cancans et de frous-frous, leur conversation avait le mérite de la légèreté. Avec la position qu'occupait Thelma, Wallis ne pouvait que lui passer les plats : suivante, dame d'honneur ou dame de compagnie. D'autant qu'elle n'avait pas d'argent. Mais son culot lui permettait de tenir cet emploi sans bassesse. Pour Thelma, Wallis représentait une récréation. C'était agréable pour elle de se retrouver avec une compatriote un peu dessalée. Les Anglaises de la bonne société faisaient semblant d'être dessalées, mais elles restaient très chichiteuses. Thelma adorait l'esprit de Wallis. Au lendemain du jour où elle lui avait fait rencontrer le prince de Galles, elle lui avait demandé, très excitée : « Alors, comment l'as-tu trouvé ?

– Très en rythme, avait répondu Wallis. » Thelma la trouvait tordante, tellement voyou.

Comme le déjeuner touchait à sa fin et qu'elles évoquaient le prochain départ de Thelma, Wallis, un peu mielleuse, n'avait pu se retenir de soupirer : « Oh ! Thelma, le petit homme va se sentir si seul. » À quoi elle s'entendit répondre : « Eh bien, ma chérie, occupe-toi de lui pendant mon absence. Veille à ce qu'il ne fasse pas de bêtises. » Comment peut-on manquer à ce point de psychologie ? Fallait-il que Thelma soit sûre d'elle pour lui servir le prince sur un plateau ? Où alors inconsciente ? La vérité se situait sans doute entre les deux. Pour Thelma qui était encore dans toute l'insolence de sa jeunesse, Wallis Simpson ne représentait pas une rivale. Avec son physique anguleux et sa bouche trop grande, on pouvait, au mieux, la considérer comme une jolie laide. Thelma, dont les jugements ne s'embarrassaient pas de demi-mesures, la trouvait plutôt moche. Et vieille. Wallis était très amusante, pleine d'entrain, de vitalité, mais jamais Thelma n'aurait pu imaginer que le prince jetterait son dévolu sur ce sac d'os. Elle s'en méfiait si peu qu'elle avait tout mis en œuvre pour introduire Wallis dans le cercle étroit qui gravitait autour du prince.

« Bon vent », dut penser Wallis en la regardant s'éloigner. Wallis aussi aimait bien Thelma, seulement ses bontés commençaient à lui peser. D'autant qu'elle n'en avait plus besoin. Tout laisse, en effet, à penser que les « bêtises » (pour reprendre l'expression de Thelma) avaient commencé avant même son départ. « Bêtises » est d'ailleurs un terme générique qui convient assez bien à la relation qui unissait Wallis et le prince. À plusieurs reprises, à cette époque, le prince jura sur l'honneur que Wallis n'était pas sa maîtresse (à son père, en particulier, pour la faire inviter aux fêtes du jubilé). D'un point de vue purement technique, c'était possible. Seulement « maîtresse » sert également à désigner, dans une relation sadomasochiste, l'élément dominateur s'il est du sexe féminin. Sous cet angle, il ne faisait aucun doute que Wallis était bien sa maîtresse. Son autoritarisme faisait merveille avec le prince qui adorait être traité en petit garçon. S'ils entretenaient des rapports sadomaso, c'était forcément lui qui y trouvait son compte. Elle n'y voyait qu'un moyen d'arriver à ses fins. Elle n'avait pas attendu de rencontrer le prince de Galles pour découvrir que la meilleure manière de s'attacher certains hommes consistait à les maltraiter. Rares sont les maniaques qui s'élèvent au-dessus de leurs perversions, l'imagination n'étant pas, dans ce domaine, mieux partagée qu'ailleurs. Le prince, qui avait attendu quarante-deux ans pour satisfaire cette faiblesse, ne devait pas être trop difficile à contenter. Certains biographes ont soutenu que Wallis n'hésitait pas à pratiquer sur lui des châtiments corporels et autres jeux érotiques, mais rien ne permet de l'affirmer. En revanche, nombre de témoignages confirment l'autorité absolue qu'elle exerçait sur lui. Sa conduite se rapprochait d'avantage de celle d'une nounou que d'une femme amoureuse. Elle le grondait, le rudoyait, lui faisait les gros yeux, lui intimait l'ordre d'aller se coucher. Des semonces d'autant plus curieuses qu'elles s'adressaient au futur roi d'Angleterre.

Du jour où Thelma fut partie, l'engouement du prince pour les Simpson ne connut plus de borne. Il était toujours fourré chez eux. Il téléphonait à n'importe quelle heure du jour et de la nuit. Comment Wallis s'y prenait-elle pour faire accepter à son mari les assiduités du prince ? Les mêmes causes ramenant les mêmes effets, on peut penser qu'Ernest devait être lui aussi un peu masochiste. « The importance of being Ernest. » Pour être constant, Ernest Simpson était constant. Si quelqu'un a tenu la chandelle, c'est bien lui, éclairant d'un jour glauque le début de cette histoire d'amour que d'aucuns tiennent pour une des plus romantiques du siècle. Lorsqu'il rencontra Wallis, David, sous ses dehors de prince charmant, était en mauvais état : il buvait comme un trou, fumait comme un pompier, se couchait à pas d'heure. C'était un homme à la dérive. Torturé, névrosé, misérable. Quels qu'aient été les moyens employés par Wallis, ils lui réussirent. C'est bizarrement en le traitant comme un bébé qu'elle en avait fait un homme. Un petit homme, mais un homme. Il souffrait d'éjaculation précoce. Une contrariété assez fréquente chez les adolescents, mais qu'il traînera jusqu'à sa rencontre avec Wallis. Piètre amant (pour ce qu'on en sait par les confidences de Thelma Furness qui se plaignit à la fois des proportions et de la médiocrité des performances du prince), son manque de virilité ne pouvait pas ne pas lui poser de problèmes. Alors qu'il restait le parti le plus convoité de la planète, il n'avait pas dépassé, en amour, le stade de la puberté. Une demi-vierge. En dehors de coucher avec des garçons, il partageait tous les goûts qu'on attribue, à tort ou à raison, aux homosexuels : le culte de la jeunesse, l'obsession de la forme physique, la frivolité, la coquetterie. Il avait fait scandale à New York, en 1924, en portant des mocassins en daim avec un costume croisé gris clair à larges revers. « J'avais cru remarquer, sans comprendre pourquoi, que mes amis américains regardaient mes pieds avec embarras, racontera-t-il. Quelqu'un voulut bien m'expliquer qu'aux États-Unis, ceux qui portaient de telles chaussures étaient considérés comme efféminés, pour ne pas dire plus... » On pourrait croire que le prince cherchait à se dédouaner en racontant ce genre d'histoires, mais pas du tout, il était sincère.

C'était le plus sincèrement du monde qu'il affirmait ne pas pouvoir supporter les homosexuels. Toute sa vie, il affectera du mépris pour eux. « Ces types qui minaudent », disait-il, en battant l'air, avec la main, d'un geste cabotin. Il n'est pas interdit de penser que cette aversion trahissait des penchants contre nature. C'est souvent le cas. Penchants profondément refoulés, il va sans dire. En eut-il jamais conscience ? Il correspondait tout à fait à ce que les homosexuels désignent entre eux comme une *closet queen*. Tellement dans le placard qu'il lui était impossible d'en sortir. Enfermé dans le noir à double tour. Garder cela en soi, c'est comme abriter des termites. Ça vous ronge tout à l'intérieur sans faire trop de dégâts apparents, et, un jour, le bonhomme tombe en morceaux. Il ne reste plus qu'à aller chercher une pelle et une balayette. Cette homosexualité refoulée était sans doute une des clés de sa difficulté d'être. Elle empoisonna la moitié de son existence. Wallis allait le préserver de cet abîme. C'est une des explications de la dévotion qu'il lui portera toute sa vie. Comment s'y prit-elle pour le décoincer ? La rumeur l'accusait d'avoir fréquenté, du temps où elle était en Chine, les bordels de Shanghai. On la disait experte en massage et autres pratiques amoureuses. Encore que s'exagérer ce genre de possibilités techniques relève du fantasme. Il n'y a pas trente-six mille solutions. Ne lui aurait-elle appris qu'à se mettre un doigt dans le cul, que cela lui fit un bien fou. Il paraissait beaucoup plus détendu. Les princes ne sont pas toujours fortiches.

11

Embarquement sur le Bremen. *Thelma Furness partagée entre sa liaison avec le prince de Galles et son flirt avec le prince Ali Khan. Énorme surprise du prince Ali Khan. Embarquement pour Cythère.*

Le calme qui régnait à l'étage des premières classes tranchait avec la pagaille présidant à l'embarquement. Le *Bremen* devait lever l'ancre à 19 h 30. À une demi-heure du départ, l'affolement qui régnait sur le quai gagnait l'équipage. Thelma Furness avançait derrière le garçon d'étage, serrant contre elle un vanity-case. Sa femme de chambre la suivait, les bras chargés de sacs de voyage et de paquets-cadeaux. Les miroirs tapissant l'escalier d'honneur lui renvoyaient une image assez flatteuse : la coupe en biais de son manteau allongeait sa silhouette et ses bas de soie lui faisaient des jambes ravissantes. Elle n'était pas trop mécontente de rentrer à Londres, même si la soirée qu'elle avait passée la veille avec le prince Ali Khan lui laissait un regret. Le rencontrer alors qu'elle quittait les États-Unis ressemblait à un rendez-vous manqué. Un lapin du destin. Cherchant à se persuader qu'elle avait bien fait de ne pas lui céder, elle s'administrait la preuve du contraire en repensant continuellement à la scène de leurs adieux. Aurait-il insisté davantage… Une surprise attendait Thelma dans sa suite : une profusion de roses rouges et d'orchidées transformait les deux pièces en serre tropicale. Il y en avait absolument partout. Même sur les malles-cabines et les bagages Vuitton qui encombraient déjà le passage, si bien qu'on ne pouvait pour ainsi dire plus bouger. En voyant la tête que faisait sa femme de chambre, Thelma avait du mal à garder son sérieux. Un rapide coup d'œil à une des cartes de visite lui confirma ce qu'elle savait déjà. Accompagnant chaque bouquet, un mot du prince Ali Khan l'assurait de la passion qu'elle lui inspirait. Noyé dans cette masse de fleurs, Thelma finit par trouver un bouquet du prince prince de Galles. De très jolies fleurs pâles, d'un goût délicat, mais qui en proportion du délire floral organisé par Ali Khan, paraissaient riquiqui.

Thelma avait rencontré Ali Khan l'avant-veille de son départ, lors d'un grand dîner organisé, à l'hôtel *Pierre*, par son amie Mrs Frank Vance Storres. Le hasard avait voulu qu'ils se retrouvent à la même table. Le hasard ou Mrs Frank Vance Storres, ce qui revenait au même. Thelma n'en aurait pas moins aimé savoir si son amie n'avait pas eu une idée derrière la tête en les mettant si près l'un de l'autre. Depuis qu'elle était la maîtresse du prince de Galles, tout New York l'assimilait à une espèce de Pompadour. Elle était donc en droit de se demander si la perfidie n'avait pas participé au choix de la placer à côté du prince Ali Khan qui, lui, avait la réputation d'un Casanova. La Pompadour quittant la salle au bras de Casanova aurait donné du grain à moudre à tous les moulins à paroles de la bonne société new-yorkaise. Aussi Thelma restait-elle sur ses gardes. Ayant habilement engagé la conversation, le prince cherchait à l'isoler des autres convives en accordant une attention démesurée au moindre de ses propos. Très flirt. Le repas n'était pas encore terminé qu'il lui proposait de partir finir la soirée dans une boîte de nuit. Ne tenant pas à être vue – et encore moins photographiée – en compagnie du prince, elle se garda bien d'accepter. D'ailleurs, il lui fallait mettre la dernière main aux préparatifs de son départ (le gros des bagages devait être embarqué la veille du départ). « Remettez votre voyage d'une semaine », suggéra-t-il, en appuyant son conseil d'un regard passionné en contradiction avec le ton faussement désinvolte qu'il employait. L'aplomb du prince arracha un sourire à Thelma. Elle répondit cependant que c'était hors de question. Sans se décourager, il lui demanda alors ce qu'elle faisait le lendemain soir. « Appelez-moi », dit-elle en prenant congé.

Le lendemain, à son réveil, le *Bremen* avait déjà gagné la haute mer. Ces voyages au long cours avaient le chic de vous couper du monde. On était entre deux. Entre deux continents, mais aussi entre deux manières de vivre. Une impression étrange qui s'accordait aux sentiments contradictoires de Thelma, elle aussi très partagée. Alors qu'elle partait rejoindre le prince de Galles, elle ne pouvait s'empêcher de repenser au prince Ali Khan. Il s'était rappelé à son souvenir le lendemain de leur rencontre avec un énorme bouquet de roses rouges accompagné de ce mot : « Vous téléphonerai à 11 h 30 pour notre dîner de ce soir. Prince Ali Khan. » Ils avaient dîné en tête à tête, pas très loin de chez elle, dans un endroit sans prétention. Elle ne voulait pas s'éloigner de son domicile, ayant encore des milliers de choses à préparer. La simplicité du restaurant, avec ses nappes à carreaux et sa nourriture américaine, prêtait à cette soirée un caractère d'intimité qu'elle n'aurait pas eu dans un palace. Ils avaient beaucoup parlé, sympathisé, un peu flirté. Force lui était de reconnaître qu'elle n'avait pas vu le temps passer. S'apercevant tout à coup, alors que le restaurant fermait, qu'il était déjà près de une heure, elle avait demandé précipitamment au prince Ali Khan de la raccompagner.

Étant donné sa réputation de tombeur, elle s'attendait alors à subir un assaut en règle. Mais, après lui avoir volé un premier baiser, comme elle protestait « qu'il était déjà tard », « que c'était de la folie », etc., il n'avait pas insisté. Il s'était contenté de lui embrasser le bout des doigts avant de descendre de voiture pour lui ouvrir la portière. Un parfait gentleman. D'une manière générale, Thelma n'avait rien contre les gentlemen, seulement vu le peu de temps qui leur était imparti, une attitude plus énergique n'aurait pas été, à son avis, déplacée... La sonnerie du téléphone interrompit sa rêverie. À l'autre bout du fil, la voix aigrelette de la standardiste la prévenait qu'elle allait lui passer une communication avec le continent. En comparaison, l'intonation caressante d'Ali qui lui demandait si elle avait bien dormi était aussi douce à entendre que de la musique. Pourquoi fallait-il qu'elle ait quitté New York !? Thelma s'étirait en soupirant qu'elle avait, en effet, bien dormi, lorsqu'il l'interrogea sur ce qu'elle comptait faire pour le déjeuner. « Pourquoi pour le déjeuner ? demanda-t-elle incrédule. Vous voulez venir me retrouver à la nage ? C'est trop bête, soupira Thelma.

— Je suis à bord », cria Ali Khan en éclatant de rire.

Thelma, qui pensait profiter de la traversée pour se reposer des fatigues de son séjour aux États-Unis, en fut quitte pour réviser son programme. Ils tombèrent dans les bras l'un de l'autre et mirent à s'aimer une ardeur que favorisait l'isolement. Ils devaient conserver des cinq jours que dura la traversée le souvenir de cinq nuits merveilleusement étoilées. Ali était doux comme du velours et plongeait Thelma dans un bien-être proche du coma. Le prince se montrait à la hauteur de sa réputation d'amant incomparable. On murmurait qu'il avait acquis dans les bordels du Caire cette science amoureuse qui lui assurait un contrôle sur lui-même l'autorisant à retarder la jouissance jusqu'à ce que sa partenaire crût mourir de plaisir et demandât grâce. En portant, quelques semaines plus tard, leur liaison à la connaissance du public américain, Cholly Knickerbocker écrivait : « Thelma Furness a pris tour à tour dans ses filets un prince blanc et un prince noir. » Par bien des côtés, le prince blanc était encore un blanc-bec. Thelma ne pouvait s'empêcher de se remémorer les week-ends, à Fort Belvédère, où elle attendait, seule dans son lit, que Son Altesse ait fini de jouer de la cornemuse. En cinq jours, elle avait pu mesurer la différence qui existait entre un prince amoureux, mais immature et maladroit, et un amoureux passionné pour qui l'anatomie féminine ne semblait pas avoir de secret. Elle débarqua à Southampton les yeux un peu battus, mais rajeunie de dix ans.

12

L'Aga Khan III chef spirituel des ismaéliens. Un prince indien peut-il courir dans la même catégorie qu'un futur roi d'Angleterre ? Margaret Whigham, un amour de jeunesse du prince Ali Khan.

Ali Khan avait profité du remariage de son père, l'Aga Khan III, avec une jeunesse du non d'Andrée Caron, pour s'émanciper de sa tutelle. C'était de bonne guerre. Sans titre ni fortune, la nouvelle épouse de l'Aga Khan contredisait les principes qu'il cherchait à inculquer à son fils. Alors qu'il n'aimait fréquenter que la haute société et le monde politique, l'Aga Khan avait le chic pour s'amouracher de petites-bourgeoises. Les parents d'Andrée Caron tenaient une pâtisserie. Comme il était musulman, les mariages de l'Aga Khan ne portaient pas à conséquence, mais du point de vue de la morale victorienne, encore en usage en Angleterre, il se mariait quand même beaucoup. « Je suis navré de devoir continuellement vous déranger avec les problèmes que posent les princes indiens, écrivait le premier secrétaire de l'ambassade de Paris à son ministre de tutelle à Londres, mais je pense souhaitable que nous recevions des instructions quant à la règle à adopter vis-à-vis de la nouvelle épouse de l'Aga Khan. J'ai cru comprendre que cette personne était originaire d'Aix-les-Bains où ses parents occupaient une position des plus modestes. L'épouse de l'Aga Khan devra-t-elle être invitée à la garden-party annuelle, aux réceptions ou même à dîner ? Son titre est-il, comme on le voit écrit dans la presse, “Son Altesse la bégum Aga Khan” ? »

Installé au cœur de Londres, Ali était bien décidé à mener une vie de *play-boy*. Son coupé Alfa Roméo bleu nuit en définissait le style : rapide, moderne et nocturne. Il suivait un stage chez un avocat, mais c'était dans les endroits à la mode qu'on avait le plus de chance de le rencontrer. À l'*Embassy*, au *Kit-Cat* ou au *Café de Paris*. Il menait une vie de garçon et fréquentait davantage les coulisses des music-halls et les boîtes de nuit que les salons littéraires. Au grand désespoir de son père dont la carrière politique s'appuyait sur un réseau de relations aristocratiques et mondaines. Depuis les deux premières conférences qui s'étaient tenues à Londres, pour statuer sur le sort de l'Inde, la réputation de l'Aga Khan commençait à dépasser l'enceinte des champs de course où sa silhouette rebondie était déjà familière. Nommé président de la délégation anglo-musulmane, il s'était acquitté de ce rôle avec une rondeur diplomatique et un sens des palabres hérités de ses ancêtres. Devant sa corpulence, on ne pouvait s'empêcher de penser que ses coreligionnaires lui offraient, chaque année, son poids en or, en platine et en diamants au cours d'un jamboree qui faisait se déplacer des milliers d'ismaéliens. Le luxe dont aimait à s'entourer l'Aga Khan avait rendu possible le spectacle déconcertant d'un Gandhi arrivant, en plein hiver, à moitié nu et en sandalettes, pour dîner au *Ritz*. Le couple formé par ces deux hommes que tout opposait s'affirmait encore plus surprenant lorsqu'on savait que la religion animait la plupart de leurs conversations. Chacun défendait son troupeau. Si la comparaison entre eux ne semblait pas, à première vue, tourner en faveur de l'Aga, il faut reconnaître que les intérêts qu'il défendait demandaient beaucoup de diplomatie. Les ismaéliens n'étaient pas des Indiens ni des musulmans comme les autres. Les présenter comme les juifs de l'Orient est un raccourci qui rend compte de leur éparpillement à travers le monde et de la solidarité qui existe entre eux, mais c'est un raccourci.

Ali et Thelma avaient décidé d'un commun accord de se quitter à Southampton. C'était trop risqué pour elle d'être vue en compagnie d'Ali. La fierté de ce dernier lui interdisait de discuter cette décision. Seulement à mesure que se rapprochaient les côtes anglaises, la chaleur de leur passion faisait fondre leur résolution.

Ils quittèrent le navire séparément, mais alors que Thelma devait rejoindre directement Fort Belvédère où l'attendait le prince de Galles, elle poursuivit sa route, en voiture, jusqu'à Londres avec Ali. La tête sur son épaule, elle regardait filer le paysage, goûtant la mélancolie de ce bonheur dont chaque minute était comptée. Sans être une femme de devoir, Thelma ne pouvait se résoudre à tout plaquer pour Ali. Sa liaison avec le prince de Galles se prolongeait depuis plus de deux ans. Elle lui assurait des avantages et une position exceptionnelle. En dépit de ses défauts, David avait des côtés attachants. Et puis elle ne se voyait pas quitter du jour au lendemain le futur roi d'Angleterre. Sur un coup de tête. Tout cela demandait réflexion, seulement elle était incapable de réfléchir. Elle somnolait. Ali gardait le silence. Il conduisait vite. Il était plus préoccupé qu'il ne l'aurait pensé. Dépité par les atermoiements de Thelma, il refusait d'admettre l'ambiguïté de sa propre position : aurait-il mis autant d'ardeur à la séduire si elle n'avait été la maîtresse du prince de Galles ?

Un prince indien pouvait-il courir dans la même catégorie qu'un futur roi d'Angleterre ? Telle était la question. Ali connaissait la réponse. Il s'était frotté tout jeune homme à l'orgueil et aux préjugés de cette société : jeté comme un malpropre par l'honorable George Hay Whigham à qui il demandait la main de sa fille. La rencontre des deux jeunes gens, à Buckingham, où ils devaient, l'un et l'autre, être présentés à la famille royale, semblait pourtant s'effectuer sous les auspices les plus favorables. Ali, qui avait revêtu pour l'occasion une tunique indienne blanche, en soie damassée, attirait tous les regards. Il portait un somptueux collier de perles et sur son turban brillait une émeraude d'une taille exceptionnelle. Le prince de Galles remplaçant, ce jour-là, son père auprès de la reine Mary, n'aurait, paraît-il, que moyennement apprécié qu'Ali se fût octroyé la permission de porter le sherwani, costume d'apparat réservé aux maharadjahs. Mais peut-être ne s'agit-il que d'un ragot de chroniqueur mondain ? Ali dégageait une impression de force et de sensualité qui pouvait agacer.

C'était plus qu'il n'en fallait pour enflammer l'esprit romanesque d'une jeune fille qui attendait son tour d'être présentée.

Elle s'appelait Margaret Whigham et était issue d'une des plus vieilles familles d'Écosse. Un teint de lait et une profusion de cheveux roux dénonçaient ses origines. Si Ali Khan lui était apparu comme un prince charmant, l'impression qu'il devait conserver de Margaret ne s'éloignait pas du registre des contes de fée : elle étincelait dans une longue robe de dentelle délicatement argentée, un minuscule diadème de perles, posé en équilibre sur sa masse de cheveux roux. N'ayant fait que se croiser à Buckingham, ils devaient se retrouver dès le lendemain soir au bal donné par lord et lady Mountbatten, à Brook House. La saison battait son plein et chaque jour une réception leur permettait de se revoir. Et chaque jour les sentiments qu'ils éprouvaient l'un pour l'autre s'affermissaient. Tout semblait s'enchaîner à merveille jusqu'au moment où ils décidèrent de mettre leurs familles au courant de la pureté de leurs intentions : à dix-huit ans, le mariage s'imposait à eux comme la conclusion logique de leur amour.

À la seule idée de la mésalliance que représentait cette union, l'honorable George Hay Whigham faillit avoir une attaque. S'imaginant avec horreur ses petits-enfants couleur de pain d'épices avec de longs poils noirs leur courant le long de l'échine, il suffoquait. Non seulement ce mariage était hors de propos, mais le seul fait que la question ait pu lui être posée impliquait une insulte pour sa race. Une réaction qui paraît choquante aujourd'hui, mais dont la psychologie était alors partagée par l'ensemble de la population. Toutes classes confondues. La bonne société qui semblait plus libérale – les Duff Cooper n'avaient-ils pas demandé à l'Aga Khan d'être le parrain de leur fils ? – partageait les mêmes valeurs que le populaire : pas de ça chez moi ! Si la fortune des princes indiens leur ouvrait certaines portes, ils n'en continuaient pas moins d'être considérés comme des macaques. Elevé sur la Côte d'Azur par une mère italienne et ne connaissant de l'Inde que ce que ses précepteurs anglais avaient bien voulu lui en dire, Ali s'attendait d'autant moins à être blackboulé en raison de son sang indien qu'il n'en avait pour ainsi dire pas. Que les Perses soient de race blanche n'effleurait pas la conscience de l'honorable George Hay Whigham. Dans l'esprit d'un gentleman de sa génération, aga, shah, potentat, maharadjah, étaient cousins germains. D'un point de vue matrimonial, la différence entre les Indiens et les Perses était mince, et qu'Ali descendît du Prophète ne pouvait décemment servir d'introduction pour rentrer dans une honnête famille écossaise.

13

Naissance de Jackie Kennedy. Rivalité de Black Jack et de son frère Bud. Romance d'Edna Hutton et de Bud Bouvier. Edna en sandwich entre la célébrité de son père, Franck Woolworth, et celle de sa fille, Barbara Hutton.

Papa pour la première fois de sa vie. De quoi sauter au plafond. Malheureusement le plafond était assez bas, pour un agent de change, en cette année 1929. Pour Jack Bouvier, la naissance de sa fille Jacqueline – future Jackie Kennedy –, représenta certainement le seul événement heureux de cette année pourrie. Trois mois plus tard, le krach boursier l'atteignit alors qu'il venait de perdre son frère, Bud, prématurément emporté par une cirrhose. À trente-deux ans. La loi des séries. Si, financièrement, il ne réalisait pas encore l'étendue du désastre, en revanche, la mort de son frère le touchait avec une précision foudroyante. D'autant qu'un insidieux sentiment de culpabilité s'ajoutait à sa douleur : il se reprochait de l'avoir souvent mal traité. La domination qu'il aimait exercer sur les autres avait trouvé dans la formation de son jeune frère un terrain d'exercice idéal. Il en usait comme si Bud devait lui rendre des comptes. Comme si son droit d'aînesse s'assortissait d'un droit de regard sur tous ses faits et gestes. C'est souvent la répartition des rôles entre un aîné et son cadet, seulement avec ce frère solaire à la sensualité rayonnante, Bud ne pouvait avoir que la part de l'ombre. L'amour et la haine, toujours étroitement mêlés au sein d'une même famille, provoquaient entre eux des courts-circuits qui faisaient résonner la maison de leurs disputes. Ils ne se supportaient plus, ce qui ne les empêchait pas de s'aimer.

Alors qu'ils vivaient, à Manhattan, dans un anonymat relatif, les Bouvier profitaient à East Hampton d'une petite notoriété. Située au cœur d'un parc de sept hectares, la propriété du major John Vernou Bouvier inspirait le respect. Il s'agissait d'un manoir anglais (anglais entre guillemets) où le major avait fait accrocher, au-dessus de la porte d'entrée, les armoiries de sa famille. Si tout le monde désignait John Vernou Bouvier comme le major, personne ne savait à quelle occasion il s'était vu attribuer ce grade. À quel combat ? Sous quelle mitraille ? Outre cette coquetterie militaire, le major se piquait d'aristocratie. Il appuyait ces prétentions sur un ancêtre français (un certain Michel Bouvier, émigré aux États-Unis, à la chute de l'Empire). À partir de là, il s'était inventé une généalogie dont il faisait remonter les origines au XVIe siècle. Dans un ouvrage, intitulé *Nos ancêtres*, il soutenait et détaillait ses prétentions. La généalogie n'étant pas le fort des Américains, personne dans son entourage ne mettait en doute la parole du major : si cela pouvait lui faire plaisir... Cherchant autant à se tromper lui-même qu'à tromper les autres, il tirait de ces fadaises un sentiment de supériorité qu'il avait transmis à ses enfants. En faisant siennes les prétentions de son grand-père, Jackie Kennedy leur fera une publicité qui allait leur être fatale. Si elle n'était pas devenue première dame des États-Unis, l'arbre généalogique du major aurait certainement continué à croître et embellir ; seulement, une fois sous les feux de l'actualité, il se réduisit comme une peau de chagrin. Relayés par la presse, les historiens n'eurent aucun mal à démontrer que les prétentions du major n'avaient aucun fondement historique. Ce qui ne présentait plus guère d'importance : la célébrité qui auréolait désormais de gloire la *First Lady* rejetait dans l'ombre ces enfantillages.

Si Jack, le fils aîné du major, se conduisait comme un aristocrate, il prenait modèle sur les plus décadents d'entre eux : les roués de la Régence, les libertins du XVIIIe siècle et autres mauvais sujets naviguant en eaux troubles sur un océan d'alcool et de sperme. Comme pour parfaire sa ressemblance avec un corsaire, Jack Bouvier entretenait un bronzage qui lui avait valu une série de surnoms évocateurs : « Le scheik », « Le prince noir » et finalement, « Black Jack ». Avec ses airs d'hidalgo et ses cheveux plaqués en arrière, on se demandait, en le voyant pour la première fois, s'il n'était pas un peu ridicule, mais sa séduction emportait les hésitations. Il était ridicule, mais irrésistible. Il lui suffisait d'entrer dans une pièce pour réveiller chez la plupart des femmes un instinct animal que l'on s'accorde généralement à croire réservé à l'autre sexe. Il les traitait mal, mais cette manière de se comporter s'accordait au besoin d'avilissement que beaucoup ressentaient au moment où il les fixait du regard. Cette entrée en matière en disait long sur le pouvoir qu'il entendait exercer. Ses aventures avec des femmes mariées défrayaient la chronique. On le fiançait aussi régulièrement avec des débutantes qui, après être passées entre ses mains, l'étaient un peu moins.

Le *Brother*, c'était la pointure en dessous. Plus distingué, plus fin, plus sensible, ses qualités s'effaçaient devant le magnétisme de son frère. Les filles qui tournaient autour de Black Jack, appréciaient souvent Bud, mais c'est avec l'aîné qu'elles avaient envie de coucher. À eux deux ils formaient la thèse et l'antithèse d'un débat sur le thème : « À votre avis, l'amour ignore-t-il l'estime ? » Black Jack se tapait tellement de filles qu'il n'aurait vu aucun inconvénient à ce que son frère assurât un service après-vente. Mais le cynisme de Black Jack dégoûtait Bud. Les railleries de Black Jack prirent un tour plus féroce quand il découvrit que Bud sortait avec Edna Hutton, une des filles de Frank Woolworth. Il charriait Bud en permanence. Ses plaisanteries laissaient percer une humeur rageuse : les Bouvier appartenaient à la société la plus sélecte d'East Hampton, mais ils n'avaient pas assez d'argent pour jouer dans la cour des grands. Black Jack aimait l'argent. Aussi enrageait-il de voir Bud sortir avec la fille d'un des hommes les plus riches des États-Unis sans chercher à en tirer le moindre avantage. S'il n'avait tenu qu'à lui ! Seulement il n'aurait eu aucune chance. Il représentait tout ce que détestait Edna. Tout ce qu'elle reprochait à son mari, Franklin Hutton.

La soudaineté de la réussite de Frank Woolworth avait surpris tout le monde. À commencer par les siens. Passer de l'adirondack « d'une petite maison dans la prairie » à la splendeur d'un mobilier d'époque dont ils ignoraient l'origine pouvait être vécu comme un déracinement. Sa femme perdit pied la première. Pour cette ancienne couturière à domicile, faire ses courses dans une voiture de maître, derrière un chauffeur dont la livrée, bleu lavande, était exactement assortie à la carrosserie, représentait un supplice. Elle se réfugia dans une démence sénile extrêmement précoce puisqu'elle n'avait pas quarante ans lorsque se manifestèrent les premiers signes de cette dégénérescence. Une manière pour elle d'échapper au poids écrasant de la fortune de Franck Woolworth. En moins de trente ans, il était devenu un des hommes les plus riches des États-Unis. Tous les Américains connaissaient les *Woolworth 5 and 10 cents* que l'on peut considérer comme la première chaîne de magasins à prix unique. Edna méritait d'être considérée comme la plus jolie des trois filles Woolworth, mais aussi comme la plus insignifiante. Elle non plus n'était pas faite pour être milliardaire. Alors qu'elle rêvait d'une vie de famille, dans un intérieur douillet dont la cuisine aurait rassemblé, à heure fixe, toute la maisonnée, la réussite de son père l'avait mise sur orbite dans un univers qui lui restait étranger. Elle avait parfois l'impression de tourner dans le vide. À ce vide existentiel, son mariage avec Franklin Hutton ajouta une autre forme de chaos. Woolworth, pour qui Franklin ne représentait pas le gendre idéal, avait donné son accord à la condition qu'ils attendraient six ans avant de se marier. Il espérait les avoir à l'usure.

Les millions de dollars qui étaient à la clef aidèrent Franklin Hutton à prendre son mal en patience. En revanche, ces six années de fiançailles eurent raison de la fraîcheur des sentiments qu'il portait à sa fiancée. Pour un jeune homme, la chasteté que laissait alors supposer ce type d'engagement relevait de l'impossible. Ayant pris l'habitude de tromper sa femme avant même d'être marié, il la conserva ensuite tout au long de leur union. À l'inverse, ce délai de six ans n'avait fait qu'affermir l'affection d'Edna pour son fiancé. Son imagination, délavée par des romans à l'eau de rose, lui faisait miroiter le mariage comme une fin en soi. La cérémonie marqua, en fait, la fin de ses illusions. À l'usage, Franklin ne cadrait pas avec l'idée qu'Edna se faisait d'un gentil mari. Lui, de son côté, ne trouva pas dans sa femme la personne capable de le seconder. Elle se montrait incapable de recevoir, incapable de tenir une conversation, incapable de lutter avec les autres femmes que Franklin courtisait sous son nez. Bref, c'était le type même du couple mal assorti et la naissance de Barbara arriva trop tard pour les rapprocher.

Les conflits qui les opposaient régulièrement avaient pris des proportions autorisant à parler d'incompatibilité d'humeur aggravée. Pourquoi, dans ces conditions, Edna refusait-elle de divorcer ? Il est probable qu'elle aimait encore son mari. Pourquoi, alors, prit-elle un amant ? Bud Bouvier n'était pas l'homme de la situation. Il était doux, il était gentil, mais il ne faisait pas le poids. En choisissant un garçon de dix ans son cadet, Edna ne risquait pas de partir vivre avec lui : il habitait encore chez ses parents. D'ailleurs, leur liaison ne fonctionnait pas du tout comme pouvait le laisser supposer leur différence d'âge. Bud s'accordait à la sensibilité immature de la jeune femme. Le besoin de consolation l'emportait, chez elle, sur le désir de revanche. Il lui en avait coûté de céder. Ses grands yeux bleus et ses boucles blondes la destinaient aux rôles d'ingénue. Elle aurait été parfaite pour interpréter, dans un film muet, une héroïne marquée par la malchance. Quand elle jetait autour d'elle des regards éperdus, il ne manquait que les sous-titres : « Non Bud, je vous en prie, je ne suis pas prête. » Bud s'honorait d'être un gentleman. Il avait su attendre. Ils se voyaient en cachette à Long Island où chacun passait ses week-ends en famille. Edna tremblait à l'idée d'être surprise en compagnie de Bud. Aussi se tenaient-ils à l'écart des hauts lieux de la vie mondaine, comme le *Brainstone* ou le Devon Yacht Club. Lorsque Bud réussissait à emprunter la voiture électrique de son père, leurs virées nocturnes se terminaient immanquablement dans un chemin de traverse, où, tous feux éteints, ils restaient tendrement enlacés, les yeux perdus dans les étoiles.

Au regard du traitement que leur réservait la postérité, cette attitude en retrait peut se comparer à un réflexe prémonitoire. Ni l'un ni l'autre n'étaient destinés à occuper le devant de la scène et l'histoire ne se souviendrait d'eux qu'en raison de leur parenté. Par ricochet pour Bud Bouvier, frère de Jack Bouvier dont la fille, Jackie Kennedy Onassis, connaîtrait une gloire universelle. En sandwich pour Edna Hutton, étouffée entre la célébrité de son père, Frank Woolworth et celle de sa fille Barbara Hutton. L'insidieux sentiment de culpabilité qu'éprouvait Edna en trompant son mari ne faisait qu'aggraver son état dépressif. L'adultère ne lui réussissait pas beaucoup mieux que la vie conjugale. En définitive, c'est la vie tout court qui finit par lui peser. Son suicide ne racheta pas son manque de savoir-vivre. Pourquoi se crut-elle obligée de revêtir pour la circonstance sa plus belle robe : un fourreau de satin blanc où s'enroulaient en volutes des iris brodés au fil d'or ? Choisir une toilette aussi tapageuse pour mettre fin à ses jours traduisait un manque de tac qui dénonçait ses origines. Sans se croire obligée de porter du noir, elle aurait pu opter pour un demi-deuil, moins compromettant que du satin blanc. À qui s'adressait cette mise en scène ? À Franklin ? À ses sœurs ? À son père ? Certainement pas à sa fille. Barbara n'avait pas encore cinq ans. Il est pourtant possible que ce soit la fillette qui ait trouvé le corps : « Maman, tu es pour moi la plus belle du monde. » Le bruit en a couru à l'époque. Le rapport de police affirmait le contraire, mais quel crédit accorder à un rapport de police qui concluait à un accident alors qu'Edna avait avalé des cristaux de strychnine dilués dans un verre d'eau ?

14

*Réactions de Black Jack et de Bud Bouvier à l'entrée en guerre des États-Unis. Curieux mariage de Black Jack avec Janet Norton Lee. Voyage de noces mouvementé sur l'*Aquitania. *Doris Duke en profil perdu.*

Le major Bouvier se montra d'emblée un des plus fervents partisans de la décision du président Wilson de porter secours aux Alliés. L'effet boomerang du « Lafayette nous voici » flattait son patriotisme comme ses idéaux aristocratiques. Il pensait que ses fils auraient à cœur de voler au secours du pays de leurs ancêtres, mais les principes qu'il avait cherché à leur inculquer ne devaient pas avoir eu le même impact sur les deux frères. Ce qui pouvait se comparer, chez Bud, à un lavage de cerveau, ne semblait pas avoir eu sur Black Jack plus d'effet qu'un léger shampoing. Bud s'engagea bille en tête, Black Jack traînait les pieds. Il attendit vraiment le dernier moment. Août 1917. Il resta ensuite planqué aux États-Unis en tant que sous-lieutenant dans les transmissions. Pendant que son frère, enlisé, en France, dans une guerre de tranchées, perdait le peu de confiance qu'il plaçait dans l'existence, Black Jack écumait tous les bordels de Caroline du Sud. La victoire des Alliés ramena Bud au pays. Il retrouvait la patrie en héros. Un héros fatigué. À bout de nerfs. Un homme à la dérive qui se raccrochait à l'alcool. Son mariage avec Emma Louise Stone, qu'il avait épousée en catastrophe avant de partir au front, n'y résista pas. Il devait ensuite se traîner de cure de désintoxication en cure de désintoxication. Pendant ce temps-là, Black Jack menait grand train. Si on est toujours le fruit de sa génération, il était comme un fruit confit dans un pudding gorgé d'alcool de contrebande. Il sortait tous les soirs et s'amusait comme un fou. Depuis qu'il travaillait comme courtier, Black Jack dépensait sans compter, mais dans l'euphorie des années folles cela ne posait pas de problèmes. Quand l'argent venait à manquer, il lui suffisait d'emprunter. Il vivait avec son temps. D'ailleurs, si on ajoute qu'il profitait de tous les avantages que le progrès mettait à sa disposition – cinématographe, automobile, téléphone, phonographe – tout en étant plutôt réactionnaire, on aura le portrait d'un grand nombre d'Américains de l'âge du jazz.

La rivalité entre les deux frères trouva un dénouement inattendu avec le mariage de Jack. Une sorte de coup de théâtre comme dans les pièces de boulevard : Black Jack épousa, en effet, un flirt de son frère, Janet Norton Lee. Elle avait été amoureuse de Bud, où avait eu un faible pour lui, avant de se marier avec Jack. Seulement jamais ses parents ne l'auraient autorisée à épouser Bud. Un divorcé alcoolique ! Par quelle aberration Janet reporta-t-elle sur l'aîné la faiblesse qu'elle éprouvait pour le cadet ? Et par quelle aberration Black Jack se laissa-il séduire par Janet, alors qu'on s'attendait à lui voir épouser un sac à fric ? Il en avait déshonoré de plus riches. Le père de Janet avait de l'argent, mais pas au point de pouvoir considérer Janet comme un beau parti. Très convenable, Janet avait dû se refuser à lui, ce dont Black Jack n'avait pas l'habitude. Cela provoqua-t-il sa décision ? Elle, de son côté, cherchait une reconnaissance sociale. Les Bouvier étaient dans le bottin mondain. Black Jack menait grand train. Il s'habillait comme un milord et roulait carrosse : une Zephir noire et une Stuez marron glacé que conduisait un chauffeur en livrée assortie. Si chacun épousait l'autre pour de mauvaises raisons, ils n'en finirent pas moins par se marier.

Qu'éprouva Janet en revoyant Bud qui attendait sur les marches de l'église ? Eut-elle un pincement au cœur ? Un pressentiment ? Son voyage de noces allait lui donner une idée assez précise de ce que l'avenir lui réservait. À peine embarqués sur l'*Aquitania*, qui les conduisait en Europe, Black Jack se mit à courir les filles. Sur un transatlantique, il n'avait meme pas besoin de courir : elles venaient à lui. La vie à bord favorisait un climat résolument flirt. Leur première dispute éclata à propos d'un groupe d'adolescentes qui arpentait le pont. L'une d'entre elles, en particulier, se faisait remarquer par ses cheveux dorés et sa taille au-dessus de la moyenne. Une grande bringue de quinze ans, très cuisse de nymphe, effarouchée, avec des petits seins « école de Fontainebleau », mais encore pataude. Black Jack avait eu le tort, un soir, en dînant, d'attirer l'attention de Janet sur le capital que représentait cette pucelle, désignée dans la presse comme « la plus riche adolescente du monde ». Janet, qui n'avait jamais entendu parler de Doris Duke, apprit tout sur l'héritière Camel, orpheline et mille fois milliardaire. Le plaisir que prenait Jack à son récit trahissait un désir qui ne pouvait manquer de blesser Janet. Il salivait comme s'il trouvait à ces millions un attrait sexuel. Janet fut d'autant plus sensible à la muflerie de son mari qu'il la mettait en rivalité avec une gamine, alors qu'elle venait en se mariant de quitter à jamais le monde de l'enfance. Piquée au vif, elle ne le lâcha plus.

Une fois dans leur suite, leur dispute porta leur affrontement à un degré de violence dont l'écho inquiéta le personnel d'étage. Regroupés derrière la porte, garçons et femmes de chambre se tenaient prêts à intervenir. Si les cris de Janet restaient assez corrects, Black Jack, en revanche, abusait des grossièretés : « Mais ce n'est qu'une pisseuse, se défendait-il.

— Épargne-moi, je t'en prie, cette façon de parler…

— Qui a commencé à parler de baise, nom de Dieu de bon Dieu de bordel de merde ? vociféra-t-il. Il faut vraiment que tu aies l'esprit mal tourné pour t'imaginer que je vais… » Il encaissait d'autant moins bien les attaques de sa femme qu'il se savait innocent. En dehors d'un baiser volé. Un baiser dans le cou. Est-ce que cela comptait ? Janet se trompait de cible. Elle aurait mérité qu'il lui crachât la vérité : des femmes à bord, il s'en était déjà tapé trois, en comptant un flirt un peu poussé avec une Danoise, mais pas celle-là. Pas cette petite. Elle était beaucoup trop vierge et naïve. Sans compter qu'elle partageait sa cabine avec une domestique. Fallait-il que Janet soit idiote pour l'imaginer en train de dépuceler cette grande bringue dans un couloir entre deux portes ? N'y tenant plus, Black Jack explosa en bordées d'injures. Il se rapprocha de sa femme avec l'intention de la bâillonner ou de l'étrangler. Janet s'esquiva en enjambant un des lits jumeaux. Elle hurla en le menaçant à l'aide d'un vase de cristal : « Si tu m'approches, je te tue... » Le reste de sa phrase se perdit dans un épouvantable fracas de verre brisé. Un des miroirs roses, assorti au marbre de la salle de bains, venait, à l'évidence, de voler en éclats. Black Jack profita de la stupeur de Janet pour se jeter sur elle. Il la plaqua sur un des lits. Le bruit de lutte qui s'ensuivit renseigna le personnel sur la tournure que prenait la situation. Il ne fit bientôt plus aucun doute qu'ils venaient de se réconcilier sur le couvre-lit de satin. Les femmes de chambre retournèrent à leurs occupations avec du vague à l'âme.

15

Elsa Maxwell. Son rôle dans la société. Sa collaboration avec Jean Patou. Fierté de la commère d'être à l'origine du feuilleton de l'été : le chassé-croisé entre Alexis Mdivani, Silvia de Rivas, Louise van Alen... et Barbara Hutton.

Il était trois heures du matin et elle avait les pieds en compote. Se laissant tomber sur une banquette, Elsa Maxwell s'était arrêtée pour souffler entre deux étages. Qui aurait pu supposer que cette grosse dame, avachie dans la pénombre d'un palier désert, venait de donner un cocktail où s'était pressé le Tout-Biarritz ? Elle n'avait pas osé prendre l'ascenseur. Il était vraiment minuscule. Sa corpulence le lui interdisait. Qu'aurait-elle fait bloquée dans l'ascenseur, alors que toute la maison dormait ? Après l'avoir chaudement remerciée, Jean Patou était monté en la laissant régler les problèmes d'intendance avec le chef du personnel. Il fallait payer les extra, les musiciens, distribuer les denrées périssables, faire disparaître les fleurs fanées et tout ce qui pourrait, le lendemain, offenser la vue des invités du couturier. La maison était pleine à craquer. Patou l'hébergeait, mais comme il hébergeait aussi ses mannequins et une ribambelle d'amis, Elsa s'était vu attribuer une petite chambre sous les combles. Une chambre de bonne. Patou s'en était excusé, mais ils étaient convenus ensemble qu'il n'y avait pas d'autres solutions. Arrivée au troisième étage, il lui fallait encore prendre un petit escalier dérobé, raide comme une échelle, et, si étroit, qu'il la contenait à peine.

Pourquoi les gens ne se lassaient-ils jamais de la voir faire le pitre ? Déjà à l'école, ses camarades raffolaient de ses prestations pendant les cours d'éducation physique. Son succès, lorsqu'elle réussissait une galipette, la dédommageait de la douleur que représentait, vu son poids, un tel effort. Elle aurait pu essayer de maigrir, mais c'était sans espoir. D'autant qu'aucun des traits de son visage ne rachetait sa difformité. Elle n'avait ni de beaux yeux, ni de jolis cheveux, ni même un joli sourire. Elle n'avait rien pour elle en dehors de sa bonne humeur. Elle exagéra ce penchant. Elsa Maxwell se démenait dans le monde à la manière de ces bonnes sœurs capables de porter secours aux blessés les plus gravement atteints avec le sourire aux lèvres. C'était la petite sœur des riches. Une erreur d'aiguillage l'avait-elle conduite dans le grand monde alors qu'elle était destinée à une léproserie ? Dans *J'ai reçu le monde entier*, son second livre de mémoires, elle aime faire étalage de son désintéressement, mais ce désintéressement n'allait cependant pas jusqu'à la pousser à fréquenter des pauvres. Tout milliardaire pouvait être assuré de son soutien. Elle aimait les riches sans distinction de race ni de sexe. Elle les aimait simplement parce qu'ils étaient riches. C'était une paillasse à milliardaires.

Même si Elsa Maxwell est à l'origine de ce qu'on appelle aujourd'hui les relations publiques, ce serait réducteur de la présenter comme une simple attachée de presse. Elle coiffait des dizaines de casquettes : bouffon, confidente, commère, journaliste, dame de compagnie, tenancière de boîte de nuit, conducteur de cotillon, impresario, chansonnier... Elle pissait de la copie, poussait la chansonnette, pianotait, pointait à toutes les fêtes, empochait ici, émargeait là, cachetonnait, michetonnait en s'entremettant entre les riches et les nouveaux riches, les nouveaux riches et les aristocrates désargentés, les aristocrates désargentés et les couturiers... Sans qu'on puisse l'accuser d'enrichissement personnel. Tout pour l'esbroufe (même si d'aucuns la surnommaient « la grosse commission » en raison des pourcentages qu'il lui arrivait de toucher). Elle est morte sans un sou, n'emportant dans sa tombe qu'une virginité dont elle aimait à se vanter avec son gros rire typiquement américain. On ne lui connaissait du reste pas d'autres vices que d'aimer les riches. Certains n'hésitaient pas à la décrire comme une lesbienne qui s'ignorait, mais de toute façon, avec le handicap qu'elle se trimbalait, sur pelouse ou sur terre battue, elle ne devait jamais tellement avoir eu l'occasion de prendre beaucoup d'exercice.

La collaboration entre Elsa Maxwell et Patou avait déjà porté ses fruits. Entre autres au moment du lancement de *Joy*. C'est Elsa qui avait trouvé la formule « Le parfum le plus cher du monde ». Il fallait être américaine pour y penser. Mais c'était justement la clientèle que Patou cherchait à attirer. C'était d'ailleurs sur des Américaines, tout en jambes, avec des sourires éclatants, qu'il présentait maintenant ses modèles. Il avait fait venir à Biarritz cette attraction. La vieille cité balnéaire cherchait, tant bien que mal, à s'adapter aux exigences de la *café-society*. On pouvait considérer qu'Elsa Maxwell faisait partie de ces exigences. Avant la guerre, le culot de cette grosse Américaine lui aurait fermé toutes les portes, mais à présent on la trouvait tordante. Elle ne reculait devant rien. La voir s'exhiber, sur la plage, en maillot, au milieu des mannequins de Patou, représentait un événement qui avait affolé la presse locale. La foule qui s'était pressée chez Patou, de six heures de l'après-midi jusqu'à deux heures du matin, l'avait récompensée de ses efforts.

Ajustant son monocle pour toiser l'assistance, le marquis d'Arcangues s'était écrié : « On ne s'entend plus parler français. » Prenant la relève des Russes (naguère majoritaires à Biarritz), les Américains et les Sud-Américains tenaient maintenant le haut du pavé. Patino, le roi de l'étain, plastronnait au milieu de sa nombreuse famille (Patou ne désespérait pas d'habiller sa fille, Elena, lors de son prochain mariage avec le marquis del Merito). Le trio formé par Alexis Mdivani, Barbara Hutton et Louise van Alen, représentait un autre des pôles d'attraction de cette fête, même si Elsa Maxwell se plaît à en exagérer l'importance dans ses mémoires. Elle prétendra, en effet, avoir été intriguée, ce jour-là, par l'attitude de Barbara Hutton. C'est toujours facile de faire preuve de clairvoyance en analysant une situation à la lumière du résultat final. Pour Elsa Maxwell, c'était flatteur d'être à l'origine d'une histoire qui allait devenir le feuilleton de l'été. Barbara, qui lui avait affirmé ne pas connaître Alexis Mdivani, aurait été avertie de son arrivée chez Patou par une sorte de prémonition : « C'est alors que se produisit une chose étrange, écrit la commère, Tellement surprenante même que je n'arrive pas à lui trouver d'explication. D'où elle se trouvait, Barbara ne pouvait savoir qu'une Rolls-Royce venait de s'arrêter devant le perron de la maison. Alors pourquoi la vis-je se raidir à ce moment précis ? Et pourquoi le prince Mdivani se dirigea-t-il droit vers le coin de la pièce où elle s'était réfugiée, comme s'ils avaient rendez-vous ? »

Comment croire qu'Elsa Maxwell n'ait rien eu de mieux à faire que de déchiffrer les sentiments qui passaient sur le visage de Barbara Hutton, alors qu'elle était censée s'occuper des invités qui se bousculaient chez le couturier ? D'autant qu'Elsa la connaissait à peine. Elle l'avait rencontrée, par hasard, la veille chez des amis américains. Ronde et dodue comme un chou à la crème, Barbara pouvait passer pour appétissante, mais ne ressemblait encore en rien à la gravure de mode qu'elle allait devenir par la suite. C'était encore une enfant. Elle ne devait même pas avoir coupé ses cheveux, alors que toutes les beautés à la mode se demandaient si elles n'allaient pas faire repousser les leurs : porter les cheveux courts commençait à être un peu amorti. Elsa ne lui avait prêté aucune espèce d'attention jusqu'à ce qu'elle devine, en l'entendant parler de sa tante Jessie Donahue, qu'il s'agissait de l'héritière Woolworth. Barbara Hutton ! La gamine aux mille milliards. Elle lui proposa alors immédiatement de se joindre aux invités du cocktail qu'elle donnait le lendemain.

Le portrait qu'Elsa Maxwell trace ensuite d'Alexis Mdivani s'inscrit dans le droit-fil de ces arrière-pensées rétroactives. Mdivani détestait Elsa Maxwell qui le lui rendait bien. Une fois marié à Barbara Hutton, il refusera toujours de la voir, alors que Barbara ménageait la commère qui l'encensait dans sa rubrique. Aussi, Elsa Maxwell ne prend-elle pas de gants avec lui. Elle le charge en reproduisant une conversation qu'elle aurait eue, à la veille de cette fête, avec Jean Patou. Épluchant la liste des invités, Elsa prétend avoir buté sur le nom du prince Mdivani : « Qui est-ce ? Le connaissez-vous ? Êtes-vous bien sûr qu'il ne s'agit pas d'un titre usurpé ? », demanda-t-elle. Patou serait alors parti d'un grand éclat de rire, en lui expliquant qu'au fin fond de la Géorgie, dont il était originaire, trois cochons et un arpent de terre suffisaient pour être considéré comme un prince.

« Mais ici, en Occident, ils ont un autre titre, expliqua-t-il. Alexis et ses frères sont surtout connus comme les plus féroces coureurs de dot du moment Serge Mdivani est marié avec l'actrice Pola Negri. David Mdivanı a également épousé une actrice, May Murray. Quant à Alexis, le petit dernier, il est fiancé à Louise van Alen, une jeune héritière américaine apparentée aux Astor et aux Vanderbilt.

— Mais pour en revenir au Mdivani, c'est bien leur sœur, Roussadana, qui a piqué le peintre espagnol José Maria Sert à sa femme ?

— Absolument, s'écria Patou. Roussy Sert est une vraie beauté, grande, gracieuse, à l'ossature très fine. Elle a un goût extrêmement sûr en matière de mode. Elle est aussi maligne que ses frères, peut-être même davantage. »

Cette présentation ne tient pas compte du charme sauvage et de la vitalité d'Alexis. C'était en effet le genre de type qui gagne à être connu de son vivant plutôt que dans les mémoires d'une chroniqueuse aigrie. De son vivant et dans l'intimité. Il faut replacer Alexis dans le contexte des années 20 pour comprendre le choc qu'il pouvait provoquer à toutes ces filles dont les jupes avaient raccourci et qui ne rêvaient plus que de flirt et de fox-trot. Dans ce contexte, le charme à la fois fruste et frivole d'Alexis faisait tilt à tous les coups. C'était le dieu de la plage, l'as du polo, la coqueluche des thés dansants. Aucune fille ne lui résistait. Difficile de reproduire, par écrit, l'attraction d'un mouvement qui agissait comme une lame de fond. D'ailleurs une fois aspirée, il ne servait à rien de se débattre. Au contraire, c'est en se laissant entraîner par le rouleau qu'on avait une chance de s'en sortir car ce genre d'amour n'est généralement pas fait pour durer. Lorsque la vague du désir – qui vous emportait parfois très loin – relâchait son étreinte, on ne risquait que de légères contusions. C'était un sacré rouleau, mais ce n'était pas un homme qui portait à conséquence.

Il vous laissait groggy, légèrement amnésique, assommée, courbatue, mais sans regret.

Le polo représentait sa seule réelle occupation. Lui et ses frères étaient des cracks. Jouait-on au polo dans leur bled de Géorgie ? C'est peu probable, mais on y vivait à cheval. D'où leur incroyable habileté. Alexis, qui surpassait encore ses frères, s'affirmait comme un des meilleurs joueurs de sa génération. Les maharadjahs se disputaient l'honneur de jouer contre lui. Les aristocrates aussi. Il s'était vu enrôlé dans l'équipe de lord Mountbatten. À l'époque où Barbara Hutton l'avait rencontré, il s'entraînait dur en vue du championnat qui se déroulait tous les ans à Biarritz. Un tournoi auquel le prince de Galles ne dédaignait pas de participer. Barbara adorait venir le chercher à l'issue de son entraînement. Pour une gamine snob, c'était grisant. Non content d'être un signe extérieur de richesse au-dessus de tout soupçon, le polo n'est pas un sport pour les enfants. Il libère une violence dont la sauvagerie s'inscrit dans le droit-fil de la féodalité et des tournois du Moyen Âge. Barbara, qui délirait depuis son enfance sur les chevaliers en armure et les belles princesses, trouvait dans le polo matière à nourrir ses fantasmes. À la suite de son divorce, elle déclarera que son mari aimait tellement le polo qu'il aurait mieux fait d'épouser une jument. Elle ignorait que le jour où Alexis lui avait arraché son consentement, il avait télégraphié à sa sœur : « Ai gagné le grand prix ! Annonce les fiançailles. » Un langage codé d'une clarté désespérante. Mais on n'en est pas encore là.

En dehors d'associer Alexis au polo, la postérité n'a retenu que la liste de ses bonnes fortunes. À quatorze ans, il tomba Mistinguett (encore que c'est plutôt elle qui dut tomber sur lui). Sa liaison avec l'actrice américaine Kay Francis défraya ensuite la chronique, mais moins que son aventure avec Louise Cook, une sublime danseuse noire américaine qui aurait également connu au même moment les faveurs du duc de Kent. Il abandonna les coulisses du music-hall pour un peloton de débutantes d'où se détachèrent bientôt Silvia de Rivas, Louise van Alen… et Barbara Hutton. En tombant amoureuse d'Alexis Mdivani, Barbara Hutton ne faisait que compliquer une situation qui l'était déjà : Alexis, encore épris de

Silvia de Rivas, venait de se fiancer à Louise van Alen. Elles formaient une petite bande assez comparable à celle des jeunes filles en fleur. En plus cosmopolite. Barbara se flattait d'être la meilleure amie de Silvia. Entre Alexis et Silvia, le coup de foudre avait été réciproque, seulement Silvia devait épouser Henri de Castellane, duc de Valençay, plus âgé qu'elle, mais fort riche. Il était le neveu du célèbre Boni de Castellane. Un mariage de raison arrangé de longue date par son père, le comte de Castille Jaet. Le comte ne voulait pas entendre parler de ce vaurien d'Alexis Mdivani. Il interdisait à sa fille de le revoir. Émue comme on peut l'être à dix-sept ans par une histoire d'amour impossible, Barbara leur servait de messager. Elle y prenait un plaisir qui ne pouvait manquer de dégénérer. Que le *go-between* tomba à son tour *in love* s'inscrivait dans la logique amoureuse d'une adolescente. L'amitié qu'elle portait à Silvia lui interdisait de voir ce qui sautait aux yeux : elle était maintenant amoureuse du prince. *Welcome to the club.* Lorsque les larmes embuaient ses paupières, elle se persuadait qu'elle pleurait sur le sort de son amie Silvia. Alexis, qui était moins naïf, devait bien se rendre compte du trouble qu'il provoquait chez l'adolescente, mais il n'était pas homme à s'en formaliser. Au contraire, cela ne faisait qu'ajouter au charme tendancieux de leurs messes basses : la délectation masochiste qu'il éprouvait à évoquer Silvia se doublait du plaisir sadique de sentir Barbara à sa merci.

16

Contes et légendes des Mdivani. Leur arrivée à Paris. Liaison de Roussy Mdivani et du peintre José Maria Sert. La gloire de Misia Sert à l'époque des Ballets russes. Amitié orageuse de Misia et de Chanel.

En dehors d'avoir été allaités par une louve et recueillis par des bohémiens qui leur auraient appris à faire valser des ours sur leurs pattes de derrière, tous les poncifs des romans-feuilletons se bousculaient dans le récit que les Mdivani se plaisaient à faire de leur enfance. L'imposant château qui les avait vus grandir ne pouvait être qu'une ruine féodale battue par les vents, leur grand-père, un potentat musulman, et le bateau sur lequel ils avaient fui la Russie, via Constantinople, se signalait comme le dernier à avoir quitté Odessa. La révolution qui marquait pour la plupart des émigrés le début de la fin avait au contraire représenté pour eux une échappatoire. Elle les autorisait à s'esbigner de l'obscure province de Batoum (un trou perdu au fin fond de la Géorgie) dont leur père, le général Mdivani, était gouverneur. Ancien aide de camp du tsar, celui-ci avait été nommé à ce poste peu avant que n'éclate la guerre civile. Ne reculant devant aucune affabulation, ses fils n'hésitaient pas à prétendre, pour expliquer leur dénuement, que dans l'affolement du départ leur mère s'était trompée de bagage, empoignant une valise bourrée d'articles de cotillons au lieu de celle contenant les bijoux et l'argenterie familiale.

Dans les contes et légendes des Mdivani, les parents faisaient figure de pièces rapportées. Ils étaient complètement dépassés par les espiègleries de leur progéniture ! Le général remarquait avec humour qu'il était le seul homme au monde à avoir hérité un titre de ses enfants. Quand il entendait demander au téléphone « le prince Mdivani », il répondait imperturbable : « C'est sans doute à un de mes fils que vous voulez parler. » Le chapitre sur Constantinople réservait son lot de rebondissements. Seule la générale et ses trois plus jeunes enfants y avaient, en définitive, trouvé refuge. On apprenait en effet, au détour d'une phrase, que Serge et David se trouvaient alors déjà aux États-Unis où ils poursuivaient leurs études à l'invitation d'un milliardaire du Massachusetts. Une nouvelle fois, on en était réduit aux suppositions. Que faisait ce milliardaire américain au fin fond de la Géorgie ? Quelle mouche l'avait piqué d'envoyer les garçons étudier dans une université, alors que la capacité des Mdivani pour les études laissait à désirer ? Était-il tombé amoureux de la famille ou d'un garçon en particulier ? Ou des deux ? Comment la famille s'était-elle reformée à Paris ? Au prix de quelle ruse le général avait-il échappé aux Bolcheviks ? Par quel moyen les enfants et leur mère quittèrent-ils Constantinople ?

Leur arrivée à Paris, dans les années 20, représentait la seule certitude de ce récit décousu. Denise Tual en apporte la confirmation dans un texte qui renseigne également sur la manière dont s'y prenaient les deux jeunes princesses pour s'introduire dans le monde : elles sonnaient jusqu'à ce qu'on vienne leur ouvrir. « Une famille de princes géorgiens, les Mdivani, venait d'arriver à Paris, écrit Denise Tual dans *Au cœur du temps*. Les deux jeunes princesses, très belles, l'une brune et l'autre blonde, étaient venues offrir à mon père de publier des contes que l'une avait écrits et que sa sœur avait illustrés. Ces contes n'existaient que dans leur imagination, mais elles avaient un tel charme que mon père les invita à la maison. La soirée battait son plein lorsque la tribu fit son entrée. Ne pouvant articuler correctement les titres qui lui étaient dictés avec un fort accent russe, notre valet de chambre annonça : "Les princesses et le prince…", le nom de famille se perdit dans un borborygme inaudible. Il fallut ouvrir en grand les portes du salon pour que la princesse mère puisse faire son entrée. Elle était énorme, majestueusement drapée dans un rideau de velours rouge et couverte de fausses perles. Suivait, à deux pas, le prince, son mari, en habit, immense, le teint brique et les cheveux coupés en brosse. Il arborait une brochette de décorations superbes et mystérieuses. Il s'inclina devant ma mère : "Prince Michel Mdivani..." C'était pour moi le général Dourakine. Mon père se précipita au-devant des princesses. Celles-ci ruisselaient de sequins, de grelots et de breloques qui tintinnabulaient au moindre de leurs mouvements. Une escouade de jeunes gens en smoking se présentèrent en claquant militairement les talons : – Alec. – Serge. – David. »

À force de tirer les sonnettes, Roussy Mdivani atterrit chez José Maria Sert (qui n'était autre que le parrain de Denise Tual dont les Mdivani venaient de faire connaissance). Roussy se présenta au peintre comme une jeune artiste avide de conseils. Elle prétendit également être à la recherche d'un endroit pour exercer ses talents de sculpteur et s'extasia sur l'atelier qui, compte tenu du gigantisme de la peinture de Sert, ne pouvait être qu'immense. Les mensonges cousus de fil blanc de Roussy charmèrent le peintre qui s'empressa de lui faire une place. « Dans son lit », insinua-t-on bientôt dans Paris. On le savait incapables de résister à une tentation. Toutes les femmes éveillaient sa curiosité. Il était assez laid, mais très entreprenant. La distinction naturelle de Roussy, loin de refroidir ses ardeurs, l'enchanta. Ce qui n'aurait dû être qu'une passade se transforma insensiblement en une aventure plus stable. Fermant d'ordinaire les yeux sur les infidélités (notoires) de son mari, Misia Sert éprouva le besoin de rencontrer cette princesse géorgienne dont Sert n'hésitait pas à lui chanter les louanges. Avec sa silhouette longiligne et ses yeux gris, elle ressemblait, paraît-il, à un Modigliani. Cela valait la peine d'aller voir.

Misia Sert est une des rares personnes qui arrive à sortir grandie de l'éclairage aveuglant que lui procure le talent des autres. De Diaghilev à Chanel en passant par Colette, Cocteau, Proust, Mallarmé, Morand, Saint-John Perse, Max Jacob, Radiguet, Satie, Stravinsky, Reverdy... tous ont tenu compte de ses avis et se sont fiés à son intuition. Au milieu de ces professionnels assoiffés de reconnaissance, le dilettantisme de Misia ventilait un peu d'air frais. Ses mariages divisaient la vie de Misia en trois actes. Son premier mari, Tadhée Natanson, dirigeait la *Revue blanche*, journal littéraire et artistique d'une chapelle à laquelle Renoir, Mallarmé, Debussy, Bonnard, Vuillard, Lautrec, etc., se flattaient d'appartenir. Ils avaient tous soupiré au pied de Misia et laissé un grand nombre de poèmes et de tableaux à sa gloire. La fortune d'Edwards, son deuxième mari, assurait à Misia une position plus conforme aux ambitions de l'âge mur. Ce patron de presse était un homme puissant. Son journal, *Le Matin*, tiraient à des millions d'exemplaires. Le divorce de Tadhée et de Misia se calquait sur un scénario classique : un homme pousse sa femme à être aimable avec un autre homme pour en tirer avantage… et la perd. Ce divorce fit grand bruit. Mais moins que le divorce de Misia et d'Edwards, alors que celui-ci la trompait avec Lanthelme (une sublime Bardot 1900, actrice de petite vertu et gloire de la presse à scandale de l'époque). Le mariage de Misia et du peintre espagnol José Maria Sert s'ouvrait sur la période la plus glorieuse de la vie de Misia

Le rideau se levait sur les Ballets russes. Musicienne accomplie, Misia semblait destinée à devenir la collaboratrice de Diaghilev. Même tempérament slave, même démesure, même dureté. Avec les Ballets russes, l'orientalisme qui avait titillé tout le XIXe siècle trouvait un épilogue à sa mesure. À sa démesure. *L'Oiseau de feu*, *Shéhérazade*, *Prélude à l'après-midi d'un faune* imposèrent un faste nouveau à la décoration et à la mode. L'Orient servit de détonateur à une explosion de sultanes, d'almées, de mouquères, d'odalisques. Une barbaresque qui bivouaquait au *Ritz* et dont Misia était le chef de file. Poiret n'avait délivré les femmes de leur corset que pour les entraver dans des sarouels, les alourdir de perles et de fourrures, les hisser sur des cothurnes et les enturbanner de lamés. Chanel, qui allait devenir la meilleure amie de Misia, mettrait le holà à ce sybaritisme en inventant la petite robe noire. Le style télégraphiste. Même habillée par Chanel, Misia incarnait une opulence qui commençait à dater. Pour les garçonnes, son faste évoquait déjà une autre époque. Un autre style de vie. Misia ne serait jamais sortie sans ses perles et, l'hiver, elle aurait eu l'impression d'être nue sans une fourrure. Elle appartenait à une génération où les femmes avaient l'habitude d'être vénérées. Les dos voûtés, les poitrines plates et les os d'ortolan à la Van Dongen, ce n'était pas son truc.

Encore moins les cheveux courts. Quand on évoquait devant elle cette nouvelle mode, elle se contentait de hausser les épaules : « Non, moi ce qui me va, c'est le genre bonniche. »

Misia et Chanel s'étaient rencontrées, à la fin de la guerre de 14, chez Cécile Sorel. Promue marquise depuis son mariage avec un Ségur, la comédienne « surjouait » les grandes dames au milieu d'une société assez mélangée. Misia avait l'impression de s'être fourvoyée, quand elle remarqua une jeune femme silencieuse qui se tenait à l'écart. Misia ne trouvait pas de mot pour la décrire. « Un gavroche d'une étonnante distinction », se dit-elle finalement sans être satisfaite de son portrait. Dans ses mémoires, Misia reconnaît ne pouvoir s'expliquer l'attirance qui l'avait poussée vers Chanel. Une attirance qui ressemblait à un coup de foudre. Amour, amitié ? L'enthousiasme de Misia brouillait les pistes. Toujours à l'affût de nouveauté, la fréquentation de gens plus jeunes s'imposait à elle comme une nécessité. Chanel incarnait la jeunesse. D'autant qu'elle mentait sur son âge. Elle se rajeunissait de dix ans. Une manière de tirer un trait sur son passé. Elle avait pas mal traîné dans sa jeunesse avec des officiers de cavalerie. Son surnom lui venait de cette époque. Coco, un surnom de cocotte. Avant guerre, son passé l'aurait marquée au fer rouge, mais le renouvellement de la sensibilité l'autorisait à se présenter comme une femme libre. Aujourd'hui, elle vendait des chapeaux. Une reconversion qui lui désignait encore l'entrée des fournisseurs. Misia la prit sous son aile et la présenta à tous ses amis, l'imposant à ceux qui (comme les Beaumont) freinaient des quatre fers à l'idée de fréquenter une femme libre qui vendait des chapeaux. D'être la petite protégée de Misia ne pouvait convenir longtemps à Chanel. Leur amitié allait vite devenir orageuse, tyrannique et s'alourdir d'une sourde rivalité. Chanel, dont l'étoile montait, s'enhardissait. Les bontés et les conseils que Misia faisait pleuvoir sur elle commençaient à lui peser.

17

Misia tombe à son tour sous le charme de Roussy. Dans Paris tout le monde se demande si elles couchent ensemble. Roussy sacrifiée sur l'autel de la conversation téléphonique. Misia persiste et signe sa perte.

Tombant à son tour sous le charme de Roussy Mdivani, Misia haussa les épaules, agacée par le peu de valeur qu'il fallait accorder au jugement des hommes : Roussy était cent fois mieux qu'un Modigliani. Quelle idée de la comparer à cette peinture plate et sans nuance ! Misia avait alors franchi le seuil de la cinquantaine. Sa vie, ponctuée naguère de drames et de rebondissements, suivait un cours plus tranquille. Elle avait l'impression de s'endormir. Seulement elle était comme l'amadou qui n'attend qu'une étincelle pour s'enflammer. D'autant qu'elle arrivait à cet âge où, d'instinct, les femmes vont au pire. Misia était trop intelligente pour se teindre en blonde ou se mettre à la gymnastique. Tomber amoureuse de la maîtresse de son mari lui apparut comme la solution la plus adaptée à la crise de la cinquantaine : elle aimait le gâchis. Plutôt que de rivaliser avec Roussy, elle allait entrer en compétition avec Sert. Ce rebondissement était digne de la fin d'un second acte (il inspirera d'ailleurs pas moins de deux pièces de théâtre : *Les Monstres sacrés*, de Cocteau, et *La Donneuse*, d'Alfred Savoir). Alors qu'elle avait pris la représentation en marche, Misia ne désespérait pas de redistribuer les rôles comme elle l'entendait : Roussy serait la fille qu'ils n'avaient pas eue. Que son mari couchât déjà avec cette enfant ne lui posait pas de problèmes. Misia ne pouvait être qu'une mère indigne.

Habituée depuis sa tendre enfance aux jeux interdits, Roussy se laissa adopter par Misia sans opposer de résistance. Sert ne savait trop quoi en penser. Qu'y pouvait-il si les deux femmes dont il était amoureux s'adoraient ? On prit l'habitude de les inviter tous les trois ensemble. Le couple s'exhibait avec sa petite protégée. Cela faisait jaser. Dans Paris, la seule chose qui intéressait les gens était de savoir si Misia et Roussy couchaient ensemble. Sert faisait-il partie de ces hommes que le saphisme excite ? (Ou plutôt, Sert faisait-il partie de ces hommes n'hésitant pas à pimenter leur plaisir en pliant leur femme à coucher avec d'autres femmes ? Parce que des hommes insensibles au saphisme, il ne doit pas y en avoir beaucoup.) Edwards, le second mari de Misia, dont la perversité allait, paraît-il, jusqu'à la scatologie, l'avait-il initiée à des jeux érotiques ? Alors, couchaient-elles ensemble ? On s'était déjà posé la question à propos de Chanel et de Misia dont l'amitié passionnée autorisait le doute. On avait aussi insinué que Lanthelme et Misia... La malignité du public étant ce qu'elle est, se poser la question revenait déjà à y répondre. Pour tout le monde, il ne pouvait s'agir que d'un ménage à trois de la pire espèce. Les plus déterminés insinuaient que le couple droguait la jeune princesse pour la maintenir sous leur joug.

L'amitié orageuse de Misia et de Chanel avait alors trouvé une sorte d'équilibre : elles ne pouvaient pas plus se passer l'une de l'autre qu'elles ne pouvaient se passer de dire du mal l'une de l'autre. Il leur arrivait de ne plus se supporter, mais elles supportaient encore moins de ne pas se voir, ne serait-ce que pour alimenter leurs médisances. Toujours prêtes à se tirer dans les pattes, mais incapable de ne pas partager un secret. Roussv avait été sacrifiée sur l'autel de la conversation téléphonique. Elles s'appelaient jusqu'à trois fois par jour. « Décidément, tu es complètement folle », déclara Chanel, qui ne résista pas au plaisir de faire remarquer à Misia que Roussy avaient trente ans de moins qu'elle. « Tu me dirais que Roussy est un délicieux petit monstre, je te donnerais raison, poursuivit Chanel, mais chercher à la faire passer pour une enfant sans défense dépasse l'entendement. Et puis il y a les autres ! Ces Mdivani ne me plaisent qu'à moitié...

— C'est vrai qu'ils sont snobs, concéda mollement Misia.

— Snobs ! Comment cela ? s'emporta Chanel.

— Snobs, comme tous les snobs. Attirés par le clinquant et les signes extérieurs de richesse...

— Bon, snobs, si tu veux, mais alors pas comme nous », trancha Chanel, sans se rendre compte de sa bourde. Elle poursuivit en demandant à Misia si elle savait avec qui sortait maintenant David Mdivani. « Arletty ! », laissa tomber Chanel après un court silence destiné à mettre sa révélation en valeur. « Arletty, tu imagines ! Je me suis laissé dire qu'ils vivaient au *Crillon* au vu et au su de tout le monde.

— Je ne vois pas où est le mal, s'étonna Misia.

— Une artiste de variété, voilà où est le mal. Ce monde des boulevards ! Ces gens de théâtre ! Quelle horreur ! Tu parlais tout à l'heure de clinquant, mais là on est dans le tape-à-l'œil, la réclame... (tout ce qui rappelait à Chanel son passé lui faisait maintenant horreur. Elle avait chanté, à Moulins, dans un café-concert).

— Tu exagères, Arletty est mieux que ça... et elle s'habille divinement, ajouta perfidement Misia qui ne pouvait ignorer qu'Arletty se fournissait désormais chez Schiaparelli à qui elle faisait une publicité monstre.

— Variété, rien que le mot me fait horreur, s'entêta Chanel.

— Tu as tort de t'énerver, mais je te donne raison sur un point : Roussy vaut cent fois, mille fois mieux que toute cette clique. C'est un ange du ciel. » Devant l'exaltation de Misia qui l'adjurait de croire à la grandeur de son amour et à la pureté de son affection, Chanel se contenta de répliquer : « On en reparlera. »

Il n'était pas besoin d'être extralucide pour voir les nuages qu'une telle situation amoncelait à l'horizon. Chanel connaissait suffisamment Misia pour savoir qu'elle s'entêterait dans son comportement suicidaire. Elle prétendait ne pas pouvoir lutter contre les forces de l'amour. Elle aimait Roussy, Roussy l'aimait,

Sert aimait Roussy, mais l'aimait aussi elle. Fallait suivre. Ce n'était plus les liaisons dangereuses, ce n'était plus un ménage à trois, c'était la communion des saints. La sincérité de Misia ne pouvait être mise en doute, mais il faut se méfier des grands sentiments. Surtout dans les situations tordues. Misia avait mis la barre très haut. Espérant, sans doute, en secret, que Roussy finirait par s'essouffler. Tout en la comblant d'attentions et de cadeaux, Misia ne souhaitait pas moins s'en débarrasser. Sa passion pour Roussy était sincère, mais que valait cette sincérité en proportion de l'attachement qu'elle portait à son mari ? Sert et Misia ne formaient pas un couple exemplaire, mais leur complicité méritait l'admiration. Ils se passionnaient pour les mêmes choses. Leurs intérêts, leurs goûts, leurs relations, tout les réunissait. Et pourtant, un homme de cinquante ans, une fille de vingt, ce n'était pas difficile de faire le calcul. Le calcul des chances de Misia, s'entend. Elles étaient proches du zéro. Misia s'obstinait dans sa quête d'absolu, mais dans le même temps elle écoutait aux portes, regardait par les trous de serrure et lisait les lettres qui ne lui étaient pas adressées. C'est de cette manière qu'elle découvrit l'intention de Sert d'épouser Roussy et de partir vivre avec elle.

18

Le mas Juny *sur la Costa Brava. Magnificence de Sert. Barbara Hutton a-t-elle bien fait d'accepter l'invitation de Roussy ? Louise van Alen s'énerve. Barbara et Alexis surpris en flagrant délit.*

Après son mariage avec Roussy, José Maria Sert laissa libre cours à son extravagant goût du luxe. Salué par *Vogue* comme la plus belle résidence d'été de toute l'Europe, le mas *Juny*, sur la Costa Brava, le comblait de ce point de vue. Le contrat décroché pour les fresques du *Waldorf Astoria* (on parlait de 150 000 dollars) l'avait autorisé à se passer ce caprice. Avec une quinzaine de chambres et des salons de réception où l'on pouvait rouler carrosse, le mas *Juny* dominait la côte comme une forteresse. Sert l'avait mis en scène avec son brio habituel. Une fausse simplicité ordonnait des volumes dignes du Piranèse qui laissaient la vedette à des lustres gigantesques. Beaucoup d'or et d'énormes meubles noirs, en bois exotique, complétaient la décoration, évoquant les conquistadors et les boucaniers. Dans une crique en contrebas, le yacht que Sert avait fait aménager dans un bateau de pêche vénitien à fond plat accusait encore cette impression. Peint en noir au goudron et gréé de voiles rouge et or, il renouvelait la marine de plaisance en la dévoyant dans le baroque. On mentirait en refusant d'admettre que cela ne faisait pas un peu « Hollywood », et même un peu couture sur les bords, mais, après tout, c'était désormais le style de la maison.

Son goût pour les fresques et sa clientèle de gens fortunés, valaient à Sert d'être appelé « le Tiepolo du *Ritz* ». Il peignait pour les riches. Avec lui, les riches savaient où passait leur argent. Depuis le cubisme, la peinture avait mis les nantis à rude épreuve. En déclarant, admirative mais perplexe, devant un vase de Picasso : « C'est beau, mais je me demande ce que je pourrais en faire », la duchesse de Windsor devait un jour résumer l'opinion d'une partie de la bonne société à propos de l'art moderne. Même si on aime, on n'a pas toujours envie d'avoir ça chez soi. Avec Sert, les gens riches se retrouvaient en pays de connaissance. Il ne peignait pas pour élever l'âme, mais pour rehausser un intérieur. Les Wendel, les Rothschild, les Polignac, Philippe Sassoon, à Londres, Mrs Harrison Williams, à Long Island, les Errazuriz en Argentine, profitaient de la splendeur démodée de ses compositions. (Comme on s'interrogeait devant Forain sur les moyens de transporter, aux quatre coins du monde, des fresques de cette envergure, il s'esclaffa : « Ne vous inquiétez pas. Ça se dégonfle.) C'est ce monde-là qui convergeait à la belle saison vers le mas *Juny*. Depuis son mariage avec Roussy, les relations de Sert avaient changé. Même en faisant abstraction des vedettes de cinéma et des *play-boys* qui gravitaient autour des frères de Roussy, l'ambiance du mas *Juny* n'avait plus rien à voir avec celle qui présidait chez lui du temps où il était marié avec Misia. Le piano s'était tu, remplacé par la musique des tourne-disques qui diffusaient en sourdine des chansons de Cole Porter ou d'Irving Berlin. *Cheek to cheek*...

Pendant tout l'été, le mas *Juny* ne désemplissait pas. Une organisation discrète, mais sans faille, réglait chaque moment de la journée. Le petit-déjeuner prenait des allures de brunch autour d'un buffet où les plats étaient renouvelés en fonction de l'heure et du nombre de gens réunis. Sert, qui était un modèle d'amphitryon, tenait à servir lui-même ceux de ses invités qu'il considérait comme des hôtes de marque. Barbara Hutton avait droit à cette faveur. « *Madmachelle*, goûtez-moi *che* mets que les Grecs ont volé aux dieux de l'Olympe. » « *Madmachelle*, vous reprendrez bien de *che chabayon* qui *che* mange *chan* faim. » L'accent catalan de Sert mettaient Barbara mal à l'aise car elle ne comprenait pas la moitié de ce qu'il lui disait. Elle n'osait pas le faire continuellement répéter. Si bien que lorsqu'il lui posait une question précise, une fois sur deux, elle répondait à côté. « Il doit penser que je suis idiote », finit-elle par se plaindre à Roussy. Heureusement, le peintre se mêlait rarement à la petite bande des amis de la jeune femme. Il se montrait d'ailleurs assez peu sur la plage où il n'était pas à son avantage. La seule fois où Barbara l'avait vu en maillot de bain, elle s'était demandé comment Roussy pouvait coucher avec un tel monstre. Poilu de la tête aux pieds, avec une bosse et les bras qui traînaient par terre. N'imaginant l'amour que sous les traits d'un beau garçon, Barbara n'envisageait pas sans répulsion l'étreinte d'un homme singe.

Avait-elle bien fait d'accepter l'invitation de Roussy à la rejoindre au mas *Juny*, après les corridas de Saint-Sébastien ? Barbara Hutton se posait la question. Alexis et Louise avaient été les premières personnes sur lesquelles elle était tombée. Elle se doutait qu'ils étaient là, mais la cohabitation avec le couple, nouvellement marié, n'allait pas sans heurt. Elle trouvait Alexis bizarre et Louise, qui n'avait jusque-là jamais pris ombrage de son faux flirt avec Alexis, donnait des signes d'agacement. L'ambiance s'en ressentait. Un échange de propos acides entre les deux jeunes femmes avait déjà un jour, sur la plage, mis tout le monde mal à l'aise. « Tu dois en avoir du mal à t'habiller avec une aussi grosse poitrine, remarqua méchamment Louise, alors que Barbara sortait de l'eau.

— Mieux vaut en avoir trop que pas assez », répondit Barbara, pas beaucoup plus inspirée. Cela ne volait pas haut. Roussy ne semblait pas souffrir de la situation. Les prouesses « éroticofinancières » de ses frères l'avaient toujours emballée. Comment ne pas admirer la précocité d'Alexis qui, à vingt-deux ans, avait déjà tombé sa première héritière ? Et son premier million de dollars ? Pour un peu, elle aurait battu des mains. Elle aimait faire l'enfant et considérer la vie comme un jeu. Était-ce si drôle ? Était-ce vraiment un jeu ?

Les manigances de Roussy, que Sert prenait pour des enfantillages, se soldaient par d'assez sordides transactions. Avec Barbara Hutton, Alexis était sur un gros coup, pour employer le langage de la pègre. Elle devait hériter de mille millions de dollars le jour de sa majorité. Malgré la très vive affection qu'ils portaient tous à Louise van Alen, les Mdivani ne pouvaient passer à côté d'une telle opportunité. La rouerie était devenue chez Roussy une seconde nature. Faire prendre son frère en flagrant délit d'adultère représentait une décision risquée, mais il fallait en finir. Les hésitations de Barbara n'avaient que trop duré. Techniquement, cela ne posait pas trop problèmes. Dans la journée, la maison semblait obéir au rythme des marées, se vidant en fin de matinée pour ne se remplir qu'en fin d'après-midi. Barbara et Alexis avaient décidé de mettre cet engourdissement à profit pour avoir une explication. Ils étaient convenus de se retrouver dans la chambre de Barbara. Louise passait la journée à Barcelone. Roussy savait tout cela. Elle savait aussi que la porte de la chambre ne serait pas fermée à clef. Elle s'arrangea pour remonter de la plage en nombreuse compagnie. « Oh pardon, pardon », hoqueta-t-elle en faisant semblant d'être au supplice de les trouver dans le même lit. Après cette concession au théâtre de boulevard, elle s'enfuit en laissant la porte grande ouverte afin que tout le monde puisse profiter du spectacle. Se dressant, tel un dieu grec, dans une nudité qu'il cherchait à masquer derrière un oreiller, Alexis finit par claquer la porte au nez des curieux.

Roussy pouvait être satisfaite. Elle avait eu ce qu'elle voulait. Après ce fracassant constat d'adultère, il ne restait plus d'autre solution à Alexis que de proposer le divorce à Louise afin d'épouser Barbara Hutton. C'était bien le moins. La sollicitude de Roussy pour Louise ne connut alors plus de limites. Elle répétait partout que Louise faisait partie de la famille et qu'elle la considérait comme une sœur. C'était d'ailleurs bien parce qu'elle la considérait comme une sœur qu'elle lui conseillait d'accepter le divorce. Elle ne voyait pas d'autre alternative. Dûment chapitrée par Roussy, la rancœur de Louise prenait des proportions inattendues. Elle alla jusqu'à menacer Barbara de révéler à la presse l'épisode du mas *Juny* si elle n'épousait pas Alexis. Barbara se demandait si elle n'allait pas devenir folle. Les Hutton se moquait complètement des Mdivani ; en revanche, l'opinion des van Alen ne comptait pas pour rien dans le milieu qu'ils fréquentaient. Barbara ne savait plus trop quoi penser. Alexis lui plaisait, mais elle avait quand même l'impression de s'être fait avoir. Si l'amalgame imaginé par Roussy entre Louise, le divorce et la famille Mdivani ressemblait, à première vue, à un paradoxe assez osé, ce paradoxe trouva finalement un développement inattendu : Serge, séparé de Pola Negri, épousa, à son tour Louise, divorcée d'Alexis. Il faut croire qu'elle se plaisait chez les Mdivani

19

Virginia Cherrill et Emita Maldonado. Mariage du marquis de la Falaise et de Constance Bennett. Virginia encore amoureuse de Cary Grant. Les Rodriguez Maldonado. Le grand Cecil Beaton en personne.

Son rire remplissait le bureau du producteur. Un rire moqueur qui la charma. La porte était restée entrouverte et personne ne l'avait entendue entrer. Elle aperçut à contre-jour le profil de l'homme dont le rire couvrait les autres rires. Ses cheveux plaqués à la gomina se rejoignaient en pointe sur la nuque. Avant même de les avoir vus, elle devina qu'il avait les yeux bleus. Comme ça, une prémonition. Il se retourna et se leva en même temps que son amie Virginia Cherrill qui se chargea des présentations : « Le marquis de la Falaise, Emita Maldonado. Pedro Berman, ajouta-t-elle en présentant Emita au producteur qui se tenait derrière son bureau. » Emita, qui ignorait d'ordinaire la timidité, se sentait gauche. Les yeux bleus du marquis la paralysaient. Elle ne trouvait rien à dire et se réfugia derrière la faconde de son amie Virginia. « On doit filer », disait celle-ci en expliquant qu'elles n'avaient que le temps de se rendre à la gare pour prendre le train de 17 h 30. « Alors, sans regret ? demanda Pedro Berman. – Et surtout sans rancune », répondit Virginia en riant. Le marquis de la Falaise les accompagna jusqu'au palier en cherchant à engager la conversation avec Emita. Non, elle ne faisait pas de cinéma. Non, elle n'habitait pas Hollywood. S'ils se reverraient ? « Oh ! là, là, on va vraiment être en retard », s exclama Virginia en attrapant Emita par le bras. Toutes les deux portaient, assorties à leur robe de crêpe, des petites capes, coupées en biais, qui s'arrêtaient au-dessus du coude et se fermaient au moyen d'une lavallière. Dans l'escalier qu'elles descendirent en courant, leurs capes voletaient et le marquis, les regardant s'éloigner, les associa à des papillons.

« Qu'est-ce qui vous faisait rire pareillement ? demanda Emita une fois dans la voiture.

— Une histoire arrivée à un de leurs amis. Assez drôle, écoute : attablé dans un bar de New York, avec des *girls* des Ziegfield Follies, celui-ci n'arrivait pas à capter l'attention du serveur pour se faire apporter de la glace. Se tournant alors vers une des filles – un grande bringue qui affectait un air méprisant – il lui demanda : "Tu veux pas rendre un service : cherche au fond de ton cœur et remonte-nous des glaçons." » Après avoir ri de bon cœur, Emita questionna Virginia à propos du marquis. « Je croyais que tu le connaissais de Paris, s'étonna celle-ci. Le marquis de la Falaise de la Coudray. Ici, tout le monde parle de lui. De son mariage avec Gloria Swanson. De son mariage avec Constance Bennett. De ses divorces. » Selon Virginia, le marquis tenait à la ville le rôle qu'incarnait Adolphe Menjou à l'écran. Celui d'un homme en vue de la société. Mais aussi d'un homme à bonne fortune. D'un *french lover*. « À côté de lui, Menjou a l'air d'un vieillard, protesta Emita en revoyant le visage du marquis. Il est beaucoup plus sympathique.

— Ne me dis pas que toi aussi ! Tu ne vas pas partir à l'assaut de la Falaise, plaisanta Virginia. Ce n'est pas du tout l'homme qu'il te faut.

— Tu irais plus vite en me disant quel genre d'homme il me faut.

— Un homme moins énigmatique. Plus ancré dans la réalité, si tu préfères… Moins face cachée de la lune. »

On se souvient que Joe Kennedy s'était débarrassé du marquis de la Falaise en le nommant à la tête du bureau parisien de la société de production Pathé. Forçant une nouvelle fois le destin, Kennedy lui demanda de veiller sur Constance Bennett qui devait effectuer, en Europe, une tournée de promotion à l'occasion de la sortie du film *Le Roi s'amuse*. Le marquis s'amusa certainement de la coïncidence qui le ramenait à l'époque où il cornaquait Gloria Swanson dans Paris. Sa visite guidée n'avait rien perdu de son charme. Constance Bennett s'éprit à son tour du marquis et l'attrapa comme au lasso. Il demanda bientôt le divorce à Gloria. Elle pouvait difficilement le lui refuser, mais ne le lui accorda pas de gaîté de cœur. Se faire voler son mari par une gamine qui cartonnait au box-office représentait un affront insupportable. Gloria, qui restait la plus grande star d'Hollywood, ne faisait plus d'entrées, alors que Constance Bennett remplissait les salles. Dans la vie, on monte toujours en marche. Constance Bennett avait sauté dans le train du cinématographe alors que les wagons de queue se détachaient déjà. Les provocations des reines du muet commençaient à dater. Le parlant les condamnait. Le krach de 1929 acheva de changer les mentalités. Le public n'aspirait plus qu'à se détendre. Constance Bennett surfait sur ce manque d'ambition. Elle ne jouait que dans des petits films, mais qui rencontraient chaque fois l'adhésion d'un large public. Gloria Swanson avait d'autres raisons d'en vouloir à sa rivale. Tout laisse à penser que Joe Kennedy avait aussi couché avec Constance Bennett (encore mariée, à l'époque, à Phil Morgan Plant avec qui Kennedy faisait des affaires). Comme ça, en passant, mais pour Gloria c'était rageant. Son mari, son amant. Elle devait néanmoins avoir une sorte de revanche. Leur divorce ayant été prononcé, en France, en l'absence du marquis, Gloria demeurait, d'un point de vue juridique, la seule marquise de la Falaise. Elle les tenait par la barbichette. Constance n'avait pas le droit de porter le titre. D'où son impression d'avoir épousé une coquille vide. Leur mariage se brisa assez rapidement. Pour cette raison et pour d'autres qui tenaient au caractère affirmé de Constance Bennett.

« Bref, un cœur à prendre », conclut Virginia en riant. Depuis bientôt trois semaines, Virginia Cherrill et Emita Maldonado ne se quittaient plus. Lord Jersey les avait présentées, à New York, dans un *speak- easy*, en leur mettant chacune dans la main un Oldman Switch (du brandy, du lait chaud, un zeste de citron, de la cannelle et de la noix de muscade). Emita, qui ne buvait pas d'habitude, avala le sien sans réfléchir. À la suite de quoi elle se découvrit de nombreux points communs avec Virginia. Leur divorce, à la suite de mariages malheureux, les rapprochait effectivement, mais c'est leur jeunesse et leur gaîté qui scellèrent leur amitié. Elles se comprenaient à demi-mot et prenaient plaisir à se confier l'une à l'autre. « Tu n'imagines pas comme il était beau, se languissait Virginia en parlant de Cary Grant, son ancien mari.

— Ce n'est pas trop difficile à imaginer...

— Non, ne crois pas ça. Le cinéma ne rend justice ni à son charme ni à sa peau de pêche. Ni à son air de nounours. Comment t'expliquer ? Il était tellement doux, tellement...

— Je croyais qu'il te frappait.

— Pas tout le temps. Ne tombe jamais amoureuse d'un homme qui te fait penser à un petit chat abandonné. »

Virginia avait eu beaucoup de mal à se remettre de son union avec l'acteur. Alors que Cary Grant s'affirmait à l'écran comme la décontraction et le charme personnifiés, il se révélait plutôt difficile à vivre. Torturé, violent, tyrannique. En même temps, comme c'était le contraire d'un salaud, Virginia n'arrivait pas à le détester. Il lui en avait pourtant fait voir de toutes les couleurs. Même sa carrière s'en était ressentie. Son rôle dans *Les Lumières de la ville*, de Charlie Chaplin, restait son plus grand succès. Tout le monde s'accordait à louer la performance de Virginia qui jouait une aveugle sans défense. Était-ce cette interprétation qui lui valait son succès auprès des hommes, mais tout se passait depuis comme s'ils ne pouvaient la voir sans éprouver l'envie de la protéger ? Elle collectionnait les demandes en mariage. Lord Jersey voulait l'épouser. Virginia refusait pour l'instant de s'engager une nouvelle fois.

Une bourgeoise aurait hésité à devenir l'amie d'une actrice de cinéma, mais Emita Maldonado ne s'embarrassait pas de préjugés. Habituée à bouger depuis son enfance, elle entretenait un point de vue touristique de la vie. Les Rodriguez Maldonado appartenaient à cette colonie d'Américains du Sud dont l'émigration, en vagues successives, avait déjà déposé en France les Yturbe, les Terry y Doricos, les Besteigui, les Patino, les Anchorena. Emita n'est pas peu fière de préciser, dans ses mémoires, « que sa famille possédait déjà un appartement aux Champs-Élysées en 1850 ». Ces « rastaquouères » se distinguaient par la beauté de leurs attelages et la robinetterie en or massif de leurs salles de bains. Ils faisaient soigner les dents de leurs enfants à Berlin et les habillaient à Londres. D'origine colombienne, les Rodriguez Maldonado reproduisaient la plupart de ces manies. Diplomate à ses heures, le père d'Emita menait une vie très agréable à Paris. Une vie de boulevardier. Au grand désespoir de sa femme qu'il trompait à tour de bras. En désaccord sur tout, ils s'entendaient sur l'éducation qu'il convenait de donner à leur fille. Ou plutôt sur le peu d'éducation qu'il convenait de donner à leur fille. De l'avis général, les études ne leur valaient rien. Surtout si on voulait les marier. La précocité d'Emita trouva d'autres champs d'expérience. À quatorze ans, elle dansait le tango et le charleston (comment s'y prenait-elle pour faire croire à sa mère qu'il était naturel, en France, pour une jeune fille mineure, de fréquenter des thés dansants ?), à seize ans, elle s'amourachait de Charles Boyer et à dix-huit, elle supplia ses parents de la laisser épouser, par amour, un Français à peine plus âgé qu'elle. Un garçon brun aux yeux bleus qu'elle quitta deux ans et demi plus tard en cherchant à faire passer la jalousie de ce dernier pour de la cruauté mentale.

Emita ne regrettait cependant pas son mariage. Son statut de femme divorcée l'autorisait à une liberté de mouvement qu'elle n'aurait jamais connue autrement. New York, Londres, Paris, Berlin, Venise, Biarritz, Deauville... elle changeait de pays comme de chemise et de chemise comme de couleur de cheveux. Un jour rousse, un jour brune, un jour blonde. Elle était allée jusqu'au platine pour une fête costumée. Elle n'avait pas d'autre ambition que de s'amuser, mais elle avait les moyens de son ambition. La fortune familiale lui valait d'être présentée comme la *Coffee Heiress*. Les journaux new-yorkais faisaient suivre ce titre de noblesse de commentaires flatteurs sur sa garde-robe. Elle s'habillait divinement. Emita s'enticha de Virginia et accepta son invitation à Hollywood. Histoire de voir si ce qu'on disait de la capitale du cinéma était vrai. C'était pis. La ville sortait à peine de terre et la vie mondaine se réduisait aux soirs de première où le Tout-Hollywood en grand tralala se pavanait devant le *Chinese Theatre*. Elle en arriva assez vite à la conclusion qu'on ne pouvait pas vivre dans un trou pareil et que les acteurs n'étaient pas mieux traités que du bétail. Son opinion pesa certainement dans la décision de Virginia d'abandonner le cinéma. Emita n'eut pas trop de mal à la convaincre de l'accompagner en Europe et de réexaminer la proposition de mariage de lord Jersey. C'est donc le cœur léger qu'elles embarquèrent sur *L'Île de France*, en direction du Havre. Elles pensaient s'arrêter à Paris pour renouveler leur garde-robe, mais le Front populaire les en chassa. L'ambiance guinguette qui régnait dans la capitale ne cadrait pas avec leurs préoccupations. La plupart des maisons de couture étaient en grève.

Une fois arrivées à Londres, lord Jersey ne leur laissa que le temps de se changer avant de les entraîner dehors pour une soirée mouvementée dont Emita cherchait maintenant à renouer les fils. Quelle soirée ! Un vernissage, à Chelsea, suivi d'un cocktail dans Kensington. À la suite de quoi ils s'étaient retrouvés dînant, en joyeuse compagnie, chez *Sovrani*, le restaurant italien à la mode de Jermyn Street. De là, ils avaient filé au *Club 400* pour rejoindre d'autres amis, dont le fastueux maharadjah de Jaipur et les non moins fastueux lords Milford Haven et Torkmorton. Une courte halte, avant de repartir, toujours en bande, pour le *Café de Paris*, afin de ne pas rater le spectacle de Marlène Dietrich. Leur arrivée en force avait provoqué un début de panique parmi les serveurs se voyant contraints de caser une vingtaine de personnes autour d'une table de huit. Il avait fallu déloger des clients, en pousser d'autres, ajouter une ribambelle de chaises dorées... Le résultat en valait la peine. Étincelante de beauté et de jeunesse, leur table s'affirmait comme la plus cosmopolite de la soirée : une vedette d'Hollywood, un auteur dramatique (Noel Coward), des lords, des ladies, une millionnaire sud-américaine, des parasites et celui qu'aucun échotier n'aurait résisté à désigner comme la cerise sur le gâteau – d'autant que sur son turban brillait un fabuleux rubis –, le maharadjah de Jaipur. « Jai » pour les intimes. (Assis à côté de Virginia, il allait, lui aussi, succomber à son charme, au point de la demander à son tour en mariage. Sans remettre en cause l'attachement de Virginia pour lord Jersey.) Dans une veste blanche extrêmement ajustée et fermée par des boutons de diamant, il incarnait tout ce que l'Inde des *Mille et une nuits* évoque d'extravagances.

Emita se demandait comment il faisait pour garder son turban malgré la chaleur. Elle était pour sa part assise à côté d'un garçon dont elle n'arrivait pas à se souvenir du nom. Il devait s'agir d'un peintre : il voulait absolument qu'elle posât pour lui. Un peintre mondain, à en juger par l'affectation de ses manières et l'étendue de ses relations. Il donnait l'impression de connaître la terre entière. Il était très chic, amusant et plutôt joli garçon, mais Emita ne pouvait s'empêcher de lui trouver l'air fourbe. Son physique pointu et ses yeux bleus fuyants le désignaient, selon elle, pour tenir le rôle d'un prince félon dans un film de cape et d'épée. « Mais non ! Vous confondez tout ! la reprit-il comme elle lui posait une question sur lord Milford Haven. Vous confondez *Mitford* et *Milford*. Tom Mitford est bien le frère de Nancy et Diana. La belle Diana Guinness. Rien à voir avec lord Milford Haven qui, lui, est le frère aîné de Dickie Mountbatten et, par le fait même, le beau-frère d'Edwina. C'est bon qu'elle soit de retour, ajouta-t-il.

— Pourquoi était-elle partie ? interrogea Emita qui peinait à le suivre.

— Disons qu'elle cherchait à se faire oublier », répondit-il. Et comme Emita insistait, il se racla la gorge avant de poursuivre à mi-voix : « La pauvre chérie était allée s'enterrer à Malte. Sur ordre du roi... » Après une digression sur les fantasmes en général et l'attrait de l'exotisme en particulier, il se fit l'écho des rumeurs qui avaient couru à l'époque. La presse accusait Edwina Mountbatten d'avoir couché avec un Noir. Paul Robeson, un chanteur américain, qui triomphait au *Savoy Theatre*. Dans le rôle d'Othello, *of course*. Mais c'était de l'histoire ancienne. Scandale pour scandale, l'ahurissant chassé-croisé entre Thelma Furness et Wallis Simpson méritait davantage, paraît-il, aujourd'hui, qu'on s'y intéressât. Tout Londres ne parlait plus que de cela. On disait que Thelma avait surpris Wallis dans les bras du prince de Galles lors d'une réception chez la décoratrice Syrie Maugham. Le prince s'affichait maintenant partout au bras de Wallis Simpson... « Comment est-elle ? demanda Emita, qui ne l'avait vue qu'en photo dans les magazines.

— En progrès », répondit son voisin, très pince-sans-rire, avant d'ajouter entre ses dents « mais peut mieux faire ».

Emita pensait à rentrer, lorsqu'elle remarqua un groupe de trois hommes en habit qui venaient de faire leur apparition. L'un d'eux était le marquis de la Falaise dont le souvenir la poursuivait depuis son départ d'Hollywood. L'émotion empourpra ses pommettes et son décolleté. Il s'arrêtait, de table en table, pour serrer des mains. En arrivant à la hauteur d'Emita, il la reconnut et s'inclina pour la saluer. Ne pouvant s'approcher davantage, il lui fit comprendre par signes qu'il l'invitait à danser. Emita acquiesça, en répondant, elle aussi par signes, qu'elle le rejoignait sur la piste. « Vous avez l'air de beaucoup lui plaire, commenta son voisin auquel leur manège n'avait pas échappé. Méfiez-vous, c'est un *killer*, ajouta-t-il en baissant la voix. Deux des plus belles femmes de Londres passent pour être déjà follement amoureuses de lui.

— Jamais deux sans trois », plaisanta Emita en se levant pour rejoindre le marquis de la Falaise. Une fois dans ses bras, elle se laissa bercer par les compliments du marquis. Elle l'interrompit cependant pour lui demander s'il ne connaissait pas le nom de ce garçon qui était assis à côté d'elle : « juste à côté de moi, sur la banquette…

— Comment, vous ne l'avez pas reconnu ? » s'étrangla le marquis de la Falaise, amusé, avant de préciser avec cette imperceptible nuance de mépris qu'affectent toujours les gens du monde quand ils parlent de célébrités artistiques : « Mais il s'agit du grand Cecil Beaton en personne. »

20

Cecil Beaton et Syrie Maugham. Wallis Simpson comparée à un verre à moutarde. Émotion de Syrie Maugham. Retour sur la soirée où Thelma Furness aurait trouvé Wallis Simpson dans les bras du prince de Galles.

La réputation de sérieux de Syrie Maugham tranchait sur celle de la plupart de ses consœurs (beaucoup de femmes du monde prodiguaient maintenant des conseils de décoration). Proches du style parisien chic de Jean-Michel Frank, les compositions de Syrie acclimataient sous le ciel londonien les palmiers en stuc de Serge Roche, les vases égyptiens des frères Giacometti, des meubles en marqueterie de miroir et de grands canapés de satin crème. Cecil Beaton, qui trouvait que tout cela commençait à dater, cherchait des yeux quelque chose de vraiment nouveau qui méritât un compliment pouvant ménager la sensibilité de la décoratrice et la sienne. Il désespérait d'y arriver, quand la femme de chambre lui en fournit l'occasion en apportant le thé, dans un service en porcelaine noir et or, à décor chinois. « Tu sais combien j'ai toujours aimé ce service ! s'écria-t-il au comble du ravissement. C'est la chose la plus belle que je connaisse... Avec tes admirables verres de Venise, ajouta-t-il après un temps de réflexion.

— Ne me parle pas de mes verres de Venise : ils m'en ont cassé cinq.

— Mais comment est-ce possible ? Les vandales ! Tu n'aurais jamais dû les sortir. Jamais !...

— Tu ne voulais pas que je leur serve à boire dans des verres à moutarde » lui fit remarquer Syrie Maugham, quelque peu acerbe.

L'idée divertit Cecil qui embraya sur une amusante comparaison entre Wallis Simpson et un verre à moutarde. « Il y a du Betty Boop chez cette petite bonne femme », remarqua-t-il, avant de revenir à la soirée. La fameuse soirée. Depuis son arrivé, ils s'entretenaient de cette fête au cours de laquelle Thelma Furness avait trouvé Wallis Simpson dans les bras du prince de Galles. Syrie ne décolérait pas. Elle, d'ordinaire si pondérée, ne retenait pas la violence de son courroux. Wallis la mettait dans une position humiliante qui risquait de ternir sa réputation. « Alors que la seule idée d'être mêlée à un scandale m'a toujours fait horreur ! », précisa-t-elle en aparté, levant les yeux au ciel. Frappé par son expression de douleur, Cecil se crut autorisé à parler d'une « affaire d'État ».

— Presque » reconnut Syrie à regret, mais néanmoins flattée.

Après une pause qu'elle employa à servir le thé et à proposer à Cecil de ravissants sandwichs de la taille d'un domino, elle lui rappela, pour reprendre l'affaire depuis le début, qu'elle avait aidé Wallis à emménager lors de son installation à Bryanston Court. « Les chaises de la salle à manger, en vinyle blanc capitonné, étaient de moi, ainsi que le baldaquin de la chambre... Toujours est-il que nous étions restées amies et cela m'amusait de l'inviter... (Connaissant Syrie, Beaton trouvait l'expression « amuser » impropre à traduire les motivations qui avaient dû la décider à inviter Wallis, mais il se garda de l'interrompre.) Après avoir reçu mon invitation, Wallis m'a téléphoné, d'ailleurs très gentiment, en me faisant comprendre que le prince l'accompagnerait. Et, avec le prince, son entourage etc. Seulement, ensuite, il ne se passait pas de jour que le palais ne me contacte pour me soumettre de nouveaux noms qu'il m'était difficile de refuser.

— Qui, par exemple ?

— Ah ! toute la clique. Des gens que j'adore et d'autres que j'aime moins : Philippe Sassoon, Chips Channon, les Rodgers... Et, je te le donne en mille : lady Mendl. J'adore Elsie, mais de là à la voir débarquer chez moi à l'improviste en étant sûre qu'elle n'aura de cesse de tout critiquer dans mon dos...

— Mais Thelma ? s'impatienta Cecil qui ne voulait surtout pas prendre parti entre les deux décoratrices, ce n'est tout de même pas Wallis qui t'a demandé d'inviter Thelma Furness ?

— Bien sûr que non, mais cela ne m'étonnerait pas qu'elle se soit arrangée pour l'attirer chez moi et la mettre ainsi devant le fait accompli.

— Elle en est capable », approuva Cecil qui n'en croyait rien.

Le sans-gêne des Américaines alimentait le ressentiment de Syrie. Wallis s'était comportée chez elle comme en pays conquis. Comme si elle la tenait pour quantité négligeable. Syrie n'osait même pas avouer à Beaton qu'elle avait eu le front de lui amener lady Corrigan, ainsi que lady Cunard, et que tous ces gens s'étaient conduits comme si c'était Wallis qui les recevait. Cecil Beaton n'en revenait pas de voir Syrie se mettre dans un tel état de nerfs. Elle, si calme d'ordinaire. De l'avis général, Syrie passait pour une sainte. Son mariage avec Somerset Maugham représentait la seule faute de goût de cette femme délicieuse. On disait pudiquement que la vie les avait séparés, mais les hommes qui se relayaient comme secrétaires au service de son ex-mari donnaient à cette séparation un sens beaucoup plus précis. Elle n'était pas la seule femme, à Londres, à avoir épousé un homosexuel, mais elle n'avait pas choisi le plus aimable. Ayant toujours eu la vocation de devenir un grand écrivain, Somerset Maugham cultivait tous les défauts d'un plumitif : ronchon, acariâtre, pédant, tyrannique, susceptible, etc. Vivait-il mal son homosexualité ? Toujours est-il qu'il était insupportable. Et d'un snobisme ! Syrie était pour le moins aussi snob que lui, mais avec des résultats complètement différents. Alors que le snobisme de Somerset ne lui servait qu'à se faire des ennemis, elle avait l'art de se faire aimer de tout le monde. Elle parvenait même à rester en bons termes avec son ex-mari afin de préserver les relations de celui-ci avec leur fille.

« Comme dans une mauvaise pièce de théâtre », répondit Syrie à Beaton qui lui posait une question à propos de l'arrivée inopinée de Thelma Furness. « De la voir en tenue de voyage au milieu des autres femmes en robe du soir ajoutait à ma confusion, si bien que je ne l'ai pas d'abord reconnue. Tu sais, moi, Thelma... Elle portait un chapeau, tu comprends. Avec une plume de faisan. C'était surréaliste. Avant que je ne retrouve mes esprits, elle avait franchi les obstacles qui la séparaient du prince et de Wallis filant le parfait amour dans le petit salon où ils s'étaient installés pour être au calme. Tu imagines qu'ils étaient en train de s'embrasser ! Comment s'est-elle débrouillée pour les retrouver ? » C'est à partir de cette constatation que Syrie échafaudait un complot ourdi par Wallis. Cela ne tenait pas la route, mais Beaton se gardait de la contrarier. Beaton et Syrie Maugham se connaissaient depuis près de dix ans. Dans sa chronique de *Vogue*, en 1928, il décrivait le salon de Syrie comme le rendez-vous de la bohème chic. Que restait-il de cette bohème chic ? Toute cette bande ? Les *Bright Young Thing* ? Qu'étaient ses amis devenus ? Pour la plupart d'entre eux Beaton aurait été incapable de le dire. Quant aux cinq ou six amis qui lui restaient de cette époque, l'affection qu'il leur portait s'amenuisait à mesure que son ascension sociale et sa réussite professionnelle le portaient à des hauteurs qui les tenaient à l'écart de ses préoccupations. Si bien que la nostalgie sincère qu'il éprouvait pour sa jeunesse n'incluait presque aucun de ceux qui en avaient fait partie.

21

Buckingham Palace. Manies et tics de la décoratrice Elsie de Wolfe. Son amour du beau et sa désinvolture. Son passé de théâtreuse. Son mariage avec sir Charles Mendl. Son ascendant sur la société et sur Wallis Simpson.

Lady Mendl n'avait pas compris ce qui lui arrivait : le roi voulait la voir le plus vite possible. Se souvenant de la recommandation de Wallis Simpson l'engageant à se munir de souliers confortables, elle avait enfilé des richelieu en daim marron et elle était partie. Elle arpentait depuis maintenant plusieurs heures, au bras de Wallis, les dédales de Buckingham Palace. Prenant son rôle de guide très au sérieux, le roi semblait mettre un point d'honneur à leur faire visiter jusqu'aux penderies. Tout était à frémir et pourtant c'était délicieux de se retrouver là. Lady Mendl se sentait l'âme d'une jeune fille sur le point d'entamer une nouvelle carrière. Aucune décoratrice avant elle n'avait pu éprouver ce qu'elle ressentait : c'était le plus grand de tous les chantiers de décoration que quelqu'un se fût jamais entendu proposer depuis que le pape Jules II avait demandé à Michel-Ange de penser à quelque chose d'un peu enlevé pour le plafond de la Sixtine. Le roi voulait doter le château de tout le confort moderne, faire installer une piscine, un gymnase, revoir toutes les installations sanitaires… « Je crois qu'on en a assez vu pour aujourd'hui, finit par bâiller Wallis.

— Vous, vous êtes fatiguée, la gronda lady Mendl.

— Morte », acquiesça Wallis, en sachant qu'elle portait l'estocade à l'enthousiasme du roi.

À l'encontre de la plupart des gens dont la fantaisie s'émousse avec le temps, l'extravagance de lady Mendl n'avait cessé de gagner en force et en créativité à mesure qu'elle avançait en âge. Faisant déjà figure de légende, elle s'imposait, à près de soixante-dix ans, comme un personnage hors norme. « Un fantôme de la cour de Louis XV », selon l'écrivain Pierre de Nohlac. Avec ses cheveux bleutés, son visage abondamment poudré et ses minuscules chapeaux crânement posés en équilibre au-dessus de ses sourcils, elle avait fini par ressembler à un de ces dessins de Carmontel qu'elle aimait tant. « Madame est d'époque ! », s'était un jour écrié sur son passage un titi parisien, aussi rigolard qu'admiratif. Elle attribuait le secret de sa forme à l'exercice physique. « Mon cher, si vous savez rester souple, vous n'avez rien à craindre de l'âge, », déclara-t-elle un jour à Noel Coward en sautant du divan où elle se trouvait assise, pour faire les reins cassés avant de se rétablir dans la position du poirier. Se tenant si parfaitement droite en appui sur la tête qu'elle donnait l'impression d'être suspendue par les pieds à un des grands lustres de cristal accrochés aux quatre coins de son salon.

Effectuant un jour une croisière en Méditerranée sur le *Sister Anne*, le yacht de son amie Daisy Fellowes, lady Mendl s'était écriée, incrédule, en découvrant l'Acropole : *« Oh ! it's my beige. »* Elle passait, en effet, pour avoir remis les tons clairs à la mode – du ficelle au crème de banane. Mais comme à la même époque Syrie Maugham se vantait de la même chose et que, de son côté, Jean-Michel Franck aurait pu en dire autant, cette manie du beigeasse ne serait pas passée à la postérité si elle n'avait eu ce cri du cœur. Avec un ego gros comme le *Ritz*, elle s'y entendait pour faire sa publicité. Cecil Beaton, qui a laissé un grand nombre de photographies de lady Mendl, a également couché par écrit un portrait de la décoratrice au travail : « L'attention qu'elle accordait, en homme d'affaires, aux petites choses de la vie, introduisait continuellement de nouvelles exigences protocolaires et on la voyait rarement sans une secrétaire qui prenait en notes les moindres détails auxquels on pourrait avoir à se référer. Elle notait, par exemple, que madame défendait l'emploi de glaïeuls dans les vases de fleurs mélangées et que trois cigarettes et non quatre devaient être placées, à table, devant chaque convive. Si une galette de fromage était servie avec un plat qui ne lui convenait pas ou si un cocktail avait été insuffisamment secoué, elle convoquait une cour martiale. Quand un nouveau sandwich avait eu du succès, elle dictait un mémo pour qu'il soit photographié dans la presse. »

La même exigence présidait au choix de ses relations. Aussi solides qu'étendues. Ce qui l'autorisait à mélanger les gens les plus différents : du show-biz aux royautés. Dans cet ordre-là, puisqu'elle avait commencé sur les planches, sous le nom d'Elsie de Wolfe. C'était le seul moyen qu'elle avait trouvé pour tourner le dos à une accablante famille pauvre et peu romantique. Si elle jouait plutôt mal – comme un pied au dire de la presse –, elle n'en était pas moins devenue célèbre du jour au lendemain en raison de la manière étonnante dont elle s'habillait. À la ville comme a la scène. Tout le monde, à New York, voulait la voir pour admirer ses robes signées des grands noms de la couture française : Worth, Paquin, Callot, Doucet… L'histoire ne dit pas comment elle se les procurait, mais on le devine. Seulement là où on s'attendrait à voir arriver un protecteur, c'est une protectrice qui surgit : Elisabeth Marbury. Une dame imposante qui semblait tout droit sortie d'un roman d'Edith Wharton et dont la corpulence et une ombre de moustaches accusaient la majesté. Femme de la haute société new-yorkaise, son influence dans le milieu théâtral était prépondérante.

Elsie n'en allait pas moins faire carrière dans la décoration. Elle devait bientôt partir pour la France, aux sources de son inspiration, ayant eu la révélation de son style en interprétant le rôle de Marie-Antoinette dans une pièce de Victorien Sardou. Toujours avec Miss Marbury, elle allait s'installer dans une ravissante maison, en bordure du parc de Versailles, la villa *Trianon.* Pour une esthète, lady Mendl avait la tête bien faite. Son amour du beau ne tombait jamais dans la dévotion. La désinvolture faisait partie de son chic. Entre autres innovations d'un goût discutable, on lui doit la vogue des coussins à messages. La duchesse de Windsor avait fait broder sur les siens un raccourci de sa philosophie de la vie : « On n'est jamais trop riche ni trop mince ». Sur les coussins de la chambre d'Elsie, on pouvait lire : « Qui chevauche un tigre ne peut en descendre ». Sans rien lui retirer de son affection, Elisabeth Marbury devait cependant bientôt déclarer forfait. Elle retourna vivre aux États-Unis, alors qu'Elsie résidait maintenant le plus souvent en Europe. Principalement à Paris où elle était devenue l'âme de la haute société.

Poursuivant son ascension sociale, Elsie devait bientôt épouser sir Charles Mendl, un diplomate attaché auprès de l'ambassade d'Angleterre. Devenir une lady ne pouvait laisser cette Américaine indifférente. Pour sir Charles, ce mariage de convenance fut aussi un mariage de dupes. Se basant sur le train de vie exubérant de sa femme, il la croyait immensément riche. Son train de vie la ruinait au contraire. Mais comme elle était astucieuse, elle arrivait à vivre au bord de la faillite sans jamais y tomber. Tout le luxe dont elle aimait s'entourer rejaillissait sur sir Charles. Travaillant pour l'Intelligence Service, il pouvait faire le plein d'informations dans les cocktails et les réceptions de sa femme, sans avoir à sortir de chez lui. C'était pratique. Son humour sauvait sir Charles du rôle de prince consort que lui assignait la renommée de son épouse. Lorsqu'on évoquait devant lui, sans beaucoup de délicatesse, la réputation équivoque d'Elsie, il affirmait, très pince-sans-rire : « Tout ce que je peux dire, c'est qu'elle est encore vierge. »

À l'époque où elle rencontra Wallis Simpson, la situation mondaine de lady Elsie Mendl était à son apogée. Wallis se considérait comme sa protégée. Maîtresse en titre, depuis trois ans, du prince de Galles qui venait d'accéder au trône et devait bientôt être couronné, elle s'affirmait encore très « ricaine ». Seule une compatriote pouvait lui conseiller d'y mettre un bémol : parler moins fort, ne pas se jeter à la tête des gens, etc. Compte tenu de la réputation de lady Mendl, d'aucuns affirmaient qu'elles couchaient ensemble. C'était leur faire beaucoup d'honneur. À près de soixante-dix ans, Elsie ne devait plus être tellement portée sur la bagatelle. De son côté, Wallis qui était mariée, qui avait un amant et qu'on accusait également d'être la maîtresse de Ribbentrop, ne pouvait pas coucher avec tout le monde. Elles avaient mieux à faire. Il suffisait de vivre au contact lady Mendl pour s'instruire. « Jamais de diamants le matin ! », s'exclamait la vieille dame horrifiée en portant instinctivement la main à ses perles. Le potage était une autre de ses phobies : « On ne compose pas de repas sur une mare ! », martelait-elle. Une fois duchesse, Wallis reprendra à son compte nombres des innocentes manies de la décoratrice, faisant, au sommet de sa splendeur, calibrer ses feuilles de salade pour qu'elles soient toutes exactement de la même taille et repasser ses billets de banque (elle n'utilisait que des billets neufs, autrement elle les faisait repasser).

Si on accepte l'idée que lady Mendl transmettait son savoir dans la tradition du compagnonnage, on peut considérer la duchesse de Windsor comme son chef-d'œuvre. Un chef-d'œuvre inachevé puisqu'en abdiquant, David ne leur laissera pas le temps de redécorer Buckingham Palace. Elsie était capable de tout. Même de loyauté. Miss Kepell (ex-maîtresse d'Édouard VII) lui laissa entendre qu'en restant fidèle aux Windsor, elle allait se fermer bien des portes. À quoi la pétulante septuagénaire répondit : « Les portes, d'ordinaire, c'est moi qui les fais claquer. » Cette loyauté, pourtant, lui coûtait cher. L'abdication lui porta par ricochet un coup terrible. L'idée de redécorer le palais lui avait-elle fait perdre la tête ? S'était-elle endettée plus que de coutume ? Toujours est-il que c'est l'année même de l'abdication, en 1937, qu'elle accepta la proposition du commandant Paul-Louis Weiller de racheter en viager la villa *Trianon* et les collections qu'elle y avait rassemblées. « Oh ! cher Paul-Louis, soupira-t-elle éperdue de reconnaissance, vous n'aurez pas longtemps à attendre. Je me sens bien fatiguée et je crois que je vais bientôt mourir. » Elle devait s'éteindre, octogénaire, en 1950.

La guerre de 40 allait lui offrir l'occasion de restreindre son train de vie, mais sans la guérir de sa frivolité. De ce point de vue, elle était incurable. Une nuit d'alerte à la bombe, racontée par Schiaparelli dans ses mémoires, donne une idée de ce que le snobisme peut produire d'extravagant quand il n'obéit plus à aucun contrôle (considérations familiales, sens moral, etc.). La scène se passe à la villa *Trianon*, où la couturière avait trouvé refuge au début des hostilités. Accompagnant sa femme de chambre à la cave, Schiap tomba sur sir Charles Mendl, lui-même flanqué de ses domestiques. « Nous les conduisîmes à l'abri avant de monter retrouver les invités. Dans la grande galerie tapissée de miroirs qu'éclairait le bombardement, lady Mendl, étendue sur un divan, un seau à champagne à portée de la main, avait choisi la pièce la plus exposée de la demeure pour discuter calmement, avec le comte de Castellane et sa femme, de la manière de placer les invités au déjeuner du lendemain. » L'avancée des Allemands désespéra lady Elsie. Elle ne pouvait plus compter sur l'Europe, à feu et à sang, pour lui fournir des clients. Prenant la poudre d'escampette, elle retourna aux États-Unis. Elle entama à Hollywood une seconde carrière. Le temps, qui l'avait épargnée, finit cependant par la rattraper. Elle tomba malade. La France lui manquait. Sentant sa fin prochaine, elle insista pour rentrer. Elle retrouva la villa *Trianon* clouée sur une chaise roulante. Elle n'en continuait pas moins de faire preuve, par moments, d'un appétit de vivre assez monstrueux. L'énergie délirante qui l'habitait se manifesta une dernière fois à la vieille de sa mort. Relisant son testament avec son notaire, elle l'interrompit pour lui demander : « Et moi, qu'est-ce que j'aurai ?

— Mais… Mais, vous n'aurez rien, lady Mendl.

— Et pourquoi n'aurai-je rien ?

— Parce que vous serez morte, lady Mendl. »

22

Cocteau, un « Monsieur Cent Mille Volts » d'avant le rock and roll. Fragilité du poète. Ses fils adoptifs. Ses bobards. Son amour pour la princesse Nathalie Paley. Dialogue de sourds avec le couturier Lucien Lelong.

Fécondes mais éprouvantes : les dix années qui venaient de s'écouler n'avaient pas été de tout repos pour Jean Cocteau. En dix ans, il était devenu quelqu'un. Il avait su se renouveler pour trouver son style. Où plutôt trouver son style en se renouvelant continuellement. Un style neuf et percutant. Comme des auto-tamponneuses. Dans les années 20, aucune manifestation d'avant-garde ne lui échappait. Écorché vif et vif-argent, l'extrême fragilité de ses nerfs aiguisait son intuition. Avec ses phrases crépitantes et ses cheveux électriques, il semblait parcouru de décharges de courant qui subjuguaient son auditoire. Il court-circuitait tous les lieux communs d'avant-guerre. Tous ceux qui l'ont connu parlent de son magnétisme. Un magnétisme qui affolait les boussoles de la jeunesse. Autrement dit, qui les déboussolait. Ce monsieur cent mille volts d'avant le rock and roll exerçait une influence comparable à celle qu'auront par la suite les pop-stars. Cocteau avait ses groupies et signait des autographes. Si on veut affiner la comparaison, c'est Andy Warhol qui lui ressemblera le plus. D'ailleurs, Cocteau est à l'origine d'un genre (mêlant avant-garde, snobisme, homosexualité et toxicomanie) que l'on retrouvera quelques années plus tard dévoyé à la *Factory*. Transformé en fumerie d'opium, l'appartement de

Cocteau était, entre les deux guerres, un des hauts lieux du snobisme parisien.

Chaque médaille a son revers. La formule de Mme de Staël sur « la gloire, deuil éclatant du bonheur », trouvait dans la vie de Cocteau un écho qui résonnait avec une précision dramatique. La mort de Radiguet, emporté à la fleur de l'âge par une fièvre typhoïde, le laissait inconsolable. C'est une victime que pleurait Cocteau. Une victime et un grand amour. Qu'en aurait-il été de cet amour si Radiguet avait vécu, alors que les femmes ne laissaient pas l'adolescent indifférent ? La réponse est facile à deviner : en dehors d'une saine émulation littéraire, ils n'avaient pas grand-chose à partager. Tôt ou tard, Radiguet aurait secoué l'affection étouffante dont l'entourait le poète (si ce n'était déjà fait). Fatigant comme tous les anxieux dont le destin est de souffrir, Cocteau, en amour, ne devait pas être facile à vivre. Radiguet mort, rien ne s'opposait à ce qu'il prît sa douleur pour la preuve d'un amour partagé. Si on devait accuser de mythomanie tous ceux qui se servent de leur imagination pour raviver le lustre de la vie quotidienne, il n'y aurait pas d'histoire d'amour. Tout n'est qu'illusion et mirage dans ce domaine.

« Je n'aime pas dormir quand ta figure habite/La nuit contre mon cou/Car je pense à la mort, laquelle vient si vite/Nous endormir beaucoup. » Si en quatre ans Radiguet empêcha Cocteau de dormir, ce fut le plus souvent par ces absences répétées. Il découchait, s'étant découvert, au contact de l'atmosphère délétère du *Bœuf sur le Toit*, d'étonnantes dispositions pour faire la nouba. Il buvait comme un trou. Les années 20 furent particulièrement permissives et les Hugo, les Sert, les Auric, les Noailles, Chanel... n'avaient pas vocation à lui servir de nourrices. Le plus coupable était encore Cocteau. Les quatorze ans de Radiguet auraient dû l'arrêter lorsqu'il s'était présenté à lui sur les recommandations de Max Jacob. Fantasmant, depuis l'élève Dargelos, sur les écoliers en culottes courtes, ce surdoué aux allures d'ange méchant ne pouvait être, aux yeux du poète, qu'un don du ciel. À l'évidence, Radiguet était à l'étroit dans son uniforme d'écolier et ses culottes courtes laissaient deviner d'étonnantes dispositions pour la vie active. La précocité n'est-elle pas le sujet du *Diable au corps* ? Ce n'est sans doute pas par hasard si Cocteau prendra assez vite l'habitude de désigner les hommes qui partageront son existence comme ses « fils adoptifs ». Cette forme de tendresse convenait certainement mieux à son registre que le grand amour. L'amusement l'emporte parfois sur l'admiration devant le parti qu'il cherchera toute sa vie à tirer de ses aventures sentimentales. On a vu comment Radiguet se conduisait avec lui. Desbordes, qui lui succéda, ne valait guère mieux. Même Jean Marais, qui reprendra à son compte et développera le mythe du grand amour, ne lui aura pas été fidèle bien longtemps. À tout point de vue, la princesse Nathalie Paley était plus présentable et l'on comprend que Cocteau se soit accroché aux perspectives que lui ouvrait la descendante des Romanov. Unir son destin à une nièce du tsar représentait pour la carrière mondaine du poète une sorte d'apothéose dont la démesure ne pouvait manquer d'embraser son imagination.

En quittant Lifar pour Cocteau, Nathalie Paley était passée du muet au parlant. Cocteau s'était mis en tête d'en faire l'héroïne d'une histoire d'amour puisant son inspiration aux sources d'un romantisme échevelé mâtiné de théâtre classique. Néoclassique ou néogothique, enfin néo-quelque chose. Nathalie prit peur en s'apercevant qu'il ne distinguait pas toujours la réalité de la fiction, et que l'amour qu'il lui portait dépassait de beaucoup le simple flirt. Elle détestait s'engager. C'était flatteur d'être une égérie, mais elle avait parfois l'impression qu'il se raccrochait à elle. À quarante et un ans, Cocteau donnait des signes de fatigue. La drogue lui tenait maintenant la bride assez serrée. Il n'échappait ni à la dépendance ni aux cures de désintoxication à répétition. Première cure en 1925, suivie quatre ans plus tard d'une nouvelle cure qui sera à son tour suivie d'une autre, et ainsi de suite... Toute sa vie Cocteau affirmera n'avoir basculé dans la dope qu'à la suite du décès de Radiguet. Tout le monde savait dans son entourage qu'il fumait déjà avant et sans doute « avec » Radiguet.

Comme les vampires, les drogués ne peuvent s'empêcher de faire tomber leurs proches. D'ailleurs, un des premiers soins de

Cocteau sera d'entraîner Nathalie dans son antre de la rue Vignon où le Tout-Paris décadent fumait l'opium sous la houlette d'un domestique chinois. Lifar, qui avait des raisons d'en vouloir à Cocteau, se plaisait à noircir la situation en prétendant que Nathalie s'était laissé envoûter. Nathalie était beaucoup plus solide qu'il n'y paraissait. Son narcissisme et sa frigidité lui assemblaient une armure étincelante qui la préservait des dangers. Elle gardait les pieds sur terre. Avec ses murs tendus de velours rouge, la décoration de la rue Vignon ressemblait à celle d'une boîte de nuit. On imagine qu'au réveil le rouge devait souvent virer au lie-de-vin. Avec ce sens de la formule qui tient de la prestidigitation, Cocteau écrira à propos de l'ambiance « chargée » de la rue Vignon : « C'est son vide qui était plein. » Ni vu ni connu, je t'embrouille. Cela ne veut pas dire grand-chose. Cela ne veut même rien dire du tout. C'est comme lorsqu'il affirme : « Je suis un mensonge qui dit toujours la vérité. » On ne peut pas reprocher à un poète de faire des phrases, même si c'est parfois agaçant.

Lucien Lelong en avait pour sa part plein le dos. Les gesticulations du poète et la carrière de femme fatale de son épouse commençaient à lui échauffer les oreilles. Un premier scandale avait déjà entamé la réputation de Nathalie, quand Olga Spessivtseva, une des partenaires de Serge Lifar, folle amoureuse de ce dernier, avait tenté de se suicider en se jetant par la fenêtre. Les journaux n'avaient pas hésité à présenter Nathalie comme une dangereuse et troublante sirène. Au grand dam de Lucien Lelong. Si leur mariage ressemblait davantage à un contrat d'exclusivité qu'à une histoire d'amour, encore fallait-il que Nathalie en respectât les clauses. La maison Lelong prospérait sur une réputation d'élégance et de respectabilité qui ne cadrait pas avec l'esclandre que ne manqueraient pas de provoquer son divorce et son remariage avec Cocteau. D'autant qu'on pouvait compter sur le poète pour faire autour de cette histoire d'amour toute la publicité dont il aimait s'entourer. Les rumeurs les plus folles couraient déjà dans Paris, orchestrées par Cocteau lui-même, qui se voyait dans le rôle d'un preux chevalier affrontant en tournoi le mari.

Cédant à l'insistance de Jean-Louis de Faucigny-Lucinges, Lucien Lelong avait fini par accorder un rendez-vous à Cocteau. Il s'en voulait d'avoir accepté de le voir. Le ridicule de la situation sautait aux yeux. L'amant venant demander au mari sa femme en mariage ! Il n'y avait qu'au théâtre, sur les boulevards, qu'on voyait ce genre de chose. Avec Raimu dans le rôle du cocu. Le personnage de barbon que lui désignait la conduite de Nathalie le blessait. Lelong était assez terne. Dans le monde, il ne faisait pas d'étincelles. Il décourageait jusqu'à la médisance, ce qui achevait de le rendre falot dans un milieu ou chacun passait le plus clair de son temps à dire du mal des autres. Et, comme la plus grande discrétion entourait ses aventures extraconjugales, il n'y avait décidément rien à en dire. Il fallut attendre la mort d'un de ses mannequins vedettes, emportée par la tuberculose, pour que son chagrin lui fît trahir une liaison passionnée qui durait depuis plusieurs années. Si ce qu'on dit du tempérament des tuberculeux est vrai, ça devait le changer des migraines à répétition de sa femme. L'entrevue ne déboucha sur rien. Comment Lucien Lelong n'aurait-il pas été agacé devant Cocteau qui venait seulement (à quarante ans) de quitter l'appartement de sa mère dont il dépendait encore financièrement ? Comment, dans ces conditions, comptait-il faire vivre Nathalie ? Avait-il une idée du train de vie de la princesse ? De ses dépenses ? Les deux hommes ne parlaient pas la même langue. Grands sentiments d'un côté, chiffres de l'autre. Un dialogue de sourds.

De son côté, Marie-Laure de Noailles agissait. Elle ne quittait plus Nathalie et lui montait la tête. Marie-Laure abusait d'un droit de préemption dont Cocteau et Nathalie faisaient les frais : c'est elle qui les avait présentés ! À ses yeux, cela suffisait à légitimer son ascendant sur leur couple. Dans le rôle de la méchante, Marie-Laure s'en tirait plutôt bien. Elle avait le physique de l'emploi. La vicomtesse Méduse. Vouloir lui faire endosser la noirceur d'une Merteuil, tirant dans l'ombre les ficelles d'un plan machiavélique, dépassait cependant ses compétences. Elle était trop « brouillon » et manquait de suite dans les idées. Elle se contentait d'ouvrir les yeux de Nathalie. L'homosexualité de Cocteau lui fournissait matière à le descendre en flèche. Tout en faisant la cour à Nathalie, Cocteau continuait de voir Desbordes (qui avait été son amant), Markevitch (qui devait être son amant) et Marcel Khil (qui allait devenir son amant). Quelle confiance accorder à un homme qui mentait comme il respirait ? Nathalie était troublée. On l'aurait été à moins. Et, comme de bien entendu, elle ne manquait pas de répéter à Cocteau les accusations de Marie-Laure.

La vicomtesse fit tant et si bien que Cocteau la gifla. À partir de cette gifle, les événements allèrent en s'accélérant comme si les protagonistes semblaient tout à coup pressés d'en finir. Folle de rage, Marie-Laure se précipita chez elle pour détruire tout ce que le poète lui avait donné par le passé : manuscrits, dédicaces, les fameuses statues en débourre-pipe… Cocteau et Marie-Laure de Noailles se rejoignaient sur un point : ils ne détestaient pas le grabuge. Nathalie ne savait plus où elle en était. Cocteau tirait d'un côté, Marie-Laure de l'autre. Elle partit chercher refuge en Suisse. Seule avec sa femme de chambre et quatre-vingt-dix kilos de bagages. À peine arrivée, la princesse fut rattrapée par des nouvelles alarmantes de Paris. La rumeur publique l'accusait d'être allée en Suisse dans le dessein de se faire avorter. Enceinte des œuvres de Cocteau, elle aurait cherché à faire passer cet enfant sur les conseils de l'infâme Marie-Laure. Cocteau l'affirmait. Il se répandait dans le monde en portant sa douleur à bout de bras comme un ostensoir. Déjà à contre-emploi dans le rôle de l'amant, il s'obstinait à donner une interprétation ridicule du père outragé : il semblait souffrir dans sa chair comme si c'était lui qui avait perdu le bébé. Il devenait « néoridicule ». Se refusant à toute forme d'engagement, Nathalie esquiva la polémique. Elle s'éloigna de Cocteau sans chercher à l'accabler ni lui faire de reproches. Elle s'éloigna comme un ange du ciel en mettant un doigt devant sa bouche pour imposer le silence. C'est à elle, cependant, que reviendra le mot de la fin. Des années plus tard, avec cette lucidité féminine qui surprend toujours, elle redescendra sur terre pour trancher d'une phrase laconique : « Il voulait un fils, mais il était avec moi aussi efficace que peut l'être un homosexuel bourré d'héroïne. » Une phrase qui tombe comme le couperet d'une guillotine sur les divagations du poète.

23

Une fille à pédés ? Carrière cinématographique de la princesse Nathalie Paley ? Hollywood. George Hoyningen-Huene et Cukor. Sylvia Scarlett. Dure réalité du métier d'actrice.

Eu égard à sa naissance, on hésite à classer la princesse Nathalie Paley comme une fille à pédés. Ces atermoiements ne résistent pas longtemps à l'analyse : c'est bien une fille à pédés. La plupart de ses amis, de ses amoureux, de ses amants et son second mari étaient homosexuels. Difficile de mettre sur le compte du hasard une succession d'erreurs dont la répétition dénonce le travers. Il fallait d'ailleurs qu'elle évoluât dans un milieu dont le degré de civilisation dépassait l'entendement pour aller ainsi continuellement à l'encontre des lois de la nature. On mène la vache au taureau, mais on va chez le coiffeur. Nathalie allait tous les jours chez le coiffeur. On ne peut pas tout faire. On rougit d'avoir à le préciser, mais le sexe ne peut pas toujours être tenu pour quantité négligeable dans une relation amoureuse (même Paul Morand qui n'était pas manchot dut y renoncer). N'ayant jamais aucune chance d'aboutir, les marivaudages de la princesse désespèrent le bon sens. C'est frappant lorsqu'elle quitte la France pour les États-Unis, dans une énième tentative d'échapper à son passé, et qu'on la voit alors, après une courte pause cinématographique, s'ingénier à renouer les fils d'un tissu social extrêmement brillant, certes, mais dont les reflets changeants empruntaient, une fois encore, leurs scintillements à la couture… et à l'homosexualité ! Mariée à l'Américain Jack Wilson, qui n'était autre qu'un ancien amant de Noel Coward, elle devient bientôt la toute-puissante collaboratrice du couturier Mainbocher et la meilleure amie de Fulco di Verdura et de Nicky de Gunzburg. Cela ne valait pas la peine de traverser l'Atlantique, mais elle avait besoin de changer d'air.

Peu après sa rupture avec Cocteau, Nathalie commença une carrière au cinéma qui devait la conduire jusqu'à Hollywood ; mais toujours avec ce manque de conviction qui caractérise le dilettantisme. À force de s'entendre comparée à Garbo, elle avait sauté le pas. Pour Henri Jeanson, elle était Greta-Garbissime. Garbo était la référence absolue. Avec Marlène, bien sûr. Et on la comparait aussi à Marlène. Même blondeur, même pâleur, même sourcil en arc de cercle dessiné au crayon. Le cinéma ne laissait à l'époque personne indifférent. Des mondains aux midinettes. Nicky de Gunzburg allait se ruiner en produisant *Le Vampire*, de Drayer, et les Noailles se perdre de réputation pour *Le Chien andalou* de Buñuel. Le chien aboie et la caravane passe : la tentation de faire du cinéma faisait son chemin dans l'esprit de Nathalie. Sa beauté glacée convenait à la pellicule et l'idée d'être admirée, dans les salles obscures, par des centaines de spectateurs s'accordait à son narcissisme. Elle débuta à l'écran dans *L'Épervier* sous la direction de Marcel L'Herbier, un cousin de Lucien Lelong. On restait en famille. D'autant que *L'Épervier* était une adaptation d'une pièce de Francis de Croisset, le beau-père de Marie-Laure de Noailles. Tout ça rassurait la princesse.

Pour comprendre la carrière américaine de Nathalie Paley, il faut se souvenir qu'Hoyningen-Huene, qui était un de ses plus anciens amis, travaillait désormais à Hollywood. Plus particulièrement avec Cukor dont il était devenu le conseiller artistique. Le rôle de l'aristocrate russe qu'elle allait interpréter dans *Sylvia Scarlett* avait-il été écrit sur mesure pour Nathalie ? Ou était-ce parce qu'il y avait à l'origine une aristocrate russe dans le scénario qu'Hoyningen-Huene pensa à elle ? Toujours est-il qu'elle se retrouva dans la distribution à côté de stars comme Cary Grant, Katharine Hepburn et Brian Aherne. Un second rôle qui ne demandait que de savoir porter la toilette. Ce dont Nathalie s'acquittait à merveille. Précédée de sa réputation de princesse au destin tragique et d'icône de la mode, Nathalie arrivait chez Cukor en pays conquis. Cela tombait bien : c'était le seul endroit où elle pouvait s'acclimater à Hollywood. Dans le désert mondain de la Mecque du cinéma, la maison de Cukor méritait d'être considérée comme un havre de paix et de bonnes manières. Une bulle dont il est d'autant plus difficile de restituer l'atmosphère qu'elle s'est évaporée à jamais. Que reste-t-il d'une bulle ? De sa parfaite rotondité ? De son irisation ? Toutes les stars qui avaient du mal à s'intégrer à Hollywood trouvaient refuge dans cette bulle : Greta Garbo, Vivien Lee, Tallulah Bankhead, Katharine Hepburn. On y rencontrait aussi tous les esthètes en perdition dans cette partie reculée du monde : Cecil Beaton, Somerset Maugham, Horst, Aldous Huxley, Christopher Isherwood, etc.

Nathalie qui cherchait le dépaysement ne fut pas déçue. À Hollywood, personne n'avait jamais entendu parler de Cocteau, de Bébé, de Marie-Laure de Noailles, de Chanel, des Beaumont... C'était reposant. Cinq minutes. Parce qu'à la longue cela devenait angoissant. Personne ne connaissait rien à rien. Tout était faux, les tableaux étaient faux, les meubles étaient faux, les titres étaient faux. Tous les von Machin, les von Sternberg, les von Stroheim étaient faux. Jusqu'à l'arrivée de Nathalie, le seul Romanov répertorié à L. A. était le restaurateur Mike Romanov. Un mythomane de haute volée, qui se prétendait grand-duc sans qu'aucun de ses clients ne trouve à y redire. La plupart d'entre eux ne savaient pas qui étaient les Romanov. Et ceux qui savaient se montraient ravis de dîner chez un faux grand-duc. Quelle différence cela faisait-il ? L'éventualité d'une rencontre entre Nathalie et Mike faisait mourir de rire Hoyningen-Huene. Un sujet de plaisanterie qu'il se gardait bien d'évoquer devant la princesse. Il la respectait trop et mettait tout en œuvre pour lui rendre son séjour sur la côte californienne agréable. Ce n'était pas si facile : Hollywood détestait l'amateurisme. Alors qu'elle avait profité, pendant le tournage de *L'Épervier*, d'un traitement de faveur, *Sylvia Scarlett* lui révéla la dure réalité du métier d'actrice. Grandeur et servitude. Le second volet de ce programme comportait d'avoir à se lever à l'aube, d'attendre des heures le bon vouloir du metteur en scène ou des électriciens, de piétiner dans le froid ou dans la boue. L'horreur.

Habituée à être traitée comme une princesse, Nathalie Paley s'accommodait mal de cette dureté. Et puis, elle manqua se noyer. La violence du Pacifique faillit transformer une scène de fiction en fait divers. Katharine Hepburn, qui devait la sauver de la noyade, la sauva effectivement de la noyade, mais pour de vrai. Une expérience qui servira de leçon à Nathalie : si le cinéma était fait pour elle, elle n'était pas faite pour le cinéma. D'autant que le film avait été un flop. *Sylvia Scarlett*, qui allait devenir un des films préférés des cinéphiles des années 70, connut à sa sortie un échec retentissant. « Un désastre intégral », note dans ses mémoires Katharine Hepburn qui expédie ce mauvais souvenir en quinze lignes : « J'avais le crâne rasé et pendant les trois quarts du film, je jouais un garçon. Pendant le tournage, j'ai commencé à me demander ce que faisait Cukor. J'avais l'impression que l'ensemble ne tenait pas », poursuit Katharine. Toujours est-il que l'accueil glacial de la profession, lors de la projection du film en avant-première, confirma ses craintes. Assise dans le noir à côté de Katharine, Nathalie Paley commença à paniquer : « Oh ! Kate, pourquoi ces gens ne rient-ils pas ?

— Parce que ce n'est pas drôle », trancha Katharine Hepburn, résignée.

Le producteur, Pedro Berman, riait encore moins que les autres. Tirant une tête de trois pieds de long, il ne décrocha pas un mot au cours du dîner qui suivit, chez Cukor, la projection du film. Cherchant à le dérider, Katharine s'engagea à faire pour lui un autre film gratuitement. Comme cela n'avait pas l'air de lui faire de l'effet, elle ajouta : « Cukor et moi sommes prêts à faire gratuitement un film pour vous, Pedro. » À quoi celui-ci répliqua finalement : « Non merci, surtout pas, cela suffit comme ça. »

24

Howard Hughes atterrit sur le tournage de Sylvia Scarlett. Colère de Katharine Hepburn. Les fossettes de Cary Grant. À qui s'intéresse vraiment Howard Hughes ? Le milliardaire volant et la star de l'écran.

Un avion en provenance du large volait à basse altitude dans leur direction. Katharine Hepburn n'en croyait pas ses yeux. George Cukor non plus. Toute l'équipe de *Sylvia Scarlett* était médusée. Un bimoteur se dirigeait droit sur eux en amorçant un mouvement de descente qui offrait le déploiement de ses ailes argentées à l'intense réverbération du soleil. « Coupez ! Coupez ! », cria Cukor agacé, encore qu'admiratif devant l'élégante courbe décrite par l'appareil qui alla se poser en douceur dans un champ proche de Trancas Beach où ils tournaient ce jour-là. Un tel atterrissage représentait une performance sur ce timbre-poste en bordure des dunes de sable de la côte californienne. Après la tempête provoquée par le passage de l'avion au-dessus de leurs têtes, le calme revint comme par miracle. « Tiens, voilà mon ami Howard Hughes, déclara alors Cary Grant comme si la chose était parfaitement naturelle.

— Votre ami Howard Hughes !, reprit Katharine Hepburn en écho. Tiens, voilà *son* ami Howard Hughes, répéta-t-elle en élevant la voix et en surjouant l'incrédulité. Et que vient-il faire ici votre ami Howard Hughes ?

— Hum, déjeuner. Enfin… pour le pique-nique, répondit Cary en esquissant un sourire qui rebondit sur ses célèbres fossettes.

— Comme cela, votre ami Howard Hughes nous fait l'honneur de venir jusqu'ici, en avion, pour pique-niquer... Mais c'est divin ! Et d'une rare discrétion ! A-t-il d'autres tours dans son sac ? Un bulldozer pour nous aider à mettre le couvert, une pelleteuse, que sais-je ?... La prochaine fois que vous lancez des invitations, Monsieur Grant, soyez assez aimable pour m'en avertir », lui fit encore remarquer Katharine Hepburn, avant de s'éloigner en vouant tous les intrus et les indésirables de la planète aux gémonies.

L'orage était passé. Le caractère affirmé de Katharine Hepburn se signalait sur chaque tournage par un ou deux esclandres qui ne prêtaient généralement pas à conséquence. Au fond, elle s'entendait parfaitement bien avec Cary Grant dont elle admirait le professionnalisme. Elle adorait Cukor, et dans l'ensemble elle gardait plutôt un bon souvenir du tournage de *Sylvia Scarlett* (même si elle commençait à sérieusement s'inquiéter de la crédibilité du scénario qu'elle trouvait alambiqué, mais c'est une autre histoire). Les pique-niques qu'ils organisaient à tour de rôle avec Cukor faisaient partie de ces bons souvenirs. Chaque jour, ils rivalisaient entre eux pour faire de ces repas improvisés de véritables festins. La présence de la princesse Paley et du baron Hoyningen-Huene stimulait-elle ce besoin de se surpasser ? Toujours est-il que Cukor n'hésitait pas à faire acheminer porcelaine et argenterie depuis chez lui. La nourriture était à la hauteur de ces arts de la table improvisés. Plusieurs sortes de salades, de la bouillie de maïs, des gâteaux de pommes de terre ou de courgettes précédaient le plat principal. C'était de la folie de manger autant, mais comment résister ensuite à un dindon rôti, un jambon fumé ou encore à un opossum sur son lit de patates douces ?

Habitué à se nourrir de petits pois (qu'il faisait calibrer) et de steaks hachés (qu'il faisait trop cuire), Howard Hughes n'était pas le convive idéal pour apprécier ces agapes. Pour tout arranger, il n'alignait pas deux phrases d'affilée. Katharine Hepburn n'avait rien fait pour le mettre à l'aise. Ce jour-là, des artichauts figuraient au menu. N'ayant pas l'habitude d'en manger, Howard s'était fait couler du beurre fondu sur le menton. En pleine discussion avec

Cukor, Katharine s'interrompit au milieu d'une phrase inspirée pour le lui signaler : « Oui, bien sûr que je crois à l'existence de Dieu... Vous avez du beurre, là, sur le menton... mais ce que j'entends par Dieu n'est peut-être pas... » Et elle ne lui reparla plus jusqu'au dessert où elle lui proposa assez sèchement de se resservir de crème glacée : « Dépêchez-vous de vous décider, le soleil ne vaut rien à la crème glacée. » Pas très concluant. Il en fallait plus pour décourager Howard Hughes dont la ténacité dépassait tout ce qu'on pouvait imaginer. Un véritable crampon. Une semaine après son atterrissage sur les dunes de Trancas Beach, il réitéra son exploit en se posant sur un terrain encore plus petit. En bordure du Bel Air Country Club, où Katharine Hepburn s'entraînait, ce jour-là, avec son professeur de golf. Après s'être extirpé de la carlingue, il dégaina négligemment ses clubs pour terminer le parcours avec eux. Très classe. D'autant qu'il fallut entièrement démonter l'appareil pour le sortir du terrain en pièces détachées. Coût de l'opération : 10 000 dollars. Amusée par son culot, Katharine Hepburn commença à le regarder d'un autre œil. « Puis-je vous déposer quelque part ? », lui proposa-t-elle. Et elle le reconduisit jusqu'au *Beverly Hills Hôtel*. C'est de cette manière que démarra une idylle qui allait bientôt faire les gros titres de la presse. Une idylle à sensation, mais pas à sensations fortes. Avec le temps, Kate en arrivera à bien l'aimer, mais elle n'en sera jamais follement amoureuse.

Il existe une version infiniment plus complexe de leur première rencontre. Brian Aherne, qui tenait le second rôle masculin dans *Sylvia Scarlett*, se souvient : « Nous allions nous asseoir pour déjeuner quand un bimoteur a atterri sous nos yeux. Howard Hughes en est descendu. Il paraît qu'il avait une liaison avec Kate, mais, à mon avis, il était plus intéressé par Cary. » Dans la biographie que Charles Higham et Roy Moseley ont consacrée à Cary Grant, ils ont choisi cet angle pour expliquer la destinée de l'acteur. Cary Grant était-il homosexuel ? Avait-il eu une liaison avec Hughes avant de le présenter à Katharine Hepburn ? Selon Charles Higham et Roy Moseley, l'acteur Randolph Scott, qui avait été successivement l'amant d'Hughes et de Grant, les aurait présentés l'un à l'autre, à la suite de quoi ils devinrent amants à leur tour. Si les suppositions de Charles Higham et Roy Moseley sont fondées, tout se passait alors entre eux sous couvert d'une franche camaraderie qui excluait la jalousie et les tourments amoureux. Qu'est-ce que l'amour sans jalousie ni tourments ? C'est d'autant plus curieux que les femmes déclenchaient chez Hughes, comme chez Grant, des délires de suspicions et de doutes proches de la paranoïa. Si l'homosexualité pouvait en effet expliquer leurs difficultés relationnelles et, en définitive, le ratage de toutes leurs aventures avec des femmes, comment se fait-il que cette anxiété ne troublait aucunement leurs relations entre garçons ? Comme si le sexe entre hommes s'apparentait à une forme d'échangisme extrêmement joyeuse et dénuée du moindre sentiment de possession ?

Aussi documenté qu'il soit, l'ouvrage de Charles Higham et Roy Moseley pèche par l'acharnement des auteurs à vouloir traiter leur sujet : l'homosexualité de Cary Grant. Tout ce qui peut accréditer cette thèse est monté en épingle. Ils font état d'arrestations pour racolage sur la voie publique, mais sans en apporter la preuve puisque la police aurait ensuite étouffé ces affaires. Tout cela est assez scabreux et plus proche d'un procès à caractère homophobe que d'une recherche objective de la vérité. Nombre de témoins, toujours à charge, sont appelés à la barre pour témoigner. Marlène Dietrich : « Je n'ai éprouvé aucun sentiment pour lui, il était homosexuel. » Alexander d'Arcy : « Tout le monde savait qu'il était homosexuel. C'était un fait établi. Cary et Randolph habitaient en couple. Mais Cary n'était pas odieux (?), c'était un type bien. » La commère Hedda Hopper : « Il a commencé par les garçons, et voilà qu'il y revient. ». Mona Eldridge (secrétaire de Barbara Hutton) : « Il semble que sa bisexualité se présentait sous forme de préférences alternées. Pendant un temps il s'intéressait aux hommes, puis il redevenait hétérosexuel. » Cette dernière version sonne comme la plus vraisemblable, mais dans une société homophobe – et Hollywood l'était jusqu'à la discrimination – la bisexualité n'est souvent qu'un leurre.

Katharine Hepburn détestait les commérages. Si des ragots concernant Cary Grant lui étaient venus aux oreilles, nul doute qu'elle les aurait traités par le mépris. *No comment.* Elle faisait partie de ces gens à qui l'on ne peut reprocher que l'abondance de leurs qualités. Seulement la somme de ses qualités atteignait un degré de perfection difficilement supportable : honnête, intègre, joviale, se refusant à s'apitoyer sur elle-même, très tolérante, courageuse... Elle était capable, au pôle Nord, de dormir avec la fenêtre grande ouverte et de plonger l'hiver dans l'eau glacée d'un lac de montagne. En dépit (ou à cause) de ces qualités, elle n'en était pas moins extrêmement snob. D'autant que son snobisme échappait à la norme. La pointure au-dessus. Elle développait, en effet, une forme assez rare de snobisme : le snobisme du plein air. La liste des sports qu'elle pratiquait renseigne sur cet état d'esprit : le golf, l'équitation, la voile, le tennis, la natation... Le snobisme tend généralement à l'exclusion. Avec son nez en l'air et sa voix pointue, Katharine tenait les gens à distance. Il lui suffisait de dire à Cukor d'un air condescendant : « Votre amie Tallulah Bankhead », pour que chacun comprît le peu de cas qu'elle faisait de la scandaleuse Tallulah. À l'inflexion de sa voix, on comprenait que Katharine, elle, ne buvait pas comme un trou, ne fréquentait pas les boîtes de nuit, ne se répandait pas en médisances, ne prenait qu'un seul amant à la fois. Bref, qu'elle était une jeune fille chic de la Nouvelle-Angleterre

Compte tenu de l'hystérie qui affleure dans sa manière de jouer la comédie, on se dit qu'elle avait raison de se dépenser sur les terrains de sport. Peut-être n'était-elle pas entièrement satisfaite. Chaque pot à son couvercle et sa rencontre avec Spencer Tracy viendra y mettre bon ordre. À son contact, elle découvrira l'abnégation, le sacrifice, l'oubli de soi, le pardon des offenses... Bref, toutes ces choses dont on ne se lasse pas depuis que le monde est monde, mais dont son monstrueux égoïsme l'avait préservée. Jusqu'à sa rencontre avec Spencer Tracy, Katharine donnait l'impression de pratiquer l'amour comme un sport de détente où son fair-play trouvait à s'exercer. Elle avait commencé par épouser son meilleur ami, Ludlow Oggen Smith, mais sans que le mariage ne changeât la nature de leur relation. Il était resté son meilleur ami. Aimait-elle Leland Hayward qui arrivait en second sur la liste ? Comment aurait-il pu en être autrement ? Il était le charme personnifié. Amusant, élégant, désinvolte, cultivé, prévenant, facile à vivre. . Et puis, c'était le meilleur agent d'Hollywood. Il avait toutes les qualités en dehors d'être fidèle, mais l'égoïsme de Katherine la tenait alors à l'écart de la jalousie (tellement vulgaire !). Ils entretenaient une relation extraordinairement civilisée. Comme lui adorait sortir et qu'elle préférait se coucher tôt, il venait prendre un verre en sa compagnie pendant qu'elle achevait de dîner et la quittait pour aller en boîte de nuit, après l'avoir bordée. Un arrangement qui ne transpirait pas la frénésie.

Elle l'aimait parce qu'il lui faisait une vie facile, alors que l'amour vous complique généralement l'existence. Il n'empêche qu'elle n'en ressentit pas moins un très pénible pincement au cœur lorsqu'il la quitta pour Margaret Sullavan. Un pincement au cœur où l'amour-propre tenait davantage de place que l'amour. Il y avait de quoi être folle de rage : Leland Hayward, qui détestait faire de la peine, n'osa pas avouer son mariage à Katherine qui l'apprit par la radio alors qu'elle s'apprêtait à partir dîner chez Cukor. Trop orgueilleuse pour s'avouer perdante, Kate mettait cet abandon sur le fait qu'ayant toujours refusé de l'épouser, il était normal qu'il cherchât à fonder une famille. Seulement elle ne peut s'empêcher dans ses mémoires de revenir, trente ans après, sur cet épisode pour y ajouter un post-scriptum qui la rétablit dans ses privilèges : « Ils ont eu trois enfants, écrit-elle. Après quoi, ils n'ont pas tardé à se séparer, et il a épousé Slim Hawks. Puis Pamela Churchill. Finalement il est tombé malade et, quand il a été sur le point de mourir, Pamela m'a appelée : "Leland est mourant. Il vous a aimé plus qu'aucune d'entre nous. Si vous vouliez lui rendre visite. Il est à..." »

Après sa séparation d'avec Leland, Howard Hughes tombait plutôt bien. Depuis qu'il l'avait rencontrée sur le tournage de *Sylvia Scarlett*, Howard ne la lâchait plus. Sachant qu'elle partait en tournée avec une pièce tirée de *Jane Eyre*, il s'arrangea pour la précéder dans chaque ville où s'arrêtait le spectacle. Katharine, qui s'ennuyait entre les représentations, ne bouda pas son plaisir de voir, soir après soir, sa loge envahie par des gerbes de roses, assorties d'une invitation à dîner. Ils formaient un couple conforme aux vœux de la presse à grand tirage : le milliardaire volant et la star de l'écran. Howard Hughes employait l'immense fortune dont il avait hérité à se bâtir une réputation au cinéma et dans l'aviation. À coups de milliards. En dépit de ses qualités et de la réussite de ses projets, il n'en demeurait pas moins un enfant gâté : les films et les avions d'Howard s'apparentaient à des joujoux d'un luxe inouï. Entre autres joujoux, il s'était fait construire un hydravion de six places, dont les fauteuils, en cuir gold à piqûres sellier, pouvaient servir de lit en s'abaissant. Pour une snob de plein air, l'aviation offrait des perspectives exaltantes. Katharine adorait se laisser conduire, telle une romanichelle haut de gamme, d'un bout à l'autre des États-Unis. Des voyages pleins d'imprévus. Un jour qu'elle somnolait à l'arrière, Katharine se réveilla en sursaut : « Howard, je sens une odeur de brûlé ! », s'écria-t-elle, aux cent coups.

— Parce qu'à ton avis je sens quoi, moi ? » L'avion était en feu.

Rares sont les femmes qui aiment le sport. Plus rares encore sont les femmes qui aiment les avions. Et plus rares encore les femmes qui ne pipent pas dans un avion en flammes. Howard était bluffé par la personnalité de Katharine. Chercha-t-il à l'impressionner en devenant un héros ? Empruntant aux dieux leur univers, il se lança dans une danse amoureuse qui ne manquait pas de pep. Après avoir battu en sept heures et demie le record de vitesse de la traversée des États-Unis, il s'attaqua à celui du tour du monde qu'il pulvérisa au terme d'un vol de trois jours, dix-neuf heures et dix-sept minutes. Il battit également à cette occasion tous les records de célébrités : un million d'admirateurs l'attendaient à New York pour lui manifester son enthousiasme. Alors qu'il passait jusque-là pour le fiancé de la grande Katharine, les rôles s'inversèrent : Kate devenait la fiancée du jeune, riche, beau et intrépide Howard Hughes. Celui-ci désirait ardemment l'épouser. Connaissant son caractère, il n'aurait pas dû lui envoyer un ultimatum. Elle se cabra. Ce mariage aurait-il sauvé Howard Hughes de la déchéance cousue d'or qu'il se préparait ? Katharine aurait-elle été en mesure de le protéger de lui-même ? De l'empêcher de sombrer dans le délire paranoïaque qui marqua ses dernières années ? Difficile de répondre. En tout cas, elle aurait été la seule à pouvoir le faire.

25

Howard Hughes. Un père absent. Une mère trop présente. Multimilliardaire à dix-huit ans. Direction Hollywood. Succès mitigé des Anges de l'enfer. *Un petit génie porté sur la mécanique. Howard s'entête à passer pour un* play-boy.

C'était vraiment un garçon étrange. Génial et attardé. Timide et mégalo. Réac et visionnaire. Attachant et horripilant. Une sorte d'Icare dont l'entêtement devait provoquer la perte. Howard Hugues connut le sort de tous les enfants obstinés. On pourrait dire qu'il n'a eu que ce qu'il méritait, si l'acharnement de ses parents à en faire un monstre ne l'avait prédestiné à cette descente aux enfers. Personne ne mérite de finir ses jours transformé en bête humaine au milieu de bocaux contenant ses urines et ses excréments. Sa mère portait l'entière responsabilité de son éducation. Déçue par un mariage d'amour (un peu en dessous de sa condition : elle était d'une bonne famille texane), Allene Hughes avait reporté toute son affection sur son fils unique. Une affection d'autant plus étouffante qu'elle vivait dans la hantise de lui voir attraper une maladie. Une psychose dont Howard se souviendra toute sa vie avec un plaisir malsain. Comme s'il prenait plaisir à raviver une blessure. Ne supportant pas l'idée d'être séparée de lui, ne serait-ce qu'une seconde, Allene refusa longtemps de l'envoyer à l'école. Elle lui faisait partager sa chambre. Ils vivaient maritalement. En parfaite autarcie. Lorsque son mari, qui voyageait beaucoup, rentrait à Houston, il se voyait relégué à l'autre bout de la maison. Qu'avait-il pu faire de si terrible pour mériter un pareil traitement ? Rien d'autre que de travailler comme une brute pour ne pas être à la charge de à sa belle-famille qui le snobait. Seulement avant de trouver sa voie, il avait pas mal bourlingué et roulé sa bosse. On le présenterait aujourd'hui comme un aventurier, mais les États-Unis, à la fin du XIXe siècle, étaient un pays d'aventuriers. Il avait fait quantité de métiers, s'était sali les mains, avait fréquenté toutes sortes de milieux (et sans doute connu des tas de filles, d'où l'attitude d'Allene)

C'est en améliorant l'outillage servant au forage des puits de pétrole qu'il allait bâtir sa fortune. Une fortune bientôt assez considérable pour le dédommager de ses efforts. Seulement alors qu'il se crevait pour assurer l'avenir des siens, les siens s'étaient détachés de lui. Howard considérait son père comme un étranger. Toutes les tentatives de ce dernier pour reprendre en main l'éducation de son fils se révélèrent vaines. Howard présentait pourtant d'étonnantes dispositions pour la mécanique – c'était même de ce point de vue un petit génie –, ce qui aurait pu les rapprocher, mais il était trop tard. À quatorze ans, Howard, qui n'avait jamais joué avec d'autres garçons de son âge, manifesta des velléités d'indépendance. La tutelle étouffante de sa mère commençait à lui peser, quand le destin l'en délivra d'étrange façon. Ses parents, qui se tournaient le dos depuis de longues années, oublièrent un soir leurs griefs. Pourquoi remirent-ils le couvert ? Comment Allene se retrouva-t-elle enceinte ? À quarante ans passés ! Un âge butoir à l'époque. Les forces du destin étaient en marche. Elle mourut en couches. Le sentiment d'avoir été ignominieusement trompé nuança le chagrin qu'éprouvait Howard. En couchant avec son père, sa mère l'avait trahi. La seule idée d'avoir un frère lui soulevait le cœur. Si bien qu'en dépit de son chagrin, le décès de sa mère lui apparut comme une manifestation de la justice divine. Loin de les rapprocher, la disparition d'Allene figea la relation du père et du fils. L'argent représentait le seul lien qui les unissait. L'argent dont Howard allait hériter et l'argent de poche que lui donnait son père. Cherchait-il à acheter l'affection de son fils en lui laissant faire tout ce qu'il voulait ? Ne savait-il pas s'y prendre ? Lorsqu'il mourut, quatre ans plus tard, d'une crise cardiaque, il laissa à

Howard une fortune colossale, mais sans aucun garde-fou pour s'en servir.

Howard Hughes se retrouva multimilliardaire à dix-huit ans. Il profita de sa liberté pour se lancer bille en tête dans le cinéma. Une fois à Hollywood, il annonça à qui voulait l'entendre qu'il serait le plus grand producteur de tous les temps. Les gens du cinéma le regardaient avec amusement. Après s'être fait détrousser de plusieurs milliers de dollars pour des films qui ne virent jamais le jour, il comprit que le cinéma demandait peut-être un peu moins de champagne, un peu moins de baratin et un peu plus d'application. Il était intelligent. Il se débarrassa des parasites qui grouillaient autour de lui et décida de s'occuper lui-même de son prochain film. De A à Z. Il finit même par remplacer le metteur en scène. Il avait choisi de rendre hommage aux héros de l'aviation de la Première Guerre mondiale. Un sujet qui lui tenait à cœur. L'aviation représentait, après le cinéma, son second centre d'intérêt dans la vie (ou plutôt le troisième, car son intérêt pour le cinéma passait par les actrices de cinéma). Une suite de catastrophes émailla le tournage des *Anges de l'enfer*. La reconstitution des batailles aériennes coûta la vie à trois pilotes. Howard lui-même échappa à la mort par miracle en s'écrasant avec son avion. C'était le premier d'une longue série d'accidents qui, de traumatisme crânien en traumatisme crânien, conduirait Howard aux limites de la démence. On retiendra également de ce tournage la découverte de Jean Harlow (pour qui fut inventée l'expression « blonde platine »). La sortie des *Anges de l'enfer* coïncida, malheureusement pour Howard, avec le début du parlant. Les films muets se jouaient maintenant devant des salles vides (*exit* Buster Keaton, John Guilbert, Clara Bow, etc.) Il lui en coûta près de 2 millions de dollars pour bricoler une version sonore qui acheva de grever un budget déjà largement dépassé.

En dépit du succès des *Anges de l'enfer*, Hughes ne put rentrer dans ses frais. Entre 1927 et 1930, il jeta 16 millions de dollars par les fenêtres. Heureusement qu'il avait les reins solides. Parallèlement au cinéma, Hughes s'occupait de l'usine d'outillage familiale qui rapportait gros. De l'or en barre. Il en améliora encore les performances en inventant plusieurs sortes de trépans. Il continuait également de s'intéresser à l'aviation dont il deviendra un des héros en battant nombre de records de vitesse et d'endurance. Si Hughes ne laissera qu'un souvenir anecdotique dans l'histoire du cinéma, en revanche la conquête de l'air lui doit beaucoup. Au fil des ans il mettra sur pied ce qui allait devenir le premier grand groupe aéronautique de l'histoire, la Hugh Aircraft. Personne ne songeait encore sérieusement à l'aviation, jusque-là réservée aux exploits et à la guerre, comme à un moyen de transport. Avant tout le monde, Hughes en pressentit les enjeux. En 1940, il rachètera la T.W.A., fondée par Lindbergh, afin d'en faire la compagnie que l'on sait. Il n'empêche que sa principale occupation consistait à draguer des filles. C'était une obsession, ou plutôt, c'était obsessionnel.

L'entêtement d'Howard Hughes à vouloir passer pour un *play-boy* dépassait tout ce qu'on peut imaginer. Il lui manquait le principal : le *sex-appeal*. Mais aussi la décontraction, le je-m'en-foutisme. Ce « je ne sais quoi » qui sied au *play-boy*. Il attachait beaucoup trop d'importance à la réussite de ses projets. Les filles le percevaient. Elles se sentaient piégées. Il ne comprenait rien aux filles. C'était un petit génie, mais porté sur la mécanique. Autant dire que cette supériorité ne lui était d'aucun secours avec les filles. On imagine le plaisir qu'elles éprouvaient à s'entendre détailler un moteur d'avion. Il avait les yeux tristes. Les femmes adorent les hommes qui ont les yeux tristes. Aurait-il joué de cet atout qu'il serait peut-être arrivé plus vite à ses fins. Mais Howard était arrogant. Il aimait tout diriger, tout calculer, tout programmer. À chaque fois, c'était le grand jeu : rivières de diamants, yacht au clair de lune, plages de sable blanc. Toujours un écrin prêt à s'ouvrir, un contrat à signer, une demande en mariage en réserve. Et pourtant, une fois sur deux, c'était *niet*. Comment se fait-il que ce garçon qui avait tout pour lui, qui était riche à millions, qui n'était pas mal de sa personne, qui était une sorte de héros national, un héros de l'aviation, comment se fait-il qu'il n'arrivait pas à se taper une fille simplement ? Pour le plaisir ? Pour tirer un coup ? Les hommes qui sont de grands consommateurs de femmes ne font généralement pas le détail. De la première venue à la dernière des dernières, tout leur est bon. Non seulement Howard n'allait jamais aux putes, mais il se désintéressait de toutes les femmes à l'exception des actrices de cinéma. Il ne touchait jamais une de ses secrétaires, ignorait les femmes de chambre, ne voyait pas les serveuses dans les restaurants ou les vendeuses dans les magasins. À une ou deux exceptions près, il n'aura jamais courtisé que des actrices de cinéma. La liste de ses conquêtes (ou prétendues telles) recoupait immanquablement le box-office : Jean Harlow, Billie Dove, Katharine Hepburn, Joan Fontaine, Olivia de Haviland, Bette Davis, Ava Gardner, Lana Turner, Rita Hayworth, Ginger Rogers, Gene Tierney, Yvonne de Carlo, Jane Russell, Susan Hayward, Linda Darnell, Virginia Mayo, Gina Lollobrigida, Cyd Charisse… (Après avoir croisé la toute jeune Elizabeth Taylor, il dépêcha un de ses sbires auprès de ses parents pour arranger un mariage vite fait. « Mais il ne la connaît même pas, s'exclama la mère d'Elizabeth, incrédule.

— Il est prêt à payer un million de dollars…

— Net d'impôt ? » demanda Sarah Taylor qui ne manquait pas d'humour. Elizabeth trancha en déclarant qu'elle n'épouserait jamais un vieil homme qui puait des pieds.)

Cette liste suffirait à faire de lui le plus grand séducteur de tous les temps (alors qu'elle est loin d'être exhaustive). Pourtant, il y a quelque chose qui cloche. D'ordinaire, on a coutume de dire que c'est l'arbre qui cache la forêt. Avec Hughes, on a l'impression que c'est la forêt qui cachait l'arbre. En même temps, on peine à croire qu'il se serait donné tout ce mal dans le seul but de couvrir de furtives et improbables aventures homosexuelles. Il n'empêche que la plupart de ses histoires d'amour ne résistent pas à l'analyse. Pour ne prendre que deux exemples parmi les plus sensationnels, son aventure avec Gene Tierney et celle avec Ava Gardner. La première affirmait n'avoir jamais couché avec lui ; quant à Ava Gardner, elle refusait même d'en envisager la possibilité. (Il la dégoûtait. Il ne se lavait déjà qu'un jour sur deux et s'habillait comme un clochard.) Avec Jane Russell, il n'en a également pas été question. De même pour Ida Lupino, qui était toujours flanquée de sa mère, tout comme Ginger Rogers. Emmène-t-on la mère d'une de ses conquêtes en croisière quand on est un *play-boy* digne de ce nom ? Après avoir eu une brève romance avec Hughes, Barbara Hutton confiait à son journal intime le peu de plaisir qu'elle en avait tiré. Elle parle d'une incompatibilité sexuelle entre elle et le milliardaire. « Il voulait absolument me faire jouir et, n'y parvenant pas, il s'énervait et m'empêchait de me faire plaisir toute seule. Je crois qu'Howard se mettait à paniquer dès qu'il se sentait incapable de contrôler une situation. »

En fait, Katharine Hepburn est la seule qui en gardait un bon souvenir : « Il était ce qui se faisait de mieux en matière d'homme – et moi en matière de femme. Il nous semblait logique d'être ensemble, mais avec le recul, je pense que nous étions trop semblables » écrit-elle. C'est vrai qu'ils se ressemblaient par certains points. Il avait trente ans, elle vingt-huit. Ils appartenaient tous les deux à des milieux aisés et se montraient aussi farouchement indépendants et anticonformistes l'un que l'autre. Seulement, si Kate était légèrement excentrique, Howard souffrait de troubles mentaux qui ne feraient qu'empirer avec l'âge. Comment se fait-il qu'elle ne s'en soit pas aperçue ? Portait-elle des œillères ? Le milliardaire qui, à la fin de sa vie, portera le trouble obsessionnel compulsif à un degré rarement atteint, donnait déjà des signes évidents d'instabilité psychologique. Il incubait : son obsession de l'hygiène, sa phobie des microbes, ses disparitions répétées, sa paranoïa, sa manie des cartons et des Kleenex, et surtout cette quête ahurissante de filles qui aurait dû intéresser Katharine au premier chef. Dès qu'une nouvelle bombe arrivait à Hollywood, Hughes dépêchait un de ses sbires pour la prendre sous contrat. « Je ne comprends pas ce qu'elle faisait avec Hughes, s'étonnait Anita Loos. Il avait une écurie de filles à sa disposition et Kate n'était pas du genre à s'en accommoder. »

26

Luchino Visconti à Paris. Rencontre avec Horst à l'hôtel de Noailles. Prédiction de Horst. Qui sont ces Visconti ? Un clan incestueux ou des ados attardés ? Nicky et Madina Arrivabene. Nathalie Paley. Charles et Marie-Laure de Noailles.

Plus personne à Paris ne vivait encore sur un tel pied. Le luxe de l'hôtel des Noailles participait des fastes d'un passé révolu. Surtout la salle de bal avec ses incroyables boiseries rococo, transportée, panneau par panneau, d'un palais napolitain, pour témoigner, à la fin du siècle précédent, de la splendeur des Bischoffsheim. L'escalier de marbre du vestibule où trônait un *Saint Georges et le dragon* de Benvenuto Cellini n'en était pas moins impressionnant. Même les plus blasés ne pouvaient qu'être bluffés en pénétrant, pour la première fois, dans ce sanctuaire dont la collection de tableaux achevait d'en mettre plein la vue : Rubens, Prud'hon, Picasso, Balthus, Dalí, Chagall… ainsi que trois toiles de Goya, dont deux portraits en pied (que Marie-Laure prétendait, pour la frime, nettoyer avec du citron). Horst, parmi ces chefs-d'œuvre, se faisait l'effet d'un Petit Poucet cherchant ses repères dans une forêt de contes de fées. Il n'était pas perdu, mais quand même un peu intimidé : c'était la première fois qu'il venait déjeuner chez la vicomtesse. Comme les grands seigneurs du XVIIIe siècle, Marie-Laure tenait table ouverte. Si on faisait partie des intimes, il suffisait de téléphoner le matin pour s'annoncer. « À moins qu'elle n'eût déjà douze personnes, elle vous disait de venir. »

C'est ce jour-là qu'Horst devait rencontrer Visconti. Dans le fameux fumoir, redécoré par Jean-Michel Frank de panneaux de parchemin, où le maître d'hôtel venait d'apporter le café. Le matin même Visconti avait téléphoné à Marie-Laure pour lui demander la permission de passer la saluer avant son départ pour l'Italie. Lorsqu'il arriva, elle lui présenta le jeune photographe avec qui elle se trouvait en tête à tête. Marie-Laure avait fait la connaissance de Horst au studio de *Vogue*. Son naturel avait su la séduire. En dehors de Beaton qui le trouvait trop plouc, tout le monde l'aimait bien. À *Vogue*, les secrétaires l'appelaient « le petit Boche », mais c'était plutôt affectueux. Un surnom qui s'accordait à ses cheveux blonds, mais qui ne rendait qu'imparfaitement compte de son allure générale. Il n'était pas très grand, mais il était sexy. Les photos de lui qu'a laissées Hoyningen-Huene témoignent de sa sensualité. Une sensualité presque agressive que ne pouvait manquer de remarquer Visconti. Beaucoup plus déluré que le ténébreux italien, le petit Boche savait l'effet qu'il lui faisait. Il savait aussi que ce serait à lui de faire les premiers pas, mais il n'était pas pressé.

Il attendait, savourant l'instant présent comme on laisse reposer un alcool après y avoir trempé ses lèvres. Horst restait en dehors de la conversation. Il avait tout loisir d'observer l'Italien qui répondait machinalement aux questions de Marie-Laure. Les regards qu'il lui jetait à la dérobée étaient éloquents. Inconsciente du courant qui passait entre les deux hommes, Marie-Laure meublait la conversation avec des insignifiances. Avait-il des nouvelles de Nathalie ? De Nicky ? De Madina ? Patati, patata. « Tu te souviens de Charlie ? demanda tout à coup la vicomtesse à Visconti en adoptant le tutoiement à l'italienne. Charles de Besteigui, ajouta-t-elle, devant son air dubitatif. Ce garçon qui nous accompagnait à Cernobio. Il vient d'acheter une propriété à Monfort-l'Amory, *Groussay*. Il invite quelques amis à venir demain la découvrir. Pourquoi ne pas y aller ensemble ?

— Je serais reparti, objecta Visconti.

— Dommage, je suis sûre que ce sera amusant. Il a un goût incroyable. Son appartement des Champs-Élysées démodait tout ce qui existait déjà. Après l'avoir fait aménager par Le Corbusier, il l'avait entièrement redécoré derrière son dos. Dans le plus pur style rococo. Un délire de miroirs de Venise, de torchères. Des perroquets et du gazon sur la terrasse... Tordant.

— En arrivant à Paris, j'ai travaillé chez Le Corbusier, intervint Horst.

— C'est passionnant ! s'enthousiasma Marie-Laure. Comment était-il ?

— Très suisse, en fait. Pas très démonstratif, méthodique et déterminé. Il envisageait de faire raser le quartier du Marais pour appliquer ses théories sur l'urbanisme...

— Quelle merveille ! Mais bien sûr, qu'il faut le raser. Il faut le raser tout de suite » s'écria Marie-Laure avant de se lancer dans une tirade sur la modernité, pendant qu'Horst se renfermait dans son mutisme.

Les rumeurs qui couraient, dans Paris, sur Visconti, faisaient état de son caractère tourmenté. L'expression de beau ténébreux aurait pu être inventée pour lui. Horst se rendait compte qu'à bien des égards Visconti lui était supérieur et pourtant, il le savait à sa merci. Il avait la sensation étrange d'être à la fois la proie et le chasseur. D'être la proie et de devoir guider jusqu'à lui le chasseur. Il devinait que sous ces grands airs, Visconti n'en menait pas large. Il avait besoin d'être conduit par la main comme un petit garçon. « Pour une raison obscure, écrira-t-il, j'étais sûr qu'il était attiré par moi. Il y avait quelque chose de mystérieux en lui, quelque chose d'à la fois très proche et de distant. J'avais déjà eu loisir d'observer que les aristocrates étrangers, même les Anglais, aussi assurés et snobs qu'ils puissent être dans leur pays, tendaient à l'être bien moins en arrivant à Paris. Toujours est-il que lorsque Luchino exprima à Marie-Laure ses regrets de devoir partir pour ne pas rater son train, je m'entendis soudain interrompre leurs adieux formels et lui prédire d'un ton ferme : "Vous ne quitterez pas Paris cet après-midi. Demain, à une heure, vous déjeunerez avec moi au bar du *Crillon*." »

Tête de Marie-Laure ! Tête de Marie-Laure qui n'aimait rien tant que ce genre de coup de théâtre. La vicomtesse Méduse médusée. Sur le cul. Ni Horst ni Visconti n'étaient alors célèbres comme ils le deviendront plus tard, mais, pour Marie-Laure, Luchino Visconti était le beau-frère de ses amies Nicky et Madina Arrivabene, alors furieusement à la mode. C'est par Nathalie Paley que Marie-Laure avait connu Nicky et Madina. Issues d'une très ancienne famille de Mantoue (et possédant un sublime palais à Venise), Nicky et Madina Arrivabene devaient respectivement épouser Luigi et Eduardo Visconti, deux des frères de Luchino. Avec ce doublé, la rivalité amoureuse des frères Visconti tournait à la promiscuité. D'autant qu'on prétendait que Luchino était lui-même amoureux de Nicky. On le disait aussi amoureux de Nathalie Paley. De Venise où elle séjournait tous les ans, Nathalie écrivait à Cocteau qu'il allait mourir d'amour pour cette famille extraordinaire dont tous les membres étaient d'une beauté sublime. Elle les décrivait comme un clan : « Dramatiques, violents, incestueux. » Les présenter de la sorte revenait à donner un lustre romanesque à une forme de repli sur soi assez courante dans les familles nombreuses. Ils formaient une bande d'adolescents attardés. Les rapports qu'ils entretenaient entre eux relevaient davantage du flirt que des liaisons dangereuses. On aura une idée de ce climat « flirt » et du snobisme de la bande avec cette anecdote racontée par Nicky. Un soir, à Paris, dans une fête, elle avisa un homme solitaire au milieu des convives en smoking : « Un monstre, avec un complet bleu pas possible, à larges rayures, qu'il portait avec une cravate rouge ! Il me fit de la peine et j'allais m'asseoir à côté de lui. "Je suis Giacometti, me dit-il, je suis sculpteur et je vis à Montmartre." Il demanda à faire mon portrait. À cette époque, le beau-frère de Nathalie Paley, Fédor de Russie, me faisait la cour. Pour le faire souffrir, je lui demandais de m'accompagner en voiture chez Giacometti, qui vivait dans un endroit horrible et Fjodor, qui était follement beau, m'attendait dans la voiture pendant que je posais. »

Sympa ! Sympa de la part de Nicky, fiancée à Luigi, et sympa de la part de Nathalie qui fermait les yeux sur les infidélités de son beau-frère. « Pardonnez-leur, Seigneur, car elles ne savent plus ce qu'elles font. » Entre Cocteau, Lifar et Visconti, Nathalie perdait parfois pied. Jamais aussi à l'aise que dans un sac de nœuds, Marie-Laure avait rejoint la bande à Cernobio, où les

Visconti possédaient une propriété sur les bords du lac de Côme. Elle était partie devant en voiture décapotable, Charles, son mari, suivait en Rolls avec Charlie (Besteigui). La région des lacs s'accordait au romanesque de la vicomtesse qui conservait de son séjour un souvenir épatant : « Il règne ici une atmosphère d'exaltation et de folie qui suinte des pierres. » Le baroque flattait son penchant à l'exagération. Elle décrivait Madina comme « un Botticelli revu par d'Annunzio qui ferait mourir Bébé d'admiration », et Guido Visconti comme « un Lucifer qui voltige en canot automobile pour éblouir Nathalie ». Durant le séjour de Marie-Laure à Cernobio, Luchino ne faisait qu'entrer et sortir, mais ces apparitions avaient suffi à frapper son imagination. Elle partageait l'opinion de Nathalie qui le trouvait mystérieux et ardent. Il l'intriguait. Elle s'aperçut en rentrant à Paris qu'elle n'était pas la seule à être intriguée. Tout le monde, dans la capitale, s'interrogeait, sur la nature de sa relation avec Mlle Chanel. On disait qu'elle était folle de lui. Certains les disaient amants, d'autres faisaient remarquer qu'elle aurait pu être sa mère.

27

Coming out *de Visconti. Son caractère tourmenté. Vacances à Hammamet en compagnie de Horst. Période de profonde mutation pour les Scorpions ? Béguin de Chanel pour Luchino. Elle peste contre Hollywood et lui présente Jean Renoir.*

Le lendemain, à l'heure convenue, Horst avait eu la surprise de voir Visconti qui l'attendait au bar du *Crillon*, alors qu'il n'y croyait plus qu'à moitié. Suprêmement élégant dans un costume croisé en flanelle, Visconti affichait cet air sûr de lui qu'il aimait à se donner, mais dont Horst avait déjà su, la veille, démonter l'affectation. Les rapports amoureux de Visconti avec des hommes s'étaient jusque-là bornés à de furtifs orgasmes qu'il cherchait ensuite à oublier. Il lui en avait coûté de venir à ce rendez-vous galant. Vingt fois il était revenu sur sa décision d'honorer le rendez-vous fixé par Horst. Il hésitait encore en poussant la porte à tambour du *Crillon*. Une décision qu'il avait vécue comme une défaite, mais aussi comme un soulagement. Un soulagement de courte durée puisqu'il constata en arrivant au bar l'absence du jeune photographe. Lui qui, cinq minutes avant, se demandait s'il n'allait pas repartir, se rendit compte de l'importance qu'il accordait à ce rendez-vous. Tout ce qu'il en attendait sans se l'avouer. Il souffrit de nouveau mille morts jusqu'à l'apparition de Horst, marchant vers lui en souriant derrière un maître d'hôtel. L'alchimie qui les avait poussés l'un vers l'autre chez Marie-Laure reproduisit exactement le même effet. Une attirance immédiate, impulsive, impérieuse et bien heureusement réciproque. Remettant chaque jour son départ, Visconti prolongea son séjour pendant près de deux semaines.

Leur liaison dura trois ans. Elle fut d'autant plus romantique et passionnée qu'ils ne vivaient pas ensemble et ne se voyaient que de loin en loin. Peu de temps après leur rencontre, Horst entraîna Visconti à Hammamet où Hoyningen-Huene avait fait construire une maison. Ignorant alors le tourisme de masse, Hammamet représentait encore ce qu'il est convenu d'appeler, sur terre, un paradis. Il n'empêche que dans cet environnement idyllique, Visconti arrivait à trouver des motifs de fâcheries. « Il cherchait à m'expliquer son caractère qui était difficile, se souvenait Horst, seulement il avait toujours raison, et moi toujours tort. » En 1959 *Maison Française* présentait à ses lecteurs *Dar Essourom*. Évoquant à son insu le tourbillon des jours, la journaliste précisait que la demeure, ayant appartenu naguère à un célèbre photographe des années 30, avait dû être entièrement réaménagée. La guerre, entre-temps, avait tourné une page. Hoyningen-Huene vivait désormais en Californie où il travaillait pour le cinéma. Horst et Visconti ne se voyaient plus guère. En 1953, apprenant que Horst se trouvait à Rome, Visconti l'invita aussitôt chez lui. « Il était évident que nous avions pris de l'âge, remarquait Horst, que nous avions mené des vies différentes. Pourtant ce fut comme si le temps s'était arrêté. Nous ne nous disions pas grand-chose, mais il existait entre nous une connivence singulière. » En 1970, quelques années avant la mort de Visconti, il lui envoya une photo prise à Hammamet, plus de trente ans auparavant. « Merci, lui écrivit Luchino, de m'avoir envoyé ce reflet de ma mémoire. Je suis à nouveau avec toi, un verre à la main, sur le seuil de cette porte qui donnait sur le jardin plein de fleurs. Des fleurs blanches aux parfums très forts : jasmin et lys. Ce furent des jours heureux et je ne les ai jamais oubliés. Comment pourrais-je les oublier ? » Pourtant sur cette photo, le regard baigné d'ombre, Visconti n'esquisse même pas un sourire. Il faudrait pouvoir faire marche arrière afin de profiter, comme ils le mériteraient, des courts moments de bonheur que la vie nous donne.

Sans croire à l'astrologie comme à une science exacte, on ne peut nier que le caractère tourmenté de Visconti présentait, comme grossi à la loupe, la plupart des caractéristiques qu'on attribue aux Scorpions. Sa sensibilité s'enfonçait dans des eaux troubles et stagnantes et toutes les formes de macérations, engendrées par la douleur, trouvaient en lui un écho favorable. Il attribuait cette résonance à sa naissance, le jour des Morts. La charnière du milieu des années 30 marquait-elle pour les Scorpions une période de profonde mutation ? Parallèlement à son aventure avec Horst, la rencontre de Visconti avec Renoir allait changer le cours de sa vie. Chanel, qui les avait présentés, s'était entichée de Visconti. Elle aimait l'aristocratie comme une midinette. Elle s'était payé le grand-duc Dimitri, elle s'était pliée à Westminster, Luchino était fait pour elle. Elle n'allait pas le laisser passer. D'autant qu'elle arrivait à un âge où une femme ne laisse plus rien passer. Furent-ils amants ? Chanel manifestait pour lui un faible qui dépassait la simple amitié, mais cela ne suffit pas à le prouver. Elle, qui n'était pas tendre d'ordinaire, le maternait. De son côté, il la respectait et profitait de ses conseils. Tout grand seigneur qu'il était, il souffrait vis-à-vis d'elle d'un complexe de provincial. Elle avait connu tout le monde avant tout le monde. Elle avait eu Picasso à sa botte, Dalí à ses pieds, Cocteau à sa charge. Elle faisait revivre le foisonnement culturel des années 20 Diaghilev, Stravinsky, Misia, Radiguet…

Visconti lui parla de son intention de faire de la mise en scène de cinéma. Et de ses déconvenues. Il était allé à Hollywood, sans résultat (en dehors d'une aventure avec Jimmy Donahue, mais c'est une autre histoire). Il n'avait rencontré personne d'intéressant, hormis Alexandre Korda. Chanel, qui ne pouvait s'empêcher de répéter ses bons mots, s'écria qu'Hollywood n'était rien d'autre que « le mont Saint-Michel de la fesse et du sein ». Un cloaque. Elle gardait un mauvais souvenir de son séjour en Californie. Attirée par Sam Goldwyn pour habiller les stars de la MGM, elle avait pourtant eu droit à tous les honneurs. Un pont d'or pour traverser l'Atlantique et un train blanc pour la conduire de New York jusqu'à Los Angeles. Garbo l'attendait à la gare et la crème du septième art se pressait, dans les fêtes organisées par

Goldwyn, pour lui être présentée. Ne voulant pas voyager seule, Chanel avait pensé que cela changerait les idées de Misia de l'accompagner. (Misia, en pleine dépression depuis le départ de Sert avec Roussy Mdivani.) C'était un peu égoïste comme raisonnement, mais le clinquant hollywoodien agit sur Misia comme un électrochoc. Toute cette « plouquerie » la faisait jubiler. En revanche, Chanel était atterrée par la vie en Californie : ces palais mauresques, ces haciendas d'opérette, ces bungalows gothiques ! Elle critiquait tout. Elle détestait tout. Majoritairement dirigés par des juifs, les studios réveillaient son antisémitisme. Elle était viscéralement antisémite. En bonne Auvergnate, elle se méfiait des étrangers. Elle en avait marre de serrer la main à des juifs. Le pire restait à venir. Le minimalisme de Chanel ne passait pas la rampe. À l'écran, cela faisait plat. Le noir et blanc demandait davantage de fioritures. Chanel s'y refusait. En comparaison des costumes d'Adrian ou de Travis Banton, les siens manquaient de *pep*. Sa rigueur la desservait. Elle devait d'ailleurs déclarer forfait après avoir habillé Gloria Swanson dans *Ce soir ou jamais*. Si Gloria, déjà en perte de vitesse, comptait sur les costumes de Chanel pour relancer sa carrière, elle allait en être pour ses illusions. Et Goldwyn pour ses frais. Un ratage de un million de dollars – la somme empochée par Chanel.

« Je sais ce qu'il te faut, déclara Chanel à Visconti. Tu vas rencontrer Renoir, lui, c'est quelqu'un de sérieux. » Alors qu'à première vue, rien ne les rapprochait, les deux hommes s'entendirent plutôt bien. Renoir savait reconnaître un prince lorsqu'il en croisait un. L'élégance de Visconti parlait en sa faveur. Son sérieux aussi. Il était motivé, ce qui est la première qualité d'un assistant. Renoir l'engagea pour *La Partie de campagne*. Le tournage démarra alors que s'annonçaient les événements du Front populaire. Visconti se cherchait une grande cause à défendre. On la lui servait sur un plateau. Un plateau de cinéma. L'ambiance du tournage devait le déniaiser intellectuellement. Il épousa la cause du peuple avec une raideur tout aristocratique. Ce manque de souplesse labourait chez lui un terrain favorable aux prises de positions idéologiques (il avait un moment pensé rentrer dans les ordres). La guerre acheva de l'ancrer à gauche. Dans une Italie laminée par vingt ans de fascisme, seul le communisme offrait une alternative. Visconti se retrouva communiste et s'enflamma dans la foulée pour le néoréalisme. Des engagements qu'il ne reniera jamais, même si, avec le recul, ils apparaissent comme assez éloignés du but que son cinéma finira par atteindre : reconstituer à son usage personnel un monde aristocratique dont la nostalgie le hantait.

28

La princesse de San Faustino et Barbara Hutton au Lido. Une fête pour les Windsor. Barbara cherche à faire oublier la conduite de son cousin. Nouvellement mariée au comte Reventlow, *elle s'ennuie et regrette Alexis Mdivani.*

Au Lido, les familles nobles aimaient à conserver d'une année sur l'autre le même emplacement. C'était l'équivalent d'une loge à la Scala. La princesse Jane de San Faustino arrivait toujours de bonne heure sur la plage. À la mort de son mari, elle s'était inventé une sorte d'uniforme, assez semblable à un habit de bonne sœur (avec une cornette et un voile), qui la délivrait d'avoir à s'occuper de mode. L'autorité qui émanait de la princesse s'appuyait sur une réputation d'entregent parfaitement justifiée. Elle savait tout sur tout le monde. Comme elle occupait une des premières tentes au pied de l'escalier, tous les potins de Venise transitaient par son officine. Elle repartait assez tard dans l'après-midi. À l'heure où les domestiques, à qui l'on accordait, à tour de rôle, la permission de venir se détendre sur la plage, faisaient leur apparition. La princesse en profitait pour glaner quelques informations supplémentaires. Séjournant au Lido, Barbara Hutton était venue retrouver la princesse sous sa tente. Elle voulait lui soumettre la liste des invités pour la soirée qu'elle comptait donner en l'honneur du duc et de la duchesse de Windsor, eux aussi de passage à Venise. Depuis son récent mariage avec le comte Curt Reventlow, Barbara cousinait avec le gotha : les Haugwitz-Hardenberg-Reventlow appartenaient à la plus vieille noblesse danoise. Barbara rivalisait maintenant avec les beautés à la mode. Elle avait incroyablement minci et s'habillait divinement.

« Bien sûr que vous devez les inviter ! trancha la princesse. Vous invitez bien Serge Lifar, fit-elle remarquer à Barbara Hutton qui semblait hésiter.

— Serge était un ami d'Alexis, se défendit celle-ci, alors que la plupart de ces gens, je ne les connais pas.

— Eux vous connaissent, se contenta de répondre la princesse, en haussant les épaules. En dehors de la Casati qui est ridicule avec sa ménagerie, vous pouvez inviter tous ceux qui sont sur cette liste, croyez-moi…

— La marquise Casati, n'est-ce pas elle qui habite le palais de Leoni qu'on appelle aussi le palais *non finito* ? s'enquit Barbara Hutton que cette dernière fascinait, même si elle aurait maintenant préféré mourir que de l'avouer.

— Le palais, il est *non finito*, mais elle, elle est *finito*, s'exclama la princesse en jubilant. En dehors de la populace qu'elle régale de buffets somptueux sur la place Saint-Marc, plus personne ne répond à ses invitations. *Finito, finito, finito* », martela encore par trois fois, gaiement, la princesse, avant d'enchaîner avec une de ces anecdotes qu'elle tenait en réserve sur tout un chacun. Une sombre histoire à propos d'un Nègre, travaillant au service de la marquise, qui aurait trouvé la mort – elle l'affirmait – étouffé sous un badigeon de peinture dorée dont cette dernière l'avait fait s'enduire avant de l'exhiber lors d'un bal masqué. « *Poverino*, à vouloir ressembler au veau d'or, il est mort d'épuisement comme le caméléon sur une jupe écossaise. Tous les pores de la peau bouchés, il ne pouvait plus respirer. Et personne n'a rien dit, elle a tellement d'argent, même les fascistes ferment les yeux. D'Annunzio la protège et *tutti quanti.* »

La princesse Jane de San Faustino appartenait à ce quarteron d'Américaines qui quadrillait désormais la société européenne : lady Cunard, incontournable à Londres, lady Mendl, omniprésente à Paris, et la duchesse de Windsor qui commençait à régner sur la *café-society*. Ayant déjà rencontré lady Cunard et lady Mendl,

Barbara Hutton se devait, à Venise, de faire une visite de politesse à la princesse Jane. D'autant qu'elle avait besoin de se refaire une réputation. Son dernier séjour en Italie s'était soldé par une catastrophe. Barbara avait demandé à son cousin, Jimmy Donahue, de la rejoindre à Rome (la conversation du comte Reventlow commençait à lui peser et Jimmy savait la faire rire). Ils pensaient se reposer un jour ou deux dans la Ville éternelle avant de partir pour Capri. Leur arrivée avait malheureusement coïncidé avec la plus monstrueuse manifestation jamais organisée par les fascistes : des millions et des millions de personnes rassemblées pour fêter la victoire des troupes de Mussolini en Abyssinie… juste en bas du *Grand-Hôtel* où ils étaient descendus. Prisonniers de leur suite, ils avaient passé l'après-midi à attendre que les esprits se calment en sirotant des cocktails. Bientôt ivre mort, Jimmy n'avait rien trouvé de plus drôle que de sortir sur le balcon pour haranguer les masses populaires en criant : « Vive l'Éthiopie libre. Longue vie à Hailé Sélassié ! » Son exclamation perdue au milieu des clameurs de la foule, personne n'aurait peut-être remarqué son intervention, si, joignant, d'une certaine manière, le geste à la parole, il n'avait commencé par jeter quelques pots de fleurs, avant de déboutonner sa braguette pour pisser par-dessus la balustrade en direction des manifestants. Pisser sur des fascistes en liesse n'était pas une chose à faire. Sans la diplomatie du personnel du *Grand-Hôtel*, ils finissaient en morceaux. La princesse Jane de San Faustino, qui avait alors énergiquement condamné la conduite de Barbara, ne lui en tenait plus rigueur. Le respect que lui manifestait désormais la jeune héritière l'invitait à passer l'éponge.

La princesse Jane avait été une des premières Américaines à épouser un prince italien. Son mérite était d'autant plus grand qu'elle n'avait ni dot ni aucune espèce d'espérance pour l'avenir. Le krach boursier de 1887 avait eu raison du peu de fortune de son père qui se laissa mourir de désespoir. Cette faillite et ses conséquences n'en devaient pas moins être à l'origine de son mariage. À la mort de son mari, la mère de Jane décida de rejoindre, en Italie, une de ses sœurs, installée à Rome. Cupidon prit alors les choses en main. Le jeune prince de San Faustino tomba follement amoureux de cette Américaine dont la chevelure rousse semblait traduire la nature ardente. Seulement il lui fallait, pour l'épouser, vaincre l'opposition de sa famille qui freinait des quatre fers. Les San Faustino auraient eu le plus grand besoin d'argent pour restaurer le palais Barberini qui tombait en ruine. De guerre lasse, les San Faustino finirent par céder, mais le mariage ne fut pas aussi heureux que ne le laissait espérer son prologue romantique. Il n'en avait pas moins tenu en dépit des infidélités du prince et de l'agitation de la princesse qui s'était découvert, au contact de la haute société romaine, un goût prononcé pour la mondanité et les intrigues. Son entregent était-il à l'origine de l'union spectaculaire de sa fille, Victoria, avec Eduardo Agnelli, héritier de la Fiat, une des plus importantes firmes industrielles d'Italie ? La princesse s'en défend dans ses mémoires, affirmant que sa fille s'était en l'occurrence débrouillée toute seule. La beauté de Victoria se passant, disait-elle, de tout autre intermédiaire.

Si bien informée que pouvait l'être la princesse, elle ne savait pas tout. Si elle avait su, par exemple, que la duchesse de Windsor avait été naguère la maîtresse du comte Ciano, peut-être aurait-elle conseillé à Barbara Hutton de le retirer de la liste des invités où il figurait en bonne place avec sa femme Edda (la propre fille de Mussolini). Seulement une fête à Venise sans le comte Ciano n'était pas pensable. Le comte servait de caution mondaine à son beau-père. Tout le monde l'adorait et s'accordait à louer la délicatesse de son fascisme : il ne se croyait pas, comme certains, toujours obligé de se balader en uniforme. Tout en se flattant de ne pas faire de politique, la princesse ne résistait pas à l'idée de rencontrer des gens importants. Elle avait même sollicité une audience du Duce, mais, à l'époque, Mussolini était encore fréquentable. 1935 marqua la fin des illusions que les âmes naïves pouvaient encore entretenir sur le régime. La visite éclair d'Hitler à Venise avait eu le mérite de mettre les points sur les *i*. Son apparition, sur la place Saint-Marc, n'avait guère soulevé l'enthousiasme. Ce n'était pas une ville pour lui. Sanglé dans un uniforme à brandebourgs, le Duce se fondait dans le décor. Hitler, en imper, faisait minable à côté. Un commis voyageur. Il en avait ressenti du dépit et une sourde irritation contre le manque de discernement de Mussolini qu'il avait jaugé pour ce qu'il était : une baudruche qui se dégonflerait à la première occasion. En le regardant pérorer, Hitler avait mal à son fascisme.

Baissant la voix, la princesse informa Barbara du peu de confiance qu'il fallait désormais accorder aux employés de maison. « Les murs ont des oreilles », souffla-t-elle en jetant un regard inquiet sur la plage où une poignée de domestiques s'attardait. Tout à leur conciliabule, la princesse et Barbara avaient laissé filer les heures. Barbara ressortit de cet entretien charmée. De son côté, la princesse s'était bien amusée. Elle avait noté que la pauvre petite était portée sur la bouteille (elle ne cessait de se faire resservir à boire) et qu'elle n'avait plus l'air très amoureuse de son comte Reventlow de mari. Ces Danois, c'étaient des dogues. Barbara lui avait longuement parlé d'Alexis Mdivani, son premier mari, dont la mort accidentelle la hantait : décapité, à vingt-six ans, dans un accident de voiture alors qu'il s'apprêtait à épouser Maud von Thyssen. Venise lui rappelait Alexis à qui elle avait offert un palais sur le Grand Canal. Barbara cherchait à venir en aide à sa sœur, Roussy, qui sombrait dans une profonde dépression. Barbara la voyait en cachette. Reventlow le lui interdisait. Roussy prenait de la drogue. Beaucoup de drogue. On accusait Misia Sert de la lui fournir. Barbara soupçonnait son mari d'être toujours jaloux d'Alexis. La pauvre Roussy était, paraît-il, à faire peur… Pâle et décharnée… Elle si jolie… « Beaucoup de drogue », répéta Barbara. Son chagrin semblait sincère. Encore que l'incohérence de certains de ses propos pouvait aussi être le résultat des cocktails qu'elle ingurgitait depuis plusieurs heures. La princesse lui conseilla d'aller se reposer. En la regardant s'éloigner ses chaussures à la main, elle se demanda si elle titubait à cause du sable ou de l'alcool.

29

Retour sur l'abdication d'Édouard VIII et son mariage avec Wallis Simpson. L'Italie fasciste, l'Autriche de l'anschlus et l'Allemagne nazie : un tiercé d'une rare délicatesse. Pourquoi Hitler porte-t-il des souliers vernis avec sa veste d'uniforme ?

Au moment de l'abdication, Barbara Hutton avait pris résolument le parti de la duchesse de Windsor en affirmant à une journaliste qui l'interrogeait à ce sujet : « Chaque femme a le droit inaliénable d'avoir une vie intime. » Outre qu'elle prêchait alors pour sa paroisse, elle exprimait dans son journal intime un point de vue beaucoup plus nuancé : « Une Américaine deux fois divorcée et cataloguée comme une aventurière ne peut décemment pas postuler au trône d'Angleterre. » Quant au roi, elle lui réglait son compte en deux phrases : « Il ne s'intéresse qu'à la mode et au jardinage. Ce ne sera pas une grande perte pour l'Angleterre. » Toujours dans son journal intime, et toujours à propos des Windsor, elle notait au lendemain de la fête qu'elle avait donnée, à Venise, en leur honneur, qu'ils se répandaient en louanges sur l'Italie en faisant l'apologie du fascisme. Elle ajoutait que Wallis reprenait le duc à tout bout de champ sur ce qu'il disait, ce qu'il faisait, ce qu'il buvait, ce qu'il mangeait... C'était Roméo et la mère Mac'Miche. Le duc représentait pour Barbara une vieille connaissance puisqu'il l'avait fait danser lors de sa très officielle présentation à la cour. En 1929.

À l'étranger, le duc et la duchesse bénéficiaient encore du soutien des populations, émues par leur histoire d'amour que la presse présentait comme la plus romantique du siècle. Venise leur réserva un triomphe. Des centaines de curieux les attendaient à la gare où le duc mit le comble à l'enthousiasme de la foule en lui rendant à plusieurs reprises son salut fasciste. Une armada de gondoles les escorta ensuite jusqu'au Lido où ils devaient séjourner. Depuis les événements qui avaient précipité la chute du roi, c'était la première fois qu'ils paraissaient détendus. Leur mariage en catimini avait ouvert les yeux du duc : ce n'était plus comme avant. Jusqu'à la dernière minute, il avait espéré qu'un de ses frères ferait le déplacement. Mais aucun membre de la famille royale n'assista à la cérémonie qui se déroula au château de Candé, en Touraine. Le roi avait abdiqué en pensant conserver sur eux suffisamment d'ascendant pour les voir se plier à ses directives. On lui refusait tout en bloc : le titre d'Altesse Royale pour Wallis, une liste civile et toutes sortes de prérogatives et d'avantages qu'il croyait dus à son rang. Seulement, il était sorti du rang. Il n'était pas devenu un simple citoyen, mais presque. C'était sans doute la plus mauvaise affaire depuis qu'un de ses prédécesseurs avait cherché à échanger son royaume contre un cheval.

Wallis, dans le rôle du cheval, regimbait. Comment ne se serait-elle pas sentie piégée ? Le handicap était lourd à porter. Elle flairait l'arnaque : le roi se donnait le beau rôle et la condamnait à être à la hauteur. Aux yeux de l'opinion publique, il avait tout sacrifié par amour pour elle. Et elle, maintenant, qu'est-ce qu'elle faisait ? Elle l'envoyait promener ? Elle le plantait là ? D'une certaine manière, c'est le roi qui se servait d'elle. C'est Baldwin, le Premier ministre, qui se servait d'elle. Elle leur ménageait une sortie honorable. Un alibi en béton. Entre eux deux, c'était la guerre. David oubliait trop souvent le devoir de réserve qui lie un roi constitutionnel aux directives de son gouvernement. Il laissait percer dans ses déclarations des opinions pour le moins tendancieuses. Pour Baldwin, il n'était qu'un nazillon. L'injustice du procédé révoltait Wallis : tout le monde la tenait pour responsable de l'abdication, alors qu'elle n'y était vraiment pour rien. Au contraire. Tous les historiens s'accordent sur ce point : Wallis n'a jamais eu l'intention d'être reine. Elle n'était pas folle. Elle était beaucoup trop réaliste et, la chose eût-elle été possible, de toute façon, cela l'assommait.

Même l'idée du mariage l'assommait. Elle avait déjà été mariée deux fois. Par amour et par résignation. Elle pensait donc avoir épuisé toutes les joies du mariage. Seulement il lui fallait compter avec l'obstination du roi qui voulait qu'elle régnât à ses côtés. Elle était bien obligée de jouer le jeu. C'était la moindre des politesses. « J'en ris parfois toute seule », avait-elle écrit à l'époque où le prince était entré dans sa vie. L'appréhension le disputait maintenant au comique dans l'analyse qu'elle faisait de la situation.

Malheur à celle par qui le scandale arrive. À mesure que les rumeurs relatives à l'abdication se précisaient, Wallis était devenue pour les Anglais la femme à abattre. La presse n'était sortie de sa réserve que pour l'accuser de tous les maux. L'*establishment* lui tournait le dos et le peuple la prenait pour cible de ses grossièretés. C'est toujours facile de dire du mal des autres quand on n'est pas content des siens : plutôt que de s'en prendre à son souverain, l'Angleterre préférait vouer Wallis aux gémonies. Des dizaines de lettres d'injures arrivaient chaque jour à son domicile, agrémentées de menace allant du vitriol à l'attentat à la bombe. Tout le monde voulait sa peau. Ses nerfs, déjà en piteux état, craquèrent une nuit qu'un jet de pierres atterrit dans ses carreaux. Alors qu'elle était sous protection de la police ! Elle devenait folle. Pour échapper aux journalistes, elle avait quitté l'Angleterre à quatre pattes, au fond d'une voiture, sous une couverture écossaise. Ce n'était pas Dieu sauve la reine, mais la reine qui se sauvait. Elle se moquait pas mal, aujourd'hui, d'être *persona non grata* en Angleterre car elle ne voulait plus jamais y remettre les pieds. Elle détestait les Anglais. Pour une future reine d'Angleterre, cela posait un problème.

Après l'abdication, l'ex-roi et Wallis vécurent séparés en attendant que la procédure de divorce, entamée par Wallis, arrivât à son terme. Ils s'étaient retrouvés au château de Candé, pour le mariage. La noce ne ressemblait à rien : presque pas d'invités, pas de famille, pas d'église. Tout juste si on avait trouvé un prêtre. Un pasteur au rabais qui avait osé braver les foudres de sa hiérarchie. Il avait fallu aménager une chapelle à la hâte en jetant une nappe brodée sur une commode. Cela faisait minable. Même Cecil Beaton, qui avait obtenu l'exclusivité du mariage ne pouvait cacher, dans *Vogue*, l'impression de ratage qui dominait la cérémonie. Comment ne pas ressentir également un malaise devant les points de chute qu'ils se choisirent dans la foulée de leur voyage de noces ? L'Autriche de l'anschluss, l'Italie fasciste et l'Allemagne nazie. Un tiercé d'une rare délicatesse. De toutes les bêtises dont les Windsor se rendirent coupables, leur visite dans l'Allemagne nazie de 1938 apparaît comme la plus compromettante. Pour se dédouaner, la duchesse, dans ses mémoires, *Le Cœur a ses raisons*, cherche à accréditer la thèse d'un voyage d'études concernant la construction des logements ouvriers dont les Allemands s'étaient fait une spécialité. Gros comme une maison. Sujet qui, toujours selon la duchesse, passionnait l'ex-roi au point de lui faire entreprendre ce voyage. Voyage privé, il va sans dire. Et dénué de toute arrière-pensée politique. Seulement une fois sur place, le couple se vit bombardé d'invitations auxquelles ils ne s'attendaient, paraît-il, absolument pas. « Nous reçûmes une invitation inattendue du maréchal et de Mme Goering », écrit la duchesse tombant des nues. Ils n'étaient pas au bout de leur surprise puisque après Goering, tous les principaux dignitaires du régime leur firent parvenir d'autres d'invitations, couronnées par une entrevue avec Hitler lui-même dans son nid d'aigle de Berchtesgaden.

En vérité, Hitler raffolait du couple. Il les trouvait follement exotiques et cocasses. Lui, avec ses chaussettes à carreaux et ses pantalons de golf et elle, avec son air de toujours sortir d'un paquet-cadeau. Tout plouc qu'il était, Hitler se rendait compte qu'il y avait quelque chose d'un peu forcé chez la duchesse, mais c'était cela qui lui plaisait. Son côté « pas un poil de cul qui dépasse ». Les sympathies nazies qu'on leur prêtait n'étaient évidemment pas faites pour lui déplaire, mais l'intérêt qu'il leur portait dépassait ces considérations politiques. En dépit de toutes les informations qu'il détenait sur les manquements du roi et le passé de la duchesse, il partageait l'intérêt du grand public pour leur histoire d'amour. Comme une midinette. Il se faisait même, paraît-il, passer des films de leurs vacances que lui procuraient ses services secrets. Bref, les Windsor arrivaient en pays conquis (encore que l'expression peut paraître quelque peu déplacée, vu les circonstances). L'entrevue se déroula à merveille. On comprend qu'au lendemain de la guerre, la duchesse ait préféré minimiser l'euphorie qui accompagna leur voyage mais, devant l'énormité de ses mensonges, on est gêné pour elle. Pour un peu, elle raconterait qu'ils s'étaient retrouvés à Berchtesgaden par hasard en allant cueillir des edelweiss. On mentirait cependant en affirmant qu'elle avait tout aimé en bloc. Deux ou trois choses, en particulier, l'avaient fait tiquer. Par exemple, le tapis cerise assorti à la gigantesque cheminée de marbre du salon. Une horreur ! Et les zinnias ! Elle détestait les zinnias et il y en avait partout. Et pourquoi Hitler portait-il des souliers vernis avec sa veste d'uniforme ?

30

Cary Grant, un enfant mal aimé. La dure école du cirque. Cary arrive à Hollywood sur des échasses. Premier succès au côté de May West. Un jeune premier romantique. Partenaire de Marlène Dietrich et Tallulah Bankhead.

Certaines nuits, le souvenir de son enfance à Bristol revenait le hanter. Le sommeil le précipitait dans un puits noir dont les parois reproduisaient les alignements de maisons de brique du quartier sordide où il avait grandi. La prison et l'orphelinat qui lui faisaient si peur. L'épicerie où, tout petit, on l'envoyait chercher les provisions en espérant qu'on lui ferait crédit. Il devait avoir cinq ou six ans. C'était un enfant solitaire. Un enfant mal aimé, le plus souvent livré à lui-même. Toute sa vie, Cary Grant ignorera qui était sa mère. Toute sa vie, il en sera réduit aux suppositions. Pour l'état civil, il était le fils d'Elias et Elsie-Maria Leach et avait été baptisé sous le nom d'Archibald Leach. D'où son surnom : Archie. Seulement, un mystère entourait sa naissance. Il n'avait d'ailleurs été déclaré que un mois après. Un mois de doute qui laissait présumer de l'embarras de la famille. Un mystère dont il ne savait rien alors, mais dont l'énigme était enfouie au plus profond de lui sans qu'il eût moyen d'y accéder. Il savait sans savoir. On a coutume de dire que les enfants pressentent les secrets qu'on cherche à leur cacher. Dans son cas, c'était vrai. Archie savait instinctivement qu'il n'était pas le fils d'Elsie-Maria.

Il apprendra plus tard qu'il devait être l'enfant illégitime d'une des maîtresses de son père. Cette femme était-elle morte en couches ou l'avait-elle abandonné pour rejoindre les comédiens de la troupe où elle se produisait ? Autoritaire et parfois même brutale, Elsie-Maria traitait Archie avec une indifférence qui accréditait les rumeurs entourant sa naissance. Seulement elle représentait la seule forme d'autorité à laquelle il pouvait se raccrocher. Son père n'était pas un mauvais bougre, mais il n'était pas souvent là. Si on le cherchait, on le trouvait plus facilement au pub que chez lui. Au pub ou dans les coulisses des music-halls qu'il fréquentait assidûment. Coureur, buveur, batailleur, il incarnait le cockney dans toute sa splendeur. Le sang chaud et le cœur sec. Les scrupules ne l'étouffaient pas. La bière le rendait sentimental, mais il ne fallait pas s'y fier. Il était d'un égoïsme monstrueux, mais plutôt bonhomme. Le dimanche, il lui arrivait d'emmener son fils au spectacle. Et parfois aussi de l'y oublier, le temps de conclure à la belle étoile une amourette rondement menée. Habitué à être oublié, Archie ne s'en formalisait pas.

À force de fréquenter les coulisses des théâtres de variétés, Elias s'était lié d'amitié avec une famille d'artistes ambulants, les Pender. La réputation des Pender tenait à un numéro d'acrobatie sur échasses, unique en Europe. Pour son plus grand bonheur, Archie se retrouvait souvent confié à leurs soins. Ceux-ci présentaient des pantomimes pour enfants qui le grisaient : *Le Magasin de jouets*, *La Grotte enchantée*, *Jack et la tige de haricot magique*. La musique, le velours rouge et les dorures agissaient sur son imagination comme de puissants ressorts qui l'aidaient à sortir de lui-même, alors que le reste du temps c'était un enfant renfermé. De son côté, Robert Lomas, qui dirigeait les Pender, s'était pris d'affection pour le gamin. Elias y vit-il le moyen de faire le bonheur de son fils tout en arrondissant ses fins de mois ? D'autant qu'en le cédant aux Pender il se débarrassait d'une bouche à nourrir. Quelle sorte d'arrangement financier les deux hommes conclurent-ils ? Ils risquaient d'autant moins de laisser des traces écrites d'un tel accord qu'elles les auraient conduits en prison. Archie devait alors avoir sept ou huit ans. Toujours est-il qu'il se retrouva incorporé dans la troupe qui partit bientôt en tournée. En Angleterre, puis en Europe, et bientôt aux États-Unis, où ils allaient triompher.

C'est une dure école que celle du cirque, mais à l'inverse des brimades subies dans sa petite enfance, l'entraînement physique, inhérent aux échasses, l'aguerrit. Archie s'entraînait cinq ou six heures par jour. L'intérêt que prenait Robert Lomas à ses efforts ne devait pas être étranger aux progrès accomplis. Archie adorait Lomas dont il était le chouchou (doit-on s'interroger sur cette préférence ?). Alors qu'il avait été un enfant craintif, il devint un jeune homme extrêmement communicatif et enjoué. Très joli garçon, ce qui ne gâtait rien. La séparation avec les Pender s'effectua sans histoire. Il choisit simplement de rester aux États-Unis alors que la troupe regagnait l'Angleterre. Il devenait un peu grand pour jouer dans *Jack et la tige de haricot magique*. Un peu grand pour être le chouchou de Lomas. Il tenta sa chance à Broadway sous le nom de Cary Grant. Il commença par de la figuration. Il jouait les utilités et meublait les temps morts avec des petits boulots : garçon de courses, vendeurs de cravates, serveur dans des *speak- easy*... Il n'était pas le seul à courir le cacheton. Ils formaient une bande de jeunes gens qui gravitait dans le monde du spectacle en cherchant à profiter de leur physique avantageux. Si tous rêvaient de devenir de grands acteurs, ils se contentaient en attendant de seconds rôles. Et même de demi-mesures en étant vaguement décorateurs, vaguement costumiers, assistants... Les rumeurs concernant la sexualité ambiguë de Cary Grant remontent à cette époque. Son amitié avec Orry Kelly contribua à les propager. Orry Kelly, qui deviendra un célèbre costumier des studios d'Hollywood, ne cachait pas la passion malheureuse qu'il avait éprouvée pour Cary Grant. Passion à sens unique ? Ils s'entendaient néanmoins assez bien pour habiter ensemble. Avec parfois d'autres comparses. L'amitié qui ne résiste pas au temps a aussi parfois maille à partir avec l'espace. À trois dans cinquante mètres carrés, ils en arrivaient à ne plus se supporter. Cary multipliait-il les aventures, comme Orry Kelly l'en accusa plus tard ? Toujours est-il qu'il partit bientôt pour Hollywood où il précéda Cary de quelques mois.

Fallait-il croire Mae West lorsqu'elle se vantait d'avoir lancé la carrière de Cary Grant au cinéma ? Elle affirmait l'avoir repéré parmi des centaines de figurants pour être son partenaire dans *Lady Lou.* Elle insinuait également, de sa voix nasillarde et collante comme un bonbon, que ce rôle avait permis à Cary de « se bâtir une réputation auprès des dames » (Mae West ne s'exprimait que par sous-entendus plus ou moins graveleux). C'était oublier qu'il avait déjà donné la réplique à Carole Lombard et à Lili Damita. Ni garçonne ni femme fatale, au sens 1930 du terme, Mae West incarnait un éternel féminin assez proche des odalisques de la Belle Époque. Version *yankee.* Elle plaisait à l'Américain moyen. Avec sa tête de « caissière du grand café », sa taille étranglée et sa poitrine toujours prête à jaillir de son décolleté, elle touchait un public énorme. Par ricochet, c'était bon pour Cary. Après *Je ne suis pas un ange,* son second film avec Mae West, sa carrière démarra en trombe. Il enchaînait film sur film. Parfois il en tournait deux en même temps. La Paramount, qui traversait une crise financière, cherchait à rentabiliser au maximum les acteurs qu'elle avait sous contrat en les distribuant dans plusieurs productions. Au cours de la même journée, Cary pouvait passer des bras de Marlène avec qui il tournait *Blonde Vénus,* à ceux de Tallulah Bankhead pour *The Devil and the Deep.*

La notoriété de ses partenaires laisse supposer qu'il ne devait pas être tous les jours à la fête. May West, Marlène Dietrich, Tallulah Bankhead. Trois monstres sacrés. Trois monstres tout court. Il fallait une patience d'ange pour les supporter. Cary tenait bon. Tout lui passait dessus comme de l'eau sur une toile cirée : les scènes de ménage entre Sternberg et Marlène, le monstrueux égocentrisme de May West, l'alcoolisme de Tallulah Bankhead. Sans doute fut-il plus heureux alors qu'a n'importe quelle autre période de sa vie. Il n'avait pas encore eu le temps de digérer son succès. Il redécouvrait chaque matin les avantages d'être un jeune acteur connu. Une future vedette. Tout lui souriait et il souriait à tout le monde. Un échange de bons procédés qui donnait des résultats épatants. Même Marlène Dietrich, plutôt *schleue* d'ordinaire, s'en était entichée. Elle écrivait à son mari à propos de ce nouveau venu : « Il y a un jeune Anglais cockney pas mal ici, qui s'appelle Cary Grant et à qui Jo a donné le rôle de l'amant. C'est Mae West qui l'a déniché. Et tu sais ce qu'il fait, pour gagner plus d'argent ? Il vend des chemises sur le plateau. Il est si charmant que tout le monde lui en achète. » Marlène ne pouvait s'empêcher d'ajouter qu'il courait se mettre devant l'objectif d'aussi loin qu'il voyait un appareil. (Elle-même ne détestait pas être photographiée.)

31

Rencontre de Cary Grant et Randolph Scott. Qui paye les factures ? La jeune femme assise sur la banquette arrière. Virginia Cherrill, un ange de douceur. Cary tombe amoureux, mais n'est pas doué pour le bonheur.

Sa rencontre avec Randolph Scott, à la cantine des studios, acheva de rendre la vie de Cary Grant agréable. Furent-ils amants comme le prétendent Charles Higham et Roy Moseley dans leur biographie de Cary Grant ? La seule chose qu'on peut affirmer est qu'ils décidèrent assez vite de vivre ensemble en s'installant dans le même appartement. Une situation qui n'aurait pas prêté à conséquence, s'ils n'avaient aussi pris l'habitude de s'afficher en couple dans tous les endroits à la mode. Même les soirs de premières. Cette manière de braver l'opinion porta rapidement ses fruits. « Mais qui paye les factures ? », s'inquiétait Carole Lombard (qui avait été une des partenaires de Cary au cinéma). Une manière élégante de se demander « qui fait la clef, qui fait la serrure ? » Le jour où parut un article dans lequel on pouvait voir Cary et Randy, vêtus de tablier, faisant la vaisselle, les studios trouvèrent qu'ils poussaient la plaisanterie un peu loin. Pour calmer le jeu, les attachés de presse organisèrent une série de photos en compagnie de ravissantes jeunes starlettes. On les voyait se livrer à des activités de plein air dans le droit-fil de la philosophie hollywoodienne : rouler en voiture de sport, jouer au tennis, lézarder au soleil ou danser tendrement enlacés au bar du Beach Club de Santa Monica. En comparaison de ces fausses idylles, montées de toutes pièces par les studios, l'amour de Cary pour Virginia Cherrill allait sonner juste.

Après minuit la chaleur écrasant Hollywood dans la journée se dissipait progressivement en libérant d'entêtants effluves qui flottaient dans la nuit comme des écharpes folâtres. C'était alors un tel plaisir de rouler en voiture décapotable ! En sortant de la première de *Blonde Vénus*, au Paramount Theatre, Cary Grant et Randolph Scott décidèrent d'aller dîner en célibataires au *Brown Derby*. L'accueil mitigé que la profession avait réservé au film de Sternberg ne préoccupait pas Cary outre mesure. Il n'était qu'un comparse dans cette production dont Marlène Dietrich tenait la vedette. Après avoir échappé à la foule en délire et aux lumières des projecteurs, Randolph et Cary appréciaient le silence de la nuit et la penombre des avenues désertes. Ils fonçaient à vive allure lorsqu une autre voiture décapotable chercha à les dépasser. Randolph Scott, qui conduisait, l'en empêcha en accélérant, si bien que les deux automobiles roulèrent un moment de front ; donnant une impression d'immobilité démentie par les cheveux des passagers plaqués par le vent. Au volant de l'autre voiture, Cary reconnut l'acteur Milton Green et, à côté de lui, sa femme, Marian. Il leur fit un signe et se retourna pour voir qui était avec eux. Frappé par la beauté de la jeune femme assise sur la banquette arrière, il cherchait à mettre un nom sur son visage, lorsque Randolph Scott, en levant le pied, se laissa dépasser. « Qui c'était ? Qui était cette fille ? demanda Cary.

— Quelle fille ?

— La blonde assise à l'arrière.

— Ah bon ? Je ne l'ai pas vue », s'étonna Randolph Scott plutôt taciturne de nature. La réponse les attendait devant le *Brown Derby* où Milton Green venait de laisser sa voiture. Après les avoir accueillis avec une blague sur la supériorité des Packard Roadster, il engloba les deux garçons dans un geste emphatique en déclarant : « Je suppose qu'on ne présente plus le célèbre Randolph Scott et le célèbre Cary Grant... » À quoi sa femme répliqua : « Pas plus, mon chéri, qu'on ne présente la délicieuse Virginia Cherrill. » À la suite de quoi tous les cinq se dirigèrent gaiement vers le restaurant où ils dînèrent de concert. Virginia Cherrill faisait partie de l'écurie de la MGM, catégorie jeune espoir. À force de s'entendre répéter qu'elle avait une silhouette à faire du cinéma, elle était venue tenter sa chance à Hollywood. Dûment chaperonnée par sa mère, car elle appartenait à une famille plutôt bourgeoise. Très bourgeoise même : père banquier, éducation religieuse, cours particuliers, études à l'université de North Western. Elle n'avait jamais manqué de rien. Virginia et Cary sympathisèrent. À l'issue du dîner, il lui demanda la permission de lui téléphoner. Virginia était un ange de douceur. Une vraie jeune fille. Un profil qui rassurait Cary.

De son côté, Virginia n'était pas insensible au charme de son nouveau chevalier servant. Le contraire eût été étonnant. Il était beau, drôle, séduisant et l'entourait d'un réseau d'attentions délicates : des fleurs, des coups de téléphone, des invitations. Sans compter que la réussite éclair de Cary le désignait comme un modèle pour les autres comédiens de sa génération. Il s'imposait déjà comme une valeur sûre. Virginia était flattée de l'intérêt qu'il lui portait. Son expérience au cirque et à Broadway la fascinait. Cary Grant méritait d'être considéré comme un enfant de la balle : il avait tout appris sur le tas. Il connaissait toutes les ficelles du métier. Ayant été élevée dans du coton, au fin fond de l'Illinois, Virginia devait faire un effort d'imagination pour comprendre certaines anecdotes relatives à sa formation d'acrobate. Souvent elle n'y comprenait rien, mais Cary détestait être interrompu. À la moindre question, il se refermait comme une huître. Aussi se gardait-elle d'intervenir lorsqu'il la prenait pour confidente. « Ah, le père Lomas, c'était quelqu'un », concluait-il tout joyeux, après s'être remémoré une altercation entre ce dernier et un des milords l'arsouille hantant les coulisses des music-halls de son enfance. Dans le Londres interlope de White Chapel et de Soho.

Virginia adorait cette espèce d'interrogation qu'il avait toujours dans le regard lorsqu'il lui parlait de son passé. Comme s'il cherchait son approbation en réhabilitant ses souvenirs d'enfant perdu. Sa beauté, presque trop parfaite, renouait alors avec une ingénuité qui la faisait fondre. Il était vraiment adorable. Virginia se montrait d'autant plus émue des confidences de Cary qu'il n'évoquait jamais son enfance en public. Il attendait toujours de se retrouver avec elle en tête à tête. C'est au cours d'un de ces entretiens qu'il la demanda en mariage. Faire coïncider les premières sautes d'humeur de Cary avec sa demande en mariage reviendrait à prendre des libertés avec la vérité. Même Virginia n'aurait pu dire à quel moment il avait commencé à changer. Amoureuse comme on peut l'être à vingt ans, elle n'y prit d'abord pas garde. D'autant que ces changements étaient insidieux. Des bizarreries... trois fois rien. Seulement, en s'additionnant, ces riens détériorèrent le climat de confiance qui régnait jusque-là entre eux. À mesure que se rapprochait la date de leur mariage, Cary devenait anxieux, susceptible, irritable. Il s'emportait à propos de tout, s'énervait pour un rien, la reprenait, la critiquait. Il la rejetait et en même temps elle avait l'impression qu'il s'accrochait à elle comme à une bouée de sauvetage. « Sans toi je ne serais rien, si tu me quittes je suis fichu », lui disait-il. Elle n'y comprenait plus rien. Comment aurait-elle pu deviner qu'il était allergique au bonheur ? Elle n'avait pas toutes les clefs pour comprendre.

Pourquoi se marier dans ses conditions ? Pour en finir ? Espéraient-ils, en touchant le fond, pouvoir remonter à la surface ? Cet optimisme du désespoir donne rarement de bons résultats. Plus Cary craignait de perdre Virginia, plus il se mettait dans les conditions de la perdre, à la manière de ces conducteurs qui, perdant le contrôle de leur véhicule sur une plaque de verglas, cherchent à rétablir l'équilibre en donnant les coups de frein et les coups de volant qui vont leur être fatals. Virginia se rendait compte qu'elle était assise à la place du mort, mais elle n'avait plus la force de réagir. Si Cary souhaitait se marier pour avoir une vie normale, son mariage avec Virginia Cherrill allait lui en démontrer les limites. Sans le dissuader cependant de recommencer. Avec Virginia, il essuyait les plâtres. C'est surtout elle qui les essuyait. Il la gifla à plusieurs reprises, il la faisait suivre, faisait écouter ses communications téléphoniques. Un soir où il avait trop bu, il la jeta à terre et la roua de coups. Passé huit mois de cet enfer, Virginia demanda le divorce et eut la sagesse de s'en tenir à cette décision en dépit des supplications et des menaces de Cary. Elle eut également la sagesse d'interrompre sa carrière. Peut-être était-elle simplement faite pour fonder une famille. Si son mariage avec Cary l'éloigna de ce but, celui avec lord Jersey viendra combler cette attente. Contrairement à Cary, Virginia présentait d'étonnantes dispositions pour être heureuse.

32

Dorothy di Frasso meurt dans les bras de Cary Grant. Flashback *sur la vie de cette mondaine impénitente. Son mariage en Italie. La villa* Madama. *Box-office de ses amants. Gary Cooper. Clarck Gable. Bugsy Siegel marque un tournant dans sa vie.*

Dorothy di Frasso avait eu la satisfaction de mourir dans les bras de Cary Grant. Depuis le début de leur voyage de retour, il s'occupait d'elle comme d'une enfant. C'est lui qui avait insisté pour prendre le train, moins risqué pour son cœur que l'avion. Enveloppée dans un vison, Dorothy serrait très fort contre elle son vanity-case en crocodile comme si elle cherchait à le protéger des voleurs. Les vingt-cinq mille dollars de bijoux que contenait la mallette représentaient à peu près tout ce qui restait de sa fabuleuse fortune, estimée – à l'époque de son héritage – à douze millions de dollars. Dorothy se plaignit une dernière fois du froid, s'inquiéta une dernière fois de savoir comment elle était coiffée, jeta un dernier regard interrogateur à Cary et, alors qu'il avait l'impression qu'elle reprenait sa respiration, elle rendit son dernier soupir. Ses yeux bleus, très légèrement révulsés, le fixaient maintenant avec une intensité vaine et déprimante. C'était dur pour lui. Une complicité de plus de vingt ans l'unissait à Dorothy qu'il aimait sincèrement. Ils revenaient de Las Vegas où ils étaient allés applaudir le tour de chant de Marlène Dietrich. Son premier tour de chant à Vegas. Au *Sahara-Hôtel*. En 1954. Un événement que Dorothy n'aurait raté pour rien au monde. L'apparition de Marlène dans une robe de sirène suggérant la nudité ressuscitait pour Dorothy toute une époque. La grande époque d'Hollywood. Sa jeunesse.

La capacité de Marlène à rebondir enchantait Dorothy. Son succès lui était allé droit au cœur. Un succès contagieux : elle-même avait été applaudie alors qu'elle faisait son entrée dans les salons du *Sahara-Hôtel.* Une première salve d'applaudissements était partie d'une table d'amis, avant d'être reprise progressivement par toute la salle. Comme si la profession voulait rendre hommage à son retour. Depuis plusieurs mois, on la voyait moins. Elle sortait moins. Encore beaucoup trop de l'avis de ses médecins, mais elle faisait des efforts. Elle prenait des tas de pilules, ne buvait plus une goutte d'alcool, se nourrissait frugalement et avait renoncé... À quoi ? Aux hommes ? À l'amour ? Est-ce qu'on peut dire qu'on a renoncé à l'amour quand on n'a même plus le droit de monter les escaliers ? « Un légume, voilà ce que je suis devenue », se plaignait-elle. Ce soir-là, elle avait eu l'impression de revivre. Cary, qui s'effaçait derrière elle pour lui laisser la vedette, voyait à quel point Dorothy était émue. Elle se tourna un moment vers lui, les yeux pleins de larmes, et il se demanda horrifié si son maquillage n'allait pas se mettre à couler. Pourquoi avait-elle pris l'habitude de se peindre comme une momie de la IIIe dynastie ?

Une fois assis à leur table, Cary l'entendit annoncer au culot : « Je crois que je vais prendre une coupe de champagne. » Il n'eut pas le courage de le lui interdire. Bref, une soirée épatante si Dortothy n'avait été prise, à l'issue du spectacle, d'un malaise en sortant des lavabos où elle était allée se repoudrer. Un de ces foutus malaises à répétition dont elle commençait malheureusement à avoir l'habitude. Elle n'eut que le temps de s'adosser contre un mur et glissa de tout son long. En apprenant la nouvelle, Cary se précipita pour lui porter secours, bientôt secondé par Marlène qui avait planté tous ses admirateurs pour les rejoindre. « Vous savez, mes enfants, je crois que je vais mourir », leur confia Dorothy, embêtée. Se sentant coupable de l'avoir accompagnée si loin de chez elle, Cary insista pour la reconduire. Dorothy se laissa faire, alors qu'en temps normal elle n'aurait jamais accepté de rater la fête qui devait réunir, autour de Marlène, la fine fleur du show-biz. Arrivé à Hollywood, Cary Grant repartit pour New York où Dorothy devait être enterrée. Il organisa une veillée funèbre où il convia le plus d'amis possible. Un pot d'adieu. « J'ai fait cela parce que je savais à quel point Dorothy avait horreur de rester seule » déclara-t-il à l'issue de cet au revoir. Cary pouvait être adorable.

Ses amis auraient pu faire graver sur sa tombe : « Elle aimait bien s'amuser ». Une épitaphe ayant le mérite d'être précise tout en restant assez vague. Pour s'amuser, Dorothy n'avait, en effet, reculé devant aucune espèce de compromissions. Elle était allée aussi loin qu'on peut aller sans finir en prison. L'attirance qu'elle éprouvait pour tout ce qui était tordu s'expliquait difficilement. À moins qu'elle n'eût cela dans le sang. Son père passait pour avoir été un des premiers grands requins de Wall Street. Dans ce temps-là, les méthodes du monde des affaires n'étaient pas très éloignées de celles du grand banditisme. Née Taylor, Dorothy s'illustra dans le monde sous le nom de di Frasso, comtesse di Frasso (elle avait été mariée une première fois à un pionnier de l'aviation anglaise, Claude Graham White). En plus de son titre de comtesse, Dorothy trouva dans sa corbeille de noces une des plus belles propriétés des environs de Rome, la villa *Madama*. Une ruine, mais dont les jardins, dessinés par Raphaël, descendaient en terrasses jusqu'au Tibre. Dorothy la restaura pour quelques millions de dollars en y faisant ajouter tout le confort moderne, dont une piscine en marbre assortie aux statues. Si le comte di Frasso affectait un certain mépris pour « la flaque d'eau hollywoodienne » de sa femme, il appréciait en revanche son train de vie. Les mœurs décadentes que l'on prête aux aristocrates l'encourageaient-il à fermer les yeux sur les infidélités de Dorothy ? Leur différence d'âge suffisait à expliquer cette forme de sagesse. De trente ans son aîné, le comte ne pouvait fournir à tout. Encore qu'on le disait très vaillant pour un homme de soixante-cinq ans. Du moment qu'il était le premier à Rome, il ne voyait pas d'inconvénient à ce que Dorothy se dispersât quelque peu à l'étranger.

Dorothy manquait de retenue (et de discernement : le comte Ciano faisait partie de ses intimes et le Duce s'honorait de son amitié). Deux cents personnes à dîner ne lui faisaient pas peur. La plupart de ses invités vivaient chez elle comme à l'hôtel. Rome, qui n'avait rien connu de tel depuis les Borgia, retenait son souffle. Son manque total de retenue cataloguait Dorothy comme une Américaine excentrique. Incapable de se plier aux usages, elle restait un objet de curiosité pour l'aristocratie. Amusée à l'idée d'être comtesse, il ne lui avait pas fallu longtemps pour s'apercevoir que cela ne faisait pas une grosse différence. Toute cette noblesse désargentée ne lui en imposait guère. Elle était incapable de comprendre de quoi il s'agissait exactement : ces camériers et autres moutardiers du pape, avec leurs prétentions, leurs familles à baldaquin et leurs palais en ruine ne représentaient rien à ses yeux. Elle n'était pas assez cultivée pour fantasmer sur des ruines. Son imagination ne fonctionnait qu'à partir de critères cent pour cent américains. Avant de rencontrer son mari, elle ignorait tout bonnement qui était Raphaël. Ne parlons pas du Bernin ou du Caravage ! « Je croyais que c'était un sandwich », reconnut-elle à propos de Panini.

Si son mari était le premier à Rome, Dorothy n'était pas la seconde à Hollywood. Elle régnait incontestablement sur la société. Marlène Dietrich était sa meilleure amie et tout ce que le cinéma comptait de célébrités se relayait chez elle. Dominée par l'alcool et le sexe, la vie mondaine à Hollywood était limitée d'un côté par un désert intellectuel d'une rare aridité et de l'autre par une absence totale de bonnes manières. Pour donner une idée des réjouissances qu'organisait Dorothy, elle eut, par exemple, un soir, l'idée diabolique de faire dresser, dans son jardin, plusieurs rings où se relayaient des boxeurs, au milieu des invités en robe du soir et en smoking. Et quels invités ! : Jane Harlow, Joan Crawford, Douglas Fairbanks Jr., Marlène Dietrich, Mary Pickford, Maurice Chevalier, Claudette Colbert, George Raft, Clark Gable et Cary Grant, Carole Lombard, Gary Cooper, Gloria Swanson... C'étaient toujours les mêmes. Les mauvaises langues disaient que, n'étant pas assez belle pour faire du cinéma, Dorothy se rattrapait en couchant avec des acteurs.

Au box-office des amants hollywoodiens de Dorothy, Clark Gable et Gary Cooper tenaient les deux premières places, mais il y en eut beaucoup d'autres. Elle adorait s'afficher avec ses nouvelles conquêtes. Des hommes souvent très jeunes qu'elle entraînait invariablement en Europe pour un « grand tour » des boutiques et des hôtel de luxe. Assimilant Dorothy à un transatlantique, un chansonnier déclara que le *Comtessa di Frasso* était le meilleur moyen de traverser l'Atlantique à moindre prix. Si ses amours avec Gable furent assez brèves, en revanche, sa liaison avec Cooper se prolongea suffisamment pour laisser des traces. Dorothy se chargea de parfaire son éducation. Elle lui apprit à s'habiller, à choisir ses cravates, l'initia aux chemises et aux chaussures sur mesure, aux bagages frappés à ses initiales, aux boîtes à cigarettes en or. Déjà bluffé par la somptueuse propriété de Dorothy, sur Coldwater Canyon, à Beverly Hills (une sorte de miroir aux alouettes tout en panneaux de glaces biseautés), la villa *Madama* acheva de lui en mettre plein la vue. Pour Gary Cooper qui arrivait de son Montana, Dorothy représentait la quintessence de la femme du monde. C'était encore un tout jeune homme.

Pourtant, l'aventure qui valut à Dorothy le plus d'échos dans la presse fut celle qui la lia à Bugsy Siegel. Il marqua un tournant dans sa vie. Un tournant bordé de précipices : sous ses airs de *play-boy*, Bugsy occupait un grade élevé dans le « milieu » californien. Un vrai gangster. Pas un gentleman cambrioleur. Un gangster avec du sang sur les mains. Le frisson assuré. Et Bugsy assurait. Il magouillait, trafiquait, boursicotait. Les casinos, les courses truquées, les matchs arrangés ne représentaient que la partie émergée d'un iceberg qui plongeait ses racines dans les bas-fonds. Contrebande, racket, chantage, proxénétisme, pot-de-vin, hold-up ? Un peu de tout, sans doute. Dorothy n'eut cependant aucun mal à imposer Bugsy au Tout-Hollywood. Beau gosse dans le genre ténébreux, il ressemblait à un acteur de cinéma. Il aimait s'habiller comme un dandy, rivalisant d'élégance avec Cary Grant qui l'avait pris en affection. Une nuit d'orage, Bugsy fit irruption chez Dorothy dans un smoking blanc taché de sang. Cette apparition détermina la vie de Dorothy pour les cinq années à venir. Alors qu'elle n'avait connu avant lui que des gangsters de cinéma, elle allait vivre à son contact une sorte de traversée du miroir. Cette violence stimulait-elle ses neurones ? Avait-elle désormais besoin de cette poussée d'adrénaline pour atteindre le grand frisson ? Jusqu'à sa rencontre avec Bugsy, elle n'avait jamais eu de problèmes avec les hommes. Le problème, c'était Bugsy. Elle l'aimait, alors qu'il se contentait de *bien* l'aimer.

Du point de vue des médias, ils formaient un couple assez sensationnel : la comtesse milliardaire et le gangster *play-boy*. On les voyait partout. Les journalistes présentaient pudiquement Bugsy comme un brasseur d'affaires. C'était vrai au sens où l'on dit que la merde est rentrée dans le ventilateur. Dorothy ne résista pas à la tentation de commanditer quelques-uns de ces coups foireux. Par amour et par amour du risque. Ce qui lui valut de comparaître devant le grand jury fédéral à propos d'une croisière servant à maquiller un trafic de contrebande d'alcool. Dorothy manquait de conviction pour réussir dans les affaires, mais elle était obstinée. Elle finança ensuite, toujours avec Bugsy, des explosifs qu'elle chercha à fourguer à Mussolini après avoir essayé de les vendre au département de la Guerre des États-Unis. Une foireuse affaire de foies de requin et un investissement dans la cacahuète ne lui réussirent pas davantage. À chaque fois elle perdait de l'argent. Tant qu'elle avait Bugsy, elle s'en moquait, mais un jour elle perdit aussi Bugsy. Comme il en va des gangsters, il s'en alla les pieds devant. Tiré comme un lapin, mais à la mitraillette, alors qu'il s'attardait inconsidérément devant une des fenêtres de sa villa de North Lindon Drive, à Beverly Hills. La chance avait tourné. Il ne rencontrait que des ennuis depuis qu'il s'était reconverti promoteur. Promoteur de l'hôtel *Flamingo* à Vegas. Le premier, il avait vu tout le parti qu'on pouvait tirer de Las Vegas. Une évidence qui tourna au tragique lorsque la mafia découvrit un trou de quatre millions de dollars dans la trésorerie de ses projets immobiliers. Il y a dans la vie de chacun un jour où l'on sait qu'on n'ira pas plus loin. Qu'on a atteint ses limites. Un jour où le temps qu'on a laissé filer sans y prendre garde se rappelle à votre bon souvenir. Après la mort de Bugsy, Dorothy continua de faire la fête, mais elle n'en attendait plus rien. Elle ne s'illusionnait plus sur rien. Elle était blindée.

33

Porfirio Rubirosa. Retrour à Saint-Domingue. Le régime du général Trujillo. Après avoir séduit le père, il épouse la fille. Secrétaire d'ambassade à Berlin. Promotion à Paris. Danielle Darrieux.

Porfirio Rubirosa ! Avec un nom pareil, décliner son identité revenait à faire couler des pierreries, de l'or, du miel, des roses, sur un fond de langueurs créoles et d'exubérances tropicales. C'était presque indécent. Sur le faire-part de son mariage avec Flor de Oro Trujillo, cela faisait couleur locale. Tout ce rouge et ces fleurs d'or cachaient une réalité beaucoup plus sordide. La dictature sanglante du général Trujillo, à Santo Domingo, restera dans l'histoire comme une des plus terrifiantes que les Caraïbes aient jamais connue. Les cadeaux de mariage venus du monde entier témoignaient de la fulgurante ascension du général qui traitait désormais de pair à compagnon avec les Américains. Parmi ces cadeaux, la Packard de 12 cylindres, beige clair aux ailes marron glacé, que lui avait offerte son beau-père, comblait Rubi de bonheur. Il regrettait simplement de ne pas avoir l'occasion de s'en servir ailleurs que sur les routes défoncées de Saint-Domingue. Pour lui qui avait été élevé à Paris, cette île perdue représentait le trou du cul du monde. Et il ne pouvait pas savoir qu'elle se viderait bientôt de son sang. Comparer la dictature du général Trujillo à des hémorroïdes a le mérite de situer avec précision la nature du régime qui venait de se mettre en place : du sang et de la merde. La merde au figuré, mais le sang malheureusement bien réel : tortures et exécutions sommaires allaient plonger le pays dans un bain de sang. Une débauche d'hémoglobine polluant jusqu'à l'océan qui bouillonnait au clair de lune d'une écume d'un rose assez peu ragoûtant : après les avoir torturés, on jetait, la nuit, pour s'en débarrasser, les prisonniers politiques aux requins.

Dans quelle mesure Porfirio Rubirosa participa-t-il à cette dictature ? Dans la mesure de ses moyens. C'est-à-dire avec une absence totale de conviction et une frivolité qui atténue la portée de sa collaboration... mais il y participa. Son mariage avec la fille aînée du dictateur en dénonce l'étendue. Il n'avait pas perdu de temps. Cinq ans auparavant, il était rentré dans son île natale en traînant les pieds, désespéré à l'idée de quitter la France où il avait grandi. Rattrapé par l'âge de la retraite, son père, le général Pedro Mario Rubirosa, alors diplomate en poste à Paris, avait rapatrié sa famille à Saint-Domingue. À l'exception de Porfirio, son fils aîné, qui devait terminer ses études. En fait d'études, Porfirio s'en était payé. Déniaisé par les putains du port de Calais, où il était pensionnaire (aux *Roches* de Verneuil-sur-Avre), il avait appris l'art d'aimer dans la capitale. Avec d'autres bons à rien de son collège (dont Kit de Kapurthala, le fils du maharadjah), il profitait de ses week-ends pour écumer les boîtes de nuit à la mode, les bouges et même les claques de Barbès, moins cher que le *One Two Two* ou le *Chabanais*.

Seulement après un second échec au bachot, son père lui avait ordonné de rentrer, en menaçant de lui couper les vivres. De retour au bercail, Porfirio s'essaya au droit, avant de s'engager dans l'armée où il avait fait la conquête du généralissime en personne. Au *Country Club*. Drôle d'endroit pour une rencontre entre militaires, mais le protocole, aux Caraïbes, s'accompagne d'une souplesse impensable sous d'autres climats. En grand uniforme de gala, avec sa fourragère et ses épaulettes chenillées d'or, ses boutons dorés et la tresse d'or de sa casquette à visière, Porfirio Rubirosa s'accordait à l'idée que le généralissime se faisait de son armée. Rubi se retrouva bombardé lieutenant de son état-major. Seulement après avoir fait la conquête du père, il tapa dans l'œil de la fille. Les jeunes gens avaient sympathisé au cours d'une vente de charité. Leur éducation les rapprochait. Flor avait, elle aussi, été élevée en France. Le romantisme de l'adolescence aidant, ils se sentaient tous les deux exilés dans leur propre pays. Rubi utilisait cette nostalgie à des fins de marketing. Il se vendait comme un *french lover.* Ce vernis recouvrait une corne bien épaisse. Dans le genre macho, on ne faisait pas mieux. Trujillo le savait. Flor l'apprendrait à ses dépens. Tant pis pour elle : le Benefactor n'aimait pas particulièrement sa fille. Elle était d'un premier lit. Elle lui rappelait trop l'époque où il n'était qu'un petit employé des postes dévoré d'ambition. Elle lui rappelait trop sa première femme, une mulâtre analphabète, répudiée aujourd'hui.

Le généralissime conservait un épais dossier sur les frasques de son gendre, mais ses frasques faisaient son affaire. Une fois passées entre les mains du bellâtre, les filles qu'il avait séduites (et déshonorées) devenaient des proies faciles pour le Benefactor qui lâchait ses sbires à leurs trousses afin de les enrôler à son service. Ces semi-segnoritas représentaient une marchandise aisément négociable. Et corvéable à merci. Quand les émissaires du gouvernement américain venaient pour lui parler de la dette ou des droits de l'homme, Trujillo leur servait des filles. À la signature d'un contrat particulièrement juteux avec des étrangers, on débouchait le champagne et on faisait rentrer des filles. Son gendre lui servait de rabatteur. Qu'il trompât sa fille à tour de bras ne le gênait pas le moins du monde. Les choses se passèrent comme l'avait prévu le dictateur. Il ne fallut pas longtemps à Flor pour s'apercevoir que son *french lover* n'était qu'un fils de pute. Ses bringues pouvaient durer plusieurs jours. Flor vivait un cauchemar. Trujillo la regardait se débattre. Son mariage avec Rubi sera le premier d'une longue série puisqu'elle usera neuf maris sans jamais trouver le bonheur. Son père l'aidera dans cette entreprise de démolition, mais elle avait des dispositions.

Si Trujillo préférait son gendre à sa fille, cela ne l'empêchait pas de lui en faire baver à l'occasion. La douche écossaise : faveur, défaveur, exil, retour en grâce, désaveu, cadeaux, blâmes. À une ou deux reprises, il chercha à le mouiller plus salement. Pour le tenir à sa merci. Une fois, entre autres, à New York où le meurtre d'un opposant politique, coïncidant avec un séjour de Rubi aux États-Unis, intrigua la police fédérale. Elle chercha à lui poser quelques questions auxquelles il opposa son immunité diplomatique. Trujillo l'avait récompensé en le nommant diplomate. Après cela, il lui lâcha un peu la bride. Rubi avait compris. Dès qu'il le pouvait, il prenait le large. La diplomatie lui donnait heureusement l'occasion de voyager. En 1936, quitter Saint-Domingue pour l'Allemagne nazie (où Trujillo l'avait promu secrétaire d'ambassade), revenait à passer de Charybde en Scylla, mais pour Rubi le problème se posait différemment : plus il s'éloignait de son beau-père, mieux il se portait. Les bonnes relations qu'il entretenait avec lui gagnaient à se tenir à distance. D'ailleurs, après Berlin, il eut la divine surprise de se retrouver dépêché à Paris où sa parfaite connaissance du français le rendait plus utile. En 1939, mieux valait ne pas trop jouer sur les mots. D'autant que la position de Saint-Domingue vis-à-vis du conflit entre la France et l'Allemagne manquait de clarté.

Une fois à Paris, les illusions que Flor pouvait encore entretenir sur son couple volèrent en éclats. Rubi renouait avec ses dix-huit ans. Le souvenir des frasques parisiennes de sa jeunesse agissait-il sur sa libido ? Il ne pouvait pas voir une femme sans lui courir après. Flor en vint à le considérer comme un malade. Elle décida, contre toute logique, de retourner à Saint-Domingue. L'ambiance de fin du monde qui présida à l'arrivée des Allemands dans la capitale n'était pas de nature à assagir Rubi. Le danger réveillait des instincts dont il savait tirer parti. Les femmes avaient besoin d'être rassurées. L'amour physique peut en être un moyen. La coquetterie était-elle une autre façon d'y parvenir ? Les Parisiennes refusaient de dételer. Elles faisaient des miracles avec les moyens du bord : semelles compensées, tailles étranglées, turbans à la Thermidor et autres extravagances. Ce qui aurait été ridicule en temps de paix passait tout à coup pour héroïque. Rubi approuvait cette forme de courage. Son poste à l'ambassade lui laissant du temps libre, il s'attardait des heures aux terrasses des cafés pour les voir passer. Amoureux de toutes les Parisiennes, il n'allait pas résister à la plus Parisienne d'entre elles : Danielle Darrieux.

Lorsqu'il rencontra Danielle Darrieux, sa séparation d'avec Flor était définitive (même si leur divorce n'avait pas encore été prononcé). Une rencontre placée sous le signe du hasard et des restrictions d'essence. Restrictions qu'ignorait Rubi en tant que diplomate. Comme il proposait à Danielle de la raccompagner, à l'issue d'une soirée où ils venaient de faire connaissance, ils s'aperçurent qu'ils habitaient dans la même rue. À deux numéros près. Au fin fond de Neuilly. Ce qui leur laissait le temps de flirter sur le chemin du retour. Danielle Darrieux était, en France, la grande vedette féminine de l'époque. Sa bouche boudeuse et ses yeux qui semblaient interroger le vide de l'existence sans jamais y trouver de réponse la désignaient pour les rôles d'ingénue. Le succès de *Mayerling*, de *Katia*, de *Rendez-vous*, l'avait propulsée au sommet d'une popularité tapageuse. « La star des secrétaires », disait Giraudoux, agacé par cette déferlante. Ayant commencé à tourner des films à l'âge de quatorze ans, elle ne connaissait pas grand-chose dans la vie en dehors du cinéma. Son mariage avec le réalisateur Henri Decoin la maintenait confinée dans ce milieu dont elle cherchait sans doute inconsciemment à s'affranchir. À force de jouer les amoureuses, elle rêvait d'un grand amour exotique. Quelque chose de différent.

34

Poussée de fièvre surréaliste à Manhattan. Truman Capote découvre New York. Le El Morocco. *Little Gloria a grandi en beauté. Très 40 et très Walt Disney. Gloria a-t-elle couché avec Howard Hughes ?*

Pour beaucoup de mondains new-yorkais, Pearl Harbor restait pris en sandwich entre le surréalisme et la cucaracha. Il se passait tellement de choses à la fois !... Xavier Cugat, Carmen Miranda, les montres molles, les femmes à tiroirs et cette horrible guerre qui faisait maintenant tache d'huile. On ne savait plus où donner de la tête. Pourquoi l'incertitude des jours à venir provoqua-t-elle une poussée de fièvre surréaliste ? La mode flirtait avec le surréalisme, les vitrines des grands magasins flirtaient avec le surréalisme, le cinéma flirtait avec le surréalisme... Alors qu'à Paris il tirait le diable par la queue, une pluie de billets verts s'abattit sur Salvador Dalí en exil. Il allait devenir, aux États-Unis, une sorte d'oncle Picsou de la peinture. Non seulement celle-ci se vendait bien, mais il ne rechignait pas devant les commandes les plus variées : publicités pour des chewing-gums, pour des voitures, des montres, des fourrures, des parfums, des décors pour le cinéma, des couvertures de magazines. Les surréalistes ne manquaient pas d'arguments quand ils l'accusaient de prostituer son art. Son succès leur soulevait le cœur. Exclu du mouvement dans les années 30, Dalí incarnait maintenant le surréalisme à lui tout seul. Même l'anagramme d'Avida Dollars, forgé par André Breton, servait sa publicité. Une ironie difficilement acceptable pour Breton qui ne plaisantait pas avec ses prérogatives : « Le surréalisme, c'est moi. »

Loin de les rapprocher, l'exil aggrava le différend qui existait entre eux. Alors que Dalí cherchait à s'intégrer, Breton faisait bande à part. Mal à l'aise dans un pays qui l'avait accueilli, mais dont il vomissait la culture. Il boudait dans son coin. À Greenwich Village. Breton se considérait aux États-Unis comme le chef des surréalistes en exil. Un peu comme de Gaulle avec la France libre. Sauf que ça ne servait à rien. Il cherchait à recréer l'atmosphère intellectuelle qui lui était indispensable pour respirer, seulement dans New York, survolté par l'effort de guerre, l'exception culturelle française n'intéressait pas grand monde. Les gens avaient autre chose à faire. Grâce à Peggy Guggenheim, qui ambitionnait d'ouvrir une galerie, au dernier étage d'un immeuble de la 57e Rue Ouest, Breton n'en allait pas moins pouvoir organiser une rétrospective du mouvement surréaliste. Il chercha d'emblée à en éliminer Dalí, mais Peggy Guggenheim qui voulait présenter l'ensemble de sa collection le rétablit parmi les œuvres présentées. En revanche, il ne figurait pas dans le catalogue. Breton s'y était opposé. Tout ça très français. Mesquinerie et compagnie. Il n'empêchait que l'exposition était formidable. Sur une idée de Duchamp, les toiles avaient été accrochées à des cordages qui pendaient du plafond comme des lianes. Si bien que les visiteurs devaient se frayer un chemin à travers cette forêt vierge d'œuvres étranges : Tanguy, Max Ernst, Klee, Picabia, Miró, Arp, Kandinsky, Magritte, Giacometti, Chagall...

Truman Capote découvrait ces artistes dont il avait appris les noms dans des revues d'avant-garde, comme *View* ou *V.V.V.* Depuis qu'il était à New York, Truman voulait tout voir. Les expositions, les musées, les films... Il menait une vie trépidante. Il avait calculé qu'en sautant dans un taxi, il avait juste le temps d'aller voir l'exposition, avant son rendez-vous avec Gloria Vanderbilt. Il se ruinait en taxis. Truman débarquait de l'Alabama. Du Sud profond, où il avait passé son enfance. Pour lui, l'année 1942 restait associée au commencement d'une époque. C'était assez perso, mais Truman Capote ne s'intéressait pas à la guerre. Il se désintéressait pareillement de la politique et ne respectait pas grand-chose en dehors de la littérature. Il venait d'atteindre sa majorité, mais, avec sa petite taille, ses cheveux couleur paille et sa voix de bébé, il faisait tellement plus jeune que son âge, qu'il se voyait souvent refuser l'entrée des boîtes de nuit. Personne ne le connaissait à New York. Il lui avait fallu batailler dur pour s'imposer. Il régnait aujourd'hui sur une bande de filles épatantes au premier rang de laquelle se tenait Gloria Vanderbilt, la plus célèbre débutante de l'époque. Avec Carol Marcus et Oona O'Neil, ils passaient pour les plus solides piliers du *El Morocco*. John Perona, le propriétaire, les avait à la bonne. Il leur payait des verres. En échange, il comptait sur eux pour mettre de l'ambiance. Il les poussait sur la piste de danse. Dans une boîte de nuit, la jeunesse s'affirme comme un contre-pouvoir des plus efficaces. Truman usait de ce contre-pouvoir pour brancher le plus de gens possible. Assis sur les banquettes tendues de peaux de zèbre, il voyait défiler tout ce que New York comptait comme célébrités : Barbara Hutton et Freddie McAvoy, la célèbre Mrs Harrison Williams, Gloria Swanson qui cornaquait son ex-mari, le marquis de la Falaise et sa nouvelle épouse, Marlène Dietrich, flanquée d'Erich Maria Remarque ou de Jean Gabin, etc.

Si Gloria Vanderbilt insistait pour le voir en tête à tête, c'est qu'elle avait quelque chose de particulier à lui confier. Et comme elle revenait de Californie, il s'attendait à une révélation d'ordre sentimental. Ses flirts, dont elle grossissait l'importance, étaient le sujet de conversation favori de Gloria. Encore associé au retentissant procès qui avait opposé dans son enfance sa mère et sa tante, le nom de Gloria Vanderbilt propageait un parfum très légèrement épicé. Sans être la plus riche, elle était (avec Brenda Frazier) la plus connue des débutantes. Gloria et Truman s'étaient donné rendez-vous devant la boutique *À la vieille Russie*. Gloria s'arrangeait toujours pour être en retard. Truman avait eu le temps d'apprendre les vitrines par cœur : le service en vermeil du prince Demidoff, la tiare de roses de diamant sur son présentoir de velours de soie mauve, les verres à vodka XVIIIe en émaux cloisonnés... Gloria l'interpella depuis un taxi pendant qu'elle finissait de régler sa course. « Je suis en retard ?, interrogea-t-elle

— Non, j'ai simplement failli être transformé en glaçon...

— Tu exagères, il fait un temps sublime.

— Sublimement sec, mais horriblement froid », se plaignit Truman qui, à l'évidence, n'était pas assez couvert.

Avec ses hauts talons en daim marron, Gloria le dépassait d'une tête. « Little Gloria » avait grandi en beauté. Une beauté qui s'accordait à l'air du temps. Très 1940 et très Walt Disney. Sa peau d'une blancheur de neige crépusculaire, ses cheveux de jais et sa bouche vermillon rappelaient étonnamment Blanche- Neige dans son cercueil de cristal. À ses côtés, Truman Capote fignolait la ressemblance en composant le personnage d'un étourdissant petit nain. Joyeux en plus sophistiqué. Les passantes entre deux âges qu'ils croisaient, regardaient Gloria d'un air mauvais, en faisant la tête de la méchante reine à qui son miroir vient de confier que Blanche-Neige est la plus belle. Avec sa jupe à peine évasée au-dessus du genou et sa petite veste de fourrure aux manches volumineuses, elle démodait la plupart des autres femmes. Comme il n'était plus question de marcher dans le parc, ainsi qu'ils en avaient l'intention, ils allèrent prendre le thé dans le bar enfumé de l'hôtel *Pierre*, choisissant une table isolée afin de pouvoir parler librement. « Je suis tellement contente de te voir », dit Gloria en faisant semblant de lire la carte. Truman aussi regardait la carte, mais du côté de la colonne des prix. Il vivait très au-dessus de ses moyens. Ce ne sont pas les nouvelles qu'il plaçait depuis peu au *Harper's Bazaar* qui pouvaient suffire à son train de vie. L'argent de poche que lui allouait son beau-père ne lui permettait pas de voir plus loin que le cinquième jour du mois. « C'est moi qui t'invite », dit Gloria comme si elle devinait ses pensées. Du coup, Truman s'intéressa sérieusement au menu.

Truman Capote était la dernière personne à qui il fallait confier un secret. C'était pourtant toujours lui qu'on choisissait dans ce cas-là. Il savait s'y prendre pour instaurer un climat de confiance et le plaisir qu'il prenait à vous écouter déclenchait les confidences les plus intimes. Les filles l'adoraient pour ça. Il avait le don de les faire parler. Elles se sentaient écoutées, comprises, consolées s'il y avait lieu. Ce jour-là, il n'eut pas besoin de beaucoup pousser Gloria pour lui faire raconter son aventure avec Howard Hughes. « Tu ne devineras jamais... », commença-t-elle, et le reste de son histoire se déroula sans encombre jusqu'à sa conclusion logique : « Figure-toi qu'il veut m'épouser. » Truman marqua le coup. « Howard Hughes ! », aboya-t-il incrédule. Il n'en revenait pas. Il considérait Howard Hughes comme un personnage quasiment historique et tellement éloigné de son quotidien qu'il ne savait trop quoi en penser. Normalement il le détestait (il méprisait toutes ces histoires frelatées d'Hollywood, toute cette vulgarité), mais cela lui était égal de changer d'avis. Le portrait que lui dépeignait Gloria était des plus flatteurs.

Elle avait rencontré Howard Hughes dans un bal, style « débutantes », où sa tenue négligée le distinguait des jeunes godelureaux en smoking. « Tu imagines, lui avec son blouson d'aviateur négligemment jeté sur les épaules. » Truman imaginait. Elsa Maxwell les avait présentés. Le lendemain il était venu la prendre chez elle avec sa vieille Chevrolet cabossée « Nous avons roulé au-delà des collines et sommes descendus dans la vallée de San Fernando. Nous ne disions mot tandis que la pluie éclaboussait le pare-brise. À l'abri dans sa voiture comme des gitans dans une caravane, en chemin vers le campement du soir. » Bla, bla, bla. Truman trouvait qu'elle en faisait un peu trop, mais il se gardait d'intervenir. Il brûlait de savoir si elle avait couché avec lui. Sachant d'expérience que le meilleur moyen de soutirer un secret consistait à raconter les siens, il s'arrangea pour amener la conversation sur le sexe. Il lui détailla sa dernière aventure avec un garçon qui, pour les besoins de la cause, devint « le plus beau type qu'il s'était jamais tapé ». Pour les détails, on pouvait lui faire confiance. Après de tels aveux, Gloria aurait eu mauvaise grâce à ne pas lui céder quelque chose à propos de ses transports avec Howard Hughes, mais la description qu'elle lui fit de leurs étreintes ne le convainquit qu'à moitié. Alors que son récit avait jusque-là le vent en poupe, il fléchit et s'affaissa finalement. Gloria changea même brusquement de sujet pour parler d'un nouveau chanteur qui se produisait à Palm Beach, dans l'orchestre de Tommy Dorsey. « Tu ne connais pas Franck Sinatra ! Tu vas l'adorer », s'écria-t-elle. Truman était sûr qu'elle n'avait pas couché avec Howard Hughes. Elle mentait.

35

L'exode en Rolls de lady Mendl. Tous les chemins mènent à Hollywood. Les pékins du septième art. Vie sociale sur la côte Ouest. Retrouvailles de lady Elsie et de Barbara Hutton. Barbara fiancée à Cary Grant.

Il est peu probable que Dos Passos se soit inspiré de lady Mendl pour créer le personnage de la décoratrice Eleanor Stoddard dans *42e Parallèle.* Elles se ressemblent pourtant et réagissent de la même manière quand la guerre les rattrape ; sautant sur ce prétexte pour tourner le dos à leurs dettes en se lançant dans ce qu'il est convenu d'appeler une fuite en avant. Se souvenant à propos qu'elle était américaine, lady Mendl décida de fuir l'Europe. Les origines juives de sir Charles ne les invitaient pas à rester à portée de main des Allemands, même si son immunité diplomatique le préservait de leur idée fixe. Était-il raisonnable de prendre la Rolls pour partir sur les routes de l'exode ? Chemin faisant, elle fut prise à partie par la populace que cette petite femme impeccable, blottie au fond de sa limousine parmi des bagages Vuitton, agaçait. Le souvenir de la reine Marie-Antoinette, malmenée par la foule lors de son retour de Varenne, l'aida à traverser cette épreuve. Comment arriva-t-elle jusqu'au Portugal où elle réussit à s'embarquer pour les États-Unis ? Elle avait l'intention de gagner Hollywood où son flair l'attirait. Elle pressentait que la côte Ouest serait, dans le mois à venir, le dernier rivage de la mondanité. Et le seul endroit où elle aurait une chance de dégotter des clients. Ce n'était pas à Londres sous les bombes ou dans Paris occupé qu'elle risquait d'en trouver.

Les prévisions de lady Mendl se révélèrent parfaitement exactes. La vie sociale sur la côte Ouest connut, en raison de la guerre, un étonnant regain d'activités. Depuis le début du conflit en Europe, on assistait au débarquement régulier de transfuges de la haute société dont l'oisiveté avait été chamboulée par les visées expansionnistes d'Hitler. Cette émigration massive provoquait une émulation : les actrices en rajoutaient pour épater les femmes du monde qui, elles-mêmes, se laissaient gagner par la surenchère. Jamais les bijoux n'avaient été aussi gros, les fourrures plus volumineuses, les couleurs plus intenses, les maquillages plus outranciers, les talons plus hauts... Cette débauche de luxe de pacotille faisait les affaires de lady Mendl qui s'y entendait pour épater les gogos. Hollywood tomba dans sa main comme un fruit mûr. Requinquée par cette ambiance, elle allait camper le personnage d'une décoratrice inspirée, telle qu'aucun scénariste n'aurait osé l'imaginer en rêve. Le *star-system* et les années 40 devaient quelque peu dénaturer son goût, mais sans en altérer le charme. Au contraire. Un peu trop d'imprimés léopard, de peaux de zèbre, de rayures, de cantonnières, de baldaquins faisait basculer son pur amour du XVIIIe dans le toc (annonçant Tony Duquette qui fut à l'époque son élève). Elle se lâchait.

Le numéro de divination qu'elle mit au point à l'usage des pékins du septième art aurait prêté à rire s'il n'avait été interprété avec une *maestria* qui trahissait son passé de théâtreuse. Elle s'arrangeait pour toujours arriver la dernière sur un chantier, alors que tous les corps de métier piétinaient depuis l'aube. Elle prenait plaisir à faire attendre jusqu'aux clients. Si leur limousine était énorme, la sienne était encore plus volumineuse. Et paraissait d'autant plus grosse qu'elle accouchait d'une souris : lady Mendl, gantée et chapeautée, qui faisait une entrée dont la majesté tranchait sur l'effervescence brouillonne provoquée par son retard. Elle fermait alors les yeux pour se concentrer et, comme si une inspiration divine guidait son bras, elle désignait à chaque objet sa place et à chaque mur sa couleur : « Là, je vois une commode Queen Ann. Là, un mur couleur de pomme cuite », prophétisait-elle dans un silence religieux. Après ce numéro, on ne la revoyait plus jusqu'à la fin des travaux où elle était capable de piquer une crise de nerfs si tout n'était pas exactement comme elle en avait décidé. « Me serais-je mal fait comprendre, s'écriait-elle ulcérée. J'avais pourtant bien dit que je voulais voir trois coussins abricot sur ce lit de repos ! Pourquoi n'y en a-t-il que deux ? »

À mesure que les États-Unis penchaient en faveur d'une intervention militaire en Europe, les galas de charité destinés à recueillir des subsides pour l'armée se multipliaient. Parallèlement à ses activités de décoratrice, lady Mendl se démenait pour recueillir des fonds. Lady Mendl travaillait pour la France dont elle portait le deuil. Pour le renouveau de la France. Pour libérer la France. Elle organisa, entre autres, une gigantesque réception en l'honneur de Mainbocher, au cours de laquelle le couturier mettait en vente des modèles de haute couture, au profit de l'association France for ever. « Vous n'imaginez pas tout ce qu'il fait pour la France », répondait invariablement lady Mendl aux femmes qui la complimentaient sur le talent du couturier. Elle n'avait plus que la France à la bouche. Elle s'identifiait tellement au pays de Louis XIV qu'il n'était pas impossible qu'en aidant la France, elle ne s'aidât aussi un peu elle-même : elle facturait ses prestations. Mais après tout le général de Gaulle n'en usait pas autrement : lui aussi s'appuyait sur la grandeur de la France pour faire avancer sa carrière. Que la grandeur de la France ait trouvé à s'incarner dans ce petit bout de femme abusivement fardée invitait à s'interroger sur les vicissitudes d'une grande nation.

Les retrouvailles de Barbara Hutton et de lady Elsie représentèrent un des points forts de cette soirée. Barbara arrivait directement de Mexico où elle était allée se reposer, chez Dorothy di Frasso, en compagnie de Cary Grant avec qui elle venait de se fiancer. Elle était bronzée et sa minceur époustouflante l'autorisait à porter un fourreau de crêpe marine qui épousait sa silhouette en mettant en valeur sa poitrine et l'étroitesse de ses hanches. D'aussi loin qu'elle l'aperçut, lady Mendl se précipita à sa rencontre en s'écriant : « Laissez-moi la regarder ! Quelle allure ! Et quelle mine ! s'extasiait-elle, en faisant tourner Barbara sur elle-même pour mieux l'admirer. C'est tellement bon, ma chère, d'être à nouveau réunies. La dernière fois c'était...

— Chez vous à Versailles, lors de ce merveilleux bal pour lequel vous aviez fait dresser le chapiteau d'un cirque dans votre jardin.

— Il me paraît qu'il y a cent ans de cela, soupira lady Mendl.

— Elsie, j'aimerais vous présenter Cary Grant, dit Barbara en poussant devant elle son fiancé qui arborait son sourire étincelant.

— Tu crois que j'arrive de la lune ? Mais, ma chérie, tout le monde connaît Cary Grant. Même moi, lui reprocha la décoratrice qui se lança dans un panégyrique de la carrière de l'acteur où elle trouva moyen de se tromper en citant des films interprétés par d'autres que lui.

— *Gentleman Jim*, c'était Errol Flynn, rectifia Cary.

— Où ai-je la tête, se récria lady Mendl. En tout cas, le seul gentleman du cinéma, c'est vous. Et ne me dites pas le contraire : c'est mon petit doigt qui me l'a dit. »

Attrapant Cary et Barbara, chacun par un bras, elle les entraîna faire un tour du propriétaire. On reconnaissait la patte de la décoratrice dans l'aménagement de cette gigantesque salle des fêtes. Elle avait réussi à donner du chic à un déploiement de bannières étoilées et de drapeaux tricolores qui, drapés et bouillonnés ensemble, s'échappaient par des crevés ménagés, à intervalles réguliers, dans la tenture de velours bleu qui tapissait les murs. Une idée empruntée aux manches d'un pourpoint de la Renaissance. Même le lâcher de ballons tricolores qui encombrait le plafond trouvait moyen de se fondre dans ce décor d'un kitsch absolu, mais assez efficace. Ce bariolage patriotique n'éclipsait d'ailleurs en rien les modèles, eux aussi regroupés sur le thème du « bleu, blanc, rouge ». Par exemple, un tailleur rouge, une robe du soir bleue et un ensemble de plage blanc. « Même Greta Garbo s'est déplacée ! », reconnut lady Mendl, comme Barbara la complimentait sur l'assistance (elle venait de saluer Gene Tierney, Olivia de

Haviland, le couturier Adrian et la Française Lili Damita). Tu penses bien que ce n'est pas pour moi…

— Mais pour la France, acheva Cary Grant qui pigeait vite. »

L'air éperdu de reconnaissance que prenait Barbara pour s'adresser à lady Mendl agaçait prodigieusement l'acteur. Il ne faisait aucun doute, dans son esprit, que cette vieille chouette cherchait à mettre le grappin sur sa fiancée dans l'idée de lui soutirer de l'argent. D'ailleurs, Barbara ne devait pas tarder à lui signer un chèque.

— J'aimerais beaucoup rencontrer Mainbocher, remarqua Barbara.

— Tu ne peux pas savoir tout ce qu'il fait pour la France, répondit machinalement lady Mendl, avant de se reprendre. Mais tu connais Mainbocher ! Tu l'as certainement rencontré à Paris. À *Vogue* ou chez la duchesse de Gramont ? Je ne peux pas le croire ! s'indigna lady Mendl. Dans ce cas, il faut absolument que tu fasses sa connaissance. Si tu veux, j'organiserai quelque chose. Il peut venir avec la collection au cas où cela t'intéresserait de voir de nouveaux modèles. Il est divin et tu ne devineras jamais qui travaille aujourd'hui avec lui à New York ? La princesse Nathalie Paley.

— Cette jeune femme, amie de Serge Lifar, avec qui je l'ai rencontré à Venise ?

— Tu sais que c'est la nièce du tsar, ne put se retenir d'ajouter la décoratrice. La nièce du tsar », répéta-t-elle, à voix basse, avec un frisson qui englobait l'assassinat de la famille impériale, mais aussi la guerre et l'incertitude où les plongeait la situation internationale. Elle vieillissait, mais comment aurait-il pu en être autrement à soixante-quinze ans ?

36

Incompatibilité d'humeur entre lady Mendl et Cary Grant. La tension monte d'un cran. Name dropping *de la décoratrice. Cary se venge en cockney. Le* Victor-Hugo. *Dorothy di Frasso aux cents coups. Qu'est-il arrivé à Bugsy Siegel ?*

Ayant été une groupie de lady Mendl alors qu'elle n'avait que dix-huit ou vingt ans, Barbara Hutton continuait de lui manifester un respect qui la ramenait plus de dix ans en arrière. À l'époque de ses débuts dans le monde. À l'époque où la villa *Trianon* représentait un des sanctuaires de la mondanité. L'empressement que mettait désormais lady Mendl à la satisfaire prouvait à quel point le rapport de forces avait changé, mais Barbara se plaisait à prolonger l'émotion qui avait été la sienne dans ce temps-là. L'idée de la tutoyer ne lui serait pas venue à l'esprit. Elle s'enhardit cependant à lui dire : « Maintenant que je vous tiens, je ne vous lâche plus », ce qui aurait été inconcevable dix ans plus tôt. Jamais elle n'aurait osé prendre lady Mendl par la taille pour lui proposer de l'emmener dîner dans une boîte de nuit à la mode. Et jamais, ô grand jamais ! lady Mendl n'aurait accepté, alors qu'aujourd'hui celle-ci se contenta de répondre : « Dans ce cas-là, je vais prévenir mon mécanicien. » Barbara sourit devant l'air ahuri de Cary. Il ne pouvait pas savoir qu'à Paris, une femme du monde de la génération de lady Elsie ne désignait jamais autrement son chauffeur. « Je vais prévenir mon mécanicien », persifla Cary passablement énervé en la regardant s'éloigner. Était-ce nécessaire de s'encombrer de cette momie ? demanda-t-il à Barbara.

— Oh ! Cary, comment peux-tu parler de la sorte, Elsie est une de mes plus vieilles amies.

— Vieille, je te l'accorde...

— Sois gentil, arrête ! lui ordonna Barbara.

— Je veux bien être gentil, mais j'aurais préféré rester en tête à tête avec toi.

— Comment peux-tu dire un tel mensonge alors que nous avons rendez-vous avec Dorothy, Johnny, Cobina et dieu sait qui encore...

— En tête à tête dans la voiture, l'interrompit Cary qui voulait avoir le dernier mot.

— Avec le mécanicien ? » lui fit remarquer Barbara pince-sans- rire.

Dans l'automobile, la tension entre l'acteur et la décoratrice monta d'un cran. D'une manière générale, Cary reprochait aux exilés européens que fréquentait sa femme de s'entretenir continuellement de gens dont il n'avait jamais entendu parler. Au moment de leur divorce, il résuma leur incompatibilité d'humeur en déclarant : « Elle aimait tout ce qui portait un titre – le prince Machin, la comtesse Truc – alors que seul le cinéma m'intéressait. » Avec lady Mendl, il était servi. Le *name dropping* de la décoratrice battait tous les records. Confortablement installée à l'arrière de la Rolls-Royce, elle passait en revue, avec Barbara, tous les mondains égarés de par le vaste monde. Assis en face d'elles sur un strapontin, Cary appris ainsi que le baron et la baronne van Zuylen, la marquise Pecci Blunt, le marquis de Cuevas se trouvaient, Dieu merci, à New York. En revanche, Chanel était restée à Paris. Lady Mendl était sans nouvelle de Philippe Sassoon. L'entêtement fasciste d'Oswald et de Diana Mosley les avait finalement conduits en prison, mais heureusement, Thomas Beechman avait décidé lady Cunard à quitter Londres... Cary, qui en dépit de sa récente naturalisation américaine restait très attaché à sa mère patrie, s'énervait d'entendre la décoratrice s'apitoyer sur le sort d'une poignée d'Anglais snobs, et sans doute très fortunés, alors qu'elle n'avait pas un mot de pitié à propos du sort de la population. « Vous êtes britannique, je crois, Monsieur Grant ? l'interrogea lady Mendl comme si elle devinait ses pensées.

— De Bristol, Mam, acquiesça Cary en prenant l'accent cockney. Et dans la foulée il débita une vieille chanson cockney : "J'ai une vieille copine/Qu'est une personne/Qu'est brave et bonne/Ya pas une princesse dans le pays/Que j'voudrais échanger contre ma vieille Elsie." » Interloquée, lady Elsie émit un petit rire perlé et, comme si elle n'avait rien de mieux à faire, sortit son poudrier pour vérifier si la frange de plumes bleues qui s'échappait de son chapeau ne lui mangeait pas les sourcils.

« J'adorerais connaître Bristol, les pubs, le port, dit-elle finalement en refermant son poudrier d'un coup sec. Vous en avez d'autres du même genre dans votre musette, Monsieur Grant ?

— Oh ! que oui, répondit celui-ci en chantonnant : "Nous n'pousserons plus la brouette à nous trois/Il vendait l'charbon avec ma Rose et moi/Mais il est mort à quatre heures moins deux/Pour Rosy c'est dur, pour moi c'est affreux." » Barbara Hutton était effondrée.

Pourquoi *Victor-Hugo* figurait-il en lettres de néon multicolores sur le fronton de la boîte de nuit ? Le patron de l'établissement associait-il Victor Hugo à une forme de dépravation insouciante et joyeuse ? Il faut croire que le grand écrivain français bénéficiait d'un a priori favorable parmi les noctambules : un attroupement devant la porte témoignait de son succès. Les gens se battaient pour rentrer. La notoriété de Cary Grant les délivra d'avoir à piétiner. *Happy few* parmi les *happy few*, Cary et Barbara profitaient d'un traitement de faveur qui leur ouvrait toutes les portes. Une fois à l'intérieur, un maître d'hôtel les conduisit jusqu'au restaurant où les attendait une table réservée pour une dizaine de personnes. « Je vais voir si j'aperçois Dorothy, déclara Cary à Barbara. Bien décidée à lui faire payer sa conduite dans la voiture, celle-ci feignit de ne pas l'entendre. Elle l'aurait tué. L'architecture intérieure du *Victor- Hugo* épousait la forme d'un huit. Le restaurant, entièrement drapé d'une toile à rayures, comme une tente de campagne, occupait l'une des boucles, tandis que dans l'autre la piste de danse s'arrondissait devant un bar en forme de fer à cheval. Depuis le bar, surélevé de quelques marches et bordé d'une balustrade, on pouvait observer les danseurs qui évoluaient en contrebas. La cohue était telle que Cary se désespérait de jamais retrouver Dorothy di Frasso. Pourtant, dans une robe drapée d'un vert étourdissant, avec des émeraudes à tout casser, elle ne passait pas inaperçue. Elle dansait une conga avec Johnny Maschio. Quand elle aperçut Cary, elle lui fit un signe de la main et l'interpella pour qu'il la rejoignît au plus vite.

« Je t'attendais, lui dit-elle, aux cent coups. Il faut que je te parle immédiatement. C'est urgent », insista Dorothy di Frasso en s'accrochant à Cary après avoir lâché son cavalier. (Ce dernier s'éloigna non sans avoir fait un signe pouvant signifier : « Bon courage », ou « Je t'en souhaite ! »)

— Que se passe-t-il, s'inquiéta Cary, en voyant que Dorothy n'était pas dans son état normal. Elle n'était pas seulement éméchée, il y avait autre chose.

— C'est Bugsy : il est en prison. Il a refroidi "Big Greene". Greenberg, le gangster, précisa-t-elle devant l'air interloqué de Cary, accompagne-moi. Il y a peut-être une caution à verser. Quelque chose à faire…

— T'accompagner où ?

— Le chercher.

— Tu es folle. D'abord, comment l'as-tu appris ?

— Par Johnny

— Je vais avant toute chose donner un coup de fil ou deux pour en savoir plus. En attendant, viens t'installer avec nous. » Il l'accompagna jusqu'à la table où Barbara et lady Mendl les attendaient, entourées d'une bande de gens à la mode.

En revenant s'asseoir, Cary avait de bonnes nouvelles. Il y avait de fortes chances que Bugsy soit rapidement relâché. Si ce n'était déjà fait. Dorothy, très émue, n'eut alors de cesse d'entraîner Cary jusqu'au commissariat, mais il lui fit remarquer qu'il risquait alors d'être photographié et qu'une telle publicité n'était pas souhaitable. Ni pour l'un ni pour l'autre. Pour sa part, il n'y tenait vraiment pas. « Alors allons directement chez lui », insista Dorothy au bord de la crise de nerfs. Ce que Cary refusa également. Étant devenu copain avec Bugsy, il savait qu'en allant chez lui ils risquaient de tomber sur sa nouvelle fiancée. C'était épineux. Bugsy trompait Dorothy depuis toujours, mais ses infidélités avaient pris une nouvelle tournure depuis sa rencontre avec Virginia Hill. Une petite pleine d'allant, qui s'habillait à la perfection (et que Bugsy finirait par épouser à Mexico). Dorothy tannait toujours Cary pour aller retrouver Bugsy, mais il persistait dans son refus de l'accompagner. Finalement, lady Mendl sauva la situation en annonçant son intention de rentrer. Barbara insista pour la raccompagner et Cary sauta sur cette occasion pour se défiler. À la fin, ils emmenèrent aussi Dorothy qui n'était plus en état de leur résister. Elle avait vraiment trop bu. Il fallut l'aider à marcher jusqu'à la voiture.

37

Barbara Hutton, star de la presse à scandale. Riche et célèbre d'être riche. Bref récapitulatif de sa vie amoureuse. Solitude en commun avec Cary Grant. Un mariage bâclé. Un couple à la dérive. Howard Hughes s'invite à l'improviste.

Elle était riche et célèbre d'être riche. Cela peut paraître un peu court, mais Barbara Hutton ne se lassait pas de voir étaler cette évidence dans la presse. Comme les monarques élevés dans l'idée que le bonheur de leur royaume doit passer avant leur propre bonheur, Barbara vivait pour la célébrité que lui procurait sa richesse. En échange des sacrifices que cela représentait, elle entendait ne pas en perdre une miette. Elle achetait tous les magazines, tous les journaux. Elle parcourait les rubriques mondaines d'un œil rapace. Depuis son enfance, elle était l'héritière dont on parlait le plus. Deux chansons avaient consacré sa notoriété, *Pauvre petite fille riche*, de Noel Coward, et J'ai *trouvé une poupée qui vaut un million de dollars*, de Bing Crosby. Elle découpait tout ce qui paraissait sur elle et collait articles et photos dans des albums. Sur l'unique photo qui lui restait de ses débuts dans le monde, elle se trouvait trop grosse. Elle se trouvait encore trop grosse sur celles de son mariage avec Alexis Mdivani, alors qu'elle avait déjà beaucoup minci. En revanche, elle aimait l'air excessivement distingué qu'elle arborait sur un cliché pris le jour du baptême de son fils Lance, où on la voyait en compagnie de son second mari le comte Haugwitz-Reventlow. Elle était également très bien sur une photo avec Bobby Sweeney, le champion de golf, avec qui elle avait eu une courte aventure à la suite de son second divorce.

Les épreuves sur papier glacé qui paraissaient dans *Vogue* représentaient une satisfaction d'amour-propre, mais c'est à la lecture des journaux populaires qu'elle prenait le plus de plaisir. Il lui arrivait, en terminant un article, d'avoir hâte de lire la suite pour savoir ce qui allait se passer. Alors qu'elle vivait une vie totalement matérialiste, elle la noyait dans du sirop. À l'époque de ses démêlés avec Alexis et Louise van Alen, la presse avait fait preuve d'un intérêt continuellement renouvelé : « À quel jeu joue Barbara ? » ou « Qu'y a-t-il exactement entre le prince Alexis Mdivani et Barbara Hutton ? », etc. Elle regrettait que les journalistes se soient ensuite davantage intéressés à son train de vie qu'à sa vie sentimentale. Alors que la répression frappait de plein fouet les États-Unis, ses dépenses s'étalaient dans tous les quotidiens : les perles de la reine Marie-Antoinette, les bijoux de la Castiglione, les émeraudes du grand Moghol… (« Vous travaillez dans un cirque ou quoi ?! » devait un jour s'écrier un douanier en lui faisant ouvrir son vanity-case plein à ras bord de pierres précieuses qu'il prenait pour du toc.) Les gens adoraient lire ce genre de compte-rendu qui mettait un peu de fantaisie dans leur existence, mais lorsqu'ils refermaient le journal, ils la détestaient. Sans compter qu'elle était immanquablement rebaptisée pour l'occasion « sac à fric ».

En vivant à ses côtés, Cary Grant se rendit compte qu'elle prenait plaisir à faire parler d'elle. Qu'elle provoquait ce genre de publicité. Il en fut d'autant plus contrarié qu'il entretenait déjà de mauvais rapports avec la presse. Cary Grant et Barbara Hutton formaient maintenant un couple à la mode. Quand Dorothy di Frasso les avait présentés, ils se connaissaient sans se connaître, pour avoir participé sur les mêmes paquebots à plusieurs traversées de l'Atlantique. Barbara ne laissait jamais passer un beau garçon sans envisager de mettre le grappin dessus. Elle avait repéré Cary, seulement à l'époque, ils n'évoluaient ni dans le même milieu ni sur le même continent. Il aurait fallu un miracle pour qu'une relation durable s'établisse entre eux. La guerre produisit ce miracle. Coincée à Hollywood, Barbara cherchait à s'adapter à un nouveau style de vie. Dans ce contexte, Cary Grant apparaissait comme un recours. Dorothy, qui avait des instincts de marieuse, se félicitait d'avoir réussi ce coup fumant. Ça durerait ce que ça durerait. Elle ne se faisait pas trop d'illusions. Deux mariages et quelques amants laissaient, à trente-deux ans, Barbara totalement insatisfaite. Elle continuait de passer d'une soirée mondaine à une autre soirée mondaine, sans donner l'impression d'y prendre beaucoup de plaisir. Mais elle sortait tous les soirs. Et comme lorsqu'il ne travaillait pas, Cary, lui aussi, sortait tous les soirs, ils se servaient mutuellement d'escorte.

Personne ne pouvait savoir que des raisons infiniment plus complexes poussaient Cary à sortir. Personne en dehors de ses supérieurs dans les Services secrets britanniques. En dépit de sa carrière à Hollywood, Cary restait un sujet de Sa Très Gracieuse Majesté. Farouchement antinazi, il s'était mobilisé très tôt. Pour l'imaginer en espion, il suffit de se reporter à des films comme *Charade* ou *Les Enchaînés*. Il était, à la ville comme à la scène, l'espion le mieux coiffé de tous les temps. Cary Grant, qui fréquentait toutes sortes de milieux, pouvait recueillir un maximum d'informations, mais il devait agir d'autant plus discrètement que les Américains ne se montraient guère enthousiastes de voir des agents secrets britanniques opérer sur leur territoire. Le FBI, le Deuxième Bureau et les Services secrets britanniques s'espionnaient entre eux autant qu'ils espionnaient les Allemands. Si bien qu'à la fin, tout le monde espionnait tout le monde. J. E. Hoover, patron du FBI, en avait par-dessus la tête des Services secrets britanniques. Cary Grant et Noel Coward étaient ses bêtes noires. Il n'empêche que des rumeurs ont fait état de connivences entre Grant et le FBI. Un dossier compromettant permettait-il aux Américains de faire pression sur lui pour avoir des renseignements au sujet de Barbara Hutton dont les relations cosmopolites ne laissaient aucun service secret indifférent ? Ouvrait-il son courrier ? Soudoyait-il ses domestiques ? On peut s'interroger, mais on peut difficilement penser qu'il épousa Barbara dans le seul but de l'espionner.

La cérémonie dura six minutes. À l'américaine. Du rapide. À la suite de quoi, Cary retourna au studio. Ironie du sort : il tournait *Une lune de miel mouvementée*. La presse qui n'avait pas été invitée se vengea en les rebaptisant *« Cash and Cary »*. C'était trouvé. Hedda Hopper et Louella Parsons s'accordaient à pronostiquer que leur union n'avait aucun avenir. Il ne manquait pas d'amis de Barbara pour affirmer que le mariage ne fut jamais consommé. D'autres prétendaient qu'ils n'avaient fait l'amour qu'une fois et qu'elle lui avait alors demandé de ne pas déranger sa coiffure. Dans l'infiniment petit – le grain de sable –, la perversité de Barbara était sans limites. Le mariage sonnait généralement le glas de ses histoires d'amour. Elle commençait à faire la tête en sortant de l'église. Pourquoi se mariait-elle ? Par caprice ? Par obstination ? S'offrir un nouveau mari représentait pour elle un moyen de se dépasser. Oleg Cassini expliquait l'incroyable gâchis de sa vie sentimentale par son incapacité à combiner les deux aspects de l'amour : « Elle était toujours amoureuse de plusieurs hommes à la fois, mais l'amour ressemblait dans son imagination à une amitié romantique dont l'extrême douceur ne cadrait pas avec certains aspects techniquement peu ragoûtants, si bien qu'elle prenait plus facilement son pied avec des inconnus. Ses mariages étaient généralement dénués de sexe et ses histoires de sexe dénuées d'amour. » Barbara était capable de tout pour arriver à ses fins, mais une fois son but atteint, elle s'en désintéressait. Elle traitait ses maris comme du personnel que l'on peut congédier. Avec des indemnités. La comparaison n'est pas aussi excessive qu'il y paraît si on se souvient qu'elle avait été élevée par des domestiques et passait le plus clair de son temps avec des domestiques. Elle en employait près d'une trentaine. Cary ironisait en prétendant qu'avec toutes ces bouches à nourrir, ils pouvaient s'estimer heureux quand il leur restait un sandwich à se mettre sous la dent. C'était bien sûr une image. Barbara était incapable de manger un sandwich. Elle ne s'imposait aucune discipline en dehors d'un régime amaigrissant proche de la famine. À table, elle se contentait de pousser les aliments dans son assiette d'un air dégoûté, sans jamais les porter à sa bouche. Si bien qu'en comparaison, les autres convives avaient l'air de s'empiffrer, même en mangeant normalement. Cary avait bon appétit. Cela faisait partie des tortures qu'elle lui infligeait. La soupe à la grimace et l'hôtel du cul tourné : l'amour la rendait frigide et son anorexie chronique transformait l'heure des repas en cauchemar.

Cary Grant ne faisait pas le poids face à la froide détermination de Barbara. Avec son armée de domestiques, elle s'abattait comme un cyclone. Du vent : on n'avait pas de prise sur elle. Sa générosité dissimulait un égocentrisme d'une intensité rarement atteinte sur l'échelle des sentiments humains. Elle reprochait à Cary de ne s'intéresser qu'au cinéma. Elle ne comprenait pas qu'il n'abandonne pas sa carrière pour elle. À la moindre contrariété, elle se réfugiait dans la maladie. Elle était trop riche pour faire une psychanalyse. En quelle estime aurait-elle pu tenir son psychanalyste alors qu'elle considérait ses maris comme des domestiques ? Compte tenu de tout ce qu'elle absorbait comme drogues, alcool et médicaments, elle était increvable. Quand Cary qui s'inquiétait, au début de leur mariage, pour sa santé, cachait les bouteilles d'alcool, elle était capable, par dépit, de boire du vinaigre ou de l'eau de Cologne. Une vraie punk. Sauf que les punks n'existaient pas et qu'elle était toujours tirée à quatre épingles. Prostrée dans sa chambre tout au long de la journée, elle ne sortait de sa léthargie qu'en fin d'après-midi afin de se préparer pour sortir : massage, bain moussant, manucure, coiffeur… en trois heures elle se métamorphosait. Lorsque Cary rentrait fatigué du studio, il la trouvait généralement prête à s'éclipser. « Le prince Obolonski a téléphoné pour nous inviter à une *party* au *Trocadéro*. Tu peux venir si tu veux », lui proposait-elle sans conviction.

Déjà tendue, l'atmosphère devenait chez eux irrespirable quand Howard Hughes s'invitait au débotté. Pour des raisons X ou Y (voir chapitres précédents), Howard Hughes et Cary Grant étaient restés très liés. Hughes, qui commençait à sérieusement débloquer, trouvait refuge chez Cary quand il était au bout du rouleau. Il fallait une patience d'ange pour le supporter. Il téléphonait à n'importe quelle heure du jour ou de la nuit et s'était fait une spécialité de débarquer à l'improviste. Toujours agréable d'entendre sonner à cinq heures du matin ! Son coup de sonnette interpella Cary un jour qu'il se préparait pour partir sur le tournage de *Rien qu'un cœur solitaire*. Il se précipita pour ouvrir, mais Barbara, qui venait de rentrer d'une de ses virées nocturnes, l'avait devancé. On se rendait compte à sa façon de se tenir qu'elle avait trop bu. Barbara et Howard se connaissaient de longues dates. (Ils avaient même couché ensemble, mais c'est une autre histoire.) Avec ses vieilles baskets et ses vêtements fripés, Howard avait l'air d'un clochard. Surtout en face de Barbara qui avait gardé son chapeau et ses gants et portait sur les épaules un mantelet de renard bleuté. Madame et son clochard. Pourquoi s'obstinait-elle à porter des fourrures en Californie ? « Oh ! Howard, s'étonna-t-elle, c'est merveilleux de te voir. Qu'est-ce qui t'est arrivé, tu t'es battu ?

— Mon Dieu, comment es-tu habillé, lui reprocha Cary qui était pourtant habitué à ses écarts vestimentaires.

— Pour Halloween, je présume, mâchonna Barbara entre ses dents avant de s'affaler sur un canapé.

— Si tu penses dormir sur le canapé, tu devrais commencer par retirer ton chapeau, lui conseilla Cary.

— J'ai horreur du mot canapé, s'emporta brusquement Barbara. Sofa ! On dit un sofa », finit-elle par hoqueter après un temps d'hésitation. Alors qu'elle n'élevait d'ordinaire jamais la voix, Barbara pouvait avoir le vin mauvais. Ou plutôt l'alcool querelleur.

« J'ai besoin de te parler », souffla Howard à Cary qui l'entraîna dans la cuisine sous prétexte de lui faire un café. Howard traversait une mauvaise passe. Sa paranoïa lui menait la vie dure. Encore qu'il avait des raisons d'être paranoïaque. Les fédéraux ne le lâchaient plus depuis le dernier contrat qu'il avait passé avec l'armée. On le suspectait de corruption. C'était malheureusement un peu vrai. Non seulement il avait versé des pots-de-vin, mais il avait organisé à l'intention de ses amis militaires la plus grande partouze jamais mise sur pied depuis la chute de l'Empire romain. Une orgie de caviar, de cocktails hawaïens, de champagne et de jolies filles. À la suite de ces trois jours de fiesta, l'armée passa commande de cent modèles du nouveau bombardier d'Howard. Un contrat de 43 millions de dollars qu'il aurait pu décrocher sans se donner tout ce mal. Ce contrat devait déboucher sur un procès qu'il gagnera mais dont les conséquences se feront durement sentir sur son esprit dérangé. À mesure que la pression judiciaire se refermait sur lui, il perdait pied. « Ils ont mis ma tête à prix, affirma Howard Hughes quand il se retrouva seul avec Cary. Ils me suivent. Ils cherchent à me faire passer pour fou dans le but de m'enfermer.

— Qui, ils ? lui demanda patiemment Cary en tournant avec application le moulin à café.

— Le FBI, le gouvernement, ma femme… Faith Domergue, un ange de douceur, mais elle est manipulée par sa famille. Je ne t'en ai jamais parlé…

— Bien sûr que tu m'en as parlé et si tu veux on en reparlera ce soir, mais là, maintenant, je dois partir aux studios. Je travaille…

— On le saura que tu travailles, l'interrompit Barbara en faisant irruption dans la pièce. Ce que les gens qui travaillent peuvent être assommants. Je hais les acteurs…

— Tu veux du café, lui proposa Cary sans tenir compte de ses commentaires désobligeants. Peut-être cela te fera du bien. Et toi tu devrais prendre une douche, ajouta-t-il à l'intention d'Howard.

— Je préférerais autre chose que du café, dit Barbara d'une voix pâteuse. Une Marie Brizard avec de la glace. Mais c'est vrai, Howard, que tu devrais prendre une douche.

— Tu n'auras qu'à t'installer dans une chambre d'amis, indiqua Cary à Howard.

— Quelle chambre d'amis ? s'indigna tout à coup Barbara. De quel droit donnes-tu des ordres dans cette maison. Je t'interdis, à partir d'aujourd'hui, de donner des ordres. En particulier à mes domestiques. Howard n'aura qu'à dormir avec moi dans le salon. On fumera des cigarettes », ajouta-t-elle d'un air entendu.

38

Kathleen Kennedy et Pamela Churchill. Le prince Ali Khan sur la sellette. Joseph Kennedy en poste à la cour de Saint-James. La fille de l'ambassadeur. Premier amour. Mariage sous les bombes. Peter Fitzwilliam. Encore un protestant !

« T'amouracher d'Ali Khan ! Mais tu n'y penses pas ! », reprocha Kathleen à Pamela qui s'obstinait à le trouver irrésistible. « C'est bien parce qu'il est irrésistible qu'il est dangereux, reprit Kathleen. Pour une semaine de bonheur, tu risques de ruiner à jamais ta réputation. Imagine la tête de ton beau-père. Tu ne veux pas me passer la confiture. Cette gelée rose pâle... » Avec chacune une masse de cheveux roux et un sourire éclatant, Kathleen Kennedy et Pamela Churchill avaient un air de famille. Un air d'écureuil. Et des surnoms d'écureuils : Pam et Kick. Sur la table du petit-déjeuner, les confituriers de cristal épousaient la forme de grosses abeilles aux ailes d'argent. Le service en porcelaine de Minton et les coquillettes de beurre roulées sur un lit de glaçons participaient du même raffinement. La journée s'annonçait splendide. Peter Fitzwilliam était descendu, à Cannes, régler quelques détails pour leur départ prévu en début d'après-midi. Elles avaient tout leur temps.

C'est par Kathleen Kennedy que Pamela Churchill avait fait la connaissance du prince Ali Khan. Par Peter, ce qui revenait au même. Le haras de Gilltown où Ali élevait des chevaux n'était pas très éloigné de *Lismore Castle*, la propriété des Fitzwilliam en Irlande. Avec d'autres propriétaires de la région, ils formaient une bande de jeunes gens insouciants. Une bande qui s'était retrouvée à Paris à l'occasion de la soirée qu'Ali Khan donnait chaque année, au *Pré-Catelan*, à l'issue du Grand Prix de l'Arc de triomphe. Kathleen, Pamela et Peter étaient ensuite descendus sur la côte d'Azur pour se reposer. Le soir du Grand Prix, Pamela portait une robe rouge qui mettait en valeur sa carnation de rousse. Ali l'avait invitée plusieurs fois à danser. Joue contre joue, Pamela n'opposa pas spécialement de résistance aux avances du prince. Rien de bien sérieux, mais Pamela ne demandait qu'à y croire. Quand il apprit qu'elle descendait sur la côte d'Azur avec Kathleen et Peter, Ali l'avait invitée à le rejoindre au château de l'Horizon ou il devait lui-même se rendre quinze jours plus tard. « Nous ne restons que le week-end, soupira Pamela, je serai alors rentrée à Londres. » « Mon invitation tient toujours, insista le prince, revenez plus tard. »

« Après tout, c'est toi qui me l'as présenté, se plaignit Pamela alors que Kathleen poursuivait son interrogatoire (elle voulait savoir s'ils s'étaient embrassés).

— Ah, mais il est follement sympathique ! se récria Kathleen, seulement je ne pensais pas que tu allais tomber si facilement dans le panneau. Il ne peut pas voir une femme sans lui faire du gringue...

— Je te remercie, c'est aimable.

— C'est pourtant la vérité, poursuivit Kathleen. On remplirait un harem avec ses ex. Même pour un musulman, il exagère. Parce qu'en plus il est musulman, tu imagines les complications.

— Rassure-toi, je ne pense pas l'épouser immédiatement, plaisanta Pamela, en se resservant du thé. D'autant qu'il est marié. Encore que ce soit un beau parti, riche à millions et follement généreux à ce qu'on dit...

— Ils ne vivent plus ensemble, mais je ne pense pas qu'ils aient divorcé, confirma Kathleen.

— Pour une fois que je rencontre un homme dans la force de l'âge qui s'intéresse aux femmes...

— Et aux chevaux. Il ne s'intéresse qu'aux femmes et aux chevaux, basta ! Si tu veux mon avis, je ne crois pas qu'il ait inventé l'eau chaude, mais c'est son dévergondage qui pose un problème. Comme dit Peter, il vaut mieux lui confier ses chevaux que sa sœur.

— Ou sa fiancée… Mais Peter est certainement trop chevaleresque pour mêler Dame Kathleen à des plaisanteries libertines. Est-ce que tu as dit à Peter qu'il t'arrivait de péter ? ajouta-t-elle en baissant la voix. Parce qu'il finira bien par le découvrir, à moins qu'il ne soit sourd comme un pot.

— Je t'interdis de parler comme ça, dit Kathleen secouée par un fou rire, et je t'interdis de te moquer de Peter.

— Loin de moi cette idée, répondit Pamela en riant elle aussi, je le trouve trop mignon, trop irrésistible. Tu sais que je pourrais te le piquer ? insinua-t-elle en papillonnant des paupières et en poussant sa bouche en avant pour la rendre pulpeuse.

— Tu sais que je pourrais t'arracher les yeux ?

— Tu sais que je cours plus vite que toi ? » dit Pamela en se levant brusquement pour s'élancer à travers la pièce, bientôt poursuivie par Kathleen. Elles riaient tellement que leur course s'acheva dans un divan où leur fou rire se prolongea jusqu'aux larmes.

Pamela et Kathleen se connaissaient depuis une dizaine d'années. Leur amitié remontait à l'époque de leur présentation à la Cour, en 1938, alors que Joseph Kennedy venait de prendre ses fonctions à Londres. Sa nomination au poste d'ambassadeur avait surpris tout le monde. Son sang irlandais et son admiration à peine voilée pour Hitler rendaient ce choix discutable, mais Roosevelt avait une énorme dette envers lui. Il tenait à le remercier. Il voulait surtout s'en débarrasser. Pour les démocrates, Kennedy était l'homme qui en savait trop. Il leur avait rendu tellement de services ! À Washington, il devenait encombrant. Londres apparut comme la solution. Si les commentateurs politiques le tenaient pour dangereux, la presse *people* raffolait de cette famille nombreuse et tellement souriante. Réunis sur une photographie, les Kennedy donnaient l'impression d'avoir plus de dents que les autres être humains. Ils faisaient régulièrement la une des journaux. Kathleen profitait de cette publicité. Elle était lancée. Toutes les portes s'ouvraient devant la fille de l'ambassadeur. Contrairement à ses parents, elle s'était parfaitement bien adaptée à la vie à Londres : le *five o' clock*, les régates, la chasse au renard, Ascot et surtout la saison qui, pendant deux mois, multipliait les grands bals et les distractions. C'est au cours de la saison qu'elle était devenue amie avec Pamela. Leur besoin de s'amuser les avait rapprochées. Elles étaient toujours fourrées ensemble. Plus effrontées que la moyenne, elles sortaient du lot des débutantes. On devinait en les voyant qu'elles iraient loin.

Kathleen se plaisait d'autant plus à Londres qu'elle plaisait aux garçons. Elle faisait l'apprentissage du flirt et de la séduction. L'amour ne devait pas tarder à suivre ces premiers émois. Le grand amour. Il se présenta sous les traits d'un jeune marquis, Billie de Hartington, fils aîné du dixième duc de Devonshire. Dans ses bras, elle ne touchait plus terre. Qu'est-ce qu'on dansait en 1938 et en 1939 ? Londres ignorait les rythmes latino-américains et ni Billie Holiday ni Lionel Hampton n'avaient franchi l'Atlantique. Non, à Londres, en 1939, on valsait encore comme au temps du congrès de Vienne. Les filles portaient des robes de satin ou de tulle de couleur pastel et il fallait attendre la seconde partie de la soirée pour que l'ambiance s'animât un peu. Une fille lancée n'arrivait jamais dans une fête avant onze heures trente. Voire minuit. Kathleen et Pamela auraient préféré mourir que de déroger à cette règle. Arriver tard signifiait qu'on menait une vie amusante, qu'on ne buvait pas que de l'orangeade, etc. Rose Kennedy ne comprenait rien à ces subtilités. Elle ne comprenait rien à rien. Mieux valait d'ailleurs ne pas se demander ce que Rose comprenait à l'amour. Mais même à la vie, qu'est-ce qu'elle y comprenait, Rose ? En dehors de l'organisation et de la discipline qu'elle entendait faire régner chez elle ? Depuis qu'elles résidaient en Angleterre, les rapports entre la mère et sa fille aînée tournaient au vinaigre. Rose se rendait compte que Kathleen échappait à son autorité. Rose accusait l'éducation anglaise. La mauvaise influence de telle ou telle. Son amie Pamela, par exemple.

Elle aurait aimé que Joseph s'occupât davantage de Kathleen, mais l'ambassadeur avait d'autres chats à fouetter. À mesure que les menaces de guerre se précisaient, la position de Kennedy, à Londres, devenait problématique. Alors que Roosevelt avait cru s'en débarrasser en le nommant en poste à la cour de Saint-James, l'encombrante personnalité de Kennedy venait, comme un boomerang, le frapper de plein fouet. Kennedy était farouchement isolationniste et ne s'en cachait pas. Ses prises de position offensaient les Anglais. Son défaitisme frisait la provocation. Il envoya des lettres alarmistes à tous les ressortissants américains, les invitant à déguerpir. Il téléphona personnellement à Barbara Hutton pour lui conseiller de quitter au plus vite l'Angleterre. Sauve qui peut. Les riches et les puissants d'abord. En privé, il se lâchait. Il sortait des choses effrayantes, que « la démocratie en Angleterre avait vécu et que le fascisme ne tarderait pas à s'installer », que « Roosevelt n'était qu'une marionnette entre les mains des juifs et des communistes ». Certaines de ces appréciations étaient revenues aux oreilles du président. Il avait fallu le rappeler d'urgence, tout en continuant de le ménager car il en savait assez sur la classe politique pour faire sauter le Capitole. Un vrai casse-tête.

L'indulgence de Joe pour sa fille agaçait Rose. De son point de vue, Kathleen faisait preuve d'un esprit d'indépendance peu compatible avec le bon fonctionnement du clan. D'ailleurs, Kathleen provoqua un séisme en annonçant son intention d'épouser Billie de Hartington. Un protestant ! Une faute impardonnable aux yeux des Kennedy qui plaçaient le catholicisme en tête des valeurs qu'ils défendaient. Valeurs entre guillemets (voir chapitres précédents). Il faut dire que les mariages entre personnes de confessions différentes se comptaient sur les doigts d'une main à l'époque. Le projet de Kathleen contrecarrait les ambitions politiques de Joe Kennedy. C'était devenu une obsession chez lui. Il ne pensait plus qu'à l'avenir politique de ses fils dont l'aîné, Joe Jr., devait être président des États-Unis. Pas besoin d'un duc dans la famille. Et encore moins d'un protestant ! Un choix qui risquait de leur faire perdre les voix des catholiques irlandais. Ni Joe ni Rose n'assistèrent au mariage qu'ils considéraient comme une mésalliance (alors que les Devonshire appartenaient à la plus haute noblesse d'Angleterre). Seul Joe Jr., basé en Angleterre, était présent à la cérémonie qui se déroula dans la plus stricte intimité. Sous les bombes. Kathleen n'en était pas moins radieuse comme n'importe quelle jeune mariée. Son bonheur fut de courte durée. Son mari quitta peu après l'Angleterre pour rejoindre l'armée et trouva la mort en Belgique. Une balle perdue, en septembre 1944. Le sol s'ouvrait sous les pieds de Kathleen, déjà anéantie par la mort de son frère Joe, tué, deux mois plus tôt au cours d'une mission de reconnaissance au-dessus de la France. Kathleen, qui avait failli devenir duchesse, se retrouva veuve de guerre. Sans rien à son nom. Selon la loi anglaise, le titre et les domaines devaient maintenant revenir au fils cadet du duc, le jeune Cavendish, qui venait d'épouser Deborah Mitford, la plus jeune des célèbres sœurs Mitford.

À la mort de Billie, Kathleen était retournée à plusieurs reprises vivre chez ses parents, mais ils lui tenaient toujours rigueur de son mariage. Comme si elle était marquée au fer rouge. Rose, en particulier, ne désarmait pas. Alors que Kathleen avait désespérément besoin d'affection, elle ne pouvait s'empêcher de se conduire comme si les malheurs de sa fille tenaient au fait d'avoir épousé un protestant. Kathleen trouvait en définitive plus de réconfort auprès de sa belle-famille : ils pleuraient ensemble. Ses beaux-parents étaient adorables. Elle se contenta bientôt de ne plus faire que des allers et retours chez les siens. Parfois, Pamela l'accompagnait, mais le style de vie des Kennedy, aussi exotique pour elle que celui d'une tribu d'Amazonie, l'effrayait. Cette manière de ne jamais tenir en place ! Ces jeux ! Ces cris ! Et les avances du vieux Joe qui cherchait à la peloter autant qu'il le pouvait. Ses voyages représentaient cependant pour Pamela une manière d'échapper à son mari qu'elle ne supportait plus. Pamela avait épousé Randolph Churchill. Un grand nom et une position. S'appeler Churchill pendant la guerre ! Pamela en avait largement profité. Seulement la guerre avait aussi fait des ravages dans son ménage. Encore que dans son cas, il n'y avait pas mort d'homme. Juste incompatibilité d'humeur. Elle se plaignait maintenant d'avoir épousé la demi-pointure. La comparaison avec son père desservait Randolph qui ne lui arrivait pas à la cheville.

Kathleen pleurait encore Billie lorsqu'elle rencontra Peter Fitzwilliam. Le beau Peter Fitzwilliam. Très beau, très riche, mais une fois encore très protestant. Ils devinrent assez vite amants. Kathleen avait besoin qu'un homme la prenne dans ses bras. En apprenant son intention d'épouser Fitzwilliam, Rose faillit avoir une attaque. Elle menaça sa fille de ne plus jamais lui adresser la parole si elle persistait dans cette décision. Joe ne le prenait pas bien, mais Rose le prenait encore plus mal. Elle estimait avoir son mot à dire, et ce mot était non. Cent fois non. Un Irlandais protestant ! Comme s'il n'y avait pas suffisamment d'Irlandais catholiques ! « Pas dans la bonne société, maman », répondit naïvement Kathleen. Rose s'étrangla de rage. Joe, lui, espérait un arrangement avec le ciel. Avec le Vatican. Il suspendait sa réponse à celle du pape dont il avait sollicité une audience pour transiger afin que sa fille ne soit pas excommuniée. Il devait ensuite la retrouver à Paris pour faire le point.

Kathleen redoutait cette entrevue. Elle avait demandé à Pamela de l'accompagner pour lui soutenir le moral. Mais Pamela, que Randolph accusait déjà d'être une mauvaise mère, ne pouvait prolonger son absence sans s'aliéner toute sa belle- famille. Après avoir conduit Kathleen et Peter à l'aéroport, Pamela les regarda s'éloigner vers leur avion privé sans savoir qu'elle les voyait pour la dernière fois. Alors qu'il quittait la vallée du Rhône, l'avion, déstabilisé par un orage, s'écrasa dans la montagne. Il n'y eut pas de survivant. Pour Pamela, la mort de Kathleen marqua un tournant. Elle perdait sa meilleure amie. Une partie de sa jeunesse. Elle, qui n'avait jamais fait de projet d'avenir, se rendit compte tout à coup qu'elle vieillissait. La disparition de Kathleen l'avait tellement bouleversée qu'elle se réconcilia le temps d'un week-end avec Randolph qui assistait aux obsèques (ils tombèrent dans les bras l'un de l'autre). Un week-end d'amoureux qui tourna au désastre. Randolph était incapable de faire taire ses griefs. Un malade. Il lui reprochait tout et n'importe quoi. Le décolleté de sa robe, l'affection que lui portait le vieux Winston, les gens qu'elle fréquentait... Elle était rentrée à Londres épuisée et bien décidée à accepter l'invitation du prince Ali Khan.

39

Retrouvailles, dans Paris libéré, de Cecil Beaton et de lady Diana Cooper. Une ambassadrice déjantée. Le salon vert de l'hôtel Borghèse. Le général de Gaulle. Louise de Vilmorin. Un homme, deux femmes, trois possibilités.

À la différence de Londres qui avait pas mal morflé, Paris semblait quasiment intact. Quelques impacts de balles, deux ou trois bricoles cassées, mais pas de déprédations trop voyantes. Lady Diana Cooper n'en revenait pas. Contrairement à Beaton qui prenait un air pincé, elle s'en réjouissait de tout son cœur. « Incorrigibles » est le jugement le plus sévère qu'elle portait sur les Parisiennes qui s'ingéniaient à rester élégantes en dépit des restrictions. Beaton préférait la discrétion des Anglaises. « Non, mais ce n'est pas possible, s'indignait-il, ces jupes trop courtes, ces semelles compensées, ces turbans, quelle horreur ! » Fait rarissime : la mode avait un métro de retard. La guerre était finie et on s'habillait encore comme pendant la guerre. Il faudra attendre le *new-look* pour mettre les pendules de la mode à l'heure de la Victoire. Beaton pressentait-il ces changements ? Son sens de l'esthétisme le disputait-il aux valeurs patriotiques qu'il défendait ? Les deux, mon capitaine. Depuis le début des hostilités, il serrait les fesses. Le petit doigt sur la couture du pantalon. Pendant tout le conflit, il avait fait preuve de courage. Se retrouver correspondant de guerre prouvait sa détermination. On l'avait vu sur tous les fronts. Jusqu'en Chine ! Lady Diana, qui s'étonnait de cette métamorphose, ne pouvait pas savoir que sa conduite visait à expier une bourde dont il s'était rendu coupable juste avant le déclenchement des hostilités. Dans la marge d'un dessin illustrant, en 1938, un article du *Vogue* américain sur la *café-society*, il s'était laissé aller à un commentaire antisémite. La réaction de *Vogue* ne s'était pas fait attendre : viré sur l'heure.

Lady Diana, qui le préférait moins sentencieux, cherchait à le dérider. « Regarde, c'est admirable », s'extasiait-elle, désignant le ciel de Paris tout en conduisant d'une main sa Simca décapotable, à une allure inquiétante compte tenu de la vétusté de l'automobile.

— Tu ne crois pas que tu roules un peu trop vite ? lui demanda Beaton alors qu'elle venait de griller un feu rouge.

— Chéri, je ne peux pas faire autrement, mes freins sont pour ainsi dire hors d'usage », lui répondit lady Diana ingénument en le gratifiant d'un de ces regards éperdus dont le bleu, presque délavé, ajoutait beaucoup à son charme évanescent. Regard que Beaton se plaisait d'ordinaire à décrire comme « des yeux d'amour dans la brume », mais qui le terrifiait pour l'instant car il la soupçonnait d'être myope. « Ne t'en fais pas, je navigue au radar telle une chauve-souris, précisa lady Diana comme si elle devinait ses pensées. J'aime trop cette voiture pour m'en séparer, mais nous roulons sans freins et sans avertisseur. » Lady Diana n'avait pas changé. Toujours aussi folle. Beaton l'adorait et cédait à tous ses caprices. Ce jour-là elle s'était mis dans la tête de l'entraîner chez un dentiste afin de trouver de l'or pour faire réparer une bague. Le troc continuait d'être la monnaie d'échange la plus couramment pratiquée. « Cette fois, je crois que nous sommes perdus, finit-elle par reconnaître, comme il passait pour la troisième fois devant la statue de la place de la République.

— Et je ne te serai d'aucune utilité car je ne connais pas cet horrible endroit.

— Moi non plus ! se défendit énergiquement lady Diana. Je ne suis jamais venue ici et je n'y reviendrai jamais », précisa-t-elle en regardant avec hostilité l'imposante statue tenant dans sa main un rameau d'olivier.

Cecil Beaton avait retrouvé lady Diana à Paris. Presque par hasard. Encore que parler de hasard revient à abuser de la litote : une guerre mondiale particulièrement meurtrière présidait somme toute à ces retrouvailles. Dépêchés par le ministère de l'Information pour organiser une exposition de photographies sur les bombardements de Londres (dont les Parisiens ignoraient tout où presque), Cecil Beaton avait pris ses quartiers à l'ambassade où Duff Cooper venait d'être nommé. Pour lady Diana, il tombait du ciel. Habituée à n'en faire qu'à sa tête, le rôle d'ambassadrice ne lui convenait qu'à moitié. Trop de contraintes et de gens ennuyeux. Par ailleurs, si l'hôtel Borghèse passait pour une des plus belles demeures de la capitale, il manquait de chaleur humaine. Lady Diana comptait sur les talents de décorateur de Beaton pour l'aider à réchauffer l'atmosphère. « Oh ! je n'aime pas le vert, s'était écrié celui-ci en découvrant le salon qui allait devenir le fameux salon vert de lady Diana Cooper. Jamais tu ne me feras porter du vert, ajouta-t-il.

— Je ne t'en demande pas tant, lui répondit Lady Diana. Moi non plus je n'aime pas trop le vert, mais on ne va pas repeindre, c'est classé. Et puis c'est la guerre, et à la guerre comme à la guerre...

— Avec le vert, il n'y a que le jaune, trancha alors Beaton. La faille bouton d'or, les taffetas mordorés... jusqu'au corail, avec des touches de vert plus stridentes. Un mélange de malachite et de corail, ce serait divin. Je vois cela comme ça. » En moins de deux ils réalisèrent des miracles. Ils descendirent des meubles du grenier, déroulèrent un immense tapis d'Aubusson, accrochèrent de nouveaux tableaux, ajoutèrent des coussins et des châles sur les canapés, garnirent de photos et de bibelots les rayonnages des bibliothèques...

Beaton allait surtout contribuer à la formation de cette coterie qui pendant près de quatre ans contribuerait à faire de l'ambassade d'Angleterre l'endroit le plus amusant de la capitale. Au point que les mauvaises langues rebaptiseront l'hôtel Borghèse « Au Duff sur le Toit », en référence à la boîte de nuit mythique de l'entre-deux-guerres. Beaton fit le rappel de tous ses amis parisiens. La bohème chic : Bérard et Kochno, Cocteau, Nora et Georges Auric, Jacques Février, Jean Hugo, Francis Poulenc. Le gratin révolté : Marie-Laure et Charles de Noailles, Dolly Radziwill, Marie-Blanche de Polignac, Élisabeth de Breteuil, Baba et Jean-Louis de Faucigny-

Lucinges… Duff entraînait à l'ambassade les nouveaux hommes forts : Hervé Halphan, Cornillon Molinier, Malraux, Gaston Palewski, Paul-Louis Weiller. Tous les Anglais de passage se devaient de s'y montrer : Noel Coward, Somerset Maugham, Nancy Mitford, Harold Acton. L'extravagante Marie-Louise Bousquet tombait dans les bras de l'extravagante Violette Trefusis, l'Agha Khan faisait fête à Randolph Churchill, des gloires d'avant-guerre comme Colette et Misia Sert croisaient les nouvelles beautés à la mode comme Pamela Churchill et Ghislaine de Polignac… Bref, en dehors des existentialistes qui restaient terrés dans leurs caves, tout ce que Paris comptait de célébrités pointa bientôt à l'ambassade.

On disait perfidement dans Paris que les Duff Cooper avaient redonné le goût de l'Angleterre, même à ceux qu'ils l'avaient un peu perdu. Entendu les collabos. Brassant un monde fou, ils en blanchissaient forcément. La mondanité à Paris n'avait pas attendu le départ des Allemands pour renaître de ses cendres. De ce point de vue, tout le monde avait collaboré. Les torchons comme les serviettes. Les mômes vert-de-gris comme les duchesses. Évoquant dans ses mémoires le *Maxim's* de l'occupation, Jean-Louis de Faucigny-Lucinges se plaît à tracer une ligne de démarcation entre « l'Omnibus » où l'on parquait « les bons Français » et la grande salle réservée aux Allemands. Pas très convaincant pour les ultras de la France libre. Ils accusaient de collaboration tous ceux qui n'avaient pas rejoint Londres à l'appel du 18 juin. L'histoire se répétait. Comme à l'époque du retour des Bourbons, la France était divisée en factions rivales. Ces rivalités assommaient lady Diana qui se refusait à trancher. L'ambassade d'Angleterre offrait un terrain neutre à la réconciliation des Français. En « haut lieu » on fermait les yeux. De Gaulle avait d'autres chats à fouetter. Son problème à lui, c'était plutôt les Alliés. Délivrez-moi de mes amis, mes ennemis je m'en charge. Si les mondains ne pesaient pas lourd à ses yeux, en revanche la remise en route du pays l'obsédait. La mondanité pouvait aider à son redémarrage. Plus vite le pays fonctionnerait normalement, plus vite de Gaulle s'émanciperait de la tutelle de l'Oncle Sam.

Le général de Gaulle devait beaucoup à Duff Cooper. C'était lui qui l'avait imposé à Churchill lors de son arrivée à Londres. Pris en tampon entre ces titans, il en avait entendu des vertes et des pas mûres : le langage fleuri des militaires. Duff n'avait jamais failli. De Gaulle appréciait sa droiture et sa détermination. Au moment des accords de Munich, son discours à la Chambre des communes contre Neville Chamberlain ne laissait planer aucune ambiguïté sur son refus de toute espèce de compromission. Nommé, en 1943, représentant du gouvernement britannique auprès des forces françaises libres, à Alger, il avait eu une nouvelle fois l'occasion de resserrer ses liens avec le général. Au grand dam de lady Diana qui ne supportait pas la conversation du grand Charles dont elle était régulièrement la voisine de table. « Un supplice », confiait-elle dans l'intimité en ajoutant qu'une seule chose dépassait en atrocité la conversation du général : celle de sa femme, tante Yvonne. Duff suivit de Gaulle à Paris où sa nomination à l'ambassade d'Angleterre tombait sous le sens. Elle n'en provoqua pas moins un séisme très parisien.

Snob, frivole, déjantée, lady Diana devint en moins de deux le phénix des hôtes du Paris fraîchement libéré. Appartenant à l'aristocratie la plus huppée du Royaume-Uni, lady Diana Cooper n'en avait pas moins eu une jeunesse assez bohème, allant même jusqu'à ambitionner de devenir actrice. Une transgression inimaginable à l'époque. De l'avis général, elle était à moitié folle, ce qui l'autorisait à se conduire bizarrement sans qu'on lui en tienne exagérément rigueur. « Cette pauvre Diana ne fera décidément jamais les choses comme tout le monde ! » Est-ce Beaton qui lui présenta Louise de Vilmorin ? Certains attribuent cette présentation à Gaston Palewski, d'autres à Marie-Blanche de Polignac. Toujours est-il qu'elles s'étaient trouvées. Louise de Vilmorin allait occuper une position tout à fait à part à l'ambassade : maîtresse en titre de l'ambassadeur, elle réussissait le tour de force d'être aussi la meilleure amie de l'ambassadrice. Diana tomba la première sous le charme de Louise qui fila bientôt le parfait amour avec Duff. Lady Diana, qui fermait depuis longtemps les yeux sur les infidélités de son mari, considérait Louise comme une sœur. Elles appartenaient à la même famille et d'être aimée par le même homme confirmait ce lien de parenté qui, pour imaginaire, n'en était pas moins très solide.

Tout aurait été pour le mieux dans le meilleur des mondes, sans les mauvaises langues. La conduite au-dessus de tout soupçon des Duff Cooper les délivrait d'avoir des comptes à rendre. Pas Louise : elle avait été inquiétée à la Libération. Comme beaucoup de gens. On lui reprochait, alors qu'elle était mariée au comte Palffy, d'avoir fréquenté tout le gotha d'Autriche-Hongrie. Qu'y pouvait-elle si quelques Allemands s'étaient glissés à sa table alors qu'elle habitait un pays sous la botte ennemie ? Qu'y pouvait-elle si Palffy cousinait avec une grande partie de l'état-major ? On ne refuse pas l'hospitalité à des cousins égarés sous la neige. Loin d'être impressionnés par l'étendue de l'arbre généalogique des Palffy et les lois de l'hospitalité en Europe centrale, les F.F.I. qui l'interrogeaient lui menaient la vie dure. Par deux fois, elle s'en était sortie, mais l'avenir ne lui disait rien de bon. On comprend qu'elle soit tombée malade. Un soir qu'elle dînait à l'ambassade, une mauvaise grippe l'avait surprise en sortant de table, la contraignant à dormir sur place. Un arrangement qui contentait tout le monde. Depuis, elle avait sa chambre à l'hôtel Borghèse. Si bien que lorsque les F.F.I s'étaient repointés chez elle, à Verrières, la femme de chambre de Louise avait pu leur répondre : « Madame n'est pas là.

— Et où peut-on la trouver ?

— À l'ambassade d'Angleterre. » On avait cessé de lui chercher des noises. L'évanouissement de Louise fit rapidement le tour de Paris. Le trio excitait l'imagination des plus bornés. Un homme, deux femmes, trois possibilités. « J'ai eu les deux, mais toujours séparément », confiera un jour gaiement Louise à Jean Chalon. Seulement, avec Louise, on ne pouvait jamais savoir si elle blaguait où si elle disait la vérité. Lady Diana, beaucoup plus fiable, n'en a jamais parlé.

40

Louise de Vilmorin connaît le prix d'une entrée réussie. Jean Cocteau. Marie-Laure de Noailles. Marie-Louise Bousquet. Bébé Bérard. On retrouve Nancy Mitford perplexe. Situation de sa famille. Gaston Palewski.

Éclairés à la bougie, les sept salons en enfilade de l'hôtel Borghèse procuraient aux invités qui commençaient à affluer un sentiment de luxe comme on n'en avait pas connu, à Paris, depuis longtemps. Louise de Vilmorin connaissait le prix d'une entrée réussie. Atteinte dans son enfance d'une arthrose de la hanche, elle devait surveiller sa démarche pour masquer le boitement qu'elle en avait conservé. Elle s'attardait devant un miroir afin de rectifier sa coiffure, lorsque deux mains lui enlacèrent la taille tandis qu'un visage émacié, dont elle reconnut le reflet dans la glace, se penchait pour l'embrasser dans le cou. « Oh ! mon Jean », s'écria Louise en virevoltant. Jean Cocteau et Louise de Vilmorin se connaissaient depuis une dizaine d'années. Depuis la sortie du premier livre de Louise, *Sainte une fois*. Agacé de ne pas avoir été le premier à la découvrir, Cocteau s'ingénia à rattraper ce retard en lui écrivant des lettres enflammées où il se posait en amoureux. Cherchait-il à se venger de Nathalie Paley en tombant amoureux d'une autre femme ? Espérait-il encore faire une fin honorable en se mariant ? Moins idéalement belle que Nathalie, Louise était beaucoup plus amusante. Plus sensée aussi. Ses frères veillaient sur elle comme les trois mousquetaires : ils étaient quatre. « Ma pauvre Loulou, où vas-tu encore te fourrer », lui dirent-ils en la voyant partir à l'hôtel de la Madeleine où

Cocteau lui avait fixé rendez-vous. Louise était de taille à se défendre. Se défendre de quoi ? Il ne risquait pas de la violer.

Comme Louise, Cocteau avait été inquiété à la Libération. La rancune des bignoles s'exerçait sur les célébrités. Un homme qu'on avait vu tous les jours dans les journaux pendant la guerre ne pouvait pas ne pas avoir des choses à se reprocher. Cocteau ne passait pas inaperçu. Le couple qu'il formait maintenant avec Jean Marais le désignait à l'attention des malveillants. Jeannot et Jeannette. Dans la France pudibonde du Maréchal, leur bonne étoile s'affirmait d'un rose agressif. Certains étaient partis en camp de concentration pour moins que ça. Pour vivre heureux vivons cachés. Seulement, pendant toute l'Occupation, Cocteau avait produit des succès à la pelle : *Les Chevaliers de la table ronde*, *La Machine à écrire*, *Les Parents terribles*, *L'Éternel Retour*, *L'Aigle à deux têtes*... De *happy few*, il était devenu populaire. Jean Marais n'était pas étranger à ce revirement. En l'habillant sur mesure, Cocteau se rapprochait d'un public moins élitiste. Beau comme un dieu, mais sans mystère, Marais plaisait aux midinettes. Il avait moins la cote auprès des amis de Cocteau. Misia Sert lui trouvait l'air « d'un premier à la soie ». « Un garçon de boutique », tranchait-elle avec dédain lorsqu'on se récriait devant elle sur la beauté de Jeannot. Louise partageait cette opinion, mais se gardait bien de l'exprimer. Un sujet à risque depuis l'adaptation au cinéma du roman de Louise, *Le Lit à colonnes*. Cocteau, qui travaillait avec les Tual sur le scénario, avait naturellement mis Jean Marais en tête de la distribution, alors que dans le même temps, Louise avait promis le rôle à Alain Cuny. Cocteau l'avait très mal pris.

Marie-Laure de Noailles eut un haut-le-cœur en les voyant entrer bras dessus bras dessous. Pour elle, c'était le crime soutenant le vice. Elle n'aimait pas beaucoup Louise, mais l'attention que lui portait Cocteau suffisait à la lui faire haïr. N'osant l'attaquer sur sa conduite pendant la guerre (elle-même n'était pas sans reproche et préférait se souvenir du jour où la Gestapo avait fait irruption chez elle pour vérifier ses origines, plutôt que de celui où elle avait eu un accident de voiture en compagnie d'un Allemand qui était son amant), elle se rattrapa en se moquant de sa démarche chaloupée. « Décidément, on compte les boiteuses », ajouta-t-elle en voyant Marie-Louise Bousquet pénétrer dans le salon à la suite de Louise. Francis Poulenc pouffa de rire avant de fredonner entre ses dents : « Elle avait une jambe de bois et pour que ça ne se voit pas, elle avait mis par en dessous une rondelle de caoutchouc. » La démarche saccadée de Marie-Louise Bousquet n'avait rien à voir avec le déhanchement chaloupé de Louise. « Il y a deux écoles », répondit Jacques Février à Francis Poulenc qui lui en faisait la remarque.

— Trois, souffla Poulenc, en désignant Nora Auric du menton.

— C'est bien ce que je disais : on compte les boiteuses », conclut Marie-Laure qui aimait avoir raison.

Tout en continuant de s'habiller chez les grands couturiers, Marie-Laure de Noailles donnait maintenant souvent une impression de laisser-aller. Un somptueux laisser-aller. Elle s'accrochait au surréalisme qui l'autorisait à n'en faire qu'à sa tête. À l'inverse des petites filles qui rêvent de devenir des princesses, Marie-Laure, pour vivre en conformité avec sa nature, avait fini par se délester de la plupart des principes qu'on avait cherché à lui inculquer dans son enfance. Exactement comme on décape un meuble abusivement badigeonné pour retrouver sous les enduits son état d'origine. La virago perçait sous la femme du monde. Mais elle restait une femme du monde. Le pli était pris.

Toute tordue et contrefaite, Marie-Louise Bousquet ressemblait à une marionnette de la fée Carabosse dont le bon Dieu aurait tiré les fils sans ménagement. Correspondante du *Harper's Bazaar*, elle occupait, à Paris, une place à part sur la carte des ambitions artistiques. Son salon de la place du Palais-Bourbon pouvait servir à se faire connaître. Elle était toujours partante et s'entichait facilement. Ce soir-là, elle roulait sa bosse au bras d'un jeune militaire en *battle-dress* qu'elle exhibait comme un trophée au milieu des hommes en smoking. Avait-il participé au débarquement comme elle le prétendait ? Large d'épaules et joli comme un cœur, il souriait aux anges en écoutant Marie-Louise Bousquet faire son panégyrique (il ne comprenait sans doute pas un mot de français). « Il a mis du plomb dans le faubourg Saint-Germain », s'extasiait-elle, sans que l'on comprît très bien ce qu'elle voulait dire. Mais Marie-Louise Bousquet appartenait à ces personnes dont on dit qu'elles font autorité. Apercevant Christian Bérard, elle fondit sur lui afin de lui présenter son protégé. Assis sur le bord d'une chauffeuse, avec son caniche sur les genoux, ce dernier exécutait des croquis à la pelle qu'il laissait ensuite tomber négligemment sur le sol. Chaque croquis arrachait des exclamations enthousiastes à un groupe d'admirateurs qui s'extasiaient devant les tours de magie de ce prestidigitateur faisant sortir de son chapeau tout ce que la couture et la décoration réservaient dans les années à venir.

Nancy Mitford fit un signe de la main à Beaton. Elle se rendait compte qu'il la snobait. Un ami de vingt ans ! Ce cher Cecil, toujours égale à lui-même. Elle aurait pourtant aimé qu'il vienne lui faire la conversation pour ne pas rester seule avec Violette Trefusis qui lui tapait sur les nerfs. Pourquoi Violette éprouvait-elle le besoin de lui donner des nouvelles d'Hamish St Clair-Erskine ? Nancy n'écoutait pas. Elle observait, à l'autre bout du salon, Louise de Vilmorin en grande conversation avec Gaston Palewski. Leur complicité lui perçait le cœur. Elle souffrait mille morts de les voir rire ensemble. Pour des raisons que Nancy ne comprenait que trop bien, Gaston tenait à ce que leur liaison restât secrète. Sous le prétexte qu'elle était encore mariée. Elle n'ignorait pas que Gaston avait d'autres maîtresses. Il ne lui avait jamais rien promis. Dans ses périodes de découragement, Nancy se rendait compte qu'il ne l'épouserait jamais, mais elle refusait de se laisser abattre. Gaston représentait la preuve que tout peut arriver puisqu'elle l'avait rencontré à une période de sa vie où elle n'espérait plus rien. Où elle n'attendait plus rien. Où elle ne croyait plus à rien. Nancy qui, contrairement à ses sœurs, avait toujours su raison garder en politique, s'était retrouvée gaulliste comme par enchantement. Que pouvait représenter le gaullisme pour une Anglaise de l'aristocratie ? Gaston Palewski Elle ne voyait plus que par lui et avait décidé de le rejoindre en France. Si bien qu'au lendemain de la guerre, une nouvelle vie s'ouvrait à elle. Une nouvelle vie de l'autre côté de la Manche et du bon côté du manche. D'autant que son nouveau roman, *À la poursuite de l'amour*, avait rencontré l'adhésion d'un large public.

Chef de cabinet du gouvernement provisoire du général de Gaulle, Gaston Palewski se répandait dans le monde pour porter la bonne parole. La voix de son maître. Aux affaires, de Gaulle restait un militaire : pète-sec. Alors que Gaston Palewski savait y faire. À tu et à toi avec la classe politique et les journalistes, il se montrait tout aussi à l'aise dans les salons. Ses victoires diplomatiques allaient de pair avec ses succès mondains. Et féminins ! Nancy se consolait de ses infidélités en les attribuant à une forme de marivaudage hérité du XVIIIe siècle. Elle voyait sa Gastounette comme une flèche de libertinage, avec un jabot et des manchettes de dentelles. Malheureusement pour elle, Nancy était loin du compte. D'aucuns n'hésitaient pas à décrire Palewski comme un des plus fieffés queutards de la IVe République. Porté sur le sexe au point que ses galanteries tenaient du harcèlement. Sa réputation de ne jamais raccompagner une femme sans essayer de coucher avec elle par n'importe quel moyen était si solidement établie qu'il s'entendit répondre un soir, dans un dîner, alors qu'il proposait à une de ses voisines de table de la reconduire – l'essence était encore rationnée – : « Mon cher Gaston, c'est trop aimable à vous, mais ce soir je suis tellement fatiguée que je préfère rentrer à pied. » Si Nancy Mitford rêvait toujours du grand amour, Gaston Palewski ne devait combler qu'en partie cette attente. C'était un amant hors pair, mais un cavaleur.

La guerre avait surpris Nancy en perte de vitesse. Qu'est-ce qu'on faisait d'une *Bright Young Thing* plus toute jeune en temps de guerre ? Il lui avait fallu du temps pour comprendre que s'amuser était une chose et qu'être heureuse en était une autre. Une constatation que ses premiers cheveux blancs illustraient sans ménagement. Chaque nuit, des milliers de bombes pleuvaient sur Londres. Et toutes les nuits, ces bombes qui s'enfonçaient dans le brouillard comme dans du beurre venaient hanter ses rêves. Quand elle ne dormait pas elle les entendait tomber et quand elle dormait, elle en rêvait. Le manque de sommeil, le manque d'argent, le rationnement mettaient ses nerfs à rude épreuve. Elle n'était pas la seule, mais la situation où se trouvait sa famille ajoutait à son désespoir. On a calculé qu'à raison de un ou deux livres par an depuis près d'un demi-siècle, il était paru plus de biographies des sœurs Mitford que de n'importe quel autre sujet britannique ayant vécu à la même époque. Pour ceux qui auraient échappé à cette abondante littérature, rappelons que les sœurs Mitford se firent remarquer au moment de la Seconde Guerre en raison de la diversité de leurs opinions politiques. Avec deux nazies, une communiste, une gaulliste et deux modérées, les sœurs Mitford offraient, au sein d'une même famille, un échantillonnage assez complet de l'opinion publique entre 1930 et 1950. Quel auteur dramatique aurait osé imaginer un canevas aussi épatant pour traiter, sur un ton léger et désinvolte, toutes les formes d'égarement ayant marqué le XXe siècle ? Comment ne pas penser à Lubitsch ou à Coward ? Les sœurs Mitford sont des héroïnes de Noel Coward, se coiffant crânement d'idées politiques comme s'il s'agissait d'un nouveau chapeau. C'est très misogyne comme image. Mais cette misogynie les sauve. Elles sont tellement inconscientes, frivoles, déconnectées, excentriques que leurs prises de position perdent de leur gravité. Même Unity qui s'est vautrée dans le nazisme autant comme autant, échappe au jugement de l'Histoire. Parce que l'Histoire ne sait trop par quel bout la prendre. Réagirait-on pareillement s'il s'agissait de garçons ? Aurait-on la même indulgence pour leur folie ? Mais sans doute que des garçons ne se seraient pas comportés de la même façon. Cela ne fait pas une mince différence, en temps de guerre, d'être un garçon ou une fille. Quel garçon, par exemple, aurait osé affirmer, comme le fit Diana après avoir rencontré Hitler, qu'il était « absolument délicieux ». On n'est pas obligé de trouver ça drôle. Il y a beaucoup plus drôle. Hitler et Goebbels devaient être finalement les témoins du mariage de Diana et de Mosley -chef de l'Union britannique des fascistes. Ce n'est pas là qu'il faut rire. Revoyant quarante ans plus tard les photos de la cérémonie, Diana se pâmait encore en poussant des cris et en pointant du doigt les intéressés : *« Oh ! it's too darling ! »*

Leur quart d'heure de célébrité coûtait cher aux sœurs Mitford. À la fin des années 30, des photos compromettantes de Diana et d'Unity avaient fait le tour du monde. Quel besoin d'aller brailler au Parteitag avec tous ces Allemands autour d'elles faisant le salut nazi ? Nancy leur en avait voulu. Après son flirt accablant avec Hitler, Unity n'avait rien trouvé de mieux, à la déclaration de la guerre, que de se tirer une balle dans la tête. Une manière comme une autre de s'excuser, mais elle s'était ratée. Depuis elle végétait, réduite à l'état de légume, au milieu des siens qui se disputaient à son sujet. De son côté, Diana s'était retrouvée en prison en raison de son mariage avec Oswald Mosley qui ne cachait pas ses sympathies pour les Allemands. Churchill, avec qui les Mitford cousinaient, opposait une fin de non-recevoir à leurs demandes de libération (prétextant qu'ils étaient plus en sécurité en prison qu'à l'air libre, compte tenu de tous ceux qui voulaient leur peau). Partagés au sujet de leurs *nazillonnes* de filles, les parents de Nancy ne s'adressaient plus la parole. Un temps séduit par le national- socialisme qu'il voyait comme le seul rempart contre le communisme, lord Redesdale avait fait amende honorable au début du conflit. Il était rentré dans le rang. Alors que sa femme continuait de défendre sa couvée. Même la mort de leur fils, Tom, tué en Birmanie, n'était pas parvenue à les réconcilier. Comme si tout cela ne suffisait pas à nourrir ses insomnies, Nancy se débattait dans d'insurmontables problèmes matériels. Le départ de son mari sous les drapeaux la laissait sans ressources. Pour subsister, elle travaillait dans une librairie, tout en continuant d'écrire ses romans auxquels elle ne croyait plus.

Elle touchait le fond quand sa rencontre avec Gaston Palewski inversa le cours des choses. Au point que la guerre restait pour elle associée à l'amour et au bonheur. Sans la guerre, l'aurait-elle rencontré ? Sans la guerre, aurait-elle couché aussi vite avec lui ? Un inconnu. Dès le premier soir. Sans la guerre se serait-elle laissée aller avec le même abandon à l'ivresse de ses caresses ? Même si Nancy refusait de l'admettre, la guerre lui avait fait un sacré cadeau : la révélation de l'amour physique. Jusque-là, Nancy n'avait pas eu de chance avec les hommes. On pourrait la présenter comme une victime des *Bright Young Thing*, mais on pourrait aussi bien inverser la proposition et se dire que si Nancy avait passé sa jeunesse au milieu de cette joyeuse bande d'homosexuels, c'est qu'elle avait un problème. Attitude d'échec ? Complexe d'infériorité ? Manque de confiance en soi ? Immaturité ? Elle avait aimé au moins trois de ces garçons en pure perte avant d'épouser en catastrophe – elle vieillissait – Rod Taylor dont le seul mérite était de ne pas être homosexuel. Seulement il ne suffit pas d'aimer les femmes pour les rendre heureuses. Leur incompatibilité d'humeur se révéla rapidement insurmontable. Il songeait à se séparer quand la guerre s'en chargea. Depuis son départ pour le front, Nancy était sans nouvelle de son mari. Elle le savait quelque part en Afrique, mais ignorait exactement où. C'est pourtant par l'intermédiaire de ce mari absent que Nancy allait faire la connaissance du colonel Gaston Palewski. Celui-ci avait croisé Rod à Addis-Abeba. Intrigué à l'idée de rencontrer une de ces fameuses sœurs Mitford dont tout l'Europe avait parlé, Palewski, de retour d'Éthiopie, téléphona un soir à Nancy pour lui donner des nouvelles de Rod. « Addis-Abeba ! s'écria Nancy incrédule. Laissez-moi rassembler mes esprits, je ne sais plus où se trouve Addis-Abeba. C'est affreux quand on a un mari qui est là-bas.

— Dans la corne de l'Afrique, précisa Gaston Palewski.

— De mieux en mieux, je ne savais même pas que l'Afrique portait des cornes », ajouta Nancy qui ne pouvait s'empêcher de faire de l'esprit. Et, plus sérieusement, elle lui proposa de venir prendre un verre. En le voyant entrer dans le salon, elle regretta de ne pas avoir eu le temps de se faire une mise en plis.

41

Décès de Louise de Vilmorin. Malraux, ministre de la Culture. Flash-back sur la vie de Louise. Son premier mariage. Gaston Gallimard. Second mariage avec le comte Palffy. La guerre en Hongrie. Tommy Esterhazy.

Au questionnaire de Marcel Proust, Louise de Vilmorin avait répondu alors qu'on lui demandait comment elle aimerait mourir : « Dans mon lit, entourée de toute la maisonnée en larmes. » Un souhait que le ciel exauça, en 1969, où elle succomba à une crise cardiaque alors qu'elle était montée dans sa chambre faire une sieste. Les larmes de ses admirateurs relayèrent bientôt celles de la maisonnée et, sans être universelle, l'étendue du chagrin que provoqua l'annonce de sa mort n'aurait pas manqué de flatter Louise. Tout le monde pleurait, à l'exception de quelques rivales que ses succès agaçaient (Marie-Laure de Noailles, entre autres, qui se serait, paraît-il, écriée : « Elle a fini par crever, cette salope ! ») En revenant mourir chez elle, à Verrières, sur son lieu de naissance, dans la propriété familiale des Vilmorin, Louise bouclait la boucle avec une élégance très vieille France. Si le bon goût ne les en avait détournés, les amis de Louise auraient pu se réjouir une dernière fois de son sens de l'à-propos : elle leur épargnait sa vieillesse. Mai 68 venait de sonner le glas d'une société dont elle avait été un des fleurons et si son pouvoir de séduction demeurait intact, elle n'en donnait pas moins des signes de fatigue. À soixante ans, que pouvait-elle encore espérer ? Maîtresse en titre d'André Malraux, alors tout-puissant ministre de la Culture, elle partait au sommet d'une gloire médiatique assez rare pour une femme du monde. Ce regain de célébrité la flattait. Par dérision, elle s'était elle-même baptisée *Marilyn* Malraux.

Finir en Pompadour après une vie de galanterie qui ne lui avait jamais rien rapporté ne manquait pas de sel. En dépit des avantages que lui procurait cette liaison, elle ne la rendait pas particulièrement heureuse. Malraux la fatiguait. Son intelligence et sa prodigieuse mémoire ne l'empêchaient pas d'être un raseur fini. Quand il tenait le crachoir, il n'y avait pas moyens de l'arrêter. Tout y passait : les Étrusques, les Aztèques et les Mayas, les Grecs et les Romains… Pour Louise, qui aimait briller en société, ces monologues représentaient un supplice. Dans le livre qu'il a consacré à Louise de Vilmorin, Jean Chalon rapporte une confidence qui éclaire d'un jour plus cru leur mésentente. Un soir que Louise dressait devant lui la liste des hommes qu'elle avait le plus aimés, il s'étonna de n'y trouver ni Saint-Exupéry ni Malraux. Chalon s'entendit alors préciser un détail qui, écrit-il, ramenait ces deux grands hommes à ce qu'ils avaient de plus petit : le sexe. Louise avait eu comme amants des hommes qui passaient pour être des cracks. On comprend son agacement, quand après avoir eu à subir à table un cours sur l'histoire des civilisations, elle se retrouvait au lit avec un incapable dévoré de tics nerveux et imbibé de whisky.

Elle savait pourtant à quoi s'attendre en renouant avec lui. Malraux l'avait aimée une première fois, dans les années 30, avant de la quitter en s'apercevant qu'elle le trompait. Louise de Vilmorin était de ces femmes qu'on n'oublie pas, mais Malraux n'oubliait pas non plus les cornes qu'elle lui avait fait porter. Il mit un certain temps à le lui pardonner. Louise, qui volait à l'époque de succès en succès, n'en souffrait guère, mais elle regrettait leur brouille. Comme ces bonnes ménagères qui conservent de vieux bouchons et des bouts de ficelles inutilisables, Louise aimait garder le contact avec ses ex. Au cas où. Malraux occupait une position de premier plan chez Gallimard et Louise écrivait. Bien des années plus tard, la fidélité de Malraux au général de Gaulle lui valut d'être nommé ministre de la Culture. Ministère où il fit grand bruit. Aussi Louise l'accueillit-elle avec un traitement de faveur lorsque le destin les remit en présence. Un marivaudage qui tenait du ravaudage. Lise

Deharme, qui crevait de jalousie, prétendait que Malraux se servait de Louise comme d'un paravent pour masquer sa liaison avec Ludmilla Tchérina et qu'il ne l'épouserait jamais. « Nous marier ? Aujourd'hui il n'y a plus que les prêtres qui veulent se marier », avait répondu Louise à un journaliste en mettant les rieurs de son côté. Il n'empêche qu'ils y avaient pensé. Malraux trébucha-t-il sur les marches de l'autel ? Louise lui en tenait-elle rigueur ? Le pire restait à venir. À sa mort, Malraux s'installa définitivement à Verrières, en veuf inconsolable, mais jouant quand même les faux ménages avec une nièce de Louise qui avait repris au pied levé le rôle de sa tante. On est en droit de se demander si ce sens de la famille aurait tellement plu à Louise ?

« Si vous aviez connu sa mère ! », répondait la princesse Bibesco à ceux qui, dans les années 60, s'extasiaient sur l'allure de Louise, avec une nostalgie d'autant plus appuyée qu'elle-même avait fait partie des « belles des belles de la Belle Époque ». La vie de Mélanie de Vilmorin avait été jalonnée de succès et d'intrigues. On disait qu'elle avait eu Alphonse XIII, mais Alphonse XIII n'était pas avare de sa personne. « Les rois, cela ne compte pas », précisait avec humour Mélanie en affirmant n'avoir jamais trompé son mari. Lui ayant donné six enfants, elle s'estima, à sa mort, quitte avec la société. Elle avait rempli ses devoirs. Elle profita de son veuvage pour mener une existence agréable et très indépendante… qui excluait ses propres enfants. À l'exception de Mapie, sa fille aînée, qu'elle adorait. La famille s'était scindée en deux clans. D'un côté Mélanie et Mapie. De l'autre Louise et ses quatre frères – Henri, Olivier, Roger et André – faisant bloc contre leur mère. Un rejet dont Louise avait pris la tête. L'amour absolu qu'elle portait à son père l'avait mise très tôt en rivalité avec sa mère. Cette rivalité ne pouvait aller qu'en grandissant à mesure que le charme de Louise portait ombrage à celui de Mélanie. En fait, elles se ressemblaient : même désir de plaire, même esprit de conquête, même manque de scrupules et d'instinct maternel… Louise reproduira le comportement de Mélanie en abandonnant ses trois filles en bas âge à la garde de son premier mari pour fuir le Nevada où elle se morfondait.

La disparition de son père porta à Louise un coup terrible, d'autant que peu après, sa santé qui avait toujours été fragile se détériora encore. Les médecins diagnostiquèrent une arthrose de la hanche la condamnant à une immobilité totale. Deux ans d'immobilité. Elle était plâtrée. Ses frères, qui se relayaient pour la distraire, conduisaient à son chevet leurs camarades de collèges. Le charme de Louise agissait avec d'autant plus de force sur ces jeunes gens inexpérimentés que de la savoir infirme les prédisposait à une forme d'adoration mystique. Ils tombaient comme des mouches. Louise les regardait tomber avec un sourire adorable. Elle prit ainsi très tôt l'habitude d'être le centre d'une cour d'admirateurs. Elle prit aussi très tôt l'habitude de ne pas tenir ses engagements. Ce n'est rien de dire qu'elle était flirt (elle allait entre autres désespérer Antoine de Saint-Exupéry qui voulait l'épouser). Une conduite dont le titre d'un de ses recueils de poésie rend parfaitement la teneur : *Fiançailles pour rire*. Infidèle, mais chaste jusqu'à son mariage – à l'époque une fille ne couchait pas –, elle découvrit les joies de l'adultère après avoir épousé Henri Leigh-Hunt. Un Américain plus âgé qu'elle, qui faisait la cour à sa mère. Ceci expliquant sans doute cela. La ronde des amants pouvait commencer. Elle en comptait déjà une bonne dizaine lorsqu'elle rencontra le comte Palffy qui allait devenir son second mari.

Entre-temps, Louise était revenue vivre en France, à Verrières, où elle écrivait. D'ailleurs, lorsqu'elle rencontra Palffy, elle sortait d'une liaison malheureuse avec Gaston Gallimard, son éditeur (« Je méditerai, tu m'éditeras »). Plus âgé qu'elle et d'une stature imposante, Gaston Gallimard correspondait au type d'homme auquel Louise restera fidèle toute sa vie. Des hommes à femmes, généralement dans la force de l'âge, et dont la séduction profitait d'une sérieuse expérience (même ses amants plus jeunes, comme Orson Welles ou Roger Nimier, reproduiront ce type). Le comte Palffy répondait trait pour trait à ce portrait. Chez lui, à Pudmerice, se relayait à l'époque de la chasse toute la société d'alors : les Habsbourg, les Windsor, les Savoie, les Rohan, les Hohenlohe et Hohenzollern, les Bourbon-Parme, mais aussi l'Aga Khan, le maharadjah de Patiala et celui de Jaipur, de nombreux milliardaires américains, dont Doris Duke. Le château, assez monstrueux mais très romanesque, passait pour un des plus confortables d'Europe centrale depuis qu'une précédente épouse de Palffy – une Américaine – y avait fait installer le chauffage central et plus de baignoires qu'un pape n'aurait pu en bénir. On se cognait dans les baignoires. En dehors de ces commodités, rien n'avait changé dans un style de vie qui empruntait au folklore ses temps forts : courses en traîneau, retraite aux flambeaux, chasses à l'ours. Palffy entretenait deux orchestres tziganes à demeure et emportait à la chasse sa vaisselle d'or que l'on retrouvait à l'étape sur des buffets de mousse croulant sous le caviar, les figues fraîches, les baies sauvages, les champignons et des pâtisseries à perdre la tête.

Le mariage de Louise et de Pali, célébré à Presbourg dans la plus stricte intimité, préluda à un voyage en traîneau. Tirés par quatre chevaux harnachés à la hongroise, ils glissaient dans un paysage de conte de fées. Emmitouflée dans des fourrures, Louise était dans le ravissement. Sans doute fut-elle plus heureuse pendant ce court trajet – trente-cinq kilomètres –, qu'elle ne le fut jamais au cours de sa vie. Louise n'avait pas tort de se croire l'héroïne d'un conte de fées : elle avait épousé une sorte de Barbe-Bleue. Un ogre des Carpates. Il avait déjà eu quatre femmes avant elle et en usa ensuite encore trois. Un tableau de chasse matrimonial qui renseigne sur l'étendue de ses conquêtes car il ne les épousait pas toutes. Coureur de femmes, grand chasseur, sportif accompli, ses goûts le portaient plutôt vers l'exercice physique. C'était un viveur, bourré de charme, mais qui ne brillait pas par l'exigence de ses choix. Lorsqu'elle découvrit que le charme de Palffy ne résistait pas à l'analyse, il était trop tard. Elle s'était fourrée dans un sale guêpier. Elle avait tout faux. À la veille de l'annexion par l'Allemagne de la Bohême et de la Slovaquie, chercher refuge dans les plaines de la Haute Hongrie millénaire revenait à se jeter dans la gueule du loup. Loup y es-tu ? M'entends-tu ? Son ogre des Carpates se carapatait pour un oui, pour un non. « Pali, pas pris », sifflotait Louise lorsqu'il rentrait au bercail. Il l'exaspérait. « Tu l'as voulu ton Georges Dandin », lui répondait-il lorsqu'elle se risquait à des reproches. La guerre, l'isolement, l'absence de ses frères lui faisaient broyer du noir.

Elle reprit goût à la vie en rencontrant Tommy Esterhazy. À Budapest, où elle s'était réfugiée pour échapper à la solitude. Appartenant au même milieu, ils auraient dû se connaître, seulement on évitait de les inviter ensemble parce que Tommy se trouvait être le troisième mari d'Etti qui avait été la quatrième épouse de Pali. En fait, Pali divorçait d'Etti lorsqu'il rencontra Louise. Du Boulevard. D'autant qu'Etti trompait Tommy comme Pali trompait Louise. Sans la guerre en toile de fond, ces caleçonnades auraient prêté à rire, mais l'incertitude des jours à venir hissait d'un cran cette intrigue de quatre sous. Esterhazy présentait bien : une grande famille, une grande fortune, de grands sentiments. Contrairement à Pali dont le patrimoine s'étiolait, Esterhazy était riche à millions. Un marquis de Carabas avec des terres à n'en plus finir : quatre-vingt mille hectares ! Une fortune capable de résister à tout… sauf au communisme que les Soviétiques installèrent au pouvoir à leur arrivé en Hongrie. Louise écrivait à son frère André à propos de Tommy : « C'est un homme charmant, très élégant, original et qui a bon air… Mais où l'affaire se complique, c'est qu'il m'aime à en mourir et que c'est un homme très résolu qui partirait pour l'audelà sans demander son vestiaire. » En définitive, c'est Louise qui s'en alla ayant obtenu un visa alors qu'on les distribuait au compte-gouttes. La France et ses frères lui manquaient trop. Elle promit de revenir et l'aurait fait si elle n'avait rencontré Duff Cooper.

42

Doris Duke et Porfirio Rubirosa. Lonesome play-boy. *Le néoréalisme et la via Veneto. Doris Duke à la traîne de Patton. Le* Harper's Bazaar. *Rubirosa s'y entend pour faire renouveler les consommations. La tournée des grands « Duke ».*

Assise toute seule à une terrasse de café de la via Veneto, Doris Duke ne bouda pas son plaisir de rencontrer Porfirio Rubirosa. Elle s'était pourtant juré de ne plus lui adresser la parole. La langueur qui amollissait Rome au crépuscule lui dicta-t-elle sa conduite ? Elle lui fit aimablement signe de s'asseoir lorsqu'il la salua d'un sourire éclatant. Le rencontrer équivalait à tomber sur un joker. Pour Doris Duke, Rubi n'était que le mari de Danielle Darrieux. Doris, qui travaillait pour *Harper's Bazaar*, avait un jour interviewé l'actrice en présence de son mari. Un sale type, mais qui ne manquait pas de charme. S'il ne lui avait pas sauté dessus, ce matin-là, en raison de la présence de sa femme, il ne s'était pas gêné pour lui faire comprendre qu'il la désirait. « Quel pignouf », pensa-t-elle sur le moment en rajustant son chemisier pour qu'il arrête de regarder avec insistance dans son décolleté. Elle demanda du thé et profita des questions qu'elle posait à la jeune vedette française pour ne plus lui adresser un regard. « Que pensez-vous du néoréalisme ? », « Que faites-vous à Rome ? » Habitué à ce premier mouvement de recul des femmes qu'il déshabillait du regard, Rubi savait que cette manière d'agir ne manquait pas ensuite de faire son chemin dans leur subconscient. Une semaine plus tard, Doris Duke les invitait à une petite fête qu'elle comptait donner sur sa terrasse. Rubi se montra beaucoup moins direct et beaucoup plus charmeur, mais leur relation n'évolua guère ce soir-là. D'autant que Danielle, qui partait le lendemain, insista pour rentrer de bonne heure. Elle allait rejoindre, à Marrakech, l'équipe de *Bethsabée*, une comédie dramatique, de Léonide Moguy, d'après un roman de Pierre Benoît. Son premier film depuis l'armistice. Après une interruption de deux ans, sa carrière peinait à redémarrer. D'aucuns lui reprochaient d'avoir tourné pour la Continental (société de production contrôlée par les Allemands). On lui aurait pourtant donné *Le Bon Dieu sans confession*, pour reprendre le titre d'un de ses succès.

« Comme ça vous êtes encore à Rome ? interrogea Doris Duke. Je vous croyais parti ?

— Danielle est partie, mais pas moi. Elle m'a laissé seul, répondit Rubi en s'arrangeant pour faire comprendre que cette solitude lui pesait.

— *Lonesome play-boy* », plaisanta affectueusement Doris Duke, mais comme Rubi s'extasiait sur la singularité de leur rencontre, elle se montra plus relative : « N'exagérons rien. Tous les chemins mènent à Rome, mais une fois à Rome, tous les destins convergent vers la via Veneto.

— Buvons au destin », proposa-t-il. La vogue récente de la via Veneto participait d'un effet secondaire du néoréalisme. Intrigués par ce phénomène, les studios hollywoodiens avaient dépêché sur place des producteurs pour voir ce qu'on pouvait en tirer. Tout en se tenant autant qu'ils le pouvaient à l'écart « des locaux », ils arrivèrent rapidement à la conclusion qu'il était possible de tourner, en Italie, des films à un moindre coût, et que la via Veneto était le seul endroit fréquentable de cette citée décadente. À leurs yeux, cette bande d'asphalte bordée de terrasse de cafés et d'hôtels de luxe représentait l'unique tronçon de civilisation américaine dans une Rome grouillante de vie populaire et de splendeurs baroques.

Doris Duke partageait leur avis. Dans la journée, elle aimait bien se balader, mais la nuit, les rues mal famées et mal éclairées lui flanquaient la trouille. Après le coucher du soleil, Doris ne se serait pas risquée ailleurs que sur la via Veneto. C'était le seul endroit à Rome où l'on pouvait commander un gin-fizz sans que le garçon ne vous regarde avec des yeux ronds. Doris Duke en était à son troisième gin-fizz. Rubi s'y entendait pour faire renouveler discrètement les consommations. Grâce à son « job » au *Harper's Bazaar*, Doris Duke était en mesure de reconnaître la plupart des célébrités qui hantaient ce nouveau point de ralliement. Elle désigna coup sur coup à Rubi Rossellini et Anna Magnani, et immédiatement après, Gore Vidal, Tennessee Williams et, claudiquant derrière eux, Carson Mc Cullers, mais il n'avait encore entendu parler d'aucun d'entre eux. Il la faisait rire en exagérant son admiration pour sa culture journalistique. Il la faisait rire d'autant plus facilement qu'elle était d'humeur joyeuse. Elle n'opposa aucune résistance à l'idée de l'accompagner dans un night-club. Elle but encore d'autres gin-fizz. « La tournée des grands "Duke" », plaisanta Rubi, comme ils changeaient d'établissement. Jeu de mot qu'il n'eut pas à traduire : Doris parlait français aussi bien que lui. Il commençait à penser que la chance tournait.

Doris Duke était arrivée en Italie comme correspondante de guerre. Une rude position : le point de vue d'une journaliste de mode sur la guerre ne passionnait pas l'état-major de l'armée américaine qu'elle suivait depuis Naples. À la traîne du général Patton. Loin derrière. Elle jouait le jeu, mais sans parvenir à être crédible. Les militaires ne la prenaient pas au sérieux. D'autant que son statut de milliardaire la désignait comme une fille qui n'a pas besoin de travailler. C'était injuste, mais, avec un nom comme le sien, personne ne pouvait croire qu'elle avait décroché sa promotion au mérite. Était-ce une promotion ? Elle finissait par en douter. Depuis la fin des hostilités, on la maintenait en Italie sans lui donner grand-chose à faire. Elle n'en continuait pas moins d'envoyer très régulièrement ses papiers qui étaient très irrégulièrement publiés. Si Rome ressemblait pour elle à un placard, pour Rubi il s'agissait d'un cul-de-sac. Surtout depuis que Danielle l'avait quitté. Quitté pour de bon. Elle était partie tourner un film en lui faisant comprendre qu'elle ne tenait pas à ce qu'il vienne la rejoindre. Quelques jours plus tard, un télégramme laconique précisait ses intentions : « Entre nous tout est fini. Stop. » Le stop était en trop.

La rumeur lui prêtait une aventure avec Pierre Louys, son partenaire dans *Bethsabée*. La rumeur prétendait également que Danielle accusait Rubi de l'avoir mise sur la paille. Elle se disait ruinée. La mesquinerie du procédé révoltait le *play-boy*. Fallait-il qu'elle soit restée petite-bourgeoise ! Au début de la guerre, Rubi avait fait des affaires florissantes. Entendu que « la liberté, ça n'a pas de prix », il vendait des visas pour Saint-Domingue à tous ceux qui cherchaient à fuir. Aux juifs en particulier. Il profitait également de son immunité diplomatique pour traficoter. Il roulait sur l'or. Au sens propre puisqu'il lui arrivait de passer d'une zone à l'autre dans sa Packard entièrement tapissée de lingots. Bref, la belle vie. Il était jeune, plein de pognon et le couvre-feu masquait ses débauches d'un épais rideau noir. Jamais les maisons closes ne furent plus closes que sous l'Occupation. Plus closes et plus glauques. Sa rencontre avec la jeune actrice calma ces noces priapiques, mais pas son besoin de faire la fête. Au début de leur liaison, Danielle profita largement du pécule qu'il avait amassé. Seulement, son arrestation par la Gestapo (pour des raisons qui tenaient justement à ces trafics) et sa mise en liberté surveillée le contraignirent à stopper son *business*. L'obligeant du même coup à vivre au crochet de sa femme. La liberté surveillée à Megève leur avait coûté un œil, mais, sans cette arrestation, ils auraient connu des lendemains plus difficiles. Elle les blanchissait. À la Libération, il était préférable d'avoir été prisonnier des Allemands. Les Français ne lui en cherchèrent pas moins des poux sur la tête. Trujillo l'envoya à Rome puisque le gouvernement du général de Gaulle refusait d'accréditer les diplomates restés en poste sous Vichy.

Que pesait l'actrice la mieux payée du cinéma français en comparaison de Doris Duke ? La princesse dollars. Miss Camel. Elle était au moins aussi célèbre, aux États-Unis, que Barbara Hutton. Pour la même raison. C'était d'ailleurs aussi pour elle que Bing Crosby avait chanté *Pauvre petite fille riche* : « Toute seule, oh ! oui, si seule, pauvre petite fille riche. » Laquelle était la plus riche ? En millions de millions de dollars, cela ne faisait pas une grosse différence. Là s'arrêtait la comparaison. Doris était beaucoup plus solide que ne l'était Barbara. Au physique comme au moral. C'était une grande bringue solidement charpentée et plutôt gironde. La figure pas terrible, mais pas laide non plus, à l'exception de la bouche, trop mince, et des yeux enfoncés. Que restait-il alors ? Son rire étincelant, qui rachetait ses airs chafouins, et ses cheveux permanentés qui la casquaient d'or comme une valkyrie. Son côté valkyrie l'emportait sur son côté fermière du Middle West depuis qu'elle était devenue une adepte du new-look de Christian Dior. Elle avait assisté au fameux défilé de 1947 avec toute l'équipe du *Harper's Bazaar*. Carmel Snow et Marie-Louise Bousquet en tête. Cette invitation à venir voir les collections à Paris lui avait mis du baume sur le cœur : on se souvenait de son existence. Enthousiasmée par la collection, elle commanda un grand nombre de modèles, ce qui n'avait pas dû manquer d'agacer ses supérieurs, moins fortunés.

43

Porfirio Rubirosa ambassadeur en Argentine. Le couple Perón. Evita fait tourner la baraque. Rencontre sous les tropiques de Porfirio et d'Aristote Onassis. Origine de la fortune d'Aristote. Sa première présidente.

Porfirio Rubirosa avait dû en rabattre. Lui qui aspirait à un mariage sous le régime de la communauté à la manière dont les juifs rêvent à la Terre promise déchanta au moment de la signature du contrat. Échaudée par son précédent divorce, Doris Duke avait demandé à ses avocats de lui concocter des clauses en béton. En béton pour elle. Avec toutefois quelques avantages pour lui : cinq cent mille dollars pour ses premiers frais, un B25 réaménagé en avion de luxe, une sublime Alfa- Romeo et une petite écurie de polo. À prendre ou à laisser. Rubi signa, furieux de s'être fait posséder. En revanche, son mariage avec Doris Duke ayant favorablement impressionné Trujillo, Rubirosa se retrouva bombardé ambassadeur en Argentine. Il ne pouvait pas mieux tomber : le couple Perón venait d'accéder au pouvoir. Perón et Trujillo, c'était bonnet blanc et blanc bonnet. Avec Franco, ils composaient un axe du mal façon fandangos et séguedilles. À la traîne de l'Histoire, l'Argentine peinait à reconnaître ses erreurs. En 1949, tout se passait encore là-bas comme si les Allemands avaient gagné la guerre. Seul l'afflux des réfugiés nazis donnait une idée de la réalité. La pampa grouillait de S.S. en civil. On ne comptait plus les petits avions qui se posaient en douce. Il en arrivait même en sous-marin. Ces gens-là ne voyageaient pas les mains vides. Cela représentait beaucoup d'argent.

À cinquante ans, Perón se présentait comme un héros plutôt fatigué. Pas très courageux de surcroît et passablement compromis avec le précédent régime. En revanche sa femme, Evita, ne craignait ni Dieu ni diable. Et encore moins son seigneur et maître qu'elle poussait comme une baudruche, à la manière de ces hannetons caparaçonnés d'or déplaçant devant eux d'énormes boulettes de crottin séché au soleil. Sans la rage de vaincre d'Evita, jamais Perón n'aurait pu reprendre le pouvoir. Elle ne lui en n'avait pas fait cadeau pour autant. Elle était dure en affaires. Elle avait la haine. Fille d'une prostituée d'une bourgade perdue de la pampa, Eva Duarte s'était enfuie de chez elle, à seize ans, après une enfance souillée. De quel attouchement lui avait-on fait grâce ? Avant de rencontrer Perón elle avait tout essayé : le music-hall, le cinéma, la radio. Des petits boulots, et sans doute le plus vieux métier du monde. Entre la première dame et le nouvel ambassadeur de Saint-Domingue, les choses ne traînèrent pas. Pour ce genre d'aventure, un coup d'œil suffit. On remarqua bientôt l'assiduité de Porfirio Rubirosa au palais. La *Casa Rosada*, cela ne s'invente pas. Audience sur audience. Doris Duke donnait des signes de fébrilité. Outre la conduite (l'inconduite) de son mari, l'Argentine lui portait sur les nerfs. Les Américains n'avaient plus la cote. L'ambassadeur des États-Unis avait été expulsé après avoir comparé Perón à « un nazillon d'après le déluge ». Evita traitait Doris de haut. D'autant que celle-ci refusait de se laisser rançonner pour les œuvres de charité de la première dame. Les voies du seigneur sont impénétrables : la corruption qui gangrenait le régime passait par les œuvres d'Evita Perón qui avait confisqué la charité à son profit. Dire qu'elle se sucrait au passage est peu dire. Les dons étaient obligatoires et elle ratissait large : le trésor de guerre des nazis, les cagnottes des armateurs battant pavillon argentin, le lard des éleveurs de bétails et même la couenne des *descamisados*. Eva empochait, blanchissait, flambait, redistribuait. Elle faisait tourner la baraque. A-t-elle jamais dansé le flamenco, en bas résille, sur la table du Conseil des ministres comme d'aucuns l'ont écrit ? Même si ce n'est pas vrai, cela ne laisse pas indifférent.

Comment avait-elle pu laisser, au cinéma, le souvenir d'une artiste de troisième ordre alors qu'elle réussissait à subjuguer jusqu'au délire des foules de millions de personnes ? Elle s'était fabriqué un personnage à la manière dont Marlène Dietrich construisait ses rôles. À grand renfort de toilettes somptueuses, de bijoux, de plumes, de fleurs artificielles, de fourrures. Cette blonde décolorée qui avait fait la pute parvenait, à force d'artifices et de volonté, à ressembler à un ange du ciel. Du moins à l'idée que les *descaminados* se faisaient d'un ange du ciel. Le comble du kitch. Principal soutient du pouvoir, ces *descaminados* équivalaient aux sans-culottes de la Révolution française. La lie du peuple. Les *descaminados* mangeaient dans la main d'Evita Peron. Ils la considéraient comme une sainte. À sa mort, ils réclameront sa canonisation. Il fallait qu'elle eût un sacré tempérament d'actrice pour se faire passer pour une sainte. Un rôle de composition à l'opposé de sa vraie nature : dure, teigneuse, hargneuse. Assoiffée d'honneurs et de pouvoir. Assoiffée de revanche et de reconnaissance. Mais une fois dans la peau du rôle, elle s'y croyait. Elle se crucifiait pour l'Argentine. *« Oh ! cry for me Argentina ! »* Elle pleurait, criait son amour et contrôlait les orgasmes de la foule en délire. Et l'Argentine, qui ne demandait qu'à mourir de plaisir, pleurait et criait avec elle. C'était grandiose.

Porfirio Rubirosa et Aristote Onassis, dont les routes devaient se croiser jusqu'à la mort du *play-boy* (et même après puisque sa veuve, Odile Rodin, sera la première maîtresse en titre d'Alexandre Onassis, le fils de l'armateur), n'ont pas pu ne pas se rencontrer alors. Par Alberto Dodero qui était le marquis de Carabas de ce pays-là. Si la fortune de Dodero n'impressionnait guère Doris Duke et ses millions de dollars, en revanche sa position mondaine ne pouvait laisser indifférente l'ambassadrice. C'est chez Alberto Dodero que se réunissait la société. Ce qu'il en restait. Il avait été un des seuls nantis à faire bonne figure aux Perón. Un pari risqué qui le désignait comme un paria au sein de sa propre classe, mais lui procurait de nombreux avantages. De l'avis général, il ne perdait rien pour attendre. Dodero faisait ce qu'il pouvait pour maintenir une sorte de cohésion mondaine. Ses réceptions étaient fameuses. Dans un pays d'émigration massive, on ne peut pas reprocher à la société d'être mélangée. Au mieux une mosaïque. Au pis un ramassis. Dans cette mosaïque, les Espagnols tenaient le haut du pavé. Venaient ensuite les Italiens. Et puis tous les autres : Arméniens, Libanais, Turcs, Syriens et les Grecs (dont Onassis). Bref, un ramassis à forte concentration catholique et machiste. Mais il y avait aussi d'immenses et vieilles fortunes comme dans tous les pays d'Amérique du Sud, et puis le polo et les chevaux qui attiraient les joueurs du monde entier : Ali Khan, José Luis de Villalonga, etc. (Évoquant des années plus tard l'Argentine avec des hommes d'affaires qu'il venait de rencontrer dans un cocktail, Onassis se récria : « Mon Dieu, quel pays ! Il n'y avait que des putes et des joueurs de polo...

— Hum, ma femme est née en Argentine, l'interrompit un de ses interlocuteurs.

— Ah oui, génial, et dans quelle équipe jouait-elle ? »)

Onassis avait connu Dodero bien avant l'arrivé des Perón au pouvoir. C'était chez lui qu'il avait fait ses classes. Après le sac de Smyrne où une partie de sa famille avait trouvé la mort, Aristote Onassis était venu chercher fortune en Argentine. Il était très jeune, mais comme toute sa vie il a menti sur son âge, on en est réduit aux suppositions. Entre dix-huit et vingt-deux ans. Rien dans les mains, rien dans les poches. Dix ans plus tard, alors qu'il frisait la trentaine, il pesait déjà un ou deux millions de dollars. Des clopinettes au regard de ce que lui réservait l'avenir, mais il aimait se vanter d'avoir, comme Dieu, réussi un *business* à partir de rien. Il venait de se tourner vers ce qui allait devenir son activité principale. le commerce maritime. Il pouvait être fier de sa réussite. En revanche, il lui restait beaucoup de choses à apprendre pour fréquenter la bonne société. Dodero lui avait mis le pied à l'étrier. Il impressionnait beaucoup Onassis qui cherchait à s'habiller comme lui. À imiter son style : costumes blancs, cheveux gominés plaqués sur les tempes, chaussures en crocodile. Les crocos laissent à penser que Dodero n'était peut-être pas aussi chic qu'Onassis le croyait. Mais bon, on était en Argentine. De toute façon, quoi qu'il portât, passé une heure ou deux, Onassis donnait l'impression d'avoir dormi avec. Il ressemblait à un lit défait. Il était le premier à en rire. Si on comprend l'engouement d'Onassis pour Alberto Dodero, on peut se demander pourquoi celui-ci avait pris ce petit Grec en affection ? La vitalité que dégageait Onassis ne laissait personne indifférent. D'autant qu'elle s'enveloppait d'une suavité tout orientale. Comme un loukoum poudré de coke. Pendant la guerre, Dodero et Onassis s'étaient revus à New York et à Los Angeles où Ari fréquentait maintenant des gens du cinéma. Il avait même couché avec Veronica Lake et Gloria Swanson, ce dont il n'était pas peu fier.

À l'époque où Porfirio Rubirosa jouait les excellences à Buenos Aires, Onassis avait donc quitté l'Argentine, mais il y revenait fréquemment. Il y retourna une nouvelle fois après son mariage avec Tina Livanos, pour un voyage de noces dont la somptuosité s'accordait à son nouveau statut de maître des océans. Dodero les accueillit dans sa demeure princière à Rio de la Plata. Les fêtes qui présidèrent à cette escale n'avaient pas seulement pour but d'éblouir Tina. Ce voyage de noces cachait un voyage d'affaires. Perón avait chargé Dodero de monter une marine marchande à la hauteur de ses ambitions. Armateur et fils d'armateur, Dodero semblait désigné pour ce rôle. Il chercha à intéresser Onassis à ce projet, mais celui-ci demanda à réfléchir. Il voyait les inconvénients d'une telle association. Qui en prendrait le contrôle ? Qui empêcherait les Perón, une fois l'affaire sur pied, de la confisquer à leur profit ? Onassis réserva sa réponse en dépit des arguments d'Evita qui se portait garante de la reconnaissance du dictateur. La première dame et l'armateur n'en avaient pas moins beaucoup sympathisé. Ils devaient se retrouver quelque temps plus tard sur la Riviera italienne où Dodero accompagnait Evita au cours d'une visite en Europe. Onassis confia à Dodero qu'il aimerait revoir la première dame d'une manière moins protocolaire. Selon Dodero, ça pouvait s'arranger : dix mille dollars suffiraient. L'infatigable Evita continuait de collecter des fonds pour sa fondation. « Vous allez droit au but, n'est-ce pas ? », lui demanda-t-elle, en l'accueillant dans sa villa de Santa Margherita. Après l'amour, elle lui fit des œufs brouillés. « Les plus chers que j'aie jamais mangés de ma vie », se vantait Onassis avec une satisfaction évidente. C'était sa première présidente.

44

Pamela Harriman décède dans la piscine du Ritz Health Club. *Retour en arrière sur sa vie mouvementée. Le château de l'Horizon. Ali Khan et Rita Hayworth. Rousse pour rousse. Pamela ne se sent pas de taille.*

Pamela Harriman pestait régulièrement contre la température de la piscine du *Ritz*. Dans l'eau tiède, on n'avance pas. Elle ne nageait plus aussi bien qu'avant, mais contrairement à la plupart des membres du *Ritz Health Club* qui se contentaient de se tremper et de ressortir, elle faisait, chaque jour, consciencieusement ses longueurs. Pamela trichait un peu dans le décompte de ses prouesses en annonçant nager un kilomètre (alors qu'elle s'arrêtait souvent au bout de trois ou quatre cents mètres), mais, compte tenu de son âge, cela représentait un effort tout à fait honorable. Son âge ? Elle l'oubliait le plus souvent, mais il arrivait qu'il se rappelle à son bon souvenir. Comme ce jour-là : elle ne se sentait pas très en forme. Elle espérait que sa séance de sport l'aiderait à se détendre, mais il n'en était rien. Au contraire, un sentiment d'oppression ne la quittait pas depuis qu'elle était dans l'eau. Elle décida de ne pas s'écouter et de redoubler d'efforts, se promettant de faire ensuite un écart de régime : quelque chose avec de la mayonnaise. Pamela adorait grignoter en peignoir au bord de la piscine, même si la décoration du *Ritz Health Club* laissait à désirer. À moins d'aimer le style palladien revu par les années 1980.

Critiquer la décoration du *Ritz* relevait d'un lieu commun aussi vieux que l'hôtel. Boni de Castellane prétendait déjà, lors de son ouverture, que les angelots qui ornaient les plafonds de la grande salle à manger donnaient l'impression d'avoir été peints avec les restants de sauce des ragoûts. Cent ans plus tard, on accusait toujours le *Ritz* d'être la plaque tournante de la vulgarité. Pamela Harriman avait toujours trouvé la vulgarité plutôt stimulante et cette plaque tournante présentait le mérite d'être située à deux pas de l'ambassade. Sans compter qu'en sortant de l'eau, elle pouvait profiter de l'institut de beauté pour se faire faire un massage et un brushing. En quarante ou cinquante ans, le *Ritz* n'avait guère changé alors que la société parisienne ne ressemblait plus à rien. Les gens amusants n'étaient plus fréquentables et les gens fréquentables n'étaient pas amusants. La gauche caviar l'assommait. Elle ne comprenait rien aux subtilités vestimentaires des Parisiennes qui semblaient mettre un point d'honneur à ne plus se coiffer et à s'arranger comme des pauvresses. À Londres et à New York, les gens s'habillaient encore, mais à Paris c'était fini.

En définitive, il n'y avait qu'au *Ritz* qu'elle retrouvait le luxe et l'élégance du Paris qu'elle avait connu dans sa jeunesse. Au lendemain de la guerre. Depuis qu'elle avait été nommée ambassadrice, ses cogitations la ramenaient souvent, en pensées, à l'ambassade d'Angleterre du temps où Duff Cooper et lady Diana en faisaient les honneurs. Un raccourci qui enjambait cinquante ans de sa vie. Elle n'était alors que la bru du grand Winston Churchill. Elle faisait encore ses classes, mais elle était à bonne école : lady Diana, Louise de Vilmorin, Marie-Laure de Noailles lui fournissaient des exemples qui invitaient à se dépasser. Les Françaises possédaient alors un tour d'esprit que l'on rencontrait rarement en Angleterre ou aux États-Unis. Même Misia Sert, qu'elle n'avait fait que croiser, l'avait fortement impressionnée par sa verdeur de langage. Comme ce jour où chacun s'extasiait devant elle sur la finesse d'analyse de Colette dans *Le Pur et l'Impur*, et où Misia, qui jusque-là n'avait rien dit, fit sensation en maugréant : « Oh ! ça, pour sûr elle est observatrice : après s'être fait prendre par tous les trous, elle a découvert que l'amour n'était pas un sentiment honorable. » Pamela en riait encore. Ressusciter l'ambiance qu'elle avait connue au lendemain de la guerre ? Elle aurait menti en prétendant ne pas y avoir songé en prenant ses fonctions, mais on ne peut comparer que ce qui est comparable : la vie mondaine n'avait plus rien à voir avec ce qui se passait à l'époque.

Sa nomination à la tête de l'ambassade des États-Unis représentait un drôle de détour si on y songeait. Pour une Anglaise ! Bill Clinton, élu, en partie, grâce à l'argent d'Harriman, payait à sa veuve le tribut qu'il devait à son vieil ami politique. Un renvoi d'ascenseur. Pratique courante de l'autre côté de l'Atlantique, mais qui, compte tenu de la personnalité de Pamela, avait déchaîné une tempête de commentaires ironiques. Que n'avait-on pas écrit à cette occasion ? Comment devient-on ambassadeur des États-Unis ?, interrogeaient les gros titres. « En aimant les hommes, en aimant l'argent, en aimant s'amuser et en n'ayant aucun principe », répondaient la plupart des journalistes. Tout en souscrivant à ce condensé d'une existence pleinement réussie, Pamela ne prenait aucun plaisir à le voir étalé dans la presse. Toute sa vie à nouveau livrée en pâture. Tous les hommes de sa vie : Gianni Agnelli, Élie de Rothschild, Ali Khan, Jack Whitney, Edward Murrow, Franck Sinatra, et bien sûr ses trois maris, Randolph Churchill, Leland Hayward et Averell Harriman. Sans oublier l'affection un peu libidineuse du vieux Winston. Dans la classe politique, les plus aimables des commentateurs faisaient remarquer que compte tenu de la réputation de galanterie associée à son nom, Paris relevait d'un choix assez judicieux de l'Administration. Au pays de la Pompadour, Pamela pouvait espérer régner sur un président Mitterrand que l'on accusait de dérives monarchiques. Tout ça très *private joke*, très Washington.

Le rendez-vous que le destin ménageait à Pamela Harriman et François Mitterrand arrivait un peu tard. Pamela avait soixante-treize ans. Elle rajeunissait chaque année, mais on pouvait commencer à voir les limites de ce processus. La prodigieuse énergie qui la maintenait en forme tenait maintenant un peu de l'automatisme. Force lui était d'admettre que sa nomination représentait plutôt le couronnement d'une carrière que le commencement d'un cycle. Sans lui poser de sérieux problèmes, son rôle d'ambassadrice ne lui apportait pas beaucoup de satisfaction. C'était moyen comme job. Plus grave : les enfants d'Averell Harriman lui demandaient des comptes sur la gestion hasardeuse des capitaux laissés entre ses mains par leur père. Demande qui embarrassait quelque peu l'administration du président Clinton. Tout en nageant, Pamela récapitulait ces contrariétés. Elle éprouva soudainement une douleur atroce dans son bras. L'eau devenait noire. Des vagues la submergeaient. Elle n'y voyait plus rien. Elle étouffait. Prise de panique, elle chercha à regagner le bord. Elle se débattait, mais comme ses mouvements désordonnés ressemblaient à une imitation assez maladroite du crawl, personne ne remarqua qu'elle avait besoin d'aide. Quand on la sortit de l'eau finalement, il était trop tard. Elle n'était pas morte noyée, mais d'un arrêt cardiaque. Revit-elle en accéléré toute sa vie défiler alors qu'elle était dans le noir ?

On bivouaquait au château de l'Horizon. En dépit du luxe de la propriété, la vie au château de l'Horizon ressemblait à celle d'un caravansérail : des nuées de domestiques, beaucoup d'agitation, des arrivées, des départs. Tout en veillant au confort de ses invités, le prince Ali Khan oubliait souvent les devoirs élémentaires d'un maître de maison. Comme d'être présent aux heures des repas. Il lui arrivait de disparaître plusieurs jours d'affilée. L'aventure d'Ali avec Rita Hayworth aggravait encore l'absence de protocole qui régnait au château de l'Horizon. Ali était bohème, Rita était bohémienne. Du sang gitan coulait dans ses veines. Avec tout ce que cela comporte : fougue, insubordination, violence, passion. Son manque d'éducation la pénalisait. En dehors d'une école de flamenco, elle n'avait fréquenté aucun établissement scolaire. Elle souffrait le martyre en société. Elle n'osait ouvrir là bouche. Elle se sentait à l'écart. Sa fracassante célébrité l'isolait. Les hommes étaient intimidés, les femmes la jalousaient. Profitant de ce qu'elle ne parlait ni le français ni l'italien, les amies du prince ne se gênaient pas pour se moquer d'elle sous son nez. Passé trois jours de ce régime, la star brillait d'autant moins en société qu'elle se faisait porter pâle en restant enfermée dans sa chambre. Les autres invités mettaient ses absences répétées sur le compte des caprices d'une star et en profitaient pour la descendre en flèche.

La popularité de Rita Hayworth au lendemain de la guerre dépassait tout ce qu'on peut imaginer. Ne disait-on pas que la bombe atomique portait son effigie en décalcomanie ? Ou son nom en toutes lettres ? Tous les hommes tombaient dingues d'elle. Le frère du shah d'Iran, le roi Farouk, Alberto Dodero, étaient, paraît-il, sur les rangs. Pour un mégalo, être vu à son bras revenait à décrocher la lune. Toujours à la recherche d'une nouvelle célébrité, Elsa Maxwell la poursuivait également. Apprenant qu'elle était en vacances sur la Côte d'Azur, Elsa s'était mis en tête de l'avoir comme invitée d'honneur à une fête qu'elle s'apprêtait à donner au *Sporting Club* de Cannes, en l'honneur du prince Ali Khan dont elle s'occupait des relations publics. Elle téléphona à Rita Hayworth au culot. « Je n'ai pas le cœur à sortir, je ne veux voir personne », lui répondit l'actrice. Comme tout le monde, Elsa savait qu'elle venait de quitter Orson Welles qui la trompait. Comment s'y prit-elle pour la faire changer d'avis ? Elle lui parla de prince des mille et une nuits, de revanche, de diamants. Quand Rita, à bout d'arguments, prétexta qu'elle n'avait vraiment rien à se mettre, Elsa comprit qu'elle avait gagné la partie. « Du blanc ! conseilla Elsa. Venez en blanc et arrivez tard pour faire une entrée remarquée. » Son apparition dans une robe drapée, style Madame Grès, produisit l'effet escompté. *« Oh ! my god »*, s'écria le prince en la voyant paraître. « Quelle est cette déesse ?, aurait-il demandé. – Vous aurez tout loisir de satisfaire votre curiosité puisqu'elle est votre voisine de table », répondit la commère. Comme toujours avec Elsa Maxwell, il y a à prendre et à laisser dans ce qu'elle raconte. Comment Ali aurait-il pu ne pas reconnaître Rita Hayworth, la star la plus célèbre depuis Garbo ? Admettons qu'il n'allait pas au cinéma.

Rita Hayworth et le prince Ali Khan ne se quittèrent bientôt plus. Le cirque médiatique qui entourait leur union permettait à l'Aga Khan de suivre, dans la presse, les rebondissements des amours de son fils. Il faillit s'arracher les cheveux en apprenant qu'il envisageait d'emmener sa nouvelle conquête en Espagne, alors qu'il savait que sir Winston Churchill et sa belle-fille, Pamela, étaient attendus au château de l'Horizon. Poser un lapin à Churchill ! Mais où Ali avait-il la tête ? À l'envers, justement.

Ali n'en retarda pas moins son départ jusqu'à l'arrivée de sir Winston qu'il installa dans la plus belle chambre. De l'autre côté du couloir, Pamela profitait d'un charmant appartement pour elle, la nurse et le jeune Winston. Ali attendit la fin du dîner pour prévenir sir Winston qu'il devait s'absenter, sans s'appesantir sur les raisons de ce voyage. Les explications étaient inutiles. Depuis une semaine, tous les vendeurs de journaux s'époumonaient à répercuter la nouvelle : « Rita Hayworth et le prince Ali Khan. Demandez *Paris-Soir.* » Pour Pamela, c'était vexant. Elle se faisait une joie de revoir Ali qui lui avait fait une cour pressante. À côté de Rita Hayworth, elle reconnaissait ne pas faire le poids. Rousse pour rousse… et puis elle avait d'autres soucis en tête. Son mari. Randolph ne décolérait pas qu'elle ait eu le front de le quitter. Il la bombardait de télégrammes. Le dernier en date annonçait son arrivée sur la côte d'Azur. Il voulait lui parler. Elle ne voulait plus en entendre parler. Le soutien que lui apportait sir Winston ne faisait qu'enrager d'avantage Randolph. Sir Winston manifestait à sa bru une sollicitude que leur lien de parenté ne suffisait pas à expliquer. L'écureuil avait ensorcelé le vieux lion. Le poids de sir Winston écrasait son fils. C'est dur d'être un fils à papa quand ce dernier a gagné la guerre.

45

« My name is Gianni Agnelli. » Pamela Churchill tombe sous le charme et brûle les étapes. Un faux ménage très successful. *Tout leur réussit jusqu'à une nuit d'été 1951. Il la trompe. Elle le giffle. Il se viande en voiture. Les heures de Pamela sont comptées.*

En descendant le monumental escalier qui conduisait à la mer, Pamela remarqua deux jeunes gens qui cherchaient à amarrer leur canot automobile. Un somptueux Riva. Comme elle arrivait à leur hauteur, l'un d'eux sauta sur l'embarcadère. *« My name is Gianni Agnelli »*, dit-il en souriant. Pamela n'avait jamais entendu parler de lui. Elle ignorait jusqu'à son nom et ne pouvait donc pas savoir qu'il était l'héritier du groupe Fiat, la plus grande firme industrielle d'Italie. En revanche, Gianni savait en venant chez le prince Ali Khan qu'il risquait de rencontrer Winston Churchill. Il était même impressionné à cette idée. Savait-il que l'homme d'État voyageait avec sa bru ? Il l'apprit pour son plus grand plaisir. Pamela lui plut immédiatement. Il aimait les femmes rousses. Elle l'était effrontément, avec des yeux rieurs, dont la couleur variait du vert au noisette selon la lumière. Des yeux qui ne laissaient rien passer. Pamela complétait en lui parlant sa première impression qui avait été bonne : très beau, la trentaine, élégant. Italien, forcément, même si son accent anglais s'affirmait irréprochable. Raimondo Lanza, l'ami de Gianni qui les avait rejoints, arborait la même décontraction *made in Italie.* Pamela leur proposa de se baigner. « On a le temps ? », interrogea Gianni à la fois incrédule et ravi. Pamela le rassura en éclatant de rire. Non seulement ils avaient le temps de se baigner, mais ils n'avaient que cela à faire. Ali Khan et Rita Hayworth avaient disparu depuis la veille, sir Winston déjeunait en ville et le reste des invités n'apparaissait jamais avant une heure et demie ou deux heures. « Si vous êtes venus pour les célébrités, je crains que vous n'en soyez pour vos frais », plaisanta Pamela qui ne croyait pas si bien dire. Depuis le début de la matinée, l'explosive Rita Hayworth faisait tous les frais des plaisanteries entre les deux garçons, très excités à l'idée de rencontrer la star.

Ils nagèrent jusqu'à un radeau assez éloigné. Arrivé le premier après une course avec Raimondo, Gianni aida Pamela à grimper lorsqu'elle les rejoignit. Autant par politesse que pour le plaisir de la toucher. Il s'allongea ensuite aussi près d'elle qu'il le pouvait sans paraître grossier. Leurs bras se frôlaient et en bougeant sa jambe il savait pouvoir rencontrer la sienne. Le soleil et la fatigue du crawl le maintenaient groggy. Parfaitement bien, détendu et tellement attentif à sa voisine qu'il lui semblait ressentir jusqu'au picotement de sa peau de rousse sous les ardeurs du soleil. Raimondo rompit le charme en plongeant bruyamment. Il interpella en italien Gianni qui lui dit d'aller se faire foutre. Laissant pendre leurs jambes dans l'eau, Pamela et Gianni se retrouvèrent assis côte à côte au bord du radeau. On comprenait mieux en la voyant de loin pourquoi on avait baptisé château cette villa cubique d'inspiration vaguement mauresque, dans le plus pur style des années 30 : elle était gigantesque. Sur sa masse blanche, cyprès et pins parasols se découpaient en ombres chinoises, tandis qu'un petit nuage blanc complétait cette peinture orientaliste. « Je vois quelqu'un sur la terrasse », remarqua Pamela. Elle fit rire Gianni en lui narrant sa soirée de la veille entre un auteur dramatique à succès, un archevêque et une meneuse de revue. Ils entamèrent un flirt qui se prolongea tout au long du déjeuner. Ils se revirent le lendemain et les jours suivants et moins d'une semaine plus tard, Pamela embarquait sur le *Tomawak*, le voilier d'Agnelli, en direction de Capri. Au grand scandale de la société.

À vingt-sept ans, Gianni Agnelli restait encore un adolescent. Un adolescent attardé. Il ne pensait qu'à s'amuser et à faire la fête et s'entourait d'une bande de « mauvais sujets » aussi turbulents que lui. Puisqu'il y a une expression pour cela en italien, autant l'employer : des *vitelloni*. Mais friqués, extrêmement friqués. Leurs faits d'arme ne s'élevaient généralement pas au-dessus du niveau des blagues de potaches. Comme le matin où, complètement bourrés en sortant de boîte, à Saint-Tropez, ils avaient révolutionné le marché aux poissons, en exhibant, au milieu des rascasses des étals de pêcheurs, leur sexe tout frais sorti de leur braguette en criant : « Venez voir la marée, comme elle est belle la marée ! » Dans le même genre, il était arrivé à Gianni, un soir, à Monte-Carlo, de transformer une table de roulette en urinoir. On noircirait sa mémoire en ne se souvenant que de ces mauvaises plaisanteries, mais Gianni partageait le goût prononcé des Italiens pour des références obsessionnelles, soit en actes soit en paroles, à leur membre viril.

Sa rencontre avec Pamela marqua un tournant dans sa vie. De cinq ans son aînée, elle allait l'aider à sortir de l'adolescence. Élevé dans une Italie coupée du monde par la guerre, Gianni découvrait au côté de cette sirène internationale de nouveaux horizons. Elle le bluffait en faisant partout preuve d'une aisance qu'elle devait à son éducation, mais aussi à un don d'adaptation hors du commun. Elle parla bientôt italien couramment et sans accent. Elle savait profiter de la vie en ne négligeant rien de ce qui pouvait la rendre agréable. Pamela, qui avait vocation de devenir une des hôtesses les plus accomplies du siècle, trouva en Gianni un soutien financier à la hauteur de ses ambitions. Elle s'y prit très vite très bien. Gianni lui offrit en premier lieu un magnifique appartement à Paris, proche du palais Galliera. Le reste suivit : garde-robe et bijoux, voiture de luxe, domestiques, fleurs en abondance… Christian Dior l'habillait. Georges Geoffroy fut chargé de décorer l'appartement qui devint rapidement le rendez-vous des *happy few*. Le duc et la duchesse de Windsor, les Arturo Lopez, Cecil Beaton, les Duff Cooper, Louise de Vilmorin, Daisy Fellow se pressaient aux réceptions de Pamela où le caviar et le champagne attestaient d'un niveau de vie exceptionnel. À chacun de ses voyages à Paris, son père s'étonnait : « C'est merveilleux ce que Pamela arrive à tirer avec le modeste revenu que je lui alloue. » Très pince-sans-rire, lord Édouard Digby.

Gianni et Pamela formaient un couple épatant. Ils étaient jeunes, ils étaient beaux, sensuels, intelligents, rapides ; ils partageaient les mêmes intérêts, la même soif de distractions et de plaisirs, le même besoin de mobilité ; ils tiltaient pour les mêmes gens, s'amusaient des mêmes choses... Leurs opinions ne différaient fondamentalement que sur un point : le mariage. Pamela espérait toujours se faire épouser alors que Gianni n'en avait aucune envie. Chronologiquement, Pamela s'était emmêlé les crayons, et maintenant, il était trop tard pour revenir en arrière. Elle aurait dû y penser avant. Avant de coucher avec lui. Dans l'Italie des années 50, un homme n'épousait pas une femme qui avait été ouvertement sa maîtresse. Sous son vernis international, Gianni restait terriblement italien. Piémontais, c'est pis. S'il avait pu envisager de l'épouser au début de leur idylle, il n'en était plus question. Son entourage freinait des quatre fers. Les sœurs de Gianni, qui regardaient Pamela d'un mauvais œil, s'y opposaient, et les amis de Gianni, italiens pour la plupart, ne pouvaient même pas y penser : une femme divorcée ! Protestante ! Avec un enfant ! Tout jouait contre elle. Même Winston Churchill désapprouvait une union aussi politiquement incorrecte. Il jugeait hâtif le mariage de son ex-bru en Italie, un pays ennemi de l'Angleterre pendant la guerre.

À mesure que le temps passait, les chances de Pamela d'arriver à ses fins s'amenuisaient. Elles volèrent en éclats par une belle nuit d'été. Une nuit semblable à beaucoup d'autres, en cette année 1951, où les fêtes se succédaient sur la Côte d'Azur. Gianni et Pamela, qui venaient de s'installer à Beaulieu dans l'ancienne résidence du roi des Belges, ne manquaient aucune de ces festivités. Rendez-vous fixé, ce soir-là, chez Arpad Plesh, un homme d'affaires hongrois, qui donnait un bal dans sa propriété de Mougins dont le jardin passait pour un des plus beaux de la Côte (Plesh était marié à une ex-épouse du comte Palffy, Etti, que l'on a croisée dans un des chapitres consacrés à Louise de Vilmorin). Les origines mystérieuses de la fortune de ce dernier semblaient n'avoir dissuadé personne de répondre à son invitation. Sur la terrasse dominant la mer, un orchestre paraguayen faisait danser des centaines de couples en smoking et en robe du soir. La visite du jardin offrait aux amoureux un prétexte pour se perdre dans la nuit entêtée de musique et de parfum. Gianni avait déjà beaucoup bu lorsqu'il disparut mystérieusement. Son manège auprès d'Anne-Marie d'Estainville n'avait pas échappé à Pamela qui n'en décida pas moins de patienter. Ne le voyant toujours pas revenir après une heure ou deux, elle demanda à des amis de la raccompagner à Beaulieu où elle surprit Gianni en flagrant délit (flagrant délit entre guillemets puisqu'ils n'étaient pas mariés). Pamela fermait d'ordinaire les yeux. Elle savait Gianni incapable de résister à une tentation et n'y prêtait pas trop d'importance du moment qu'il se conduisait en gentleman. Cette fois, il dépassait les bornes. Sous son propre toit ! Avec une gamine (les dix-sept ans d'Anne-Marie d'Estainville ajoutaient l'outrage à la blessure). Fallait-il le gifler pour autant ? La question ne se posa pas sur le moment. La gifle était partie toute seule.

Depuis le début de la soirée, les événements s'enchaînaient comme une suite de réactions dont le contrôle leur échappait. Leur rupture était programmée, même si elle ne se produisit qu'un peu plus tard. La gifle détermina à son tour l'attitude de Gianni qui partit furieux en claquant la porte. Avait-il déjà pris de la coke ? Retourna-t-il au bal où il se serait fait une dernière ligne ? Toujours est-il qu'en raccompagnant Anne-Marie d'Estainville à son domicile, il perdit le contrôle de son véhicule et percuta à vive allure une voiture qui venait en sens inverse. Seule Anne-Marie sortit indemne de l'accident. Les quatre passagers de l'autre voiture se débattaient entre la vie et la mort et Gianni était salement amoché. Il gisait inanimé sur son volant, la jambe droite broyée, la mâchoire fracturée. Du sang s'échappait en abondance d'une entaille qui lui barrait le front. Ses blessures se révélèrent encore plus graves qu'il n'y paraissait puisque la gangrène se mit de la partie. Rapatrié à Florence, Gianni échappa de peu à l'amputation. Pamela, qui l'avait suivi, se montra comme toujours à la hauteur : attentive, patiente, dévouée, courageuse. Mais ses jours étaient comptés. Elle se trouvait associée pour Gianni à une suite de souvenirs désagréables qui ne lui donnaient pas le beau rôle : la gifle, l'accident, les pots-de-vin distribués pour faire taire témoins et journalistes. Gianni n'ennuyait jamais personne avec ses états d'âme. (Il ne revenait jamais sur ce qui l'avait fait souffrir. Pas un mot sur la mort de son père, décapité par l'hélice d'un hydravion. Pas un mot sur les amants de sa mère qui lui tapaient sur les nerfs

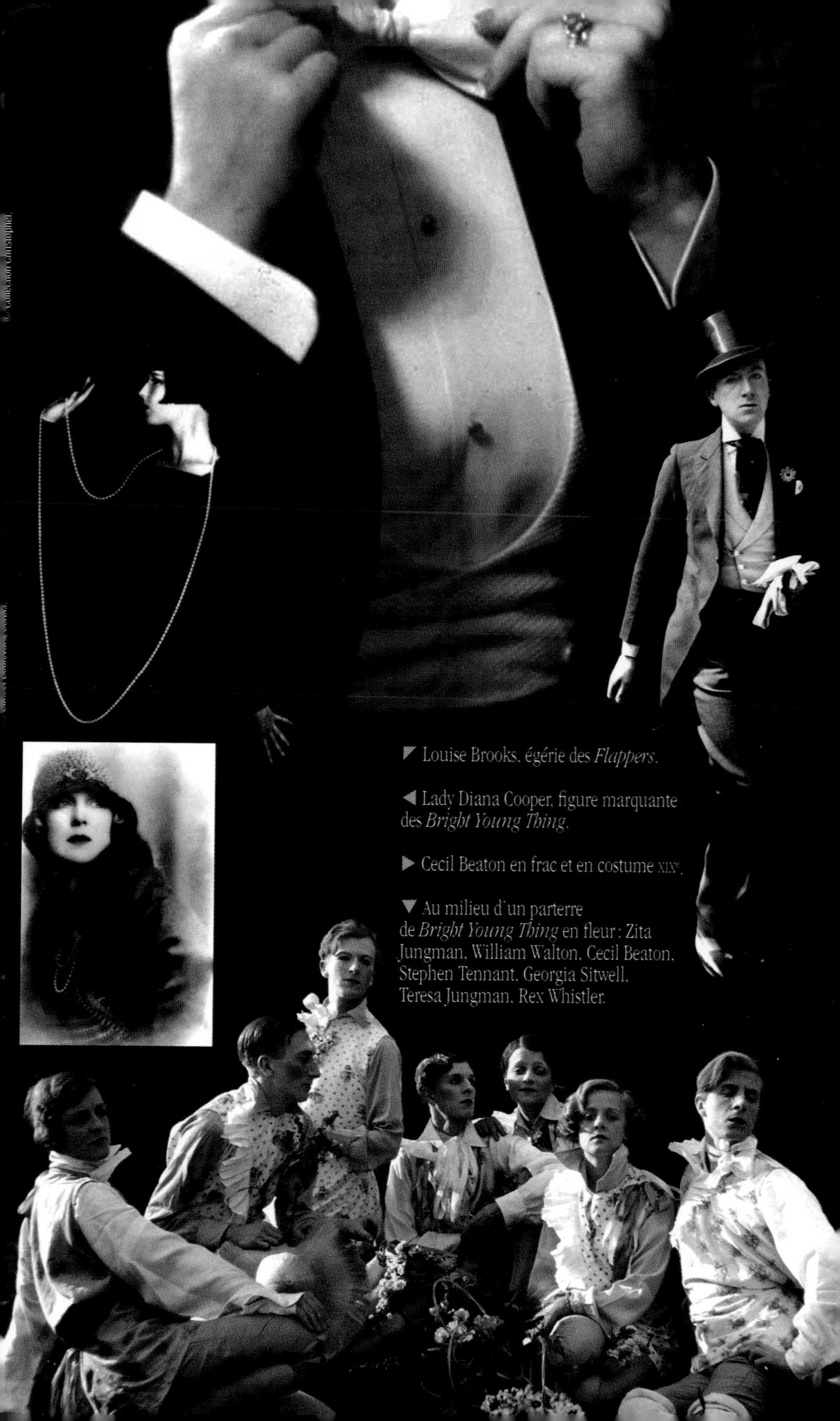

◤ Louise Brooks, égérie des *Flappers*.

◀ Lady Diana Cooper, figure marquante des *Bright Young Thing*.

▶ Cecil Beaton en frac et en costume XIXe.

▼ Au milieu d'un parterre de *Bright Young Thing* en fleur : Zita Jungman, William Walton, Cecil Beaton, Stephen Tennant, Georgia Sitwell, Teresa Jungman, Rex Whistler.

▲◥ Coco Chanel et Luchino Visconti, immortalisés par Horst.

▶ La salle à manger du *Ritz* dans les années 30.

▼ Wallis Simpson rêveuse au moment de l'abdication d'Edouard VIII.

© Roger Viollet.

© Hulton Archives/Getty images.

© Keystone/Eyedea.

◄ Le prince Ali Solomone Aga Khan tout jeune homme.

▲ Coupable entrevue : le duc et la duchesse de Windsor reçus par Hitler à Berchtesgaden.

◥ Pamela Digby lors de son mariage avec Randolph Churchill.

▼ Barbara Hutton le jour du baptême de son fils, Lance, avec son deuxième mari Curt Reventlow.

▼ Barbara Hutton en compagnie d'Alexis Mdivani et de ses frères.

© Bettman/Corbis.

© Hulton-Deutsch Collection/Corbis.

◤ Virginia Cherril à l'époque de son mariage avec Cary Grant.

◣ Cary Grant et Katharine Hepburn dans *Vacances* de George Cukor.

◤ Gloria Swanson, la star du muet au tempérament de feu.

◣ Howard Hughes et Jean Harlow, le soir de la première des *Anges de l'enfer*, en 1934.

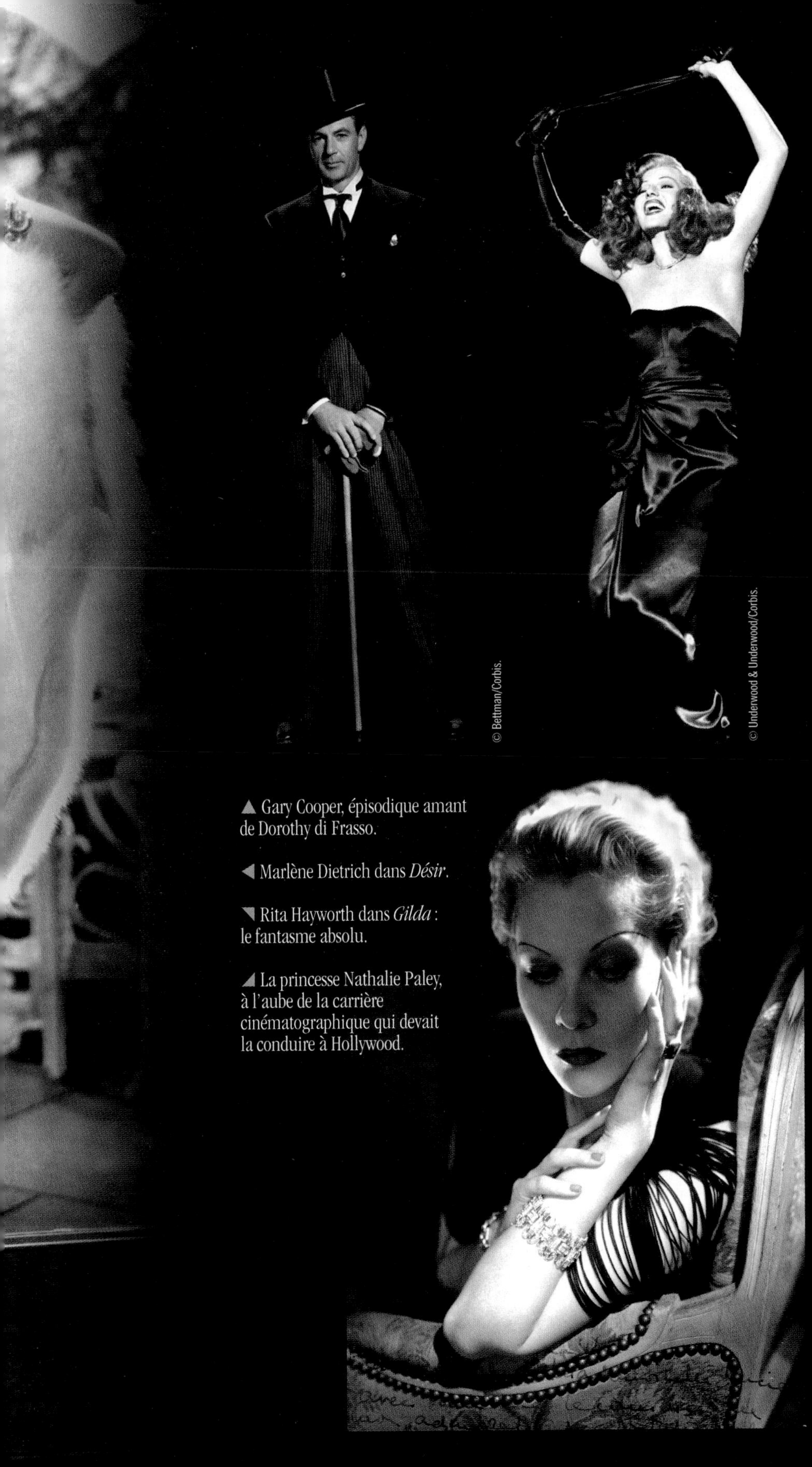

© Bettman/Corbis.

© Underwood & Underwood/Corbis.

▲ Gary Cooper, épisodique amant de Dorothy di Frasso.

◀ Marlène Dietrich dans *Désir*.

◥ Rita Hayworth dans *Gilda* : le fantasme absolu.

◢ La princesse Nathalie Paley, à l'aube de la carrière cinématographique qui devait la conduire à Hollywood.

◀ Dorothy di Frasso
n compagnie de Randolph Scott.

◀ Le duc de Windsor plus heureux qu'un roi en jouant les *boulevardier* à l'aéroport de Nice.

◀ Greta Garbo et Cecil Beaton incognito dans New York.

▲ Truman Capote et Marilyn Monroe sur la piste du *El Morocco*.

◥ Slim avec Leland Hayward, qui a inspiré le personnage de *Breakfast at Tiffany's*.

▶ Mariage de Barbara Hutton et Cary Grant. Cash and Cary.

▼ La décoratrice Elsie de Wolfe, alias Lady Mendl, à Hollywood à l'époque de sa seconde carrière américaine.

▲ Retrouvailles de Louise
de Vilmorin et de Jean Cocteau.
Loulette et Jeannot.

▲ Reflet dans un miroir :
Bettina, une tête à chapeau.

◀ Jacques et Geneviève Fath,
deux zazous de luxe.

▲ Guy and doll : Zsa Zsa Gabor et Porfirio Rubirosa.

▶ Mariage de Porfirio Rubirosa et de Danièle Darrieux.

◣ ◢ Oleg Cassini, toujours en compagnie de la plus belle femme du moment : Gene Tierney, dans les années 40, Grace Kelly dans les années 50.

▲ Jackie Kennedy, en robe bustier d'Oleg Cassini, lors d'une soirée à la Maison Blanche.

▶ Le trio infernal : Marilyn Monroe entre Robert et John Kennedy.

▼ Gianni Agnelli et Lee Radziwill sortant du *New Jimmy's* dans les années 60.

▲ Mariages princiers : Gianni Agnelli
et la princesse Marella Caracciolo,
Grace Kelly et le prince Rainier de Monaco.

▼ Dégoulinant d'orgueil, Frank Sinatra
escorte la première dame lors de la soirée de gala
donnée la veille de l'investiture du président Kennedy.

◀ Aristote Onassis et Maria Callas, à Londres en 1959.

▲ Les deux plus beaux partis de la diaspora grecque des États-Unis, Eugenia et Tina Livanos (Mme Stavros Niarchos et Mme Aristote Onassis).

◥ Alexandre Onassis, l'Héritier.

▲ Croisière sur le *Christina* pour Aristote Onassis et Jackie, nouvellement mariés.

▼ La baronne Fiona Thyssen-Bornemisza, le grand amour d'Alexandre Onassis.

N A

◤ Marie-Laure de Noailles et Serge Lifar – le dieu de la danse descendu sur terre – chez le comte Étienne de Beaumont en 1939.

◣ Au bal Beistegui : Orson Welles et Mme de Heeren.

◤ Cecil Beaton dansant avec Mme John Rolli.

◣ Marisa Berenson, déguisée en marquise Casati, au bal Proust. Une photo de Cecil Beaton.

▲ Le baron Guy
et la baronne Marie-Helène
de Rothschild, chez le baron
de Rédé en 1969.

◀ Jacques Fath,
plus Roi Soleil que le roi,
au bal donné par
Charles de Beistegui,
au palais Labia,
à Venise, en 1951.

▼ Elizabeth Taylor
et Richard Burton
photographiés
par Cecil Beaton le soir
du bal Proust donné
par Marie-Helène
de Rothschild à Ferrières
en 1972.

▲ Mademoiselle Coco Chanel et Jacques Chazot.

▼ L'entrée du *Ritz*, place Vendôme.

▲ Barbara Hutton portée par son chauffeur, à Paris, en 1976, toujours dans le rôle de la pauvre petite fille riche.

◤ La Ferrari de Porfirio Rubirosa après l'accident où il trouva la mort en 1965.

◣ Le duc et la duchesse de Windsor sortant de chez *Maxim's* en 1972.

– l'insupportable et verbeux Malaparte. Pas un mot sur les extravagances de la princesse Jane de San Faustino, sa grand-mère maternelle dont il épongeait les dettes de jeux. Pas un mot sur les accusations de compromission de la Fiat avec le fascisme.) Profitant de son immobilité, ses sœurs l'avaient repris en main, organisant à son chevet un va-et-vient de jolies filles. La beauté très aristocratique de Marella Caracciolo retint plus spécialement son attention. Si Gianni avait le moral à zéro, il n'avait rien perdu de sa vigueur. Pamela se retrouva enceinte. C'est aussi une des raisons qui précipitèrent à quelque temps de là son mariage avec Marella Caracciolo. Pas très sympa pour Pamela qui, elle, avait dû se faire avorter.

46

Bettina, mannequin vedette chez Jacques Fath. Après la guerre, la guerre des ourlets. Rita Hayworth et le prince Ali Khan assistent au défilé. Rita divise la cabine. Bettina présente la robe de mariée.

Une tête à s'appeler Bettina ? Au début elle n'en était pas sûre, mais, après réflexion, elle trouva que le prénom que venait de lui donner Jacques Fath ne lui allait pas si mal. Il ne pouvait y avoir deux Simone dans la cabine et Fath avait décrété : « Tu as une tête à t'appeler Bettina. » Finalement, même ses amis l'adoptèrent. Non seulement ce prénom choisi à la hâte allait lui rester, mais il resterait associé à l'histoire de la mode des années 50 dont Bettina serait un des plus fameux mannequins. La Parisienne type. Comparée à l'atmosphère pesante qui régnait chez Lelong où elle avait débuté, l'ambiance décontractée de chez Fath lui plaisait. M. Lelong l'intimidait, alors que Jacques Fath jouait les camarades. Question de génération. Jacques et Geneviève Fath formaient un couple à la mode. *Up to date* jusqu'au ridicule. Elle, très belle femme, avec un sourire radieux et des épaules magnifiques, lui, plutôt joli garçon, quoique déjà un peu faisandé. Mais très blond et extraordinairement papillonnant. Comme tous ses confrères, Fath profitait des retombées du *new-look*. L'onde de choc créée par Dior n'en finissait pas de se propager. Dior était aussi connu que le général de Gaulle. Tous derrière et lui devant. Fath tirait son épingle du jeu en s'illustrant dans le rôle du « petit prince de la couture ». Il avait le physique de l'emploi. *Falbalas* de Becker lui doit beaucoup. On peut penser ce qu'on veut de sa mode, souvent bâclée et tape-à-l'œil, mais son interprétation du « petit prince de la couture » demeure un des modèles du genre.

Fath était un des couturiers dont on parlait le plus. Les journalistes l'adoraient. Toujours de bonne humeur, toujours d'accord pour se laisser photographier, pour prêter des modèles… « Toujours prêt à collaborer », ajoutaient les mauvaises langues sous prétexte que l'Occupation l'avait gâté. L'immeuble de l'avenue Pierre-Ier-de-Serbie témoignait de cette réussite fulgurante que la guerre éclairait d'un jour glauque. Un deux pièces rue de la Boétie, en 1938, un immeuble en 1944 : cherchez l'erreur. Des Boches en uniforme, on en avait vu partout, mais on lui reprochait son adhésion au Cercle européen, un groupement de collaborateurs, et les liens d'affaires qu'il entretenait avec le bureau d'achat allemand de la rue Vernet. Son succès auprès des trafiquants du marché noir pesait également dans cette réprobation, mais c'est la vie de patachon qu'il avait menée avec Geneviève, pendant l'Occupation, qui le désignait à l'attention du grand public. Entre 1940 et 1945, ils avaient écumé toutes les soirées mondaines. Avec Corinne Luchaire, Josée de Chambrun, Alice Cocéa, Arletty… le nom de Geneviève Fath revenait régulièrement dans les potins des journaux. Souvent illustrés d'une photo de Geneviève en grand tralala, flanquée de son mari, légèrement en retrait pour laisser la vedette à sa femme. Deux zazous de luxe affichant un air de contentement à la Charles Trenet : sourire ahuri et yeux écarquillés de bonheur. Frappée d'amnésie à la Libération, la couture avait fait l'économie d'une épuration. (Fath n'était pas le seul. Rochas et Maggy Rouff auraient également mérité qu'on s'intéressât à leurs activités.) Alors que les écrivains et les comédiens se déchiraient à belles dents, aucun couturier n'avait été réellement inquiété (en dehors de Chanel, mais c'était une autre histoire).

À ces rumeurs, Fath opposait une frivolité que rien ne pouvait entamer. Il ne se sentait pas concerné. Il faut reconnaître, pour sa défense, qu'il affrontera la mort avec la même désinvolture. Quand la leucémie, qui allait l'emporter, en 1954, lui mènera la vie dure, il refusera de changer quoi que ce soit à ses habitudes, continuant d'organiser des fêtes comme si de rien n'était. La gravité, ce n'était pas son truc. En faisant table rase du passé, le *new-look* acheva de remettre les compteurs à zéro. Après la guerre, la guerre des ourlets. Il en allait de la grandeur de la France ! Qu'est-ce qu'on n'aurait pas fait pour la grandeur de la France ! Jacques et Geneviève Fath reprirent du service. Ils faisaient maintenant partie du Tout-Paris d'après-guerre. « Des gens qu'on voyait partout et qui finissaient par s'imposer par leur seule présence. » Les Fath étaient toujours en représentation. Geneviève, dont la beauté servait de faire-valoir aux modèles, avait l'excuse d'être une femme. Fath travaillait sans filet. Trop blond, trop bronzé, son narcissisme s'arc-boutait sur un besoin de se mettre en avant proche de l'exhibitionnisme. Son élégance en devenait presque gênante. Comme une démangeaison qu'il aurait soulagée en public : smoking blanc, costumes trop clairs, vestes de cow-boy frangées, spencers, culottes de golf, jodhpurs. On n'avait pas beaucoup vu avant lui de couturier en maillot de bain. Pour l'époque, il était plutôt bien foutu. De là à se laisser photographier en string... il n'y avait qu'un pas que le bal « Tropical » lui permit de franchir : quasiment tout nu avec une touffe de plumes s'échappant de son slip et un bouquet assorti sur la tête.

Chez Jacques Fath, Bettina gagna très vite ses galons de mannequin vedette. Fath l'adorait et créait sur elle une part importante de la collection. Jusqu'à trente modèles ! Avec ses cheveux auburn et ses taches de rousseur, Bettina rajeunissait la cabine qu'elle partageait avec huit autres filles. Jusque-là tenues pour quantité négligeable, les mannequins accédaient à un semblant de célébrité. Sans se faire un nom, elles se faisaient un prénom : Praline chez Balmain, Dovima chez Dior, Capucine... Bettina incarnait l'air du temps. Beaucoup de jeunes femmes se reconnaissaient en elle. Pour la jeunesse, son élégance offrait une alternative aux rats des caves de Saint-Germain-des-Prés. D'un côté Juliette Gréco, de l'autre Bettina. Elle aussi menait une vie de bohème, mais rive droite et griffée couture. Avec Sophie Litvak, elle drainait jusqu'au bar du *Théâtre des Champs-Élysées* une bande cosmopolite dont elle était l'égérie. Les photographes de mode relayèrent ce succès. Entre les essayages, les défilés et les séances de pose, elle n'eut bientôt plus une minute à elle. Cette vie professionnelle survoltée la consolait de ses déboires sentimentaux : son mariage avec le photographe Beno Grazziani battait de l'aile.

Bettina commençait souvent très tôt le matin sa journée de travail. Elle posait pour des photos jusqu'à l'heure du défilé, courait alors chez Fath présenter la collection, avant de retourner prendre la pose pour les magazines. Ces défilés quotidiens représentaient une contrainte, mais, à l'époque, une maison de couture se devait de montrer, au moins une fois par jour, sa collection. Il y avait des jours avec et des jours sans. Il arrivait aux mannequins de défiler devant des salles à moitié vides. Ce jour-là était un jour avec. Un grand jour : Rita Hayworth et le prince Ali Khan avaient promis d'assister au défilé. Ce secret qui s'étalait depuis la veille dans la presse attirait une foule de curieux aux abords de la maison de couture. Bettina dut jouer des coudes pour arriver jusqu'au portier qui peinait à refouler les resquilleurs. Se sachant en retard, elle grimpa quatre à quatre le grand escalier, et se glissa dans le couloir qui conduisait à la cabine. Les mannequins n'échappaient pas à l'excitation générale. La comparaison, un peu facile, avec un pensionnat de jeunes filles s'imposait. Même si la mode de l'époque faisait tout pour les vieillir (on peut penser ce qu'on veut du *new-look*, mais pour vous filer un coup de vieux, il n'y avait pas mieux). La plupart d'entre elles n'avaient guère plus de vingt ans, et la présence, dans leurs murs, de la plus célèbre des stars de cinéma et du prince charmant numéro un faisait monter la pression.

« Quoi ! Tu ne les as pas encore vus », lui reprocha Doudou – une Martiniquaise à la démarche sensationnelle – en entraînant Bettina jusqu'à un vestibule d'où l'on pouvait apercevoir le salon par une porte entrebâillée. « Un jour mon prince viendra » fredonnait Doudou en imitant la voix de tête de la chanteuse Lucie Deleine qui doublait Blanche-Neige dans le dessin animé de Walt Disney, dont la version française venait seulement de sortir à Paris. Bettina reconnut Geneviève Fath debout, mais la cohue l'empêchait de bien voir le couple vedette qu'une haie de photographes mitraillaient. Si le prince faisait l'unanimité auprès des mannequins qui se récriaient sur son charme viril, en revanche, Rita divisait la cabine. Certaines lui trouvaient l'air triste, d'autres la trouvaient distante, même si toutes s'accordaient sur sa beauté sensationnelle. « Elle a vraiment l'air triste..., insista Louise.

— D'une vache qui regarde passer un train », enchaîna Doudou en déclenchant un fou rire. Le chef de cabine, Mme Berthe, les rappela à l'ordre : « Maintenant cela suffit, ce n'est pas le jour d'être en retard.

— On ne risque pas de commencer sans nous », ironisa Doudou, qui se fit une fois encore réprimander. Mme Berthe ne plaisantait pas avec la discipline. Gare à la fille qui se trompait de chapeau. Gare à l'habilleuse qui oubliait un détail. En raison des trente modèles qu'elle défendait, Bettina disposait de sa propre habilleuse. Leur numéro était parfaitement rodé. Le précédent modèle n'était pas encore tombé à ses pieds, que Bettina enfilait déjà le suivant en le passant par la tête. Vite les bijoux, un coup d'œil à sa coiffure, une couche de poudre... déjà elle passait les chaussures et attrapait les gants qu'elle finissait d'enfiler en rejoignant le vestibule où les mannequins, à la file, attendaient leur tour. « Tu es sublime », lui souffla l'assistant qui réglait les passages. Bettina respira profondément, avant de pénétrer dans le salon.

Bettina défilait sans sourire, concentrée à la manière d'une équilibriste glissant sur une corde raide. Elle laissait courir son regard au loin sans jamais fixer un spectateur en particulier, mais comme Rita Hayworth et Ali Khan occupaient les places d'honneur devant lesquelles le défilé marquait une pause, Bettina pouvait satisfaire sa curiosité. Assis entre Geneviève Fath et sa fiancée, le prince Ali Khan leur faisait la conversation à tour de rôle. Mais alors que Geneviève se pâmait au moindre de ses propos, Rita conservait un air sévère. On la sentait agacée. Connaissant Geneviève par cœur, Bettina se rendait compte qu'elle faisait son numéro de charme. Avec ses épaules, elle arrondissait les angles. Rita, à qui son manège n'échappait pas, se trompait pourtant de cible en la considérant comme une rivale. Elle ne pouvait pas savoir que le destin s'emmêlait les crayons : Ali Khan, qui s'apprêtait à épouser Rita Hayworth, devait tomber amoureux de Bettina quelques années plus tard. Il aimait les rousses. Ce n'est pas fréquent de se présenter en robe de mariée devant l'homme qui va devenir le grand amour de votre vie. Mais là où le destin ne manquait pas de suite dans les idées, c'est que la même scène allait se reproduire à quelques années d'écart chez Givenchy, dont Bettina était devenue entre-temps le mannequin vedette. La même scène exactement, à la différence, cette fois-là, que Gene Tierney occupait la place de Rita Hayworth à côté d'Ali Khan. Une fois ? Mais deux ? C'est quand même curieux. Ali était un drôle de type. L'épouvantable feuilleton de son divorce avec Rita Hayworth s'étalait encore dans la presse qu'il pensait déjà à se remarier avec Gene Tierney. Comme si rien ne lui servait de leçon. Rita ne lui avait entre-temps pourtant rien épargné : Yasmine, leur fille, kidnappée, les sommes exorbitantes qu'elle lui réclamait, son alcoolisme, le scandale de son aventure avec le chanteur Dick Haymes, etc.

Dans le récit de sa vie, publié en feuilleton dans le journal *Elle*, au début des années 60, Bettina revient sur cette coïncidence, en précisant n'avoir ressenti alors aucune espèce de pressentiment. Peut-être même ne s'en serait-elle pas souvenue, si Franck Cappa, qui réalisait un reportage chez Fath, n'avait immortalisé la scène : Bettina auréolée de tulle devant le prince souriant. (Le plus drôle, c'est que Bettina avait alors un faible pour Cappa, mais c'est une autre histoire.) De toute façon, ce n'était pas pour tout de suite. Sept ans, en *stand-by*. Et des tonnes de rebondissements. La mariée qui donne toujours le signal des bravos déclencha un tonnerre d'applaudissements. Après avoir fait la révérence et gardé la pose, Bettina rejoignit en courant la cabine pour se changer. Elle s'apprêtait à partir retrouver Willie Maywald au studio de *Vogue*, quand elle fut rattrapée par Geneviève Fath qui tenait à lui présenter le prince et Rita Hayworth. Présentation assortie d'une corvée : Geneviève lui demanda comme une faveur d'aller le lendemain matin montrer une nouvelle fois à l'actrice quelques-uns des modèles que celle-ci pensait commander. Douze modèles (dont la robe en mousseline plissée bleu pâle qu'elle porterait pour son mariage). Un coup de pub formidable pour Fath. Des heures supplémentaires pour Bettina. À Neuilly ! Un dimanche matin ! Alors qu'elle comptait faire la grasse matinée. Le destin tissait sa toile.

47

La blessure secrète de Rita Hayworth. Sex-symbol d'une génération sous les drapeaux. Orson Welles tombe amoureux d'elle. Un couple mal assorti. Le prince Ali Khan s'éprend à son tour du fantasme absolu.

Quand on connaissait son histoire, on ne pouvait que la prendre en pitié. Née dans une famille de saltimbanques à la dérive, Rita Hayworth revenait de loin. Du plus profond de l'épouvante. Pour faire court : tout laisse à penser que son père abusait régulièrement d'elle alors qu'elle n'était encore qu'une enfant. Une mère alcoolique rendait l'accusation vraisemblable. D'autant qu'il lui avait fallu la remplacer. Sur scène d'abord, dans le numéro de flamenco qui les faisait vivre. Les Dancing Cansino's. Seulement, ensuite, il lui avait aussi fallu passer à la casserole. Rita ne se remettra jamais de ce traumatisme. Pendant toute son adolescence, elle avait vécu plus ou moins recluse. Elle passait pour une demeurée. Coupée du monde, coupée des autres enfants. Tout le monde la fuyait, même les siens. Ses frères la regardaient comme une bête curieuse. Une pestiférée. Autour d'elle, le tabou qui pesait sur l'inceste réduisait chacun au silence. On ne voulait pas savoir. On ne parlait pas de ces choses-là. Les Blancs, entre eux, ne se violaient pas. Même Orson Welles à qui elle se confiera butait sur le mot. « La chose effroyable qui lui était arrivée dans son enfance », dira-t-il. Comme si cela lui aurait écorché la bouche de dire : violée régulièrement par son père entre douze et quinze ans.

Elle s'appelait encore Margarita Cansino. Elle ne connaissait rien en dehors des bastringues minables où elle se produisait avec son paternel. Principalement au Mexique et en Californie dont le climat s'accordait à leurs espagnolades. Les casinos flottants qui avaient fleuri sur la côte Ouest pendant la prohibition les rapprochaient d'Hollywood où son père espérait encore se faire engager. Il était venu aux États-Unis pour faire carrière au cinéma, mais le parlant avait ruiné ses espoirs. Ce Sévillan parlait l'anglais comme une vache espagnole. Maintenant, il poussait Margarita en avant. En grandissant, elle était devenue belle fille. Sur scène, elle dégageait une sensualité rayonnante, mais qui s'éteignait dans la vie. Quand son père lui demandait de tenir compagnie à des clients, ils étaient atterrés par sa placidité. Elle finira par partir avec l'un d'eux. Un dénommé Eddie Judson. Elle avait échappé à l'emprise de son père pour se retrouver dans les filets de ce mari épousé à la va-vite. Un second couteau de la production qui la prostituait en cherchant à faire avancer sa carrière. Elle n'avançait pas vite. Des séries B, des westerns. Dans les studios, chacun avait son idée sur ce qu'elle aurait dû faire pour arriver. Conscient de son potentiel, mais conscient aussi que quelque chose clochait. Les yeux étaient bien, mais l'ensemble laissait à désirer. On lui arracha les molaires afin de lui creuser le visage. On lui fit rectifier les dents pour obtenir un sourire parfait. Un régime draconien vint à bout de ses kilos en trop. On l'habilla différemment. On corrigea sa diction, sa démarche. En vain. Jusqu'au jour où une coiffeuse des studios eut l'idée de changer l'implantation de ses cheveux qui descendaient trop bas sur son front en les lui épilant à l'électricité. Des séances douloureuses, mais qui, cette fois, en valaient la peine : sublime. *Bye-bye* Margarita Cansino. Rita Hayworth était née.

Une naissance qui coïncida avec l'entrée en guerre des États-Unis. La patrie se cherchait une pin-up pour soutenir le moral de ses troupes. Rita Hayworth allait être cette fille qu'on punaise dans les chambrées. Le sex-symbol d'une génération sous les drapeaux (sex-symbol : une figure délicate pour désigner les océans de sperme répandu sur son image). Elle faisait partie du paquetage des soldats qui partaient à la guerre avec ce viatique : une photo de Rita pour leur tenir compagnie dans l'adversité. Chaude comme la braise avec une cascade de cheveux roux qui attisait cette incandescence, elle aurait réveillé un mort. Debout là-dedans ! Le mythe Rita Hayworth était né. Sur ces entrefaites, Orson Welles tomba amoureux d'elle. Célèbre du jour au lendemain pour avoir semé la panique dans les foyers américains avec une émission de radio évoquant l'arrivée des Martiens, Orson Welles profitait déjà d'une réputation d'artiste maudit. Mais encore auréolé de gloire. Après le retentissement de son émission de radio, les studios l'avaient attiré à Hollywood. Mais sa carrière était retombée comme un pétard mouillé. Le génie ne faisait pas d'entrées. Prendre William Randolph Hearst pour sujet et cible de son premier film n'était pas une chose à faire. Boycotté par la presse de Hearst, le film fut boycotté par le public. Orson était entré dans la légende, et pan !, la légende avait refermé la porte sur lui. Il ne le savait pas encore et se démenait sur tous les fronts (envisageant même de faire une carrière politique). Il n'empêche qu'à trente ans, il avait déjà ses chef-d'œuvre derrière lui : *Citizen Kane* et la *La Splendeur des Amberson*. Après, ce ne sera plus comme avant.

Comme n'importe quel G.I., Orson Welles était tombé amoureux de Rita Hayworth en la voyant en photo. Rita refusait de le rencontrer. Il lui faisait peur. Sa réputation d'intellectuel l'effrayait. Il insista. À l'usure, il obtint un rendez-vous. Il se retrouva en face d'une jeune femme timide et douce à l'opposé de la star flamboyante que propulsait la presse à sensation. Timide et douce, mais aussi inculte, craintive, butée. Orson laissa ces détails de côté. Il avait tellement envie d'elle qu'il balaya toutes les objections qui pouvaient les empêcher de coucher ensemble. Après tout, ils étaient libres. Elle sortait d'une liaison avec Victor Mature, lui venait de rompre avec Dolorès del Rio. Qu'est-ce qui les retenait ? Ils devinrent amants. L'enthousiasme d'Orson rencontra finalement celui de Rita qui tomba amoureuse à son tour, avec la dévotion d'un cœur simple. Elle guettait son approbation, quêtait ses compliments, réclamait toujours plus d'attention. Elle aurait voulu qu'il s'occupât d'elle vingt-quatre heures sur vingt-quatre. Orson faisait ce qu'il pouvait pour être gentil, mais en même temps il se rendait compte qu'il n'y avait pas grand-chose à en tirer. Aucune conversation, aucune curiosité, aucune imagination, aucun intérêt pour rien. Leur seul point commun était les dessous affriolants qu'ils aimaient tous les deux. Porte-jarretelles, guêpières, déshabillés alimentaient les fantasmes d'Orson, mais ne suffisaient pas à prolonger la cohésion qu'ils connaissaient pendant leurs ébats amoureux.

Orson s'inquiétait des scènes de jalousie que Rita lui infligeait, alors sans raison. Comme beaucoup de victimes d'inceste, la peur d'être abandonnée ne la quittait jamais. Il l'épousa pour la rassurer. Le mariage ne la rassura qu'à moitié. Elle buvait pour se donner du courage. Orson ne demandait qu'à la protéger contre ses démons, seulement, à force de le tanner, Rita arrivait au résultat opposé à celui qu'elle cherchait à obtenir. Il la supportait de moins en moins. Tous les prétextes lui étaient bons pour s'échapper du domicile conjugal. La politique lui en fournissait l'occasion. Pressé par Roosevelt de se présenter au Sénat, il multipliait les meetings, les conférences de presse, les interviews, les voyages… Son rôle dans la vie politique ne dépassait pas celui d'agitateur, mais pour s'agiter il s'agitait. (Comme tous les acteurs qui font de la politique, il se voyait président. Rita en *First Lady* ? Problème.) La notoriété d'Orson agissait comme un piège à minettes. Toutes les filles lui tombaient dans les bras. Son flirt avec Gloria Vanderbilt illustre assez bien le tourbillon qui s'était emparé de sa vie. Un soir, à New York, au *Club 21*, il se retrouva à la même table que Gloria Vanderbilt. « Quelque chose s'est passé quand nos regards se sont croisés, écrira-t-elle dans ses mémoires, puis il a commencé à toucher mes genoux sous la table et bientôt nos mains ne se sont plus quittées. » Ils se retrouvèrent bientôt seuls dans un couloir où ils échangèrent baisers et caresses. Doit-on croire Gloria lorsqu'elle prétend s'être interdit de pousser les choses plus loin en pensant à Rita qui était enceinte ? Elle aurait également pu penser à son mari, l'acteur Pat de Cicco (un sbire d'Howard Hughes), quelque part sous les drapeaux.

Gloria était trop éloignée du monde du cinéma pour que Rita puisse apprendre cette aventure. En revanche, la courte liaison d'Orson et de Judy Garland ne pouvait manquer de lui revenir aux oreilles. Les espions qu'elle entretenait aux studios – coiffeuses, maquilleurs – se faisaient un plaisir de lui répéter tous les noms qui circulaient. On se souvient de Marilyn Monroe parce qu'elle a fait carrière, mais des starlettes consentantes, Orson en croisait à longueur de journée. Rita se désespérait. La naissance de leur fille, Rebecca, n'arrangea rien. Pas plus que *La Dame de Shanghai* qu'ils tournèrent ensemble alors que les choses, entre eux, n'étaient plus que du raccommodage. Ils enchaînaient les réconciliations, mais elles ne tenaient pas. Si Orson avait des maîtresses dans tous les coins, Rita, de son côté, n'était pas une sainte. Après leur séparation, on lui prêtera de nombreuses aventures, mais elle avait commencé à le tromper avant. Pendant leurs brouilles, elle se payait des à-côtés. On la photographia beaucoup en compagnie du chanteur Tony Martin avec qui elle avait tourné *Music in My Heart*. Elle eut une aventure avec David Niven et une autre avec le blond et séduisant chef d'orchestre Teddy Stauffer. Le frère du shah d'Iran traversa également sa vie. En revanche, sa liaison avec Howard Hughes demeura plutôt confidentielle. Elle fut pourtant lourde de conséquence puisqu'elle se retrouva enceinte. C'est une des raisons qui la décida à partir pour l'Europe. Autant pour prendre des vacances que dans l'idée de se faire avorter discrètement.

Sa rencontre avec Ali Khan changea une nouvelle fois le cours de sa vie. Il l'entraîna dans un tourbillon mondain auquel elle n'était pas préparée : la Grande Nuit de Longchamp, April in Paris, le Bal des petits lits blancs, Ascot, la Kermesse aux étoiles, *Maxim's*, le *Pré-Catelan*... Ils passaient leur temps à fuir la presse, en fréquentant tous les endroits où ils risquaient de la rencontrer. Rita ne savait déjà plus où elle en était quand elle découvrit qu'elle attendait un enfant. Cette déesse de l'amour tombait enceinte avec une régularité édifiante. Elle gardait un mauvais souvenir de son dernier avortement et la pression médiatique lui interdisait d'y songer à nouveau. Elle se sentait piégée. Le mariage s'imposait. Les attentions du prince la flattaient, mais elle se rendait compte qu'elle ne pouvait pas faire de plus mauvais choix. Ils vivaient sur deux planètes différentes. Elle était comme en voyage dans un pays dont elle ignorait la langue et les coutumes. Sans avoir la consolation de penser qu'elle allait rentrer chez elle. Elle était grillée à

Hollywood. À moitié grillée. Elle était partie en claquant la porte. Entre elle et le producteur Harry Cohn qui l'avait sous contrat, c'était la guerre. Elle ne supportait pas ce nabot qui rêvait de lui grimper dessus. Il la traitait comme un objet. Un objet de désir, mais un objet. Ils ne se parlaient plus que par avocats interposés. La perspective de mettre Harry Cohn en rogne entra certainement dans sa décision d'épouser le prince. Rien que pour voir la tête de cet avorton ! Elle ne s'intéressait pas spécialement à la richesse, mais recherchait la sécurité. De ce point de vue, le prince présentait de sérieuses garanties : il avait les moyens de la protéger. Et lui, pourquoi l'épousait-il ? Pour se l'approprier, comme il achetait ses pouliches ? En dehors des femmes, il n'aimait que les chevaux et les voitures. Dans quel ordre ?

La célébrité de Rita Hayworth tenait davantage au scandale de sa vie qu'à sa carrière cinématographique. Depuis *Gilda*, son image de sex-symbol lui collait à la peau. Drôle de compagne pour un garçon destiné à devenir le chef spirituel de millions d'ismaéliens ! Le vieil Aga Khan fulminait. Après s'être opposé au mariage, il avait fini par céder à contrecœur. Le père et le fils se boudaient alors qu'ils séjournaient tous les deux sur la Côte d'Azur. Entre la villa *Yakimour* et le château de l'Horizon les ponts étaient coupés. Les frasques de son fils désespéraient d'autant plus l'Aga Khan qu'il l'avait cru casé à l'époque de son mariage avec Joan Yarde-Buller. Un mariage qui dépassait toutes ses espérances. Même divorcée, une lady restait une lady (Joan avait épousé un Guinness en premières noces). Deux garçons, le prince Karim et le prince Amyn, étaient venus sceller cette union, mais les infidélités d'Ali avaient eu raison de la patience de Joan. Et maintenant les ligues de vertus se déchaînaient contre Ali ! Les gros titres des journaux stigmatisaient sa conduite. Ces campagnes ne pouvaient pas plus mal tomber. Au lendemain de la guerre, la position diplomatique de l'Aga Khan ne faisait plus l'unanimité. À avoir voulu ménager la chèvre et le chou, il apparaissait comme compromis. Ne cherchait-il qu'à protéger les intérêts des ismaéliens en fréquentant aussi bien les alliés que leurs ennemis ? Qui faisait la chèvre, qui faisait le chou ? Son mariage avec Yvette Labrousse, une miss France, achevait de le déconsidérer aux yeux de la haute société. Pour lady

Cooper, c'était un mariage de trop. « La fille d'un conducteur de tramway. Une miss Monde ! », s'indignait-elle devant Louise de Vilmorin. « Tu exagères, lui faisait remarquer Louise, elle n'est que miss France. C'est une grande belle femme. Un mètre quatre-vingt, elle sera pratique comme point de repère sur un champ de course. »

Rita cherchait du courage dans la boisson, mais passé l'euphorie des premiers verres, cette force se retournait contre elle : crises de dépression, de jalousie, incohérence, fureur. Les scènes à répétition qu'elle infligeait au prince ne le dérangeaient pas le moins du monde. Au contraire, elles ajoutaient à l'intensité de leurs relations sexuelles. Il aimait la retrouver dans les rôles de furie qu'elle interprétait à l'écran. *Gilda* : le fantasme absolu. L'irritabilité de Rita grandissait à mesure que se rapprochait la date fixée pour le mariage. Les idées les plus diaboliques peuvent germer dans les cerveaux les plus simples. À la veille de la cérémonie, elle fixa un rendez-vous secret à Orson Welles. Dans un hôtel d'Antibes. Orson, qui arrivait de Rome, la trouva parée comme si elle s'apprêtait à tourner une de ces séries B qui faisaient alors son succès : cascade de cheveux roux, un affriolant déshabillé de satin bordé de dentelle, une mule en équilibre sur la pointe du pied. Le déshabillé ne produisit pas l'effet escompté. Le lendemain, Orson repartait pour Rome. Pas plus fier que cela. « Les seuls bonheurs que j'ai eus dans ma vie, c'est par toi que je les ai connus » avait-elle eu le temps de lui murmurer. « Si c'était ça le bonheur, on n'ose pas imaginer ce qu'avait dû être sa vie jusqu'alors », reconnaîtra-t-il des années plus tard en se souvenant de tout ce qu'il lui avait fait endurer. Rita, désespérée, regagna le château de l'Horizon.

48

Portofino. Amitié sans nuage de Cecil Beaton et Truman Capote. Truman hystérique à l'annonce du mariage de Leland Hayward et de Pamela Churchill. Les côtés snobs de Slim Hayward. Les côtés salope de Pamela Churchill.

« Une statue grecque, une véritable statue grecque ! », s'exclama une nouvelle fois Cecil Beaton dans le feu d'une description qui empruntait à l'art antique ses références. Il ne tarissait pas d'éloges au sujet du jeune marin qui venait de le déposer sur la plage. Antinoüs et Adonis avaient déjà été appelés à la rescousse pour traduire la perfection de ses traits, quand Cecil, qui s'exprimait souvent par images, alla jusqu'à comparer les jambes du jeune homme aux colonnes d'un temple.

— Oui, c'est ça, trancha Truman Capote moqueur, un temple dont son sexe décorerait majestueusement le fronton.

— Pourquoi te crois-tu obligé d'être vulgaire, lui reprocha Cecil en pouffant de rire malgré tout.

— Qu'est-ce que j'y peux si tu manques de retenue dans tes métaphores ? Vulgaire, peut-être, mais tu m'as sacrément tendu la perche, si j'ose m'exprimer ainsi. »

Les deux hommes s'étaient donné rendez-vous à Paraggi, une ravissante crique, proche de Portofino où ils séjournaient. Déjà très à la mode dans les années 50, Portofino correspondait encore à l'idée qu'on entretient d'un petit port pourri de chic. Les crépis ocre ou roses des façades formaient un écrin coloré aux yachts qui venaient, du monde entier, accoster le long d'un quai où s'alignaient une dizaine de restaurants. Après le petit- déjeuner, pris à la terrasse d'un de ces restaurants, il suffisait de sauter dans une chaloupe pour Paraggi. La seule vraie plage des environs.

Depuis maintenant vingt ans, Cecil Beaton passait, non sans raison, pour être l'arbitre des élégances de la société des loisirs. Truman Capote le traitait pour l'instant encore comme son maître. Leur complicité reposait sur cette parfaite distribution des rôles : Truman considérait Cecil comme son mentor et Cecil se flattait des bonnes dispositions de son élève. Toujours extrêmement élégant, Cecil exprimait encore, dans l'âge mûr, ce sentiment de supériorité qu'éprouvent souvent les tout jeunes gens à se savoir bien habillés. Seulement, à l'inverse des jeunes gens qui font souvent des écarts, Cecil, lui, était toujours parfaitement bien habillé. Ce jour-là il arborait, « la » bonne espadrille, une chemise délavée et un chapeau de paille, de chez Motch. Le tout dans des roses plus ou moins fanés qu'il ne se serait pas cru autorisé à porter à Londres, mais qu'il jugeait du meilleur effet pour le continent. D'une manière générale, Cecil était très « fraise écrasée ». Surtout après huit jours de soleil. Truman à côté, avec son short crasseux et ses cheveux coiffés à la diable, ne pouvait que ressembler à un beatnik. Ressemblance trompeuse puisque les goûts de Truman l'entraînaient vers tout ce que rejetaient les beatniks : le luxe, l'artifice et la vie mondaine.

Ils s'entendaient si bien que certaines personnes se figuraient qu'ils avaient une liaison. Il n'en était rien. Truman vivait alors avec Jack Dumphy, un écrivain dont le caractère taciturne s'affirmait à l'opposé du sien, mais qu'il aimait tendrement. Deux pigeons. L'hiver les trouvait généralement blottis dans une station balnéaire de la Méditerranée (Tanger, Ischia, Taormina...) où, profitant d'un change avantageux, ils pouvaient mener une vie plus facile qu'aux États-Unis. Une vie sans histoire et entièrement consacrée à l'écriture. Passé trois mois de ce régime, Truman n'avait de cesse de faire venir des amis pour se changer les idées. Cecil Beaton répondait toujours présent. Il rejoignait Truman, chaque printemps, pour des vacances dont l'exotisme ravivait l'éclat. Comme ces bourgeoises qui, partant à l'étranger sans leurs maris, découvrent grâce aux autochtones qu'elles sont encore désirables, ces séjours stimulaient en outre sa libido. Avec sa carnation de homard et ses pantalons « fraise écrasée », Cecil ne passait pas inaperçu. Se méprenait-il sur les regards qu'il croisait à la dérobée ? Sa sophistication agissait-elle comme un aphrodisiaque sur les jeunes gens qui s'attroupaient pour regarder passer les touristes ? Pour Jack Dumphy les séjours de Cecil Beaton représentaient une corvée. « Un homme extraordinaire, mais je suis vraiment mal à l'aise avec lui », disait-il, en comparant l'infaillibilité de ses jugements mondains au rayonnement de Moïse ramenant les Tables de la Loi au peuple hébreu.

Cecil et Truman prenaient plaisir à approfondir ensemble leur passion commune pour la mondanité. Cecil avait sur son cadet l'avantage d'une expérience du monde qui remontait aux années 20. Et puis il était anglais, et, par le fait même, rompu aux exigences du protocole comme aux subtilités généalogiques. Truman profitait, en revanche, de la permission qu'ont les jeunes gens d'être irrévérencieux. Il désamorçait gaiement le pathos poétique avec lequel Cecil aimait entortiller ses phrases. Il n'avait pas son pareil pour le ramener à la réalité. « Elles couchaient ensemble ou pas ? » s'énervait Truman Capote, à propos de l'étrange ménage que formaient les Cooper avec Louise de Vimorin. « Comment cela tu n'y étais pas ! s'écriait-il indigné en entendant Cecil se dérober. Tu étais tous les soirs à l'ambassade d'Angleterre !

— À l'ambassade, pas dans le lit de l'ambassadeur, rectifiait Cecil qui aimait se faire prier. » Il arrivait cependant à un âge où l'on ne déteste pas raconter les folies de sa jeunesse. Il adorait tresser des couronnes à ses grandes amies d'alors : Mrs Harrison Williams, lady Ascott, Edith Sitwell, Diana Cooper, Diana Mosley, lady Edwina Mountbatten… « Et lady Mendl ? Elle est morte ? » demandait tout à trac Truman. C'était comme un jeu pour lui de trier les vivants et les morts. Tous ceux qui, dans la vieille Europe, atteignaient la soixantaine, étaient suspectés d'avoir passé l'arme à gauche. « C'est dur de vieillir, dit Truman. Tu connais la réflexion de ce type qui après avoir vu Somerset Maugham sur la Côte d'Azur s'est écrié horrifié : « Quand on voit sa figure toute bringuebalante, on ne peut s'empêcher, sans effroi, de penser à l'état dans lequel doivent être ses couilles. » Le linge sale ne se lavant jamais mieux qu'en famille, c'est à propos de l'homosexualité présumée de tel ou tel que leur érudition explosait en bouquet d'anecdotes scabreuses. Pas un planqué, pas un faux ménage ne résistaient à leurs diaboliques investigations. « Mais alors, ils étaient tous pédés !, s'écriait Truman hilare lorsque Cecil énumérait quelques-unes des frasques de sa jeunesse.

— Plus ou moins », nuançait Beaton en feignant une discrétion qui volait cinq minutes après en éclats, car il adorait dénoncer ses vieilles copines de régiment. Les Stephen Tenant, les Olivier Messel, les Noel Coward. Où encore lord Berner, ou Lytton Strachey. Pour ne pas être en reste, Truman balançait ce qu'il savait sur Gore Vidal, Tennessee Williams, Paul Bowles, Jimmy Donahue, Deham Foot. Au besoin il inventait. Passait du sûr ou moins sûr et même à l'incertain avec une facilité déconcertante. « Et le duc de Windsor avec son cousin Mountbatten ? interrogeait Truman.

— Hum !, émettait Cecil sceptique en se raclant la gorge.

— Hum, hum, reprenait Truman alléché. Maintenant j'en suis sûr ! J'en suis sûr ! » trépignait-il au comble de la joie.

L'actualité leur fournissait d'autres sujets de conversation. L'annonce du mariage de Leland Hayward et Pamela Churchill rendait Truman hystérique. « Impossible, la chose ne se fera pas, affirmait-il.

— Et pourtant elle se fera, répondait Cecil Beaton en parodiant Mme de Sévigné.

— Personne n'épouse Pamela Churchill. Agnelli ne l'a pas épousée, Élie de Rothschild ne l'a pas épousée, Ed Murrow ne l'a pas fait. Pourquoi Leland l'épouserait-il ? » Depuis maintenant plusieurs semaines, la nouvelle divisait New York en deux clans. Les pro-Slim et les pro-Pam. Jusque-là, Slim et Leland Hayward formaient un couple uni (même si Leland était coureur). D'où l'émotion qui suivit l'annonce de leur séparation. Truman prenait la défense de Slim qu'il aurait considérée comme sa meilleure amie, s'il n'en avait eu une dizaine d'autres qu'il aimait tout autant. Elle occupait cependant une place de choix dans son cœur (et lui avait inspiré certains traits du personnage d'Holly Golightly dans

Breakfast at Tiffany). Avec Gloria Guinness et Babe Paley, elle faisait partie du tiercé gagnant des beautés américaines des années 50. Babe Paley incarnait l'élégance, Gloria Guinness, le chic, et Slim Hayward, la perfection. En toute simplicité, mais avec un solide sens de l'humour qui tempérait cette perfection. En arrivant à New York, Slim avait commencé par poser pour des photos de mode. En 1945. Autant dire qu'elle représentait pour les autres cover-girls ce que la déesse Vénus est au glamour : le mythe fondateur.

Frappée par sa beauté, Carmel Snow lui avait fait enchaîner, au lendemain de la guerre, les couvertures du *Harper's Bazaar*. On disait qu'elle avait inspiré à son premier mari, le réalisateur Howard Hawks, quelques-uns des rôles interprétés par Lauren Bacall à l'écran (autre transfuge du *Bazaar*). Mêmes yeux verts, mêmes sourcils en accent circonflexe... Pourquoi ne prenait-il pas l'original ? Slim n'était pas spécialement intéressée par une carrière cinématographique. L'idée de se lever tous les matins à l'aube afin de rejoindre les studios avec des bigoudis sur la tête ne lui disait rien du tout. Elle se laissait vivre, d'autant que la vie la gâtait. Beaucoup de ses amies ne comprenaient pas son étonnante décontraction et pensaient que Slim n'avait pas la fortune qu'elle méritait. Elle n'y attachait aucune importance jusqu'à ce qu'elle découvre que Leland la trompait. Le ciel lui tombait sur la tête. Elle s'y attendait d'autant moins que Leland lui faisait une vie de rêve. Elle s'entendait bien avec les enfants qu'il avait eus de Margaret Sullavan. Ils possédaient une charmante propriété dans le Connecticut et un pied-à-terre à New York avec une sublime terrasse qui les autorisait, en été, à donner des cocktails où se pressait le tout New York.

« Moi qui ne me doutais de rien, se lamentait Truman. Juste avant que je vienne ici, j'ai croisé Leland et Pamela dans un restaurant de New York où ils déjeunaient en tête à tête. Je les ai même chambrés en disant que j'allais écrire à Slim ! Mais le pire c'est que j'ai réellement écrit à Slim pour lui demander si elle savait que son mari s'affichait avec la scandaleuse Mme C. Pauvre Slim, elle, non plus ne se doutait de rien (encore qu'elle n'a pas hésité une seconde sur l'identité de Mme C.). Elle m'a immédiatement bombardé de questions. Tu imagines ma position. Depuis, j'ai appris comment les choses s'étaient passées. Leland, qui trompait Slim depuis plusieurs mois, a prétexté un empêchement de dernière minute pour ne pas prendre l'avion avec elle pour l'Espagne. Et le lendemain il retournait à l'aéroport accueillir Mme C. qui arrivait avec armes et bagages. Ils se sont installés dans une suite au *Carlyle* où Pamela a commencé à refaire la décoration en décrochant les gravures pour les remplacer par des tableaux impressionnistes de sa collection.

— Mauvais signe, remarqua Cecil, tu ne t'encombres pas d'impressionnistes pour partir en week-end.

— Et comme Slim doit rester absente six semaines, elle a pour l'instant le champ libre.

— Quel besoin avait Slim de partir pour l'Espagne ? demanda Cecil en se faisant l'avocat du diable.

— Mais il devait la rejoindre ! s'indigna Truman. Il le lui avait promis.

— Quel crédit accorder aux promesses d'un homme aussi inconséquent ? Tout le monde sait que lorsqu'il a épousé Margaret Sullavan, il a tout simplement oublié de prévenir Katherine Hepburn avec qui il était officiellement fiancé. On n'abandonne pas son mari pendant un mois et demi alors qu'un cyclone nommé Pamela est annoncé. Et pourquoi ne rentre-t-elle pas ? Qu'a-t-elle de si important à faire en Espagne ?

— Rendez-vous avec Hemingway... mâchonna Truman agacé.

— Comment peut-elle supporter cette baudruche ?

— Il l'adore et elle encaisse très bien l'alcool. C'est vrai qu'elle a un côté comme ça : les corridas, les safaris, la pêche au gros, Dominguin, Lucia Bose, John Huston, Sam Spiegel, Franck Cappa... C'est son côté snob...

— Excuse-moi, l'interrompit Cecil, mais je ne comprends même pas de quoi tu parles.

— Des corridas ! Picasso, si tu préfères. Le snobisme de Slim consiste à jouer les grandes filles toutes simples au milieu d'une bande de mecs virils qui la vénèrent et la respectent comme une sainte. Comme dans les films d'Howard Hawks.

« Une aventurière de haute volée », rectifia Cecil Beaton alors que Truman traitait Pamela Churchill de grosse pute. « Pamela n'est pas immorale, pousuivit-il doctement, elle est totalement amorale. Au-delà du bien et du mal. Au-dessus des lois, comme ses ancêtres. Les aristocrates n'étaient-ils pas à l'origine des aventuriers s'octroyant privilèges et passe-droits à la pointe de l'épée ? C'est une merveilleuse femme primitive, sans aucune capacité intellectuelle, mais avec un goût infaillible, beaucoup d'esprit et une incroyable perspicacité.

— C'est quoi déjà sa famille ? demanda Truman.

— Les Digby, s'impatienta Cecil importuné par cette interruption. » Truman se rendait compte que lorsqu'il commençait à débloquer sur les grandes familles anglaises, Beaton perdait son sens de l'humour. Étant lui-même sensible aux titres de noblesse, il ne lui en voulait pas trop, mais déplorait des effets secondaires qu'il n'éprouvait pas. Prenant en considération le train de vie de Pamela, Truman et Cecil s'accordaient à penser que Leland finirait par prendre conscience qu'il n'avait pas les reins assez solides pour l'entretenir. Pamela ne perdrait pas du jour au lendemain les habitudes de luxe qu'elle avait prises avec Agnelli et Élie de Rothschild. Seulement, Leland était assez niais pour se montrer flatté à l'idée d'entrer, grâce à elle, dans le club très fermé des hommes capables de l'entretenir. Plus curieuse était la position de Pamela. Pour une Diane chasseresse de sa trempe, Leland n'était pas un bien gros gibier, mais il lui accordait ce que tous les autres lui avaient refusé : le mariage. Pamela était arrivée à un stade de sa vie où elle avait besoin de se marier. Cette maîtresse femme s'impatientait d'être toujours la maîtresse et jamais la femme. Elle trouvait normal de se marier de temps en temps. Pas chaque fois, mais de temps en temps.

49

La duchesse de Windsor retrouve le moral grâce à Jimmy Donahue. Elle fait partager son béguin au duc. Le mari, la femme et l'amant du mari ? Mauvaise réputation de Jimmy. La sombre histoire d'un G.I. retrouvé nu sous le pont de la 59e Rue.

Lorsque le duc de Windsor avait été nommé gouverneur des Bahamas, les mauvaises langues ne s'étaient pas privées de dire qu'on lui faisait cadeau d'une lampe à bronzer. En fait il s'agissait surtout, alors, de le tenir le plus éloigné possible du théâtre des opérations militaires. Avait-il laissé filer des informations du temps où il était en mission en France au tout début des hostilités ? Était-ce Wallis ? Conscient qu'un scandale ne manquerait pas de rejaillir sur la famille royale, Churchill les avait couverts tout au long de son mandat. Les travaillistes mettraient-ils le même zèle à empêcher la publication des archives diplomatiques faisant état des connivences du couple avec les Italiens et les Allemands ? En dépit de cette épée de Damoclès, le duc, avec une candeur qui n'avait d'égale que son opiniâtreté, s'obstinait à réclamer un poste honorifique pour lui et le titre d'Altesse Royale pour sa femme. Il n'en démordait pas. Il voulait voir Wallis élevée au rang d'altesse. C'était hors de question. Wallis avait des raisons particulières d'en vouloir à la famille royale. Ce qu'elle redoutait depuis l'abdication avait fini par se produire : elle l'avait tout le temps sur le dos. Le duc ne la lâchait pas d'une semelle. Sans le golf, elle serait devenue folle.

« J'ai épousé le duc pour le meilleur et pour le pire, mais certainement pas pour déjeuner », plaisantait aigrement la duchesse qui refusait de s'encombrer de son mari dans la journée. Elle n'était pas du genre à se laisser marcher sur les pieds, mais devait rester continuellement sur ses gardes et cette vigilance la fatiguait. Depuis la fin des hostilités, ils passaient une partie de l'année en Europe et l'autre aux États-Unis. Cette vie itinérante favorisait encore la dépendance du duc vis-à-vis de la duchesse. Paris, Antibes, Cannes, New York, Long Island, Palm Beach, Miami... Il manquait de ressources intellectuelles pour s'occuper. Jamais un livre plus haut que l'autre, jamais une exposition, jamais un musée. La crise des cinquante ans aggravait son désarroi. Avec l'âge, il découvrait les limites de son style de vie. La frivolité ne sied pas aux hommes mûrs. Il s'embourbait dans des idéaux de pacotille. Ses goûts n'avaient pas changé depuis son adolescence : la musique légère, les boîtes de nuit, le théâtre de Boulevard, les vêtements... Il n'était capable d'aucun effort intellectuel. Wallis le rejoignait sur ce point, mais son intelligence pragmatique l'aidait à ne pas sombrer dans la mélancolie que peut engendrer la futilité.

L'âge posait d'autres problèmes à la duchesse. Deux rides accusaient maintenant l'expression amère de sa bouche, deux autres barraient son front à la hauteur des sourcils, tandis que ses paupières plombaient son regard bleu. Son premier lifting agit sur son moral, mais c'est sa rencontre avec Jimmy Donahue qui lui redonna goût à la vie. La duchesse était assez concierge pour le comparer, dans le secret de son cœur, à un rayon de soleil. Ils avaient forcément déjà dû se croiser, et même à maintes reprises, mais il n'était alors pour elle que le turbulent cousin de Barbara Hutton. Elle ne lui prêtait aucune attention. Et puis un soir, par hasard, à Palm Beach, se trouvant côte à côte avec lui dans un dîner, elle découvrit quel adorable garçon se cachait sous ses airs de *play-boy* dépravé. À partir de cet instant, la duchesse ne cessa pas de tarir d'éloges sur Jimmy Donahue. Dans le paysage mondain new-yorkais, Jimmy Donahue occupait une place à part. Milliardaire, amusant, encore joli garçon, il aurait eu tout pour plaire s'il n'avait été perdu de réputation. Il ne s'intéressait qu'aux garçons. Aux mauvais garçons. Il s'affichait avec tous les gigolos de la ville. La quarantaine le trouvait assez en forme, même si on commençait à voir qu'il buvait un peu trop.

Toujours prompt à enfourcher les nouveaux dadas de sa femme, le duc s'enticha à son tour de Jimmy. En épousant Wallis, le duc avait abdiqué jusqu'au droit de penser par lui-même. Elle décidait de tout, tranchait sur tout, s'occupait de tout. « Tu te souviens de Jimmy Donahue ? », commençait invariablement la duchesse. Le duc faisait, dix secondes, semblant de réfléchir avant d'acquiescer. La duchesse pouvait alors se lancer dans un exposé des faits et gestes de Jimmy que le duc buvait comme du petit lait. Elle lui faisait partager l'intimité de son amour avec Jimmy, alors qu'elle-même ignorait peut-être encore ce penchant. Si Jimmy n'avait pas été homosexuel, leur trio n'aurait rien eu que de très classique. Le mari, la femme et l'amant. L'homosexualité refoulée du duc trouvait-elle son compte dans le marivaudage qu'entretenait la duchesse avec le *play-boy* ? Ils prirent l'habitude de le voir toutes les semaines, puis plusieurs fois par semaine et enfin presque chaque jour. Ils ne purent bientôt plus faire un pas sans lui. Sans former un ménage à trois, ils en donnaient l'apparence. Ce qui revenait au même pour les mauvaises langues. Les plus déterminés accusaient le duc et Jimmy d'avoir une liaison. Le mari, la femme et l'amant du mari ?

Compte tenu de la mauvaise réputation de Jimmy, les suppositions les plus folles reprenaient du service. Ne l'avait-on pas déjà accusé, à l'époque de son amitié avec le cardinal Spellman, d'organiser pour le prélat des orgies romaines avec des prostitués mâles et de jeunes et beaux prêtres ? Tellement d'histoires circulaient sur son compte ! Une d'entre elles, en particulier, revenait avec insistance. Un soir qu'il faisait la tournée des bars homosexuels avec Fulco di Verdura, ils avaient atterri au *Cerruti*, où Jimmy s'était saoulé. À la fermeture de la boîte, il profita de ce que sa mère était à Palm Beach pour ramener chez lui toute une bande de noceurs, dont un jeune soldat déjà passablement éméché. Tellement saoul même qu'il perdit bientôt connaissance et resta affalé de tout son long sur un des canapés en daim beige du salon. Ses jambes écartées lui donnaient une attitude licencieuse qui excita le reste de la troupe. Entraînés par Jimmy, ils décidèrent de le déshabiller, ce qui ne le réveilla pas pour autant. Il était complètement K.O.

(peut-être avait-il pris autre chose que de l'alcool ?). Il dormait maintenant entièrement nu, comme livré à la concupiscence des autres garçons. Après que plusieurs d'entre eux se soient permis des privautés qui laissaient le soldat de marbre, quelqu'un eut l'idée de le raser. De lui raser le pubis pour mettre son sexe en valeur. Tout laisse à supposer que Jimmy était à l'origine de cette mauvaise idée puisque c'est lui qui tenait le rasoir. À l'époque, on utilisait encore des coupe-choux et du savon à barbe ainsi qu'une affûteuse pour aiguiser la lame. Toutes choses ajoutant à l'aspect passablement érotique de cette plaisanterie. Était-ce une plaisanterie ? Même les éclats de rire qui fusaient alentour semblaient chargés d'une violence malsaine. Après avoir fait abondamment mousser le savon à barbe autour du sexe du soldat, Jimmy procédait à l'opération quand sa victime sursauta dans son sommeil. Faisant alors un faux mouvement, Jimmy lui enfonça profondément le rasoir dans la verge. Comme si la violence érotique implicitement contenue dans cette cérémonie devait finalement trouver à s'accomplir dans le sang.

Le sang gicla en abondance, se mélangeant au savon à barbe avant de tacher le canapé et le tapis. Jimmy, qui tenait encore le rasoir à la main, semblait tétanisé. Il fallut le gifler à plusieurs reprises pour obtenir qu'il lâche le rasoir. La vue du sang dégrisa certains de ses acolytes. Sans leur redonner pour autant conscience du bien et du mal puisqu'ils ne trouvèrent rien de mieux que de se débarrasser du soldat en l'abandonnant sous les arcades du pont de la 59e Rue. Ils l'avaient roulé dans une couverture et conduit jusque-là dans la voiture de Jimmy qui était resté calfeutré chez lui. On imagine dans quel état la police retrouva le soldat. Complètement hagard. Plutôt moins grave qu'il n'y paraissait au moment de l'accident, sa blessure avait fini par cicatriser, seulement il était profondément traumatisé. Il ne se souvenait de rien en dehors d'avoir suivi des hommes rencontrés dans un bar d'homosexuels. À partir de là, il ne fut pas trop difficile de remonter jusqu'à Jimmy. Jusqu'au somptueux appartement de la Cinquième Avenue où Jimmy vivait avec sa mère. Celle-ci avait pris les devants en envoyant son fils au Mexique et ses tapis chez le teinturier. Rompue aux coups foireux, elle s'arrangea pour étouffer l'affaire. Elle commença par acheter le silence du soldat en lui versant 200 000 dollars. Il retira sa plaine. Il n'y eut donc pas de procès et l'on n'en parla jamais dans la presse. En revanche, on en parla beaucoup dans New York : trop de gens avaient été concernés pour qu'il n'y eût pas de fuite et l'histoire se répandit insidieusement. Cinq ans après on continuait d'en parler.

50

La duchesse de Windsor renoue avec le monde interlope des boîtes de nuit. Entre mondanités et noctambulisme. Rendez-vous secrets de Jimmy Donahue et de la duchesse. Le couple royal à la dérive. Le duc en a gros sur la patate.

Pour la duchesse, les insolences de Jimmy égalaient celles d'un Brummell. Elle le comparait à ces dandys du XIXe siècle dont les sautes d'humeur et les caprices régentaient la société. Laisser le dandysme aux seuls homosexuels revient à donner de la confiture à des cochons (même si aujourd'hui l'amalgame est communément admis). De Brummell à Jacques Chazot, la pente est savonnée. Les distractions de Jimmy Donahue tiraient le dandysme vers le bas : l'alcool, les boîtes de nuit, les travelos, les gigues, les ragots. Sa conduite annonçait déjà la fureur gay de la fin du XXe siècle. Au contact de Jimmy, la duchesse renouait avec le monde interlope qu'elle avait connu à l'époque de sa jeunesse en Chine. Une sorte de démon de midi lui faisait délaisser les mondanités pour s'enfoncer dans l'univers glauque du noctambulisme. L'entourage du duc et de la duchesse s'inquiétait. Elsa Maxwell en particulier. Elle détestait Jimmy qui le lui rendait bien. Amie de longue date de Jessie Donahue, Elsa prenait toujours la défense de celle-ci contre son fils quand un conflit éclatait entre eux. Jimmy ne la désignait jamais autrement que comme « la grosse goudou ». De son côté, la commère ne cessait de mettre le duc en garde contre les dangers qu'il courait en fréquentant Jimmy et les amis de ce dernier. « Un jour on vous retrouvera assassiné dans votre lit », prophétisait-elle.

Après avoir mis tout en œuvre pour faire accepter Jimmy par son mari, la duchesse s'ingénia, avec le même acharnement, à le tenir éloigné du duo qu'elle formait avec son nouvel ami. Il était son ami à elle ! Le duc devait se le tenir pour dit et comprendre qu'il n'était que toléré dans leur intimité. Elle avait eu trois maris, des amants, mais rien de semblable ne lui était arrivé : elle aimait vraiment Jimmy. Sans comprendre pourquoi elle l'aimait. Sans en attendre rien. Elle n'avait pas spécialement envie de coucher avec lui et en même temps la frustration de ne pas le faire s'insinuait dans son cerveau. Elle avait besoin de le toucher. De prendre sa main. De s'accrocher à lui. Jimmy était à la fois le serpent et la pomme. Séduisant comme le péché, mais aussi vénéneux, acide, dangereux. Elle n'aurait pas mieux demandé que de croquer la pomme. L'homosexualité de Jimmy était le ver que Dieu avait mis dans le fruit. Une pomme pourrie.

Alors que d'ordinaire elle ne traversait les trottoirs que dans le sens de la largeur pour aller de sa Rolls à un magasin, avec Jimmy elle aimait marcher. Elle en profitait pour se coller à lui. Se venger sur le duc de son insatisfaction lui apparut comme la solution la plus appropriée à ses problèmes. Les rendez-vous secrets qu'elle fixait à Jimmy chez le couturier Mainbocher faisaient partie de cette stratégie extrêmement confuse. « Monsieur est attendu », confirmait-on respectueusement à Jimmy avant de le conduire jusqu'à la cabine d'essayage où la duchesse paradait au milieu d'une cour de vendeuses et de premières mains. « J'en ai réellement pour une minute », affirmait-elle à Jimmy avant de poursuivre à l'intention des employées : « À quoi servent les poches ? On n'a qu'à les supprimer. » La duchesse avait le chic pour raboter les modèles et n'en conserver que l'épure. Elle faisait retirer les détails et reprendre les coutures jusqu'à l'étouffement. « Si j'enlève encore un centimètre, Votre Majesté ne pourra plus s'asseoir avec cette jupe se lamentait le premier tailleur.

— Alors je ne m'assiérai pas, répondait la duchesse.

— Je croyais qu'il était question d'aller déjeuner, bâilla Jimmy en s'étirant.

— Encore une minute, supplia la duchesse. D'ailleurs j'aurai bien mérité ce déjeuner. Nous allons toujours à *La Grenouille* ?

— Oui, et j'ai eu notre table. Toute la question maintenant est de savoir si vous pourrez vous asseoir. Ce serait dommage de rester debout. »

Ils choisissaient toujours le coin le plus sombre du restaurant. Et pourtant ils ne passaient pas inaperçus. Leurs fous rires excitaient la curiosité des autres tables. Les scandales ne manquaient pas, dans les années 50, à New York, pour faire rebondir la conversation : le chassé-croisé entre Slim Hayward et Pamela Churchill, les amours de Mona Harrison Williams et du petit Bismarck, le flirt de Cecil Beaton et de Greta Garbo... Tout y passait : ragots, cochonneries, blagues scatologiques, et même certaines confidences dont le duc ne sortait pas grandi. Un jour, la duchesse soupira, alors qu'il prenait le café : « Je n'en peux plus » et elle déballa quelques-unes des bizarreries de son cher époux. *« Oh ! my dear, everybody now the king is a queen »*, répondit Jimmy nonchalamment. Sur le coup, la duchesse avait été interloquée. Tout le monde le savait ! Elle faillit défendre la réputation du duc, mais se rendant compte qu'elle risquait de se couvrir de ridicule, elle sacrifia le duc à leurs conciliabules. Il devint une de leurs cibles préférées. Dire du mal du duc faisait un bien fou à Wallis. Elle savourait une vengeance trop longtemps remise faute d'un interlocuteur à la hauteur. Avec Jimmy, elle pouvait se laisser aller. Lequel des deux prit l'initiative de ne parler du duc qu'au féminin ? « Cette Vieille Ducaille », ironisait Jimmy. Tout en garantissant l'anonymat du duc, cette manière de procéder les autorisait à se lâcher. « Avec ses tartans et ses tweeds, elle doit s'habiller chez Madeleine de Rauch, gloussait Jimmy.

— Lola Prussac », rectifiait la duchesse, toujours précise quand il était question de vêtements.

La vieille relation sadomaso du duc et de la duchesse tournait au massacre à la tronçonneuse. Elle ne perdait pas une occasion de le rabrouer. Elle le lacérait de quolibets, le crucifiait en public. Un soir qu'ils fêtaient les Rois dans une boîte de nuit de New York, elle le coiffa elle-même d'une couronne en carton doré avant de l'exhiber devant les photographes. Des témoins affirmaient avoir vu le duc pleurer. Quel crédit accorder à ces racontars de boîtes de nuit ? Passé une certaine heure, le spectacle que donnait le couple royal tournait au désastre. Les gigolos de Jimmy s'invitaient à leur table. Au petit matin, la duchesse filait en voiture décapotable, laissant la Rolls au duc. Jimmy faisait découvrir à la duchesse des endroits incroyables, des pianos-bars, des restaurants de nuit, des bouges où se retrouvaient tous les noceurs en fin de bail. Il lui arrivait de suivre des inconnus chez eux pour prendre un dernier verre. Elle rentrait ivre morte en taxi. Plusieurs fois, elle oublia de se démaquiller. Ils buvaient beaucoup trop. Comment expliquer autrement le geste fou de Wallis jetant, un soir, à Paris, un gardénia qui lui avait été offert par le duc, dans un seau à champagne (se servant de la bouteille pour le broyer) avant de le remplacer, à sa boutonnière, par un autre gardénia, donné par Jimmy ? Était-ce au *Shéhérazade* ? N'était-ce pas plutôt le *Raspoutine* ? Où à la *Calavados* ? Ils buvaient tellement qu'ils ne se souvenaient pas toujours le lendemain de ce qu'ils avaient fait la veille.

51

Porfirio Rubirosa et Zsa Zsa Gabor. George Sanders. Deauville. Barbara Hutton. Une vieille ado fatiguée. L'aubade au clair de lune. Barbara demande Rubi en mariage. Zsa Zsa Gabor le prend mal.

Le championnat de polo ramenait régulièrement Porfirio Rubirosa à Deauville. Il rejoignit, cette année-là, la côte normande à bord de son coupé Alfa-Romeo, après avoir passé une semaine à Paris. Une semaine de folie en compagnie de l'actrice Zsa Zsa Gabor. La presse ne les avait pas lâchés. Si Rubi ne détestait pas faire parler de lui, la détermination de Zsa Zsa Gabor à attirer l'attention des médias lui faisait parfois un peu peur. Pour un diplomate, cela pouvait poser des problèmes. Il se serait, par exemple, bien passé d'être pris en flagrant délit d'adultère. Le flagrant délit en question mérite une digression. À l'époque où il avait rencontré Zsa Zsa, celle-ci était encore mariée avec George Sanders. Ils continuaient de vivre ensemble dans la maison de l'acteur, à Bel Air. Sans avoir divorcé. Par horreur de la paperasse, mais aussi par affection. Ils avaient trouvé une sorte d'équilibre. Rubirosa remettait en cause cet équilibre. Connaissant la rapacité de sa femme et les lois californiennes sur le divorce, George Sanders organisa en traître un constat d'adultère. Il lui suffisait de faire croire qu'il partait en voyage et de revenir chez lui en compagnie d'un avocat et d'un photographe. Se déguiser en Père Noël et choisir le soir du réveillon pour cette opération relevaient d'une forme d'humour assez particulière. Tout laisse à penser que Zsa Zsa ne croyait plus au Père Noël. Son choc n'en fut pas moins grand en voyant trois d'entre eux se découper sur la porte-fenêtre de la chambre où elle s'envoyait en l'air avec Rubirosa. « Joyeux Noël » leur souhaita George Sanders, d'une voix plutôt morne, en tirant sur sa fausse barbe pour se faire reconnaître. L'histoire ne s'arrête pas là. Prévoyant qu'il lui faudrait peut-être casser un carreau, Sanders s'était muni d'une brique qu'il avait eu l'idée d'envelopper avec du papier doré. Zsa Zsa Gabor, qui détestait s'avouer vaincue, ressortit de la salle de bains où elle avait trouvé refuge en feignant une décontraction volubile dans le goût du théâtre de Boulevard. Bla, bla, bla... Comme George Sanders s'apprêtait à prendre congé, Zsa Zsa s'écria en surjouant l'étourderie : « Mon Dieu, où avais-je la tête ? George, mon chéri, tu trouveras un cadeau pour toi au pied du sapin.

— Moi aussi j'ai un cadeau pour toi », répondit George Sanders en lui tendant la brique.

Depuis, Rubi et Zsa Zsa formaient un couple infernal dont la presse raffolait. Elle était son pendant au féminin. Aussi sûre d'elle qu'il était sûr de lui. Aussi superficiels, aussi joyeux, aussi roués l'un que l'autre. Ils s'entendaient sur tout. Sauf sur la question de savoir lequel des deux prendrait le pas sur l'autre. Zsa Zsa devait bien avoir une petite idée, mais elle se gardait d'embêter pour l'instant Rubi avec ça. Leur idylle ne faisait que commencer. C'était tout chaud. Devant partir pour l'Arizona tourner un film avec Dean Martin et Jerry Lewis, elle renvoya Rubi à son cher polo en lui faisant promettre d'être sage. Le polo représentait pour Rubi l'occasion de retrouver ses copains, Ali Khan et Élie de Rothschild. Ils ne jouaient pas dans la même équipe, mais formaient, en aval, une bande de potes très soudée. Surtout la nuit où leurs frasques faisaient raisonner le *Brummell*, la boîte de nuit du casino. Apprenant l'arrivée de Barbara Hutton à Deauville où la vente des yearlings drainait la crème de la société, Porfirio dressa l'oreille. En trois ans il était venu à bout des millions de Doris Duke. Il lui restait l'hôtel particulier de la rue de Bellechasse, son avion, son écurie, mais il connaissait des problèmes de trésorerie. Rubi savait saisir la chance lorsqu'elle se présentait. Règle numéro un : ne jamais laisser passer une occasion. Barbara Hutton après Doris Duke ? C'était un peu gros, mais il s'arrangea néanmoins pour la rencontrer. Un dîner organisé par Manuel de Moya, secrétaire d'État de la République dominicaine, lui en donna l'occasion. Rubi magouilla pour se retrouver assis à côté de Barbara. Très K.O. au début du repas, elle retrouva ses esprits à mesure qu'avançait la soirée (d'ordinaire c'est plutôt le contraire). Il sacrifia une partie de poker avec le roi Farouk pour rester à ses côtés. Il lui arracha son premier sourire vers deux heures du matin, à quatre heures elle manifesta l'envie de danser et lorsqu'il la raccompagna, à l'aube, elle était parfaitement en forme.

Barbara ne donna cependant pas suite à ces débuts prometteurs. Elle traversait une mauvaise passe. Elle restait enfermée dans sa chambre. Rubi téléphonait, lui envoyait des fleurs. En vain. Ali Khan et Élie de Rothschild s'amusaient de sa déconvenue. Rubi avait vendu la peau de l'ours un peu vite. Il chercha à soudoyer le concierge du *Normandy*, mais celui-ci n'en savait pas plus que lui : miss Hutton ne bougeait pas de son lit. À force d'abuser de l'alcool, de la drogue et des médicaments, elle se retrouvait sérieusement dépendante. Et malade. Elle aurait eu besoin d'une cure de désintoxication, seulement elle refusait d'en entendre parler. Les médecins qui se relayaient à son chevet se montraient d'autant plus pessimistes qu'elle ne donnait pas l'impression de chercher à guérir. Ils finissaient toujours par lui prescrire ce qu'elle voulait. Dans le cas contraire, elle en appelait un autre. Le luxe dont elle s'entourait leur faisait perdre pied. Elle les recevait coiffée de la tiare de diamants et d'émeraudes de Catherine la Grande, avec une zibeline sur les épaules. Elle les forçait à accepter des cadeaux. Les plus consciencieux cherchaient à la raisonner. Les autres se laissaient glisser des enveloppes. Par moments, elle préférait les médicaments à l'alcool et à la drogue qui ne lui faisait plus beaucoup d'effets : la drogue lui donnait envie de boire et l'alcool envie de se droguer. Un cul-de-sac.

Rubi avait tort de s'inquiéter : même à l'article de la mort, Barbara aurait continué à échafauder des projets matrimoniaux. La chasse aux maris restait sa principale occupation. La rapidité de son union avec le prince Troubetzkoy ne la dissuadait pas de continuer. Rubi possédait tous les défauts nécessaires pour être le prochain sur la liste : débauché, cynique, menteur, cupide, incapable d'une pensée sérieuse, d'un sentiment élevé… mais aussi charmeur, amusant, dynamique, facile à vivre. Depuis son mariage avec Doris Duke, il profitait d'une stature internationale (stature qui ne laissait rien ignorer des attributs dont la nature l'avait doté. Longtemps après sa mort on continuait, dans les restaurants, de désigner avec des airs entendus le grand modèle du moulin à poivre comme un Rubirosa) L'ex-mari d'une ex-copine, c'était tentant. Barbara se sentait en compétition avec Doris Duke depuis l'époque où la presse se plaisait à les opposer en détaillant leurs malheurs de pauvres petites filles riches. Doris avait grandi, mais Barbara se considérait encore comme une pauvre petite fille riche. Doris, qui la connaissait bien, ne s'étonna pas particulièrement de son coup de téléphone. « Si ça peut te faire plaisir d'épouser Rubi, lui dit-elle, ne te gêne pas pour moi. Et si ça peut te rassurer, il ne fait pas mentir sa réputation. C'est un très bon coup et accessoirement un gentleman. » Les dés étaient jetés. Toute sa vie Barbara avait pensé que le bonheur, comme les bijoux ou les fourrures, avait un prix. Qu'il suffisait de sortir son carnet de chèques et de payer. Un jour qu'un de ces amis lui reprochait d'avoir acheté beaucoup trop cher une pierre précieuse dont la beauté ne justifiait pas une telle dépense, Barbara avait eu ce cri du cœur : « Après tout, moi aussi, j'ai bien le droit d'être heureuse. » Elle se paya Rubi froidement. Rubis sur l'ongle.

Il ne manquait plus qu'une étincelle. Un soir, que Rubi sortait du casino avec son copain Élie de Rothschild, ils avaient eu l'idée diabolique d'aller lui donner la sérénade. Qui y pensa en premier ? Ils étaient tellement bourrés… « Tu ne crois pas que c'est un peu gros ? », demanda Rubi qui jouait son va-tout. « Plus c'est gros, plus ça marche », lui affirma Élie. Ils se transportèrent avec un orchestre de mariachi sous les fenêtres de Barbara. Du fond de son coma, elle entendit les premières mesures de la musique sans comprendre qu'elles lui étaient adressées. *Cielito lindo*, *Besame mucho*, *Paloma*, *Coucou roucoucou*… Tout y passa. « Barbara », hurlait Rubi en agitant un immense chapeau mexicain. « Je sais que l'amour existe», reprenait-il en s'époumonant. Barbara se risqua timidement sur le balcon. Il fallait vraiment qu'elle soit dans les vapes pour prendre ce canular au sérieux. On ne pouvait pas reprocher au corps médical d'avoir sous-estimé l'impact d'une sérénade sur un cerveau malade. Cette vieille ado fatiguée attendait toujours son prince charmant. L'aubade au clair de lune faisait partie de la panoplie du prince charmant. Elle provoqua comme par miracle la guérison de Barbara. Moins d'une semaine plus tard, Rubirosa pouvait annoncer à ses copains que Barbara l'avait demandé en mariage. Ils devaient se retrouver à New York où aurait lieu la cérémonie. «Quand Zsa Zsa va savoir ça...» siffla Élie de Rothschild entre ses dents. C'était le problème.

Elle n'avait pas très bien compris : «Il épouserait d'abord Barbara Hutton pendant qu'elle l'attendrait...» Zsa Zsa Gabor n'en revenait pas. Qu'est-ce qu'il s'imaginait ? Qu'elle allait jouer les doublures ? En coulisse ? Pendant que monsieur paraderait au bras de sa milliardaire cacochyme. Elle hésitait entre le fou rire et la crise de nerfs. Elle craignait que la crise de nerfs ne prît le dessus. Elle sentait qu'elle allait exploser. Elle décrocha rageusement le téléphone pour appeler sa mère. Jolie Gabor contrôlait les trafics de ses filles : Eva, Magda et Zsa Zsa. Elle les avait dupliquées à son image : mêmes pommettes hautes, même nez parfait, mêmes yeux rieurs, même blondeur rappelant les champs de blé de leur Hongrie natale. Des poupées de vitrine. Il ne leur manquait que les bottes rouges et la blouse brodée des Magyares. *Mittle Europa*, façon crème fouettée. Les Gabor formaient un clan très soudé. Fuyant le communisme, elles avaient trouvé refuge aux États-Unis, mais le statut de réfugié ne convenait pas à leur esprit de conquête. Zsa Zsa avait déjà un casier matrimonial chargé : Burkan Belge, un diplomate turc, Conrad Hilton, le magnat de l'hôtellerie, et l'acteur George Sanders. Le cinéma ne représentait qu'un moyen parmi d'autres pour canaliser sa formidable énergie. Zsa Zsa n'était pas une très bonne comédienne. Elle prendrait sa revanche à la télévision où sa pétulance la destinait à devenir une des premières vedettes de *talk-show*. Son humour, qui a vieilli, demande à être remis dans le contexte de l'époque. Entre le Frigidaire flambant neuf et la voiture en *lea-*

sing. L'Américain moyen raffolait de son esprit corrosif qui n'en véhiculait pas moins les valeurs traditionnelles de l'*american way of life*: une foi inébranlable dans le billet vert, un anticommunisme primaire et une conception de la féminité triomphante que l'on qualifierait aujourd'hui de misogynie.

Rubi ne perdait rien pour attendre. Une semaine avant son mariage, la presse se déchaîna contre lui: Zsa Zsa l'accusait de l'avoir molestée. L'œil au beurre noir qu'elle exhibait apportait la preuve de ces mauvais traitements. Zsa Zsa affirmait qu'il l'avait frappée parce qu'elle refusait de l'épouser. « Il m'a suppliée et comme je refusais, il m'a cognée », affirma-t-elle au cours d'une conférence de presse. Fine mouche, elle ajouta : « Je suis la femme la plus heureuse du monde. Jusqu'à aujourd'hui je doutais de son amour, maintenant j'en ai la preuve. Une femme qui n'a jamais été battue par un homme ne sait pas ce qu'est l'amour. » Rubi, furieux, démentit: un coup de publicité monté de toutes pièces par son agent. Il supplia Barbara Hutton de ne pas écouter ces racontars. Il eût mieux valu. Zsa Zsa, très en forme, avec un bandeau sur l'œil, façon pirate des Caraïbes, faisait tout pour couler leur mariage. Elle déclara « que Rubi représentait ce qu'une femme riche pouvait s'offrir de mieux ». Elle leur prédisait les pires calamités. La cérémonie du mariage lui donna raison dans un premier temps.

Pourquoi Barbara avait-elle choisi de se marier en noir? Une robe en faille de Balenciaga avec un manteau assorti doublé de velours aubergine. Rubi était-il superstitieux? Il en aurait fallu plus pour le décourager. Sans sa détermination, le mariage aurait capoté. Barbara tenait à peine sur ses jambes. Il la portait en la soutenant par la taille. Il l'aida à signer le registre. À deux reprises au moins elle faillit perdre connaissance. Ses lèvres maquillées d'un rouge carmin semblaient plaquées sur la pâleur inquiétante de son visage. Bousculée par l'horaire de la cérémonie, elle n'avait pas eu le temps d'ingurgiter le savant dosage d'amphétamines et d'alcool qui lui permettait d'affronter la réalité. Elle souffrait le martyre. Elle grelottait. Elle transpirait. Il fallut ouvrir les fenêtres alors qu'il gelait dehors à pierre fendre. Croyant bien faire, Rubi lui tendit une coupe de champagne, mais elle la lâcha avant d'avoir pu la porter à ses lèvres.

« C'est du bonheur », cria Jimmy Donahue en entendant la coupe se briser. La gaîté de Jimmy tranchait sur l'atmosphère tendue qui régnait dans le salon de la légation de Saint-Domingue, à New York, où se déroulait la cérémonie. Encore une fois bluffé par les frasques de son ex-gendre, Trujillo avait accordé la nationalité dominicaine à sa future épouse pour faciliter les formalités. Il avait également réintégré Rubi dans ses fonctions diplomatiques et envoyé son fils, Ramfis, pour lui servir de témoin. Un choix judicieux pour faire pendant à Jimmy Donahue, témoin de la mariée. Les deux larrons : le fils chéri du dictateur et le cousin maudit de Barbara. Jimmy refusait de commenter le délabrement de sa cousine. « Elle va très bien », s'énervait-il en haussant les épaules. Il cloua le bec d'un importun qui s'était cru autorisé à parler de drogue : « De la drogue ! Mais de la drogue, mon cher, tout le monde en prend dans la famille », s'esclaffa-t-il outré en se tournant vers sa mère pour chercher son approbation. Son caquet hystérique laissait penser qu'il n'était peut-être pas lui-même à jeun. Il s'affichait ce jour-là en compagnie d'un gigolo qu'il présentait à la ronde comme « le garçon qui a chipé l'homme à la femme qui a fait vaciller le trône d'Angleterre ». Les Windsor faisaient les frais de la plupart de ses plaisanteries. Quand on lui demandait des nouvelles de la duchesse, il répondait : « J'ai abdiqué. » En arrivant à l'hôtel *Pierre* où devait se dérouler la réception, Barbara Hutton semblait en meilleure forme, mais elle s'évanouit de nouveau au bout d'une demi-heure. Il fallut la reconduire dans sa chambre. Jamais cérémonie de mariage n'avait autant ressemblé à un chemin de croix. Elle tombait à qui mieux mieux. En revanche, la crucifixion n'eut pas lieu. Barbara s'étant soustraite à son devoir conjugal, Rubi passa sa nuit de noces avec une putain.

52

Aéroport de La Guardia. John Kennedy attend sa fiancée, Jacqueline Bouvier. Irruption spectaculaire de Zsa Zsa Gabor. Jackie s'inquiète. John et Gene Tierney. Fragilité de Gene Tierney. Son mariage avec Oleg Cassini.

L'avion avait du retard. Le panneau d'affichage ne mentionnait même pas encore l'heure d'arrivée. John Kennedy fulminait d'être là à perdre son temps, seulement Jackie lui ramenait de Londres des kilos de livres. (Des livres de droit, mais aussi des romans d'Aldous Huxley et de Linton Strachey introuvables aux États-Unis.) Il n'allait pas les lui laisser porter. John Kennedy et Jacqueline Bouvier était maintenant officiellement fiancés. John avait mis du temps avant de faire sa demande. Sans son père, il n'aurait peut-être jamais franchi le pas. Joe trouvait que le temps de la réflexion était passé. Il avait pris John entre quatre murs pour lui faire comprendre que ces atermoiements n'avaient que trop duré. « À quarante ans. Tout le monde va croire que tu es une tante. Crois-tu que les électeurs vont voter pour une tante ? » À la mort de son fils aîné, le vieux Joe avait reporté tous ses espoirs sur John qui n'en demandait pas tant. Joe Kennedy n'ambitionnait rien moins que de voir un de ses fils président des États-Unis. Financièrement, il en avait les moyens et il connaissait suffisamment les arcanes de la politique pour y arriver. Il ne serait même pas venu à l'esprit de John de se dérober. Si son père voulait qu'il soit président, il serait président. On a déjà eu l'occasion d'expliquer l'ascendant qu'exerçait le vieux Joe sur ses enfants. Il les contrôlait totalement. La perte de son fils aîné avait anéanti Joe Kennedy, mais sans l'abattre. Il lui restait John. Et après lui Bob et Teddy.

La candidature de John n'en posait pas moins des problèmes. À l'encontre de son frère aîné qui s'affirmait comme une force de la nature, John avait été un enfant à la santé délicate. De longues années s'écoulèrent avant que l'on ne découvrît qu'il souffrait de la maladie d'Addison : une dégénérescence des glandes surrénales s'attaquant au système immunitaire. Un peu comme le sida. Il tombait régulièrement dans les pommes, saignait abondamment du nez, se tordait de douleur terrassé par d'inexplicables maux d'estomac. Il souffrait également de problèmes de dos, dus à une malformation congénitale, qui l'obligeaient parfois à porter un corset. Il devait plus tard subir une opération qui le contraignit un temps à marcher avec des béquilles. Mauvais pour l'image de marque. Les Kennedy attribuaient ces problèmes de dos à un accident survenu sur un terrain de football et mettaient ses autres maladies sur le compte d'une malaria contracté par John, pendant sa guerre dans le Pacifique. Il ne pouvait pas y avoir de canard boiteux chez les Kennedy. Les bulletins de santé que produisait le vieux Joe à la presse faisaient au contraire état de la résistance exceptionnelle de son cadet. C'est vrai que la maladie lui avait forgé le caractère. Il lui avait fallu se battre pour se maintenir physiquement au niveau de ses frères. John était maintenant sénateur et s'apprêtait à briguer l'investiture du Parti démocrate pour se présenter à la présidence. L'éclatante vitalité des Kennedy cachait chez lui une sensibilité qui faisait défaut aux autres membres de la tribu. On le devinait plus compliqué. Un salaud, un goujat, mais fragile et avec un sourire désarmant. La mort de son frère aîné et de sa sœur Kathleen, à qui il était très lié, n'avait fait que renforcer cette fragilité.

Si on pouvait qualifier la décision de John de mûrement réfléchie, de son côté, Jackie avait beaucoup hésité. Épouser un Kennedy revenait à rentrer dans une secte. Elle rechignait à se laisser endoctriner. À ses yeux, l'enthousiasme des Kennedy confinait à une forme d'insensibilité. Ils ne tenaient jamais en place comme s'ils cherchaient à reproduire l'activité brouillonne d'une fourmilière. Un jour que Rose reprochait à Jackie de ne pas se joindre à ses enfants qui disputaient sur la pelouse une partie de football américain, elle lui avait répondu qu' « il ne serait pas inutile que quelqu'un dans cette maison cherchât aussi à exercer son cerveau ». Rose la trouvait horriblement prétentieuse. Horripilante. Pas Kennedy du tout. Les sœurs de John partageaient l'a priori de leur mère et ses frères lui reprochaient son quant à soi. Au sein du clan, Joe restait son plus fervent supporter. Il n'en démordait pas : Jackie avait toutes les qualités pour être l'épouse d'un futur président. Il décelait chez elle une maturité que sa fragilité ne laissait pas deviner. Il n'avait pas besoin d'une mauviette pour seconder son fils. John ne se relèverait pas d'un échec matrimonial et Joe le savait incapable de rester fidèle à une femme. Les chiens ne font pas des chats. Pendant qu'il courtisait Jackie, John entretenait au moins trois ou quatre liaisons (dont une avec Audrey Hepburn). Joe ne pouvait rien lui reprocher. N'avait-il pas lui-même institué la compétition sexuelle qui régnait entre les hommes du clan ? Quand l'un d'eux en avait fini avec une fille, les autres pouvaient passer à l'attaque. Ils s'échangeaient les adresses et les numéros de téléphone de leurs conquêtes. La position d'une femme dans cette fratrie partouzarde ne devait pas être de tout repos. Alors qu'elle avait tout mis en œuvre pour se faire épouser, au pied du mur, Jackie paniquait. C'était une des raisons qui l'avaient conduite à Londres. Pour prendre du recul. Elle devait couvrir, pour le *Times-Herald*, où elle travaillait comme pigiste, le couronnement de la reine Elizabeth II.

John s'était rapproché d'une des baies vitrées pour voir atterrir les avions. Sur la vitre embuée, de minuscules gouttes d'eau délavaient un crépuscule à la dureté orageuse. Il n'en pouvait plus d'attendre. Il avait faim. La Guardia sous la pluie lui rappelait sa rupture avec Gene Tierney. Sept ans s'étaient écoulés et il n'y avait guère pensé depuis, mais le mauvais temps lui remettait en mémoire l'impression de gâchis qu'il avait ressenti alors. Après avoir quitté Gene à Los Angeles, il avait atterri à New York sous une pluie battante. D'ordinaire, il ne se donnait jamais le mal de rompre avec une femme. Il avait fait une exception pour Gene dont la sincérité le touchait. Il regarda une nouvelle fois sa montre. Deux heures de retard. Tout en sachant que Jackie n'y était pour rien, il ne pouvait s'empêcher de la tenir pour responsable. Comme si les horaires d'avion participaient de la mauvaise habitude qu'ont les femmes d'être toujours en retard. Il se rendait compte qu'il avait passé l'âge de jouer les gentils fiancés. Il se rendait surtout compte qu'il n'avait aucune envie de se marier. À la moindre contrariété cette évidence refaisait surface. Il se sentait coincé. Il savait qu'il ferait un mauvais mari. Déjà piégé par la maladie, il ne supportait pas d'autres contraintes. D'où son refus de s'engager. Il vivait chaque jour comme si c'était le dernier. Chaque coucher de soleil comme si la nuit pouvait l'ensevelir. Il se savait condamné. Sans les doses massives de cortisone qu'on lui administrait, il n'aurait pas survécu. Les médecins les plus optimistes lui accordaient dix à quinze ans.

Voyant tout le monde se lever, John s'avança vers la porte d'où devaient sortir les voyageurs, lorsqu'il vit débouler Zsa Zsa Gabor. L'actrice marqua un temps d'arrêt en surjouant l'incrédulité. Zsa Zsa Gabor ne descendait jamais d'un avion sans s'être préparée comme si des dizaines de photographes l'attendaient pour la mitrailler. Elle arborait en plein mois de mai un ample manteau de vison bleuté qu'elle serrait autour d'elle à la manière d'un peignoir de bain un peu trop grand. Exactement comme si elle était nue sous son manteau. Comme si, telle Vénus, elle émergeait d'un coquillage. Elle s'arrangeait toujours pour dégager cette impression de nudité frileuse et provocante. Ses cheveux platine encadraient un visage ciselé dans une nacre rose qui mettait en valeur des pommettes hautes, un nez absolument ravissant et des yeux s'étirant vers les tempes. Elle apparut bien avant les autres passagers. Son charme agissait-il sur les douaniers ? Un peu surprise de ne pas voir crépiter autour d'elle les flashs des appareils photos, elle n'en continua pas moins à tenir la pose. John Kennedy qui la regardait éberlué en profita pour la cueillir comme une fleur. « Tu sais que je n'ai jamais cessé d'être amoureux de toi », lui dit-il en la soulevant de terre. Zsa Zsa émit une sorte de gloussement voluptueux en faisant semblant de se débattre pour mieux se coller contre lui.

« Oh ! John, John, protesta-t-elle en faisant claquer son prénom. Tu ne manques pas de culot de mentir aussi effrontément. J'attends toujours ton coup de téléphone.

— Quel coup de téléphone ?

— La dernière fois que je t'ai vu chez Franck, tu m'avais promis de m'appeler le lendemain. Comment trouves-tu mon nouveau parfum, lui demanda-t-elle en se collant à nouveau contre lui.

— Aphrodisiaque, terriblement aphrodisiaque. Tu peux m'expliquer pourquoi tu portes un manteau de vison ?

— Chéri, il ne rentrait pas dans ma valise. Je viens de l'acheter et je l'adore... Mais toi, qu'est-ce que tu fais là ?

— Je suis venu chercher ma fiancée, répondit-il piteusement.

— Vous êtes bien tous les mêmes », remarqua Zsa Zsa en partant d'un éclat de rire qui découvrait ses dents parfaites.

Quand Jackie pénétra à son tour dans l'enceinte de débarquement, elle trouva John en grande conversation avec l'actrice. Après avoir embrassé Jackie, John présenta les deux femmes. « Mais mademoiselle Bouvier et moi venons de passer des heures ensemble dans l'avion, protesta Zsa Zsa. C'est une gentille enfant, ne t'avise pas de la corrompre John, ajouta-t-elle.

— Mais il l'a déjà fait, dit Jackie de sa voix de petite fille.

— Pourquoi lui as-tu dit ça ? demanda John quand Zsa Zsa se fut éloignée.

— Parce que c'est la vérité », s'amusa Jackie.

Dans la voiture qui les ramenait au centre-ville, chacun gardait le silence. Le bruit des essuie-glaces renvoyait une fois encore John à son aventure avec Gene Tierney. Jackie se ressentait des fatigues du voyage. Elle soupçonnait John d'avoir couché avec Zsa Zsa Gabor. La réputation scandaleuse de l'actrice défrayait régulièrement la chronique. Après sa rupture avec Rubirosa, la presse avait brocardé la liaison de Zsa Zsa avec Ramfis Trujillo, le fils du dictateur. Rubi les avait présentés alors que Ramfis se morfondait dans une université du Kansas. Rubi se défendait d'avoir pensé à mal, seulement il ne faisait aucun doute, dans l'esprit des journalistes, qu'il lui avait refilé son ex. Cette campagne de presse avait scandalisé Zsa Zsa. « Les rumeurs dont les journaux se sont fait l'écho ont réduit notre relation à une histoire sordide, déclara-t-elle. Ramfis est un beau jeune homme, d'une grande sensibilité, mais j'ai décidé, dans ces conditions, qu'il me fallait renoncer à le voir. » Elle ne précisait pas ce qu'elle comptait faire de la Mercedes décapotable et de la zibeline qu'il lui avait offertes. Elle ne parlait pas non plus des assiduités de Ramfis auprès de Kim Novak qui se voyait à son tour couverte de cadeaux. Jackie ne pouvait pas ne pas avoir eu connaissance de ce feuilleton qui s'étalait dans la presse. Dans l'esprit de Jackie, Zsa Zsa Gabor représentait la femme de mauvaise vie dans toute sa splendeur. Une dévoreuse d'hommes, une croqueuse de diamants, etc. Qu'elle-même ne soit pas insensible à la fortune de son fiancé ne lui venait pas à l'esprit. À l'évidence, Jackie s'apprêtait à faire un mariage d'argent en épousant John Kennedy, mais le non-dit restait la règle dans ce domaine.

Personne n'a envie d'épouser un puceau. Jackie moins que quiconque. Les hommes dangereux exerçaient sur elle un attrait qu'on peut qualifier de freudien puisqu'ils lui rappelaient son père. Black Jack restait pour elle la référence. Elle aimait les séducteurs de la vieille école. Cyniques et débauchés. Aussi fermait-elle les yeux sur les infidélités de John, en pensant que le mariage viendrait y mettre bon ordre. Le pensait-elle vraiment ? John possédait les qualités qu'elle recherchait chez un homme : de l'allure, du charme, du charisme et beaucoup, beaucoup d'argent. Tout cela impliquait des sacrifices. Jackie n'avait pas à proprement parler de revanche à prendre sur la société, même si le remariage de sa mère avec un homme infiniment plus riche que son père, ne l'avait mise en porte-à-faux au sein de sa belle- famille. Parler de revanche reviendrait à lui faire jouer le rôle d'une Cosette qui était loin d'être le sien. Elle avait toujours vécu dans l'opulence. Simplement, elle s'était rendu compte que chez les riches, il y en avait de plus ou moins riches. Si Jackie s'était bien gardée de prévenir sa belle-famille qu'elle n'avait ni dot ni aucune espèce d'espérances pour l'avenir (entendu que Black Jack était ruiné), on peut penser que Joe avait pris ses renseignements. Joe ne la contredisait pas quand Jackie se lançait dans un panégyrique de Black Jack, mais il n'en pensait pas moins. Pour lui, ce genre de type n'existait même pas. Sans argent, sans famille. Un raté. Son alcoolisme achevait de le mettre hors jeu. Plus indulgent que son père, John n'en arriva pas moins à la même conclusion en rencontrant Black Jack. Il se garda de tout commentaire : on ne tire pas sur une ambulance. En dehors des filles, ils n'avaient pas beaucoup de points communs.

Chaque séjour de John à Hollywood ajoutait un chapitre à l'histoire mouvementée de sa vie sentimentale : Lana Turner, Joan Crawford, Hedy Lamarr, Susan Hayward, Sonja Henni... Il se souvenait des leçons de son père. Pour lui toutes les actrices étaient des filles faciles. Il n'en revenait pas si l'une d'entre elles (Olivia de Haviland, par exemple) se refusait à lui. Son aventure avec Gene Tierney sortait un peu du lot. Elle apparaît comme plus sérieuse. Surtout si on se rapporte à l'autobiographie de l'actrice. John était-il aussi sérieux ? Aussi épris ? Le souvenir qu'elle a laissé de leur rencontre emprunte son romantisme aux films de l'époque. Très noir et blanc. Elle tournait ce jour-là *Dragon Wyck* sous la direction de Mankiewicz. « Gene, pivotez lentement et regardez droit dans l'objectif », ordonna ce dernier. Elle se retourna, mais à la place de l'œil froid de la caméra, son regard plongea dans ce qu'elle désigne comme « les plus beaux yeux bleus qu'elle eût jamais vus dans un visage d'homme ». « Coupez », cria Mankiewicz. Debout à côté de la caméra, John Kennedy la fixait avec intensité. Non content d'avoir de beaux yeux et un joli sourire, il portait un uniforme de capitaine de frégate. Un uniforme blanc à boutons dorés qui mettait en valeur son bronzage. Il sortait de l'hôpital et sa légère claudication attestait de sa conduite héroïque dans le Pacifique. En pleine nuit, le patrouilleur qu'il commandait avait été pulvérisé par un destroyer japonais de deux mille tonnes. En dépit de la force de la collision, onze des treize membres d'équipage survécurent. En partie grâce à John qui les avait entraînés à la nage sur une île déserte. Ils se relayaient pour remorquer les corps des marins les plus grièvement brûlés. Une fois ses hommes à l'abri, John était reparti pour chercher secours. Ce fait d'arme relayé par la presse – le vieux Joe s'y était employé –, le désignait comme un héros moderne et romantique. Gene Tierney ne pouvait pas ne pas tomber amoureuse.

À la loterie des amours, Gene tombait toujours sur des *play-boys*. Howard Hughes, Oleg Cassini, John Kennedy et Ali Khan se relaieront tour à tour dans sa vie sans lui apporter le bonheur. Compte tenu de sa fragilité, il eût mieux valu qu'elle évoluât dans un milieu plus paisible que le monde du cinéma. Le destin en avait décidé autrement. Le destin ou sa beauté à couper le souffle, ce qui revient au même. Gene passait alors, avec Ava Gardner, pour être la plus belle femme du monde. Pour Kennedy, c'était flatteur. À l'époque de leur rencontre, Gene sortait d'un mariage malheureux avec Oleg Cassini qu'elle avait épousé contre l'avis de sa famille. Et contre l'avis des studios. Cassini sentait le soufre. Il représentait tout ce qu'Hollywood détestait : un *play-boy* fauché dont les origines aristocratiques servaient de caution à une vie d'aventurier. Comment avait-il atterri à Hollywood ? Il se disait couturier. La Fox, qui misait beaucoup sur Gene Tierney ne tenait pas à la voir vivre sous l'influence d'un *play-boy* d'opérette qui travaillait dans le chiffon. Liste noire. Personne ne voulait le faire travailler. Du coup, c'est elle qui réglait les factures. Oleg se sentait humilié de vivre à sa charge. D'autant que leur train de vie n'était pas à la hauteur de ses aspirations. Ils se déchiraient dans d'incessantes scènes de ménage. Les portes claquaient. Cassini sautait dans sa voiture et roulait à tombeau ouvert sur les routes en épingle à cheveux des collines d'Hollywood. Souvent, il ne rentrait pas. Howard Hughes, qui avait été follement amoureux de Gene, jetait de l'huile sur le feu en lui détaillant les frasques de son mari qu'il faisait espionner.

La naissance d'une enfant handicapée acheva d'user leurs nerfs déjà mis à rude épreuve par leurs disputes. Rongée par un sentiment de culpabilité depuis qu'elle avait dû confier sa fille à un établissement spécialisé, Gene se débattait contre une pression psychologique qui devait la conduire aux portes de la folie. Kennedy tombait à point pour la consoler. Il l'aimait bien. C'était une gentille fille. Pas trop trafiquée. Elle gardait la nostalgie d'un bonheur parfait dont sa petite enfance lui avait donné l'illusion. Assez immature en fait. C'est frappant dans son autobiographie où sa vie, foisonnante d'aventures et d'épisodes dramatiques, s'affirme en totale contradiction avec sa prose étriquée.

Cette biographie comporte d'autres scènes épatantes concernant son aventure avec John Kennedy. Entre autres, une soirée au *Versailles*, le cabaret où tout New York défilait pour entendre chanter Edith Piaf. « Si un jour, la vie t'arrache à moi... » Piaf, qui pleurait la mort de Marcel Cerdan, mettait dans son interprétation toute la souffrance que renfermait son cœur. « Que m'importe si tu m'aimes, je me fous du monde entier. » Une profession de foi à laquelle Gene adhérait de tout son être. Elle aussi se foutait du monde entier. Seul l'amour comptait. Seulement, pour un futur président des États-Unis, ce n'était pas possible de se foutre du monde entier. Et encore moins d'épouser une femme divorcée. Divorcée et protestante, elle n'avait aucune chance. John ne chercha pas à lui mentir à ce sujet. Pour une fois sincère, il la mit en garde : « Tu sais, Gene, jamais je ne pourrai t'épouser », lui dit-il un jour qu'elle le raccompagnait à l'aéroport où il devait s'envoler pour New York. Il aurait voulu lui percer le cœur qu'il ne s'y serait pas pris autrement. Elle encaissa et ne dit plus un mot tout le long du trajet. Les essuie-glaces rythmaient le silence en grinçant. « Adieu John, murmura-t-elle en se dégageant de son étreinte comme il cherchait à l'embrasser.

— Qu'est-ce qu'il y a ? On croirait un adieu définitif

— C'en est un John. »

53

Cecil Beaton se donne un mal fou pour monter en épingle son flirt avec Greta Garbo. Invitation à la valse chez Mona Harrison Williams. Chacun se joue de l'autre. Garbo retrouve Beaton cloué dans un fauteuil roulant.

De tous les collaborateurs du magazine *Vogue*, Cecil Beaton est certainement celui qui paya le plus de sa personne : cinquante ans de bons et loyaux services. Une sorte d'homme à tout faire. Mais tout ce qu'il faisait, il le faisait bien. Des croquis charmants, des centaines de photos épatantes (dont plusieurs chefs-d'œuvre) et des textes conformes à la ligne éditoriale du magazine : un flot de banalités relevé par un adjectif piquant, une idée amusante, voire originale. *Vogue* ne l'en traitait pas moins avec désinvolture. Edna Woolman Chase, la rédactrice en chef, ne prenait souvent même pas la peine de s'adresser à lui directement, se contentant de dicter des mémos · « À l'instigation de Mrs Chase, je vous écris pour vous prier de ne plus photographier les mannequins respirant des bouquets d'un air extatique, ou les bras chargés de fleurs comme des enfants de Marie. Nous sommes tous fatigués de ces poses. Considérez à l'avenir les fleurs comme un élément passif du décor. Merci. » Beaton avait cependant raison de s'accrocher. Avec le recul, *Vogue* s'affirme comme le seul dénominateur commun d'une vie extrêmement brillante, certes, mais dont la richesse égare le biographe. À force d'être partout, on ne le trouve nulle part. À force de briller en public, il s'éteint en privé.

Son aventure avec Garbo est ce qui se rapproche le plus d'une histoire d'amour. Dans ses mémoires, il se donne un mal fou pour monter en épingle son flirt avec la star. Seulement il n'y a que la distribution de valable. Les dialogues sont plats, les situations tordues et le déroulement de l'intrigue d'une lenteur accablante. Ayant des tas d'amis communs, leur rencontre tombait sous le sens. Ils s'étaient croisés une première fois, en 1932, au cours d'une *party* chez Edmund Goulding et Marjorie Moss. Beaton déploya à cette occasion beaucoup d'énergie pour la séduire. « Lorsque l'aube se leva au-dessus de Beverly Hills et que Garbo s'en alla dans sa "vieille guimbarde", écrit-il, rien dans son comportement n'indiqua qu'elle m'autoriserait à la revoir. » Il ne croyait pas si bien dire. Il leur fallut près de quinze ans pour se retrouver face à face. Quinze ans au cours desquels la guerre n'avait pas compté pour rien. Surtout pour Garbo dont la carrière avait pris fin. Coupés du marché européen, ses films ne faisaient plus recette. La retrouvant par hasard à New York, au lendemain du conflit, Beaton ne la lâcha plus. La rage qu'il mit alors à la séduire ressemble à une OPA. Il fantasmait comme une midinette à l'idée de s'en faire une amie. Et plus si affinités. Beaton devait confier plus tard à Truman Capote qu'il avait été le seul homme capable de faire jouir Greta Garbo. C'est lui qui le dit. Comment le croire ? D'autant que l'expérience ne l'étouffait pas. En dehors d'un flirt, très innocent, dans les années 20, avec Adèle Astaire (la sœur de Fred), on ne lui connaît pas beaucoup d'autres aventures féminines.

Dans le rôle du fiancé, il se trompait d'emploi. Il y est si peu crédible qu'il ne figure souvent même pas sur la liste des amants que ses biographes prêtent à Garbo : Mauritz Stiller, John Gilbert, Robert Mamoulian, Léopold Stokowski, George Schlee... Beaton réparera cet oubli dans un livre de souvenirs, *Les Années heureuses*, où leur amour est sanctifié. En directeur artistique avisé, il manie avec habileté les fondus enchaînés et le flou artistique. Et les gros plans de Garbo dont la beauté le fascine. Son imagination très vive lui faisait-elle revivre, au contact de la star, certaines scènes de films dont le souvenir restait gravé dans sa mémoire ? Se voyait-il dans le rôle du bel Armand Duval ? Se rêvait-il en Vronski ? Comment ne pas sentir l'empreinte romantique du cinéma dans le passage qu'il situe dans l'hôtel particulier, de Mona Harrison Williams, sur la 5e Avenue ? Cecil Beaton faisait partie des intimes de cette femme étonnante qui passait pour être la maîtresse de maison la plus accomplie de New York. Garbo était également son amie. Divine pour divine, Mona Harrison Williams (plus tard comtesse Bismarck) n'était pas mal non plus. Beaton la décrivait comme « une déesse en cristal de roche ». Ses cheveux prématurément argentés se prêtaient à cette comparaison. Ainsi que sa peau d'un éclat incomparable. Mais ce sont surtout ses yeux qui frappaient l'imagination. D'immenses yeux bleu turquoise comme sertis dans de la nacre et s'étirant vers les tempes à la manière de ceux d'une Asiatique.

Comme ils n'avaient pas souvent l'occasion d'être invités ensemble, Cecil était fou de joie à l'idée de retrouver Garbo chez Mona, mais leurs places à table, trop éloignées à son goût, tempéreront son ardeur. Aussi chercha-t-il, après le dîner, à attirer Garbo à l'écart, en prétextant lui faire visiter la maison. Se glissant à l'étage supérieur, ils se retrouvèrent dans une suite de salons déserts dont les tapis avaient été roulés et les meubles houssés de toile blanche. En se reflétant sur les planchers dénudés, la lune baignait la scène dans une lumière bleutée. Pris d'une inspiration dictée par l'écho d'une musique assourdie en provenance du rez-de-chaussée, Cecil enlaça alors Greta pour la faire danser. D'ordinaire d'une élégance plutôt drastique, la star était exceptionnellement habillée, ce soir-là, d'une robe vaporeuse, qui lui dégageait les épaules. Assez conforme au souvenir que Beaton avait pu garder du *Roman de Marguerite Gautier*. La tête inclinée à l'arrière, un sourire énigmatique sur les lèvres, elle se laissait guider par Cecil qui, sanglé dans son habit, accélérait la cadence. C'était la première fois qu'ils dansaient ensemble. « J'étais en extase, écrit-il, comme le premier amoureux venu. *If I Loved You* est l'air qui me remémorera toujours cette soirée et il devint pendant quelque temps pour moi un leitmotiv obsédant. » On est comme lui : on aimerait y croire et laisser tourner le manège enchanté de ses souvenirs. Seulement on ne peut s'empêcher de tiquer devant certaines invraisemblances et le manque de conviction de Garbo. Pour ne donner qu'un exemple, un jour qu'elle était de passage à Londres où Beaton se trouvait aussi, Garbo ne prend même pas la peine de lui téléphoner et n'hésite pas, de retour à New York, à lui servir, après trois mois de silence, la plus invraisemblable des excuses. « Il s'est passé quelque chose d'horrible, à Londres, lui dit-elle. J'ai laissé déborder la baignoire et j'ai eu tellement peur que le plafond du *Claridge* ne s'effondre que j'ai tout écopé avec ma petite éponge à maquillage. »

Beaton atteint des sommets d'hypocrisie lorsqu'il écrit dans son livre de souvenirs à propos de Garbo : « L'homosexualité chez les hommes est un sujet qui la chagrine. Quant au lesbianisme, l'idée seule la hérisse. Ce n'est pas tant qu'elle le désapprouve, poursuit-il, mais son attitude envers lui est un mouvement de recul dicté par une antipathie foncière. » Qui croit-il abuser, alors que le couple qu'il forme avec la star atteint à un miraculeux équilibre en étant plusieurs fois contre-nature ? L'intermède des photos parues dans *Vogue* est pareillement révélateur de leur mauvaise foi respective. Ayant besoin de photos d'identité pour faire renouveler son passeport, Garbo lui demanda un jour s'il ne pouvait pas s'en charger. Juste une photo d'identité. Transporté de joie à l'idée de la photographier, alors qu'il n'aurait prétendument jamais osé le lui demander, Beaton réalisa toute une série de portraits. Tous aussi réussis les uns que les autres. Devant la beauté du résultat, Beaton implora la permission de laisser paraître une photo dans *Vogue*. Greta Garbo donna son accord avant de se saisir de ce prétexte pour se fâcher à mort avec lui en découvrant que plusieurs photos avaient été publiées. Comment croire Beaton quand il affirme ne pas avoir été au courant de ces parutions ? Mais comment croire à la sincérité de Garbo : accepte-t-on de porter une collerette et un chapeau de Pierrot dans le seul but de faire renouveler son passeport ?

Chacun se jouait de l'autre. Beaton aurait fait n'importe quoi pour retravailler au *Vogue* américain dont il avait été évincé, en 1938, à la suite d'une bourde. Lui qui ne faisait jamais de faute de goût s'était laissé aller à gribouiller, dans la marge d'un croquis illustrant un article sur la *café-society*, une annotation de caractère antisémite. Faux pas d'autant plus inexplicable que Condé Nast, le patron de *Vogue*, était juif et que Beaton, lui, ne devait pas être foncièrement antisémite. La réaction ne s'était pas fait attendre. Viré sur l'heure. En leur apportant des photos de la « Divine », Beaton provoquait les conditions de son retour en grâce. Un lourd dédit : il leur vendait sa raison d'être pour trente deniers. Ce qui ne veut pas dire que Beaton n'aimait pas sincèrement Garbo. Ni Judas Jésus. Peut-être même éperdument. Seulement son moteur dans la vie n'était pas vraiment l'amour. En comparaison de sa carrière, cet amour ne comptait pas. Des années plus tard, quand le photographe Tony Amstrong Jones épousa la princesse Margaret, Beaton faillit crever de jalousie. L'idée que son rivale allait parader au balcon de Buckingham Palace le rendait malade. Il tombe le masque dans son journal intime en notant que seul son mariage avec Garbo pourrait le rétablir dans ses prérogatives. Seulement il n'en était alors plus du tout question. Ils ne se voyaient que de loin en loin et trouvaient cependant encore le moyen de se chamailler, chacun continuant de reprocher à l'autre de ne pas avoir été à la hauteur de ses espérances.

Après son attaque, en 1982, Beaton manifesta le désir de revoir Garbo une dernière fois. À moitié paralysé, il s'était retrouvé cloué dans un fauteuil roulant. Sachant que Greta devait venir en Angleterre, il demanda à un de leurs amis communs de la décider à lui rendre visite. Il poursuivait sa convalescence à *Reddish House*, sa ravissante maison des environs de Londres. Il se sentait affreusement seul. Dans ce désert affectif, Garbo apparaissait comme un mirage un peu plus consistant que les autres mirages de sa vie. Alors qu'il connaissait la terre entière, il n'avait plus, depuis longtemps, de véritables amis. Il en changeait régulièrement, comme on renouvelle sa garde-robe. Il venait encore de se lier avec quelques-unes des figures marquantes du *Swinging London* : David Bailey, la toute jeune Loulou de la Falaise, David Hockney, Jean Schrimpton, Twiggy, Mike Jagger... Il vivait dans l'illusion que cela durerait toujours. Comme s'il pouvait se permettre de remettre chaque jour en jeu son titre d'arbitre des élégances. Sa maladie mit un terme à ces illusions. Du jour au lendemain, il se retrouva seul.

D'abord réticente, Garbo donna finalement son accord pour le revoir, à la condition qu'il ne reviendrait pas sur le passé. En pénétrant dans le salon où Beaton l'attendait, Garbo eut un choc. Sans la mise en scène qu'il avait préparée, elle ne l'aurait pas reconnu. Il ressemblait davantage à un automate qu'au vrai Beaton. Un automate au mécanisme déglingué. Sa tête penchait sur le côté d'une manière étrange. Il s'était arrangé pour tourner le dos à la lumière et un chapeau à large bord achevait de le protéger du jour, mais en dépit de ces précautions, on se rendait compte qu'il n'était plus que l'ombre de lui-même. Il arborait un de ces costumes en velours, très étroit, qu'il affectionnait depuis les années 60. D'un marron roux du plus bel effet sur l'incarnat des murs. La cravate du dandy, toujours énorme et rose vif, rivalisait avec un bouquet de roses anciennes s'effeuillant sur un guéridon. Prenant son visage amaigri entre ses deux mains, Garbo se pencha pour l'embrasser. Elle reconnut son parfum. « Beatea, je suis de retour » dit-elle d'une voix qui se voulait dégagée. Au prix d'un effort, il arriva à prononcer correctement son nom : « Greta, je suis si heureux », articula-t-il. Le reste de sa phrase se perdit dans un torrent de larmes. Depuis son attaque, des larmes lui montaient continuellement aux yeux. Délavé par l'âge et la maladie, son regard n'exprimait plus rien et ses pleurs abondants semblaient la seule manière pour lui d'exprimer les émotions qui le submergeaient. Un flot d'émotions trop longtemps contenu et qui se déversait, au soir de sa vie, en un long fleuve de larmes dont on pouvait supposer qu'il épanchait le meilleur de lui-même. Il pleura encore pendant le dîner et davantage au moment de leurs adieux qu'il savait définitifs. Greta Garbo ressortit de cette entrevue bouleversée, mais aussi soulagée d'en avoir fini et, au fond, assez indifférente.

54

Oleg Cassini et Grace Kelly au casino de Cannes. Le prince des pirates. Cassini est-il aussi romantique qu'il le prétend? Grace s'inquiète de sa réputation de tombeur. Les Loiewski-Cassini Une foule de fantômes sensationnels.

Le 21 sortit trois fois de suite. « Rien ne va plus, faites vos jeux », annonça le croupier. Oleg Cassini perdit tout ce qu'il venait de gagner en laissant une fois de trop ses gains sur le tapis vert. Se sachant le point de mire de l'assistance, il se fendit d'un sourire désinvolte. Avec Grace Kelly à son bras, il se doutait que tout le monde les regardait. Même sans être célèbre, Grace aurait attiré tous les regards. Pour définir le sex-appeal de Grace, Hitchcock aimait reprendre la métaphore du feu sous la glace. Ce feu intérieur aidait ce soir-là à faire fondre une robe de mousseline finement plissée qui coulait sur elle comme de l'eau. Une robe de vestale. Ils avaient dîné au casino de Cannes devant une des baies vitrées qui s'ouvraient sur la Croisette. Oleg Cassini excellait dans le rôle du chevalier servant. Fatiguée après une journée de tournage, Grace s'en remettait totalement à lui. Sur la Côte d'Azur, il émaillait son numéro de charme de « français dans le texte » qui ficelait la moindre de ses phrases de grosses choupettes de ruban. Le compte rendu de leur dîner (que l'on trouve dans ses mémoires) donne une idée de ce paquet-cadeau : « *We dined superbly. "Kir Royal", to start; then "mousse de trois poissons, turbot poché", followed by "steak au poivre". Fort dessert, a "soufflé framboise" and "petits fours"; and of course "Dom Pérignon" – two bottles I remember.* » Après ces tours de prestidigitation verbale et deux bouteilles de champagne, on imagine Grace défaillante.

Cassini l'entraîna jusqu'à une terrasse où un orchestre italien massacrait des airs à la mode. Ils ne s'en glissèrent pas moins au milieu des danseurs qui leur garantissaient un semblant d'anonymat. Grace se laissait aller dans les bras de Cassini qui l'enveloppait d'un air protecteur. Il chercha à l'embrasser, mais Grace esquiva son baiser. C'était comme un jeu. Le jeu de la séduction. Il existait encore à ce sujet des règles assez strictes. Même les adultes consentants s'y pliaient. Une fille savait jusqu'où elle pouvait aller. Un pas en avant, deux pas en arrière. On avançait en reculant. Comme pour danser le tango. Cassini enlaça Grace plus étroitement afin de la faire pivoter. « Savez-vous que vous êtes une sorte de pirate, monsieur Cassini ? murmura Grace à l'oreille de son cavalier. Le prince des pirates.

— Pourquoi pas Barbe-Bleue pendant que vous y êtes. Non Barbe-Rousse, je voulais dire Barbe-Rousse.

— Quelque chose comme cela, en effet. Et vous faites peser sur moi une menace.

— Quelle menace ?

— Une menace, s'entêta Grace. Je sais combien vous pouvez être agréable, drôle, extravagant, passionné… Je sais tout cela, mais qui êtes-vous vraiment ? Comment pourrais-je vous faire confiance ? » Après un temps de réflexion qui l'autorisait à avoir l'air pénétré de sa réponse, Oleg reconnut qu'il avait dans le passé commis beaucoup d'erreurs : « Je suis immature et souvent coupé de la réalité. Mais plus que tout je suis romantique, terriblement romantique. Quand j'aime une femme, je sais lui être fidèle », ajouta-t-il en resserrant son étreinte. Cela méritait une récompense. Grace se laissa finalement embrasser.

En dépit de sa carrière au cinéma, Grace Kelly restait une petite-bourgeoise. Deux fois divorcé, Oleg Cassini traînait une réputation de *play-boy* qui le disqualifiait à ses yeux. N'avait-il pas vécu au crochet de sa première femme, la richissime Merry Fahrney ? N'avait-il pas enlevé Gene Tierney pour l'épouser contre la volonté de ses parents ? On pouvait en outre le soupçonner d'arrière-pensées. Tout en jouant les amoureux transis, il n'ignorait rien du prestige que lui apportait un flirt aussi sensationnel. Il aimait voir son nom associé à celui de la plus belle fille du moment. Gene Tierney dans les années 40. Grace Kelly dans les années 50. Le couturier des stars. C'était bon pour sa carrière comme pour son image de séducteur. Si on en juge par le nombre de *play-boys* qu'on croise dans ses mémoires, Oleg Cassini n'échappait pas aux reproches que renferme l'expression « qui se ressemblent s'assemblent ». Porfirio Rubirosa, Ali Khan, Freddie McAvoy, Errol Flynn, Gianni Agnelli, les Kennedy, Stas Radziwill, Howard Hughes, Gunther Sachs… ils sont tous là. Dans *Musique pour caméléon*, Truman Capote achève de nous édifier en rapportant une conversation « entre hommes » dont il aurait été le témoin chez les Kennedy, à l'époque ou John et Jackie, nouvellement mariés, habitaient encore New York. Une fois les dames sorties de table, Oleg Cassini avait exhibé un carnet d'adresses où il conservait le nom de toutes les putes qu'il s'était envoyées. Leur nom, leur téléphone et leur spécialité. Tout ce qu'elles pouvaient sucer, tout ce qu'elles pouvaient s'introduire, toutes les gymnastiques dont elles étaient capables et leurs exigences financières. Selon Truman Capote, le futur président notait le plus de numéros qu'il pouvait, mais c'est une autre histoire.

Oleg était tombé amoureux de Grace Kelly en la voyant dans *Mogambo*. Contre toute vraisemblance, il affirma à l'ami qui l'accompagnait, ce soir-là, qu'elle serait sa prochaine grande histoire d'amour. Il faut croire qu'il était né sous une bonne étoile puisqu'en sortant du cinéma ses pas le guidèrent jusqu'à un restaurant où l'actrice dînait en compagnie de Jean-Pierre Aumont, son partenaire dans une dramatique de la télévision (et un de ses amoureux à la ville). Connaissant vaguement Jean-Pierre Aumont, Cassini s'invita à leur table et commença son numéro de charme. Il en faisait des tonnes. Jean-Pierre Aumont n'en revenait pas : le culot de ce type ! Il dut élever la voix pour s'en débarrasser, mais Cassini avait eu le temps de noter le téléphone de Grace. Ensuite il ne la lâcha plus. Il déploya pour la séduire toutes les ruses que l'expérience mettait à sa disposition. Grace restait sur la défensive. D'autant qu'il lui proposait rien moins que de vivre un grand amour. Cela demandait réflexion. Il revenait chaque jour à la charge. Il ne regardait ni à l'effort ni aux kilomètres : sa maison de couture le retenait à New York alors que Grace vivait en Californie. Il multipliait les sauts de puce. Il lui téléphonait jusqu'à dix fois par jour. Elle se méfiait de lui. Il était trop suave.

Cassini tenait de ses ancêtres ses talents de courtisan. Génétiquement parlant, les aristocrates arrivent à faire vivre ensemble des guerriers et des courtisans. L'esprit de conquête et l'esprit de rapine. Les Loiewski-Cassini agrémentaient cette proposition de base d'une foule de fantômes sensationnels. Du côté paternel, les ancêtres russes d'Oleg remontaient à bride abattue jusqu'aux chevaliers teutoniques. Du côté maternel (des aristocrates d'origine italienne attirés en Russie par Catherine II), on s'enorgueillissait de la carrière du grand-père d'Oleg. Il avait été le dernier ambassadeur des tsars à Washington. Un grand personnage. (Oleg et son frère, Igor, devaient se servir de son nom pour faire carrière aux États-Unis.) La révolution les avait jetés sur les routes. Tout est perdu, for l'honneur. « Nous n'avons plus rien, plus de terres, plus d'argent, même plus de toit, mais nous restons des Loiewski-Cassini. *You are Loiewski-Cassini. You are gentleman !* », répétait à longueur de journée Margherita Cassini à ses fils. Dans un premier temps, la famille avait trouvé refuge à Florence où les Cassini conservaient de solides relations. Comme beaucoup d'émigrés russes, Margherita décida d'ouvrir une maison de couture. Avec un certain succès. Oleg avait donc appris son métier sur le tas. En regardant par les trous de serrure. L'odeur des cabines d'essayages restait associée dans ses souvenirs d'enfance à une forme d'extase proche de l'engourdissement. Il en gardait la nostalgie. Les culottes chaudes, c'était sa madeleine. Il seconda rapidement sa mère. Pour son père, qui ne se remettait pas de la défaite de l'armée blanche, c'était la fin des haricots : un fils couturier alors qu'il espérait en faire un militaire. Dans quelle armée, papa ? C'était la question. Leur mère trancha en décidant d'aller poursuivre sa carrière aux États-Unis. Il fallait du cran pour repartir à zéro, mais les bruits de bottes qui commençaient à résonner en Europe ne lui disaient rien de bon. Pour les émotions fortes, une révolution suffisait.

Une fois aux États-Unis, Oleg et son frère Igor allaient développer un don d'ubiquité les autorisant à couvrir toutes les manifestations mondaines. On les voyait partout. Igor, qui travaillait comme chroniqueur mondain pour le groupe Hearst, en avait fait son métier. Les leçons de leur mère avaient porté : « Avec une raquette de tennis et un smoking, vous arriverez toujours à vous débrouiller. » Pour ces exilés de fraîche date, fréquenter des gens riches représentait une question de survie. Ils se nourrissaient de petits fours et de canapés. Il y a des gens qui ont le chic pour être toujours là où il faut quand il faut. Oleg et Igor Cassini développaient cette forme d'à-propos depuis leur plus jeune âge. À quatorze ans, ils faisaient des pâtés sur la plage de Forte dei Marni en compagnie de Gianni Agnelli et d'Emilio Pucci avec qui ils étaient restés amis. Partout ils trouvaient le moyen d'allonger la liste de leurs relations. De brancher des milliardaires. Même à l'armée. Même à Hollywood. Mais c'est dans le sillage des Kennedy qu'Oleg Cassini allait plus particulièrement s'illustrer. La postérité retiendra son nom comme celui du couturier qui habillait Jackie à la Maison Blanche. Une fois John élu président, Jackie ne pouvait continuer de se fournir en Europe. Elle ne jurait que par Balenciaga et Givenchy. Joe proposa Oleg Cassini.

En devenant citoyen américain, Oleg Cassini avait renoncé à porter son titre, mais pas à s'en servir. Si les ciseaux n'ajoutaient rien à son blason, il exerçait son métier sans déchoir. En homme à femmes. En gentleman. En grand seigneur. Un second couteau, mais affûté comme une fine lame. Affûté, futé et toujours à l'affût. De l'aisance, de l'aplomb, du panache, de l'audace, encore de l'audace, toujours de l'audace… Ses origines aristocratiques représentaient aux yeux de Jackie la meilleure des introductions. On se souvient qu'elle-même se vivait depuis l'enfance comme une aristocrate. Elle attendait son carrosse. Avant de comprendre ce qui lui arrivait, le carrosse l'avait déposée devant la Maison Blanche. Pourquoi s'arrêter en si bon chemin ? Une fois à la Maison Blanche, Jackie prit modèle sur Versailles pour régler les plaisirs de Washington et laissa se créer autour d'elle une coterie comparable à celle des Polignac du temps de Marie-Antoinette. Comparable à n'importe quelle coterie : des snobs imbus d'eux-mêmes, mais qui, parallèlement à la politique, nimbaient la Maison Blanche d'une aura qu'elle n'avait jamais connue et qu'elle n'a depuis jamais retrouvée. Oleg Cassini ne se contentait pas d'être la Mlle Bertin de ce pays-là. Même si, dans ses mémoires, il s'amuse, à propos de sa collaboration avec Jackie, à faire référence à la couturière de Marie-Antoinette. Il ignorait l'entrée des fournisseurs. Il faisait partie des intimes du couple présidentiel. Dernière précision pour situer le personnage et son rôle à la cour des Kennedy : c'est lui qui, avec l'aide de Lee Radziwill, devait introduire le twist à la Maison Blanche.

Background pour *background*, Grace Kelly n'échappait pas à un passé qui, sans remonter jusqu'aux chevaliers teutoniques, n'en appartenait pas moins à l'Histoire. On a déjà eu l'occasion, à propos des Kennedy, de s'intéresser à la famine consécutive à une maladie de la pomme de terre, qui, au milieu du XIXe siècle, jeta hors d'Irlande, vers les États-Unis, des milliers de va-nu-pieds. Les Kelly appartenaient au même contingent. Ils avaient connu les mêmes galères. Ils s'en étaient sortis pareillement. Sans avoir atteint le niveau de fortune de Joe Kennedy, John Kelly pouvait être fier de sa réussite. Cet entrepreneur du bâtiment pesait dans les 18 millions de dollars. Pour la bonne société de Philadelphie, il n'en restait pas moins un maçon. Grosse fortune, petit milieu. Catholique irlandais de surcroît ! Être associé à une maladie de la pomme de terre n'est pas la meilleure introduction pour réussir dans le monde. Dans la plupart des biographies consacrées à sa fille, John Kelly apparaît comme un macho dénué de sensibilité. Un chef de famille très chef. Qui régnait en tyran sur les siens. Secondé par sa femme et la religion catholique. Tout en étant folle de son papa, Grace se heurtait depuis l'enfance à son autorité. À sa dureté. Ce n'est pas qu'il ne l'aimait pas, mais il donnait l'impression de lui préférer ses frères et sœurs. Il ne la comprenait pas. Il la trouvait maniérée, chichiteuse. Les velléités artistiques de Grace n'étaient pas de nature à les réconcilier. Il l'avait laissé à contrecœur étudier l'art dramatique, mais sans s'intéresser à ce qu'elle faisait (alors qu'il se passionnait pour les exploits sportifs de son fils, futur champion olympique d'aviron). Tout se passait comme s'il refusait de lui accorder son estime. Tous les efforts de Grace tombaient à l'eau. Que des rendez-vous manqués.

55

Qui m'aime me suive. Cassini rapplique. Tournage de La Main au collet *sur la Côte d'Azur. Grace Kelly retrouve Hitchcock. Désarroi de Cary Grant. Grace aperçoit le palais du prince Rainier. La vie imite l'art. Les Kelly débinent Cassini.*

Les critiques qui reprochaient à Grace Kelly de se contenter d'être elle-même à l'écran se trompaient. Elle dégageait au cinéma une spontanéité et un naturel qui lui faisaient souvent défaut dans la vie. Comme tous les nouveaux riches, les Kelly lorgnaient sur ce qui faisait distingué. La mère de Grace en particulier. Elle aimait que ses enfants aient l'air comme il faut. Parfaitement raccord avec sa beauté classique, l'élégance de Grace atteignait la perfection. Dans l'esprit du public, elle ne pouvait être que chaste et pure. Non seulement elle avait l'étoffe d'une star, mais la qualité de cette étoffe (comme une belle popeline empesée) obligeait les studios à réviser l'opinion qu'ils entretenaient des femmes. Hollywood ne la vendait pas comme un sex-symbol, mais comme une jeune fille de bonne famille. Jamais froissée, jamais décoiffée, toujours parfaite. Une image qui résistait à tous les commérages. On savait dans les milieux autorisés qu'elle tombait régulièrement amoureuse de ses partenaires : Clark Gable, Gary Cooper, Bing Crosby, William Holden, Ray Milland... (un de ses ex l'accusait même d'avoir couché avec le prince Ali Khan). Comment s'y prenait-elle pour ménager sa vertu en se laissant courtisée par des hommes dans la force de l'âge ? Des hommes mariés. Se contentaient-ils de la raccompagner jusqu'à sa porte ? D'un baiser échangé dans la voiture ? D'un peu plus ? Encore un peu plus ? La liste de ses flirts renseigne sur son complexe d'Œdipe. Dans le rôle de la petite fille, elle pouvait continuer à jouer les ingénues. Elle était naïve, mais elle surjouait la naïveté. Elle savait qu'une petite fille n'épouse pas son papa, mais c'était si agréable de se laisser dorloter. Partagée entre son cœur d'artichaut et son éducation catholique, elle trichait un peu. Comme à confesse.

Oleg Cassini se désespérait d'arriver à ses fins, lorsqu'il reçut une étrange missive où Grace lui annonçait son départ pour la Côte d'Azur. En guise de *post-scriptum* elle avait ajouté (en français dans le texte. Peut-être pour plaisanter ?) : « Qui m'aime me suive ! » Depuis le temps que Cassini lui répétait qu'il la suivrait au bout du monde, elle le prenait au mot. Un autre aurait peut-être réfléchi à deux fois, mais Oleg Cassini réagissait au quart de tour. Le temps de faire sa valise et il avait sauté dans le premier avion en partance pour la France. Paris, direction la Côte d'Azur, où Grace était partie rejoindre l'équipe du film *La Main au collet*. Avec *La Main au collet*, Alfred Hitchcock s'offrait une récréation. Un film plus léger que ses films précédents. Presque une carte postale de vacances. On a beaucoup écrit qu'Hitchcock tombait régulièrement amoureux de ses interprètes. Il éprouvait pour Grace une affection qui dépassait la simple admiration. Il aimait les femmes inaccessibles. Les trop belles pour toi. Les blondes platine dont la perfection tenait à distance les petits crapauds comme lui. À l'époque où il tournait avec Grace Kelly, ces fantasmes restaient professionnels. Il n'aurait jamais osé lui déclarer sa flamme comme il le fit plus tard à Tippi Hedren. Conscient que sa laideur lui interdisait tout espoir, il aimait Grace en silence. Pour donner la réplique à Grace, Hitchcock avait pensé à Cary Grant. Ce dernier accepta avec enthousiasme alors qu'il songeait pourtant à abandonner le cinéma.

À cinquante ans, Cary Grant restait un des acteurs les plus cotés au box-office, mais il n'avait rien à gagner à prolonger indéfiniment sa carrière. On ne lui proposait plus que des resucées de rôles qu'il avait déjà interprétés. Si tous les hommes cherchaient encore à imiter son élégance, la jeunesse se tournait vers d'autres modèles. Sans remettre sa position en jeu, le succès de James Dean ou de Marlon Brando laissait deviner un renouvellement de la sensibilité qui le condamnait à plus ou moins long terme. Grant n'avait rien d'un blouson noir. Cette remise en question trouvait un écho dans sa vie privée. La mort de Dorothy di Frasso avait marqué pour lui la fin d'une époque. Il n'avait plus le cœur à sortir. Il n'avait pas non plus le cœur à rester chez lui : son récent mariage avec la jeune comédienne Betsy Drake donnait déjà des signes d'essoufflement. Toujours pour les mêmes raisons : Cary Grant attendait généralement d'être marié pour se rendre compte qu'il ne supportait pas de vivre avec une femme. À Hollywood, le maccarthysme plombait l'ambiance. Le climat de délation tournait au cauchemar. Tout le monde dénonçait tout le monde. Les journaux à scandales se croyaient autorisés à poursuivre dans leurs colonnes la chasse aux sorcières en mouchardant à tout va. La revue *Motion Picture* ressortit les vieilles accusations concernant l'ambiguïté sexuelle de Cary. C'était assommant. Et triste. Tellement d'eau avait coulé sous les ponts. Il ne voyait plus guère Randolph Scott, et son copain Howard Hughes, enfermé dans une tour de Vegas, sombrait dans la démence. Cary était un des seuls auxquels le milliardaire accordait encore des rendez-vous, mais ces visites furtives minaient l'acteur.

Si tous les films d'Hitchcock sont des exercices de style, *La Main au collet* se présente comme un exercice de style sur le style. C'est l'histoire d'un ancien voleur de bijoux, John Robie, surnommé « le Chat », qu'une série d'audacieux cambriolages remet sous les feux de l'actualité. Le tapage fait autour de cette affaire attire l'attention d'une riche héritière américaine, qui pourchasse à son tour Robie. Curieux marivaudage amoureux et policier. Qui est le Chat, qui est la souris ? Qui joue avec le feu ? Qui poursuit l'autre ? Qui veut quoi ? Mais aussi où commence la fiction, ou s'arrête la réalité ? Le scénario se complique en effet lorsque l'on sait que Grace vivait alors avec Oleg Cassini une *love affair* qui, sans avoir aucun rapport avec le film, n'en reproduit pas moins la complexité des liens unissant les deux protagonistes. La riche héritière naïve (ou faussement naïve) et le séducteur à la réputation sulfureuse. Beaucoup de scènes délayées par Cassini dans ses mémoires renvoient à *La Main au collet* : le casino, le pique-nique, le feu d'artifice. Grace n'avait jamais entendu parler de la principauté de Monaco avant le début du tournage. Entre deux prises de vue sur la route de la moyenne corniche, elle demanda à qui appartenait cette propriété dont on apercevait les jardins suspendus sur le miroitement de la Méditerranée. « Au prince Rainier », lui répondit un des assistants. Grace, qui entendait prononcer ce nom pour la première fois, ne sembla pas y prêter une attention particulière. « J'aimerais la visiter », poursuivit-elle. On ne sait plus si c'est la vie qui imite l'art où si c'est l'art qui recoupe la réalité. Les deux histoires se calquent continuellement l'une sur l'autre. Comme dans un jeu de miroirs, avec des perspectives sur l'avenir qui se révéleront étrangement prémonitoires puisque Grace devait trouver la mort au volant, sur cette même route en épingle à cheveux de la moyenne corniche où Hitchcock avait tourné la course-poursuite avec la police.

Cassini n'était ni un voleur ni un escroc, mais son passé de *playboy* l'apparentait à un aventurier. Amoureux de Grace, Hitchcock ne devait pas voir d'un bon œil ce papillon mondain lui tourner autour. Quand à Cary Grant, il ne pouvait ignorer qu'à l'époque de son mariage avec Barbara Hutton, celle-ci avait poursuivi Oleg de ses assiduités (allant jusqu'à lui proposer un million de dollars pour qu'il devienne son mari numéro quatre). Le dépaysement favorisait-il un climat d'insouciance et de camaraderie ? Sur la Côte d'Azur, Oleg et Grace vivaient dans une bulle. Coupés du monde. Loin de Hollywood où les commères s'en donnaient déjà à cœur joie. Feignant de prendre le parti de Grace, elles tiraient à boulets rouges sur Cassini. « Qu'est-ce qu'elle peut bien lui trouver ? » se désolait Hedda Hopper. « Cela doit être la moustache », ajoutait-elle. « O.K., je tiens le pari, lui avait répondu Oleg par voie de presse. Je m'engage à raser ma moustache si, de votre côté, vous faites la même chose avec la vôtre. » Il avait mis cette fois-là les rieurs de son côté, mais il savait d'expérience – son mariage avec Gene Tierney – que l'on ne sortait pas indemne des insinuations de cette langue de vipère. De son côté, Grace ne se faisait pas d'illusions. Elle n'ignorait pas que ses parents opposeraient un veto formel à leur mariage. Ce qu'elle éprouvait pour Cassini ne l'empêchait pas d'être la première à le considérer comme un mauvais parti. Un couturier d'origine russe ! Un coureur de jupons. Un coureur de dot. Pour les Kelly, il représentait une forme d'exotisme à la limite du supportable. « Dois-je lui faire le baisemain ? », avait demandé John Kelly à sa fille qui cherchait à le lui présenter. Mais c'est son frère Kell qui résuma le mieux l'opinion du clan en déclarant : « Je n'aime pas la voir s'afficher avec des mondains au charme sirupeux. Je préférerais la voir sortir avec des types au physique plus athlétique. Des types de chez nous. » C'était perdu d'avance.

56

Maria Callas se prend pour Violetta. Visconti la renvoie mourir sur scène. Les élans du cœur d'une diva immature. Une enfance ingrate : obèse, boutonneuse et myope comme une taupe. Mariée à un barbon. Une métamorphose spectaculaire.

Dans son costume de *La Traviata*, Maria Callas donnait l'impression de s'être égarée dans la galerie Victor-Emmanuel qui relie le Duômo à la Scala de Milan. Elle rasait les murs des commerces et cherchait à éviter les terrasses des cafés, mais on la repérait de loin au milieu de la grisaille des passants. Comment s'imaginait-elle passer inaperçue dans une robe d'un rouge presque vermillon, rebrodée de jais et de grenats ? Elle cherchait à se protéger de la curiosité en ramenant autour d'elle le manteau qu'elle avait, dans sa hâte, jeté sur ses épaules, mais son faux cul et sa traîne, drapée en cascade, la désignaient à l'attention des badauds. Ses bottines la gênaient. Sur scène, cela allait, mais elles étaient trop serrées pour courir. Elle n'aurait jamais le temps de se changer pour le second acte. Sa bonne, Bruna, qui la suivait avec un parapluie, ne se gênait pas pour le lui rappeler : « Qu'est-ce qui a pris à Madame ? Madame va être en retard. » Maria se rendait compte de la folie de son entreprise, mais quand elle avait appris, en sortant de scène, que Visconti avait déjà quitté le théâtre, son sang n'avait fait qu'un tour. « Comment ça, parti ? Où çà ? » Il était parti dîner chez *Biffi* avant d'aller prendre son train pour Rome. Encore toute fiévreuse du rôle, elle s'élança à sa poursuite sans réfléchir. Dieu sait quand ils se reverraient ? Elle était Violetta. Entre les actes, elle ne pouvait pas la laisser au vestiaire. Comme

Violetta, elle aussi pouvait braver les convenances pour courir rejoindre l'homme qu'elle aimait.

À l'intérieur du restaurant, Maria laissa tomber son manteau, s'offrant en robe de moire rouge à la curiosité des clients attablés. À Milan, *Biffi* est une institution. Son fameux risotto au safran lui vaut une réputation gastronomique justifiée. On s'y bouscule aussi pour l'ambiance. Toujours bondé et bruyant, c'est l'endroit par excellence où aller souper. Visconti y avait sa table. Toujours la même qu'on lui réservait lorsqu'il était en ville. Maria n'eut donc pas besoin de le chercher, mais elle dut traverser plusieurs rangées de dîneurs avant d'arriver jusqu'à lui. Myope comme une taupe, elle se déplaçait dans un brouillard coloré d'où émergeaient les serveurs et les maîtres d'hôtel. Elle faillit entrer en collision avec le chariot des desserts. Le brouhaha qui s'amplifiait dans son dos la renseignait sur l'effet qu'elle produisait. Personne, à Milan, n'ignorait ses récents triomphes. La presse s'était déjà emparée de son personnage, de sa cure d'amaigrissement, de ses démêlés avec la Scala, avec la Tebaldi, du couple qu'elle formait avec Meneghini. Bref, avec sa robe rouge et son maquillage de scène, elle ne risquait pas d'échapper aux commérages. Et même à certains quolibets. Ainsi averti de son arrivée, Visconti n'en feignit pas moins la surprise. « Maria, Maria, tu n'aurais pas dû, lui reprocha-t-il.

— Ne bougez pas. Je ne voudrais surtout pas vous déranger, s'écria-t-elle un peu bêtement compte tenu du remue-ménage provoqué par son apparition. Nous ne nous étions pas dit au revoir, ajouta-t-elle d'une voix brisée.

— Mais jamais je ne serais parti sans venir te saluer », protesta Visconti en mentant effrontément.

Assis sur la banquette, Visconti s'était levé pour l'accueillir, mais sans pouvoir la prendre dans ses bras. Par-dessus la table, il lui saisit les deux mains dont il baisa à tour de rôle le bout des doigts. Il lui servit également les compliments ampoulés qu'elle souhaitait entendre. Sur sa beauté, son talent... Il lui dit qu'elle n'avait jamais été meilleure que ce soir-là. « Meilleure encore que lors de la première », précisa-t-il en feignant une impartialité un peu appuyée.

Maria esquissa un sourire. Elle accepta la chaise qu'on lui avançait tout en prétextant n'avoir pas le temps de s'asseoir. L'habituelle cohorte de garçons qui entourait Visconti se serra pour faire une place à Bruna. On servit du champagne. Quelqu'un porta un toast. Visconti n'écoutait plus. Après la tension nerveuse des semaines écoulées, il se sentait fatigué. Vidé. En proie à ce désenchantement qui suit souvent, pour le metteur en scène, la fin des répétitions. Alors que la Callas cherchait à prolonger la complicité qui les unissait dans le travail, lui n'aspirait plus qu'à changer d'air. Ils ne parlaient plus la même langue. Qu'est-ce qu'il y pouvait si elle était amoureuse de lui ? L'immense respect qu'il éprouvait pour l'artiste ne dépassait pas le cadre de la Scala. Sur scène elle le subjuguait, l'envoûtait. Passé la porte du théâtre il n'en avait, au fond, rien à foutre de la Callas. Elle pouvait être agaçante. Il l'aimait bien. Il aurait bien aimé aussi qu'elle modérât ses ardeurs.

C'est lui qui provoqua son départ en lui proposant de la raccompagner. Son manque d'empressement la renseignait sur le peu d'envie qu'il en avait. Elle le supplia de n'en rien faire. Il était l'heure. La sonnerie de la fin de l'entracte devait déjà retentir dans les couloirs de la Scala. Elle faillit renverser sa chaise en se levant et retraversa le restaurant d'une traite sans se retourner. Il la renvoyait mourir sur scène. Visconti la regarda s'en aller avec soulagement. « Cela aurait pu être pire, commenta-t-il avec philosophie, lorsqu'elle se fut éloignée. Imaginez qu'elle soit arrivée à la fin du troisième acte, on l'aurait eue en chemise de nuit avec les cheveux dans la figure. Pauvre Maria, *l'Adio del passato* chez *Biffi*, non, mais quelle idée ! » Au lendemain de la guerre, Visconti incarnait avec panache un personnage assez conventionnel. Celui de l'artiste contestataire. Le grand intellectuel de gauche. L'homme providentiel du théâtre de l'Italie post-fasciste. À en juger par les auteurs qu'il faisait infuser dans sa contestation, il n'échappait pas au conformisme de ces années de plomb : Sartre, James Cain, Erskine Caldwell, Steinbeck et, pour faire bonne mesure, Cocteau et Tennessee Williams. Rien de bien original. En dépit de ses prises de position en faveur des plus démunis, il n'en restait pas moins un grand seigneur imbu de ses prérogatives. Il n'était pas jusqu'à son langage ordurier qui ne peaufinât sa ressemblance avec un *condottiere* de la Renaissance. « *Va fan culo* », lançait-il à tout bout de champ. « Écoute-moi où retourne au bordel », conseillait-il à une actrice. Un genre qu'il se donnait pour impressionner ses interprètes et épater le bourgeois.

Maria n'avait jamais rencontré un personnage tel que lui. Encore bel homme, il lui en imposait. Sa carrure, sa puissance, son autorité le désignaient pour incarner le père dont elle avait manqué dans sa jeunesse. Sans même s'en rendre compte elle tomba amoureuse de lui. Trop godiche et trop prude pour s'avouer cet amour, elle s'y livrait sans retenue. Il ne lui en fallait pas beaucoup. Il suffisait que Visconti lui prenne le bras, qu'il la frôle, qu'il lui caresse la joue pour qu'elle sente des frissons la parcourir des pieds à la tête. Ces affolements du cœur que l'on connaît d'ordinaire au sortir de l'enfance, lors de son premier amour, elle les éprouvait dans l'âge mûr sans être pour autant capable de comprendre ce qui lui arrivait. Comme Visconti n'avait rien d'efféminé, elle ne découvrit que bien après leur rencontre ce que tout le monde savait dans le métier. Il avait fallu un certain temps à Visconti avant accepter son homosexualité, mais depuis, il ne s'en cachait plus. La liaison qu'il entretenait avec Franco Zeffirelli n'était un secret pour personne. Visconti aimait les minets : des jeunes gens à peine sortis de l'adolescence et dont la sensualité se parait d'un reste d'innocence trompeuse. (Alors que lui plaisait aux femmes fortes : Chanel, la Callas, Marlène Dietrich, Elsa Morante, Anna Magnani.) Maria se refusait de croire que la chose fût possible. Elle ne l'accepta ensuite qu'à contrecœur. Son seigneur et maître ! Son lion superbe et généreux !

Meneghini, l'omniprésent mari de la Callas, se rendait compte du penchant de sa femme pour le metteur en scène. Tout le monde s'en rendait compte. C'était vexant. Le dédain de Visconti le blessait. Monsieur le comte ne se gênait pas pour lui faire comprendre qu'il le considérait comme un épicier (Meneghini s'occupait de la carrière, mais aussi des finances de sa femme). Pour soulager son cœur, Meneghini se rapprocha sournoisement de Zeffirelli. Ce zéphyr léger soufflait le chaud et le froid. Visconti ne s'entendait plus avec son amant qui lui reprochait sa dureté. Visconti pouvait l'être. Dur, injuste, capricieux. Après avoir été l'assistant et le souffre-douleur de Visconti, Zeffirelli s'était essayé avec succès à la mise en scène. Visconti ne le lui pardonnait pas. Zeffirelli criait vengeance. Meneghini ne demandait qu'à crier avec ce jeune loup dont les dents rayaient le plancher. Pourquoi ne dirigerait-il pas Maria ? Dans *L'Italienne à Alger* ou dans *Figaro* ? Leur affaire avançait comme du Rossini un soir de pleine lune : monsieur le comte, son valet, le barbon et l'innocente du village vocalisant les mérites du comte qu'elle aime sans le savoir. Visconti n'avait pas tort de mettre la Callas en garde contre l'hypocrisie et les indiscrétions de Zeffirelli. C'est dans les mémoires de ce dernier qu'on apprend qu'elle cherchait en se maquillant à ressembler à Audrey Hepburn. En arrivant dans sa loge, elle punaisait une photo de l'actrice dans *Vacances romaines* et essayait d'imiter son maquillage. On meurt en découvrant que le sublime trait d'eye-liner, à jamais associé à la cantatrice, n'était qu'une imitation ratée d'Audrey Hepburn dans *Vacances Romaines*. Connais-toi toi-même.

Avec ses habitudes de grand seigneur, Visconti avait été le premier à faire miroiter à la Callas un style de vie qu'elle ignorait. Le luxe, la profusion, les grands hôtels, les grands restaurants, l'argent jeté par les fenêtres, les pourboires royaux (avec Meneghini, ils ne laissaient jamais rien et comptaient leurs sous au centime près). Depuis sa plus tendre enfance, Maria avait été privée de distractions. Elle aimait se présenter comme une enfant martyre. C'était exagéré, mais elle n'avait pas eu l'occasion de beaucoup s'amuser. En dehors de son filet de voix, la nature ne l'avait pas spécialement gâtée. Obèse, boutonneuse et myope comme une taupe : sa jeunesse ne lui rappelait pas que des bons souvenirs. Le divorce de ses parents l'ancra dans la frustration. Née à New York de parents grecs, Maria Kalogheropoulos était retournée vivre à Athènes, avec sa mère, à la veille de la guerre. Mauvaise pioche. Prises au piège, elles se retrouvèrent bientôt coupées du monde. Maria connut la disette et la calomnie. Et les persécutions de son entourage. Le climat d'Athènes n'avait alors rien à envier à la plus mesquine de nos sous-préfectures. A-t-elle cherché sa nourriture dans les poubelles ? A-t-elle chanté contre un gigot pour des Italiens de l'armée d'occupation, comme s'est récemment ingénié à le prouver un de ses compatriotes ?

Elle faisait ce qu'elle pouvait. Elle crevait de faim. Elle travaillait dur. Elle était entrée au conservatoire où elle étudiait sous la férule d'Elvira de Hidalgo. Elle intégra ensuite l'opéra d'Athènes, mais dès que la guerre prit fin, elle retourna à New York pour fuir sa mère qu'elle détestait, avec l'idée de faire carrière aux États-Unis. Il lui fallut déchanter. Personne ne s'intéressait à elle. Elle n'était qu'une grosse Grecque à la voix étrange. Après une année d'inactivité, elle accepta un engagement, sous-payé, au festival de Vérone. C'est là qu'elle devait rencontrer Giovanni Battista Meneghini. Beaucoup plus âgé qu'elle et fortuné. Il allait devenir son mari, son boss et son impresario. Le tout en un. Son mariage avec ce barbon la condamnait à une vie de bonnet de nuit. Mais le principal obstacle à son épanouissement restait son obésité. À quoi cela lui aurait-il servi de sortir ? Ses kilos en trop la condamnaient à vivre repliée sur elle-même. Avec Meneghini comme mentor, elle ne risquait pas de s'épanouir. Cet ancien entrepreneur du bâtiment n'avait rien pour inspirer l'amour. Petit, chauve, rondouillard, mesquin, avaricieux et d'une « plouquerie » de petit-bourgeois enrichi. Il consacrait toute son énergie à la carrière de Maria, mais veillait sur elle comme Harpagon sur sa cassette. Pas touche. Immature comme sont souvent les génies (qui ne développent qu'une facette de leur personnalité au détriment de toutes les autres), Maria s'accrochait à lui comme à une bouée de sauvetage. Ils formaient un couple effarant. Un couple à la Dubout. Le coucher du couple valait le déplacement : dans leur grand lit capitonné, lui ronflait pendant qu'elle étudiait ses partitions. Il faut l'imaginer encore grassouillette, mêlant en sourdine ses vocalises aux ronflements de son époux.

Alors qu'elle incarnait le fer de lance du renouveau de l'art lyrique, dans la vie elle adhérait au conformisme des années 50. Quand on dit dans la vie, c'est une façon de parler. Dans la vie, elle ne vivait pas. Elle ne vivait que sur scène, ne se réveillait que sur scène, ne vibrait que sur scène. Dans la vie, ce n'était pas une flèche. En veilleuse. Comme engoncée dans une multitude de réflexes petit-bourgeois. Son goût ne s'élevait pas au-dessus du mauvais goût de l'époque. Elle aimait le faux Louis XV, la marqueterie, les roses rouges bien raides sur leur tige, les cendriers en cristal et les bonbonnières en Sèvres remplies de chocolats à la liqueur. Chez eux, c'était nickel. Elle disposait des petits napperons sous chaque bibelot afin d'éviter de rayer les meubles. Cette tragédienne qui brûlait les planches en portant à leur paroxysme la violence de ses personnages redevenait, au baisser du rideau, une petite bonne femme. Elle s'éteignait. Visconti allait l'aider à sortir de cette torpeur. Un réveil qui ne pouvait passer que par l'amour. Comment l'esprit vient aux filles ? Visconti s'est toujours défendu d'avoir fait la Callas. Il était trop bien élevé pour s'abaisser à ce genre de vantardise. Il l'aida simplement à sortir de sa chrysalide. Gracieuse métaphore pour désigner une surcharge pondérale qui faisait de Maria, alors, une caricature de *prima donna*.

L'ayant entendue chanter à Rome, en 1949, dans *La Norma*, Visconti était tombé amoureux de sa voix qui déconcertait encore le public. Depuis, il suivait sa carrière. Elle l'intriguait. Encore obèse, elle n'en arrivait pas moins à rendre crédible tous les personnages qu'elle interprétait. Même quand elle jouait les séductrices. Il rêvait de la faire travailler, mais devait vaincre pas mal de réticences. Principalement en Italie où son timbre âpre déroutait. Toscanini, qui finira par reconnaître ses mérites, trouvait qu'elle avait du vinaigre dans la voix. « Il n'y a rien à en tirer », avait-on dit à Meneghini lors de la première audition de sa femme à la Scala. Si l'opéra de Milan était revenu depuis sur cette sentence, les pourparlers pour les débuts de Maria traînaient en longueur. Il fallut pas moins de quatre ans pour aplanir les difficultés qui de part et d'autre retardaient cet événement. Cela valait la peine d'attendre. Au cours de ces quatre ans Maria avait trouvé le moyen de perdre plus de trente kilos. Des kilos qui pesaient des tonnes quand elles jouaient les vestales ou les ingénues. En crinoline, elle ressemblait à une grosse lessiveuse en ébullition déglutissant des cascades de volants. Et justement Visconti pensait à monter une *Traviata* pour elle. Est-ce la raison qui la décida ? Ses détracteurs n'hésitaient pas à insinuer qu'elle s'était fait inoculer un ver solitaire. Le résultat en valait la peine.

57

Elsa Maxwell tombe le masque. Maria Callas prend peur. Une amitié contrariée. Elsa Maxwell ouvre à la Callas les portes de la société. Rencontre des deux Grecs les plus célèbres du monde : la Callas et Onassis.

Elle lui avait sauté dessus. Ou presque : s'agrippant à elle afin de lui déclarer son amour, Elsa Maxwell avait flanqué une peur bleue à Maria Callas. Qu'est-ce qui lui prenait ? Elle devenait folle ? Une autre se serait amusée de la naïveté de cet aveu, mais la Callas était une petite-bourgeoise. L'homosexualité lui faisait horreur. L'affection que lui manifestait Elsa Maxwell depuis plusieurs mois laissait présager du sentiment qu'elle lui portait, mais elle ne s'attendait pas à une attaque frontale. « Taisez-vous, taisez-vous ! », lui ordonna-t-elle en dégageant ses mains qu'Elsa cherchait à embrasser. Comment l'avait-elle appelée ? Son quoi ? Quelle horreur ! Comble de malchance, l'avion venait de décoller, si bien que la colère de la diva se trouvait entravée par sa ceinture de sécurité. Se raidissant de tout son être, elle se figea dans l'attitude d'une reine outragée en se dévissant le cou autant qu'elle pouvait. Alors que de son côté, Elsa Maxwell, qui se ratatinait sur son siège, donnait l'impression de chercher à s'enfoncer dans ses bajoues. Un exercice extrêmement périlleux qui la faisait ressembler à une grenouille qui aurait réussi à se faire aussi grosse que le bœuf. « C'est fou ce qu'elle ressemble à un crapaud », pensa la Callas avec dégoût en la regardant à la dérobée de son œil noir coincé dans la pince d'eye-liner qu'elle se dessinait dès le matin.

Assises côte à côte dans l'avion qui les ramenait de Dallas, où s'était produite la cantatrice, le trajet jusqu'à New York leur parut interminable. Cinq heures sans s'adresser la parole. Elsa Maxwell souffrait le martyre et la Callas se sentait mal à l'aise, mais comme l'avion était plein, il n'y avait pas moyen de changer de place. La corpulence d'Elsa rendait la situation encore plus pénible. Les cabines des avions étaient alors plus étroites qu'aujourd'hui et, même en première, les passagers ne disposaient pas de beaucoup de place. Ignorer dans ces conditions la présence d'Elsa demandait à la Callas un effort de volonté à la limite du supportable. Toutes les deux refusèrent le plateau-repas que leur proposait l'hôtesse, ce qui prouvait la sincérité du désespoir d'Elsa. Elle adorait les plateaux-repas. Elle était tellement triste ! Elle se faisait une telle joie de ce voyage ! Depuis la veille, elle fantasmait à l'idée de se retrouver en tête à tête avec son idole. Sa chérie. Pourquoi avait-elle brusqué les choses ? L'euphorie. Quand le steward l'avait conduite jusqu'à son siège en l'assurant que son amie, Mlle Callas, était bien assise à ses côtés, elle y avait vu comme l'officialisation de leur relation. Elsa Maxwell et Mlle Callas : deux amies s'aimant d'amour tendre. Aussi Maria se vit-elle accueillie avec des transports d'affection auxquels dans un premier temps elle n'avait pas trop prêté attention. Elsa était collante, mais si serviable ! Elle ne comprit rien à son manège jusqu'à ce qu'Elsa, s'enhardissant, tombât le masque de l'amitié pour lui parler d'amour. En des termes ! Tellement ridicules que la Callas avait été choquée. La violence de sa réaction avait sidéré Elsa. Elle ne lui proposait rien d'autre que d'approfondir leur amitié. Son amour était pur.

Elsa Maxwell n'avait pas toujours été une inconditionnelle de la Callas. Amie fidèle et admiratrice de Renata Tebaldi, elle prenait toujours son parti dans la rivalité qui opposait les deux cantatrices. Une rivalité calquée sur la querelle des Anciens et des Modernes et qui passionnait tous les amateurs de *Bel Canto*. Et même le grand public. La presse se plaisait à compter les points. Elsa Maxwell ne manquait pas une occasion, dans ses chroniques, de vanter la tessiture cristalline de la Tebaldi au détriment de ce qu'elle désignait comme « l'âpre tonalité » de la Callas. Face à une Tebaldi parfaite, mais sans imagination, la Callas incarnait la modernité. Et comme

Elsa Maxwell s'affirmait réactionnaire dans ses jugements, son rejet s'expliquait aussi de cette façon. Bref, elle détestait la Callas. En bloc. Sans prendre la peine de comprendre le génie de ses interprétations et tout ce qu'elle apportait de nouveau à l'opéra. Agacée par le parti pris d'Elsa Maxwell, la Callas se montra pour une fois diplomate. Alors qu'elle était d'ordinaire plutôt du genre à envoyer balader ses détracteurs, elle s'arrangea au contraire pour faire la connaissance d'Elsa Maxwell et la charma. La rencontre se déroula lors d'une soirée de charité, organisée par Spyros Skouras, au bénéfice de l'American Hellenic Welfare Fund. Membre influent de la diaspora grecque des États-Unis, Spyros Skouras dirigeait la 20 th Century Fox. Il se trouvait être également un grand ami d'Onassis, mais c'est une autre histoire.

Voici comment, selon la commère, les choses se passèrent. « Je pensais être la dernière personne que vous auriez souhaité rencontrer », s'étonna celle-ci, quand la Callas demanda à lui être présentée. À quoi Maria aurait répliqué : « Détrompez-vous, indépendamment du jugement que vous portez sur ma voix, je respecte l'honnêteté de la femme que seul le souci de la vérité inspire. » Bla, bla, bla. On reconnaît le style grandiloquent d'Elsa Maxwell qui ajoute : « Miss Callas s'est emparée de la main que je lui tendais. J'ai plongé mon regard dans ces yeux au pouvoir hypnotique et j'ai compris que j'avais à faire à une personne extraordinaire. » Comprit-elle qu'elle avait le béguin ? Toujours est-il que du jour au lendemain, elle devint sa plus fervente admiratrice. Ses instincts refoulés – aussi bien maternels qu'homosexuels – l'exposaient à ce revirement. À partir de ce jour, le dévouement dont fit preuve Elsa Maxwell ne connut pas de limite. Elle la servait comme une esclave. Elle trempait sa plume dans la ferveur la plus outrée pour l'encenser dans ses articles. Si son point de vue musical ne faisait pas autorité, les bavardages de la Maxwell pouvaient influencer l'opinion. Quant à son ascendant sur la *jet-set*, il n'était que trop réel. Elle pouvait ouvrir n'importe quelle porte et même certains tabernacles.

Maria Callas n'échappait pas à l'engouement de la classe moyenne pour cette vie mondaine dont elle se sentait exclue. Elle ne connaissait rien en dehors du milieu de l'opéra. Comme tout le monde, elle lisait dans la presse les comptes rendus des fêtes qui ponctuaient la vie de la haute société. Maria avait appris à se familiariser avec certains noms : la duchesse de Cadaval, la comtesse Brandolini, Consuelo Crespi, Dado Ruspoli. Elle s'attristait sur les malheurs de la princesse Soraya, s'étonnait des amours d'Ira de Furstenberg avec Baby Pignatari, se scandalisait de la conduite de Zsa Zsa Gabor. Elle n'ignorait pas le rôle d'Elsa Maxwell dans cette société. Était-ce la raison qui l'avait poussée à pactiser avec la commère ? Une fois amies, Elsa la soûla de mondanités. Elle l'entraîna dans un tourbillon de soirées et la présenta à la crème de cette société oisive : les Windsor, Ali Khan, toutes sortes de Rothschild… Et finalement, Aristote Onassis. La rencontre entre les deux Grecs les plus célèbres de leur siècle se déroulera à Venise, en 1957, à l'occasion d'un bal qu'organisait Elsa Maxwell, au *Danieli*, en l'honneur de sa protégée. Le destin flirtait avec l'imagerie d'Épinal : la Castafiore et Rastapoulos en chair et en os.

Une fois encore, Elsa Maxwell se trouvait à l'origine d'un des plus retentissants feuilletons de la presse à scandale du XXe siècle. Elle se serait bien passée d'en être la victime. Elle se considérait comme une victime. Dans une lettre qu'elle écrivit à Maria à la suite de leur brouille, elle se présente comme « la victime innocente du plus grand amour jamais éprouvé par un être humain pour un autre ». Ce qui donne une idée de son inexpérience et de sa mégalomanie. Elle ne décolérait pas. Elle souffrait. Elle bombardait Maria de messages en affirmant chaque fois que c'était le dernier. Elle trouvait ensuite toujours un nouveau prétexte pour lui écrire. Elle s'entêtait à lui prodiguer des conseils. À la mettre en garde contre des dangers imaginaires dont elle seule pouvait la tirer. Son dépit redoubla en apprenant que Maria devait partir en croisière avec les Onassis alors qu'elle-même n'avait pas été invitée. Un crime de lèse-majesté. C'était par elle que Maria avait connu l'armateur ! En arrivant à Monte-Carlo où elle devait passer une nuit avant d'embarquer sur le *Christina*, Maria trouva une nouvelle missive d'Elsa. « En somme, à bord, tu prends la place de Garbo qui se faisait trop vieille, écrivait la commère. Bon vent ! Garbo ne m'a jamais fait vibrer, mais toi je t'ai aimée. Je ne souhaite même plus te revoir. On dira que tu t'es servie de moi. Je démens. Le peu que j'ai fait, ce fut les yeux grands ouverts, de tout mon cœur, de toute mon âme, etc. »

« Quel ennui », pensa la Callas en tendant la lettre à son mari. Après avoir affirmé une fois encore qu'elle ne voulait pas la revoir, Maxwell ajoutait un *post-scriptum* : « Hier, Ari et Tina m'ont invitée à dîner en votre compagnie. Je n'ai pas pu refuser. » Elle était donc à Monte-Carlo. Meneghini avait du mal à suivre. Il s'était réjoui de l'éviction de la commère qu'il accusait d'avoir une mauvaise influence sur sa femme, mais depuis rien n'avait changé. Maria s'obstinait dans sa quête de mondanités. Elle l'inquiétait. Elle s'entêtait à vouloir sortir, à rencontrer des gens nouveaux. Et maintenant une croisière ! Il avait tout fait pour la dissuader d'accepter, prétextant que son emploi du temps ne lui laissait pas le loisir de s'absenter quinze jours. « Pense à ta gorge, si fragile, l'avait-il supplié. L'air du large, la chaleur, l'air conditionné, tu vas t'esquinter la voix. » Maria semblait désormais se préoccuper d'avantage de sa garde-robe que de sa carrière. En prévision de la croisière, elle s'était commandé un véritable trousseau. Elle se ruinait en toilettes coûteuses. Des millions de lire pour des costumes de bains, des déshabillées de soie. Elle prétendait n'avoir plus rien à se mettre. Meneghini ne la reconnaissait plus.

58

Le cirque flottant d'Onassis. Tina et Onassis. La Callas surjoue les divas, mais s'aplatit comme une crêpe devant Churchill. Intimité viscérale de la Callas et d'Onassis. Ce qui devait arriver arrive.

Le *Christina* passait pour le plus luxueux paquebot privé du monde. Dans le genre kitch, il méritait sa réputation. Seul maître à bord après Dieu, Onassis se flattait d'avoir décidé de tout. Tina, son épouse, n'avait pas eu son mot à dire. Le résultat puait le fric. Onassis s'était contenté de choisir tout ce qu'il y avait de plus cher : de l'or et des pierres dures à profusion dans les salles de bains, du vermeil et du saxe à table, des meubles Louis XIV et vénitien, plus ou moins authentiques, des débauches de damas dans les salons et dans les chambres, etc. Au milieu de ce luxe clinquant, le tableau du Gréco, un saint Sébastien, qui ornait le bureau de l'armateur, paraissait atrocement mal à l'aise, comme s'il souffrait d'avantage de la promiscuité qu'on lui imposait que des flèches qui le transperçaient. La piscine, dont les mosaïques reproduisaient les fresques du palais de Cnossos et qui changeait, le soir, de couleurs au rythme de la musique, provoquait tout particulièrement la fierté de l'armateur. En appuyant sur un bouton, il pouvait la transformer en piste de danse. Les invités répondaient aux mêmes critères que la décoration. Onassis se payait ce qu'il y avait de plus cher. La plus grande star de tous les temps, l'homme politique le plus respecté, la commère la plus bavarde, le couturier le plus snob, etc. Jusqu'à l'intrusion fracassante de la Callas dans ce cénacle, Garbo et sir Winston Churchill tenaient la vedette. Même pour Onassis, Garbo et la Callas sur le même bateau, cela faisait un peu copieux. Indigeste même. Aussi n'avait-il pas invité Garbo. Il le regrettait car il l'aimait beaucoup.

Pourquoi certaines personnes focalisent-elles l'attention des médias ? Bien avant son idylle avec Onassis, Maria Callas monopolisait déjà la curiosité des journalistes. Ils se conduisaient avec elle comme des mouches qu'un temps d'orage taraude. Ils ne la lâchaient jamais. Ils amplifiaient ses colères, déformaient ses propos, se déchaînaient sur son régime amaigrissant. Tout ce qu'elle faisait devenait sujet à controverses. « Maria Callas claque la porte du Met », « Maria Callas quitte le festival d'Édimbourg », « Maria Callas refuse de chanter devant le président de la République italienne », « Ma voix n'est pas un ascenseur », déclare Maria Callas. Tout était exagéré, déformé, comme grossi à la loupe. Mais le public raffolait de cette caricature. Les efforts de la presse pour la dénigrer ne faisaient que renforcer sa cote de popularité. À chaque représentation, le marché noir faisait flamber le prix des billets. Elle appartenait déjà à la légende. Tina ne fut donc pas particulièrement étonnée de l'acharnement que mettait son mari à vouloir inviter la cantatrice. Elle correspondait parfaitement au type d'attraction qu'il aimait se payer. Avec les années, l'appétit de puissance de l'armateur se doublait d'un besoin de se faire remarquer tout aussi impérieux. Comme s'il avait épuisé toutes les autres formes de divertissements. Avec la Callas et Churchill, il tenait une nouvelle affiche formidable. Ce n'était pas la peine d'en rajouter (d'autant que Churchill voyageait avec une partie de sa famille et son staff). Artémis, la sœur d'Onassis, devait les rejoindre à Rhodes et, à chaque escale, des *guest-stars* viendraient compléter la distribution prestigieuse du *Christina* : le Premier ministre grec, le Premier ministre turc, l'archimandrite de Constantinople, Alphonse XIII et Juan Carlos, son petit-fils, etc.

Un ciel bleu, une mer d'huile. Portofino, Capri, Ischia. *« Volare, oh ! oh ! Cantare, oh ! oh ! oh ! Nel blue di pinto di blue. Felice di star e la sue. »* L'air à la mode les rattrapait à chaque escale. Tout le monde fredonnait *Volare*. Même la Callas. Le *Christina* devait rejoindre Istanbul en passant par l'isthme de Corinthe. Pour Onassis, cette croisière s'annonçait sous les meilleurs auspices.

Pour Tina, elle représentait plutôt une corvée. Churchill flattait l'orgueil de son mari, mais il n'amusait pas spécialement Tina. La Callas non plus. Ces gloires institutionnelles s'affirmaient très éloignées de ses préoccupations. Tina et Onassis ne regardaient plus la vie par le même bout de la lorgnette. Tina ne s'intéressait qu'à un microcosme de snobs si snob qu'il fallait être au moins aussi snob qu'eux pour s'y intéresser. Tina, c'était le petit côté de la lorgnette. Tina appartenait au clan Livanos. De richissimes armateurs dont Onassis n'ignorait pas la puissance. Comment avait-il réussi à leur ravir leur fille ? Il l'avait prise au berceau. « Dans ses serres comme un oiseau de proie », affirmaient les Livanos qui, comme tous les Grecs, aimaient faire référence à la mythologie. C'était exagéré. Tina l'avait aimé comme une gamine peut aimer un homme qui lui fait découvrir la vie. Elle l'avait rencontré à quatorze ans et épousé à dix-sept. Aujourd'hui, Tina ne se considérait plus comme une gamine. Même si elle restait une femme enfant. La différence d'âge qui les avait rapprochés les séparait désormais chaque jour d'avantage.

Leur mariage n'était plus qu'une façade. Depuis qu'elle avait surpris son mari dans les bras d'une de ses meilleures amies, Tina profitait d'une certaine liberté. Elle avait négocié. Elle aurait aimé divorcer, mais Onassis s'y refusait. Pour ce macho orthodoxe, le divorce n'existait pas. Stavros Livanos, le père de Tina, partageait cette façon de penser. Tina ne se sentait pas de taille à s'aliéner à la fois son père et son mari. D'être Mme Onassis ne présentait pas que des inconvénients. Élevée dans la perspective de devenir la femme d'un riche armateur, Tina ne faisait pas mentir son éducation. Décorative et totalement inutile, elle poussait son personnage de mondaine évaporée à la perfection. Elle passait pour une bonne maîtresse de maison. Fallait le dire vite. Onassis s'occupait de tout et, en raison du personnel qui s'activait sur le *Christina*, Tina n'avait rien d'autre à faire que de la figuration. Elle se changeait trois à quatre fois par jour. Elle se faisait masser, coiffer. Elle jetait un coup d'œil sur les fleurs. À table, elle prenait Churchill à sa droite et endurait sa conversation. Il y avait longtemps que Churchill était gâteux, mais personne n'osait en parler. On peut vivre longtemps sur une réputation : il restait l'homme qui avait sauvé le monde occidental. Comme tous les gâteux, Churchill n'était pas gâteux en permanence. Il pouvait même être brillant. Mais sa conversation se bornait à des monologues historiques qui excluaient totalement Tina. Le plus souvent, elle n'écoutait pas. Les Dardanelles, c'était pas son truc.

La Callas l'intriguait d'avantage. Tina regardait le nouveau béguin de son mari avec curiosité. Qu'est-ce qu'il lui trouvait ? Selon les critères de Tina, la Callas s'affirmait encore très à côté. Parfaitement à l'aise sur scène, la cantatrice manquait dans la vie de naturel. Elle surjouait les divas. Elle débitait des lieux communs d'un air inspiré qui mettaient tout le monde mal à l'aise. Il lui arrivait de parler d'elle à la troisième personne. Un jour en rentrant d'excursion, elle s'était écriée en s'affalant sur un canapé : « Oh ! Mon Dieu, je suis saoulée d'air. » Une autre fois, à Delphes, comme les paparazzi l'ignoraient au bénéfice de Churchill, elle avait déclaré sans pouvoir masquer son dépit : « Je suis heureuse de voyager avec sir Winston, il me soulage du fardeau de ma popularité. » En dehors d'Onassis, personne ne l'appréciait. Même les enfants la détestaient. Elle ne savait pas se faire aimer. Elle ne s'intéressait qu'à Onassis. Et par ricochet à sir Winston. Se rendant compte de l'importance qu'Onassis attachait à l'homme d'État, elle cherchait à le séduire. Elle s'aplatissait devant lui comme une crêpe. Vivant déconnecté de la réalité, Churchill ignorait à peu près tout de Maria Callas. On la lui avait présentée comme une cantatrice. Depuis, il en usait comme d'un transistor dont il suffisait de tourner le bouton pour obtenir la musique de son choix. Et la diva, d'ordinaire si peu complaisante, s'exécutait. « Sur la mer calmée, au loin une fumée, montera comme un blanc panache... » *Madame Butterfly* semblait particulièrement bien adapté à la situation, mais tout le répertoire y passait : *La Norma*, *La Tosca*, *La Traviata*. Sir Winston dodelinait de la tête comme s'il cherchait à s'imprégner de la musique, mais il finissait immanquablement par s'endormir. Seulement, la Callas ne savait jamais avec certitude s'il dormait vraiment ou s'il faisait semblant, aussi continuait-elle de s'époumoner en fixant l'immensité des flots.

Maria profita de ce que les autres passagers la prenaient en grippe pour se rapprocher d'Onassis. Pendant les excursions, elle montait toujours dans la même voiture que lui, généralement avec sir Winston, qui somnolait. Ils pouvaient parler librement. Mais c'est le soir que leur relation s'approfondissait. Après minuit, la chaleur accablante de la journée se liquéfiait, formant alors un sirop où flottaient les enseignes lumineuses des restaurants et des bars. Chaque escale renouvelait le décor sans le changer vraiment. Tous ces petits ports se ressemblaient. À bord, tout le monde se couchait tôt. Sir Winston, lady Churchill et Meneghini tombaient de sommeil en sortant de table. Tina regagnait sa cabine pour téléphoner. Les autres s'endormaient en regardant un film dans la salle de projection. Souffrant d'insomnie, Maria et Ari prirent l'habitude de rester à discuter en tête à tête au bord de la piscine. Tout se passait comme s'ils attendaient que les autres invités se soient éclipsés pour déballer des secrets qui remontaient à leur enfance. Ils se comprenaient à demi-mot. Tellement de choses les rapprochaient ! Leurs racines, mais aussi leur déracinement. Ils avaient connu la misère, le mépris, l'opprobre, le rejet. Ils avaient dû se battre, ruser pour arriver à leurs fins. Quand ils soulevaient un pan du voile de leur passé, une odeur fétide et rance s'en échappait. Une odeur qui les rapprochait d'autant plus qu'elle était insupportable aux autres. Avant même d'avoir fait l'amour, ils découvraient les abysses d'une intimité viscérale qui les soudaient étroitement. Ils n'y pouvaient rien. Ils étaient faits l'un pour l'autre. Onassis s'étonnait de trouver chaque jour Maria plus belle. L'attirance physique qu'il éprouvait pour elle grandissait à mesure qu'ils se rapprochaient de la Grèce. L'isthme de Corinthe marqua certainement une étape importance dans leur relation. Le pays natal les poussait dans les bras l'un de l'autre. Inconsciemment, ils savaient qu'ils touchaient au but. Ils arrivaient au terme de leur voyage. Comme ces poissons qui pour procréer doivent remonter à contre-courant des centaines de kilomètres de rivière, ils revenaient vivre leur amour en Grèce. C'était la logique de ce voyage.

En dehors de Winston Churchill, tout le monde se rendait compte qu'il se passait quelque chose. Tina semblait préoccupée,

Onassis forçait sa jovialité, mais c'est l'attitude de Maria vis-à-vis de son mari qui traduisait le mieux les changements survenus depuis leur départ de Monte-Carlo. Visiblement, elle ne le supportait plus. Il était comme un poids mort qu'elle refusait de traîner. Son avarice, ses petitesses lui faisaient maintenant horreur. Sur le *Christina*, ses réflexes de petit-bourgeois le désignaient pour ce qu'il était : un plouc. Il ne parlait même pas anglais ! Au début de la croisière, il ne lâchait pas Maria d'une semelle. Seulement, comme il ne supportait pas le roulis, le mal de mer avait eu raison de sa vigilance. Malade comme un chien ! Il passait une partie de son temps la tête penchée au-dessus des toilettes. Sans s'attirer aucune espèce d'indulgence. Il menaçait à chaque escale de s'en aller, mais en même temps il s'accrochait. Il la suppliait de quitter le navire. Elle ne l'écoutait même pas. Elle ne faisait que passer dans leur chambre pour se changer. En coup de vent. Un jour qu'il lui demandait de rester plus longtemps, elle répondit méchamment que l'odeur de la chambre lui était devenue insupportable. Cela sentait le vomi. Elle avait besoin d'aller respirer. « Fais-moi apporter un bouillon », éructa Meneghini qui, pour seule réponse, entendit la porte se refermer. Pour le bouillon, il lui suffisait d'appuyer sur un des boutons du boîtier en cuivre posé sur la table de nuit. Lequel ? Il y en avait tellement. De rage, Meneghini écrasa de son poing tous les boutons en même temps. Il trépignait : « Maria, Maria ! » Elle était déjà loin. Cette force qui aidait sur scène Maria Callas à se dépasser la guidait maintenant dans la vie. L'amour la faisait sortir d'elle-même. Comme on sort d'une maison en feu. C'était plus fort qu'elle. Il lui fallait vivre. Qu'importaient les conséquences. Il y avait le feu. Elle envoyait tout balader : ses principes, sa morale étriquée, ses habitudes de petite-bourgeoise. Elle ne se reconnaissait plus. Elle, si prude, n'avait plus peur de l'amour. Elle l'appelait au contraire de ses vœux. Loin de l'apaiser, le premier baiser que lui donna Onassis attisa sa soif d'amour et de caresses. Elle n'en pouvait plus d'attendre.

Il l'avait prise dans les vagues. Avant d'accoster, ils savaient parfaitement tous les deux ce qui allait se passer. Ils étaient pressés d'en finir. Ils avaient profité de ce que les autres passagers faisaient la sieste pour se glisser dans un canot automobile. Onassis conduisait l'embarcation d'une main, tout en caressant les cuisses de Maria qu'il sentait défaillir. Ce point sur l'horizon qu'Onassis désignait comme une crique déserte servirait de décor à leurs premiers vrais rapports amoureux. Leur désir montait à mesure qu'ils se rapprochaient du rivage. Ils avaient tellement envie l'un de l'autre qu'ils faillirent oublier d'attacher le canot. « L'ancre, l'ancre », protesta Onassis qui s'était rapproché le plus près possible de la plage. Le temps de sauter par-dessus bord, et ils tombèrent dans les bras l'un de l'autre, roulant bientôt sur le sable. Onassis arracha le maillot de Maria. Lui-même était nu sous son paréo. Les vagues venaient lécher leurs corps encore brûlants des ardeurs du soleil, si bien que leurs caresses s'en trouvaient décuplées. Maria perdait la tête. Le va-et-vient de l'océan s'accordait aux assauts de son amant. Les vagues la caressaient par intervalles. Elle ne s'appartenait plus. Onassis ne la ménageait pas. Il ne lâchait pas ses lèvres qu'il mordait. Elle entendait son râle saccadé, mais ignorait ses propres cris. Car maintenant elle criait. Ils criaient tous les deux, hennissaient, gémissaient. Il se détacha d'elle d'un coup et tomba comme une masse en cherchant à reprendre sa respiration. La brutalité de leur étreinte laissa Maria presque évanouie. Comme clouée sur le sable mouillé, elle offrait aux cieux sa nudité. Des mèches de ses cheveux défaits lui barraient le front et couraient sur ses épaules comme des algues brunes. Ce n'était pas Bardot, mais elle aurait pu, dans un tableau sur l'Antiquité, figurer quelque déesse sauvage aux prises avec les éléments. Elle reprenait connaissance quand Onassis se jeta à nouveau sur elle, mais sans la brutalité de leur première étreinte. Au contraire, il s'attachait à parcourir avec ses lèvres chaque parcelle de son corps qu'il léchait comme pour en découvrir le goût. Il multipliait les préliminaires qu'il avait négligés tout à l'heure. Maria enfonça ses ongles dans les cheveux de son amant.

59

Louise de Vilmorin. De Madame de... *au bal du siècle. Charles de Beistegui. Cecil Beaton. Nathalie Paley. Barbara Hutton... La vie de Louise ressemble à un film à sketchs. Roger Nimier. Orson Welles. Le prince Ali Khan. D'être comblée, ça va cinq minutes.*

Louise de Vilmorin souffrait d'être cataloguée comme un écrivain mondain. À qui la faute ? À qui la faute si on la trouvait plus souvent citée dans « Les potins de la commère » qu'à la page littéraire des journaux ? *Madame de...* allait réparer cette injustice. La parution, en 1951, de ce petit livre sans fioriture valut à Louise un succès critique autant que populaire. De Léautaud à Marcel Achard en passant par Julien Green, chacun s'extasiait sur son talent. Les critiques la lavaient de tout soupçon d'amateurisme. Satisfaite d'être reconnue comme un écrivain à part entière, Louise retourna à ses mondanités. On l'attendait à Venise. La terre entière affluait vers la lagune pour répondre à l'invitation de Charles de Beistegui. Ce dernier ressuscitait pour un soir la *furia* du carnaval tel que Venise le pratiquait au XVIIIe siècle. Louise de Vilmorin connaissait Charlie depuis toujours. On l'avait même accusée d'avoir des vues sur lui. Beistegui appartenait à ces excentriques dont la conduite échappe à la logique. Il vouait sa vie à la décoration. Avec une opiniâtreté et une détermination qui n'avaient d'égale que les moyens dont il disposait. Il ne connaissait pas le montant de sa fortune. Des mines d'or au Mexique ou quelque chose comme cela. Après avoir tiré autant qu'il pouvait sur son château de Groussay, il avait jeté son dévolu sur le palais Labia qu'il avait racheté en piteux état. Presque une carcasse. Fissuré de partout et tremblant sur ses bases. La réhabilitation de cette ruine aurait dû combler son goût de la reconstitution historique, mais il en vint à bout avec une facilité déconcertante. En deux coups de cuiller à pot, il régla, autour des fresques du Tiepolo, une décoration d'une perfection imposante, mais malheureusement définitive. À mesure que les années s'écoulaient, Beistegui devait se rendre à l'évidence : sa passion pour la décoration ne servait à rien. Pas même à le satisfaire. Au milieu de ses potiches et de ses bronzes, il s'ennuyait ferme. Une caricature du désenchantement. Pourquoi donner une fête dans ces conditions ?

Des « bals du siècle », on en dénombre bien une dizaine, mais celui de Beistegui marqua les esprits : une beauté d'une grandeur presque tragique s'attachait à la frivolité du propos. Louise arriva au bal en gondole accompagné de John Julius Cooper, le fils de Diana et de Duff. La ville entière participait à la fête. À chaque carrefour, des acrobates, des danseurs de corde, des pyramides d'hommes, en costumes de carnaval, s'accrochaient entre les façades comme une lessive de la *commedia dell arte*. À l'angle du Grand Canal et du Cannareggio, un embouteillage de gondoles et de palanquins signalait qu'on touchait au but. Louise reconnut Cecil Beaton sous son masque de velours et, un peu plus loin, le commandant Paul-Louis Weiller en grande conversation avec Arturo Lopez. Jacques Fath, en lamé or, incarnait un Louis XIV plus clinquant que nature. Il s'agitait tellement qu'il faillit tomber dans le canal. « Grand-père doit se retourner dans sa tombe », soupira une authentique descendante du Roi-Soleil. Perché sur des cothurnes, en haut du grand escalier de la cour intérieure du palais, Beistegui regardait monter ses invités en mesurant les précipices où l'âge ne manquerait pas bientôt de les précipiter. La plupart d'entre eux n'étaient pas des perdreaux de l'année. Conscient qu'il tirait ce soir-là sa révérence, Morand note dans son journal : « On parle toujours du premier bal d'une jeune fille, que dire du bal d'un vieil homme ? » Après l'effervescence des jours précédents, Charles de Beistegui ressentait une immense fatigue. De la lassitude et même du dégoût. Il prenait un plaisir sadique à constater le délabrement de ses grandes amies : Denise Bourdet, Violette Trefusis, la princesse Chavchavadze. Même l'élégance de Daisy Fellowes se ressentait des ravages du *new-look* : empaquetée dans des kilomètres de satin et de tissu imprimés panthère, elle peinait à avancer, suivi d'un Négrillon tenant un parasol. Venue des États-Unis, la princesse Nathalie Paley paraissait égarée comme si l'Amérique lui avait lavé le cerveau. Dans Venise qui n'avait pas changé, elle ne reconnaissait plus rien. Elle cherchait en vain sa jeunesse.

Beistegui s'impatientait en voyant la file des invités grossir derrière Barbara Hutton qui ne pouvait s'arrêter de parler. Comme si elle avait pris de la coke. Pour ne pas être en reste, elle se plaignait que la décoration de son nouveau palais de Tanger l'avait épuisée (le gros œuvre surtout : il avait fallu élargir les ruelles de la médina pour faire passer sa Rolls). Louise de Vilmorin attendait lady Diana au pied du grand escalier, quand elle remarqua Orson Welles perdu sous les branchages d'une forêt de lustres de Murano. Louise avait fait la connaissance d'Orson Welles l'année précédente par Jean Cocteau. Orson était immédiatement tombé sous le charme de Louise. Sous le charme de sa conversation. En dépit des lois de la pesanteur, mondainement parlant, un kilo de plumes pèsera toujours moins lourd en société qu'un kilo de plomb : Louise en faisait des kilos sans être jamais pesante. Pour cet Américain cultivé, elle représentait une forme d'exotisme dont il avait découvert l'existence dans les romans de Balzac, de Stendhal ou de Proust, mais qu'il n'imaginait pas rencontrer dans la réalité. Elle était sa duchesse de Langeais, sa princesse de Guermantes, sa Sanseverina. Il avait trente-sept ans, Louise cinquante et un. Leur différence d'âge ne sautait pas aux yeux : la beauté de Louise se jouait du temps et la stature d'Orson le cataloguait plutôt comme un poids lourd que comme un minet. Il ne pesait pas encore les cent cinquante kilos qu'il atteindrait par la suite, mais il était étoffé. Louise avait toujours eu un faible pour les hommes forts, style armoire à glace.

« J'accepte tout ce qu'on me donne sauf mon âge. » Louise de Vilmorin n'hésitait pas à resservir ses mots d'esprit. Celui-là gagnait malheureusement en actualité à mesure que le temps passait. Louise prétendait n'avoir jamais été vraiment heureuse. Ce n'était pas faute d'avoir essayé. Elle tombait régulièrement amoureuse, mais, comme ces alpinistes qui, après s'être fixé un sommet impossible à atteindre, se rendent compte une fois qu'ils y sont parvenus qu'ils n'ont pas grand-chose à y faire, elle s'apercevait régulièrement avoir fait erreur. Elle tombait alors de haut car elle était sincère. Son premier mari, qui l'avait découvert à ses dépens, disait à ses filles : « Votre mère est toujours sincère, mais jamais très longtemps. » En dépit de quelques flirts, Louise traînait toujours le chagrin de sa rupture avec Duff Cooper. Elle accueillit les hommages d'Orson Welles avec soulagement. Se sentir fragile entre les bras d'un homme encore jeune et vigoureux la rassurait. (Encore qu'elle n'avait pas vraiment besoin d'être rassurée : sa récente aventure avec Roger Nimier venait de lui prouver que son pouvoir de séduction demeurait intact. À cinquante ans, elle avait subjugué ce jeune homme de vingt-six ans que ses succès littéraires auréolaient d'un prestige flatteur.) Par bien des aspects, la vie de Louise de Vilmorin ressemble à un film à sketchs. Style *La Française et l'Amour*. Le sketch avec Orson Welles s'affirme comme un des plus rafraîchissants. Rapide et rafraîchissant. Ni l'un ni l'autre ne s'illusionnaient sur la durée et la solidité de cette aventure. La vie s'acharnait à les séparer. Orson ne faisait que passer par Paris. Il la bombardait de télégrammes : « Ma Louise chérie, je serai à Paris demain. S'il vous plaît, acceptez de me voir. » « Quand puis-je vous attraper, ma Louise chérie ? » « J'arrive à Paris bientôt pour rester là où tout mon amour vous appartient. » Ses arrivées à Verrières donnaient chaque fois lieu à un remue-ménage qu'ils adoraient l'un et l'autre. *« Divine girl »*, hurlait Orson devant la maison. *« Divine girl »* hurlait-il à nouveau sur le seuil en se découpant en ombre chinoise dans l'encadrement de la porte. « Madame est là-haut. Je monte la prévenir », s'affolait la femme de chambre de Louise. « Orson, mon Ourson ! », criait bientôt celle-ci en dévalant l'escalier. Orson la soulevait de terre, la faisait rebondir sur son gros ventre en la dévorant de baisers. Un ogre. Elle aimait un ogre, un gros nounours, un général Dourakine. C'était délicieux.

De l'avis général, Louise était folle de s'amouracher de ce génie hurluberlu. Même son frère André, qui d'ordinaire lui passait tous ces caprices, s'impatientait de la voir entretenir ce grand dadais. Entretenir était un bien grand mot. Louise vivait elle-même d'expédients. Endettée jusqu'au cou. Elle empruntait de l'argent à tout le monde. Pas gênée, mais jamais sordide. Par exemple, elle tapait Barbara Hutton de plusieurs milliers de francs et donnait, le lendemain, pour la remercier, une fête qui lui en coûtait le double. Bref, ils étaient aussi fauchés l'un que l'autre, mais ensemble ils se payaient du bon temps. Leur inconscience frisait la provocation. Il leur arrivait de tomber en panne faute d'avoir de quoi remplir correctement le réservoir de la voiture de sport d'Orson (Louise s'est-elle souvenue de leurs pannes d'essence en travaillant avec Louis Malle aux dialogues du film *Les Amants* où l'on retrouve une scène approchante ?). « Profitons-en pour déjeuner », proposait Louise, en avisant une auberge. Mais comme ils n'avaient toujours pas d'argent quand on leur apportait l'addition, il ne leur restait plus qu'à prendre racine en attendant les secours. Ils se réveillaient dans une chambre délicieusement fleurie de cretonne. La France regorgeait de ces auberges où « le temps suspendait son vol ». À travers les volets entrebâillés, ils apercevaient la roue d'un moulin, une glycine, des pavés disjoints. « On n'a plus qu'à attendre », constatait Louise en s'étirant après avoir bombardé ses proches de télégramme pour réclamer des subsides.

Louise incarnait maintenant avec panache ce que les chroniqueurs désignaient comme une « locomotive ». On la voyait partout. Dans les vernissages, les cocktails, les galas, les premières, les défilés de haute couture, chez *Maxim's* comme chez *Patachou*, au festival de Cannes, à la Kermesse aux étoiles, au Bal des petits lits blancs, à l'Olympia. Elle s'agitait, se dépensait, se gaspillait, s'éparpillait. Elle sortait tous les soirs. Elle s'étourdissait. Louise s'en voulait de tromper Orson, mais à son âge elle se dépêchait de « cueillir le bonheur qui passe ». Elle allait bientôt ajouter une nouvelle aventure à son palmarès. Une aventure pour le moins curieuse. En tout cas inattendue. Même son biographe attitré, Jean Bothorel, ne fait que la mentionner en passant. Comme s'il en avait honte. Il écrit : « Elle se noyait, à Deauville, dans les plaisirs faciles que lui procurait sa dernière fantaisie, le prince Ali Khan. » Comment ne pas faire le rapprochement quand, quelques pages plus loin, il parle de la révélation physique qu'aurait connue Louise dans les bras d'un homme dont il écrit : « L'élu qui portait un nom parmi les plus célèbres n'entra jamais dans le cercle de famille » ? On connaît, pour l'avoir déjà évoquée, la réputation d'amant émérite du prince. C'est quand même curieux que Jean Bothorel ne délaye pas davantage. Ne serait-ce qu'en raison de la répétition qui précipitait, une nouvelle fois, Louise dans les bras d'un ancien mari de Rita Hayworth. C'était flatteur pour elle de succéder deux fois à un sex-symbol de cette trempe.

Le prince Ali Khan était-il encore avec Gene Tierney ? (On les avait vus ensemble au palais Labia où Gene, en bergère d'opérette, s'appuyait à son bras.) Était-il déjà avec Bettina ? La discrétion qui entoure leur liaison laisse supposer qu'il avait quelque chose à cacher. À moins que Louise elle-même préférât garder secrète cette aventure. Tout en fréquentant les mêmes endroits et en voyant les mêmes gens, ils n'appartenaient pas exactement au même monde. En dépit de sa vie mouvementée, Louise conservait un côté « vieille France ». Alors que le prince Ali Khan, c'était la *jet-set* avant l'heure, la presse *people* avant l'heure, les boîtes de nuit, les starlettes, les plages à la mode. Tout ce que Louise détestait. Bref, il n'était pas son genre, mais ça l'amusait d'essayer. Le clinquant de la vie d'Ali Khan ressemblait aux néons racoleurs d'une fête foraine. Louise ferma les yeux. On ne peut mieux décrire la sensation de délices et d'épouvante qu'elle éprouva une fois dans ses bras qu'en la comparant à l'effroi qui s'empare d'une personne montée accidentellement dans un grand huit et qui croit sa dernière heure arrivée. Le prince ne faisait pas mentir sa réputation. C'était cela mourir de plaisir ? Des loopings, des piqués, des tête-à-queue. Louise se rendait compte qu'il ne pouvait s'agir que d'une parenthèse : d'être comblée, ça va cinq minutes.

60

Une croisière de diversion. Garbo en guest-star. *Onassis, Tina et la Callas sur la sellette. Arrivée du prince Rainier et de Grace Kelly. Rivalité d'Onassis et de Rainier. Lassitude de Grace. Les conversations reprennent.*

Cinq tables de huit. Garbo calcula qu'on attendait au moins quarante personnes. La princesse Grace et le prince Rainier n'étaient pas encore arrivés, mais une trentaine d'invités se massaient déjà devant le bar. Un assortiment chatoyant de *beautiful people* qui donnait l'impression de poser pour le journal *Vogue*. Un jeune maharadjah en costume indien parlait avec une femme en robe de chez Pucci. Plusieurs femmes, ce soir-là, portaient les créations du couturier florentin. Au milieu des hommes en smoking, leurs imprimés s'intercalaient en fragments colorés et changeant comme les figures d'un kaléidoscope. Accoudée au bastingage du pont supérieur, Garbo s'amusait à observer leurs va-et-vient, quand elle se rendit compte qu'elle était repérée. Il n'y avait plus moyen de reculer. Empruntant une passerelle réservée à l'équipage, elle descendit rejoindre les invités. Elle produisait toujours le même effet. En la voyant, les gens s'arrêtaient de parler. Aussi snobs soient-ils, pendant une fraction de seconde, ils ne pouvaient contrôler leur émotion. Sans bijoux, les cheveux raides, pour ainsi dire pas maquillée, Garbo donnait l'impression de n'avoir fait aucun effort de coquetterie et pourtant c'était vers elle que convergeaient tous les regards. Pour les autres femmes, c'était rageant. Elles ne pouvaient pas lutter avec cette grande bringue, élégantissime dans une simple robe courte en satin vert émeraude qu'elle portait avec une paire de tongs réalisées dans le même satin vert. Trois fois rien. Et pourtant, Garbo en sandalettes raflait la mise.

Aristote Onassis, en smoking blanc, se précipita au-devant d'elle pour l'accueillir. C'était drôle de le voir chercher à la protéger, alors qu'il lui arrivait aux épaules. Même en talons plats, elle lui prenait vingt bons centimètres. Il avait gardé à la main son verre de whisky qui tanguait dangereusement alors qu'il se frayait un passage parmi les invités. Il entraîna Garbo jusqu'à une table à l'écart où l'attendait son ami George Schlee au milieu d'une dizaine de personnes, dont la princesse Bernadotte et un lord anglais. Très en verve, Onassis déroulait des histoires que Greta lui avait déjà entendues raconter, mais qu'elle faisait, par politesse, semblant d'entendre pour la première fois. Il y avait le couplet du pauvre petit émigré grec découvrant les lumières de Monte-Carlo du fond d'un rafiot pourri alors qu'il quittait l'Europe pour l'Argentine. Il s'exilait à la suite du massacre de sa famille par les Turcs. « Un jour je reviendrai », s'était, paraît-il, promis le petit émigré. Une sorte de « à nous deux Paris » version import-export. Il prétendait également avoir appelé sa fille – et par le fait même son bateau – Christina après avoir vu Garbo dans *La Reine Christine*, lors d'un séjour en Suède où il était venu commander son premier supertanker. « Vous êtes donc doublement chez vous sur ce bateau », conclut l'armateur tout sourire. C'était peut-être vrai. Il y avait toujours à prendre et à laisser dans ce que racontait Onassis. Il ne reculait devant rien pour arriver à ses fins, mais son magnétisme l'aidait à faire passer ses bobards.

Onassis se leva bientôt pour aller donner des ordres. Comme si tout le monde n'attendait que son départ pour reprendre une conversation déjà commencée, les commérages concernant sa liaison avec la Callas reprirent dès qu'il se fut éloigné. Si les journalistes s'interrogeaient encore sur la vraie nature de leur relation, ici, on savait. Tout le monde savait. D'aucuns prétendaient que Tina les avait surpris en train de faire l'amour dans un des salons. D'autres tenaient que c'était au bord de la piscine. Ou encore dans un canot. Tout le monde parlait en même temps. Une femme couverte de rubis se tailla un franc succès en affirmant qu'ils avaient déjà couché ensemble à Londres. Dans la Rolls d'Onassis. Et ils avaient laissé la lumière. « Qu'est-ce que cela changeait ? demanda quelqu'un.

— Cela changeait que le chauffeur pouvait suivre leurs ébats dans le rétroviseur. C'est comme cela qu'on l'a su.

— Une gâterie, gloussa un homme d'allure efféminée. C'est très bon pour la voix. Toutes les cantatrices le font avant d'entrer en scène. »

— Comment réagit Tina ?

— Elle a des raisons d'être furieuse. Onassis refuse de divorcer pour éviter un scandale qui risquerait d'éclabousser leurs enfants, et aujourd'hui c'est lui qui s'affiche d'une manière éhontée.

— Qu'est-ce qu'elle compte faire ?

— C'est déjà fait…

— Bien sûr qu'elle a un amant. Et ce n'est pas le premier…

— Pour qui sont ces serpents qui sifflent sur nos têtes ? paraphrasa Garbo à l'oreille de George Schlee. » Garbo était folle furieuse d'assister à cette curée. Elle se refusait d'ordinaire à toute forme de commentaires désobligeants, mais elle ne pouvait s'empêcher d'écouter. Elle tombait des nues. Quand Ari l'avait appelée deux jours plus tôt pour lui proposer de se joindre à eux, elle n'imaginait pas tomber dans un tel guêpier. Elle détestait l'idée d'être mêlée à un scandale.

Onassis avait cherché à prendre tout le monde de vitesse en programmant une nouvelle croisière. Une courte croisière à destination de Venise tendant à prouver que la vie continuait comme par le passé. Il espérait faire diversion. Pour détourner l'attention des journalistes. Se sentant coupable et voulant donner des gages de bonne volonté, il avait laissé Tina choisir la plupart des invités (en dehors de Garbo et de George Schlee qu'il avait appelés personnellement). Pour garantir un maximum de retentissement à l'événement, Onassis s'était assuré de la participation du prince Rainier et de la princesse Grace au dîner qu'il pensait donner, à bord, la veille du départ. Pour une fois, Onassis ne savait plus où il en était. Il butait toujours sur le divorce. Follement amoureux de Maria, il comptait néanmoins conserver sa femme, mais alors qu'il suppliait Tina de lui accorder un délai, il ne pouvait s'empêcher d'aller retrouver la cantatrice. À peine arrivé à Monte-Carlo, il repartait pour Milan. Il ne laissait même pas le temps au moteur de son avion de refroidir. Leur liaison prenait des proportions qui le dépassaient. Habituée aux rôles tragiques du répertoire, Maria l'entraînait dans un registre qui n'était pas le sien. Elle lui insufflait une fougue amoureuse dont il ne se serait plus cru capable. Leur entente physique ne s'expliquait pas autrement : l'amour ! Aussi douées que pouvaient être les putains qu'il s'envoyait d'ordinaire, aucune ne lui procurait ce sentiment de ne plus s'appartenir. Il se sentait pousser des ailes. Il perdait la boule. À cinquante-cinq ans il agissait comme un gamin parce qu'il aimait comme un gamin. Il en était le premier surpris. Jouer les Roméo ? À son âge ? Avec ses pompes en croco ? Il se conduisait comme un adolescent aux couilles pleines. C'était divin.

L'arrivée de la princesse Grace et du prince Rainier provoqua une bousculade. Le prince montait sur le *Christina* en traînant les pieds. Il pouvait difficilement refuser les invitations de l'armateur qui détenait la majorité des actions de la Société des bains de mer, mais il s'y rendait à contrecœur. Leurs rapports s'envenimaient chaque jour d'avantage. Déjà agacé d'être considéré comme un prince d'opérette par le gotha qui le snobait (aucune tête couronnée ne s'était déplacée pour son mariage, en dehors du roi Farouk), Rainier devait supporter les vexations d'Onassis que la presse désignait régulièrement comme « le roi de Monte-Carlo ». Si le prince avait cru tirer profit de l'arrivée de l'armateur, il se rendait maintenant compte à quel point celui-ci était dur en affaires. Et tellement mal élevé ! Il ne faisait plus de doute aujourd'hui dans l'esprit du prince que le Rocher n'était pas assez grand pour eux deux. A fortiori pour quatre : Tina ne le cédait en rien aux prétentions de son mari. Elle aussi se considérait comme la reine de Monte-Carlo. Elle le faisait sentir à Grace qui peinait déjà à trouver ses marques. Au lendemain de son mariage à grand spectacle, la princesse s'était aperçue que la représentation touchait à sa fin. En dehors d'inaugurer des mimosas, la principauté ne lui offrait pas beaucoup de possibilités. Elle se sentait piégée. Prisonnière d'un conte de fées qui n'existait que dans l'imagination du public. Le prince Rainier ne faisait rien pour l'aider. Alors qu'il avait tiré d'énormes avantages de son union avec la star (tous les Américains connaissaient maintenant la principauté), il mettait un point d'honneur à ignorer sa popularité. Comme s'il craignait qu'elle ne prît le pas sur lui.

Lorsqu'il avait accédé au pouvoir, en 1949, la principauté était au bord de la faillite et ne ressortait pas blanchie de l'occupation allemande. Engagé dans les Forces françaises libres, le prince revenait en sauveur. Ensuite il avait ramé. Manque d'argent. La mainmise d'Aristote Onassis sur le Rocher le maintenait dans une dépendance humiliante. Il régnait sur un confetti et ce confetti était hypothéqué. Son gouvernement se réduisait à un conseil d'administration dont Onassis tirait les ficelles. Ce dernier se vantait d'avoir décidé du mariage princier en ayant pensé le premier qu'une reine de l'écran viendrait raviver le lustre quelque peu terni de la principauté. Seulement quand il avait fallu dénicher cette actrice capable d'attirer l'attention du public américain, l'armateur avait pensé à Marilyn Monroe (alors qu'elle filait le parfait amour avec Arthur Miller, Marilyn ne s'était montrée nullement offensée par la proposition, se faisant fort de la réussite du projet pour peu qu'on la laissât une nuit seule avec Rainier). C'était vexant pour Grace. Tous ces ragots salissaient le conte de fées qu'on avait vendu au grand public. Dans ses moments d'abattement, Grace se rendait compte que tout était bidon. À commencer par son histoire d'amour avec le prince. Bidon peut-être pas. Bidonnée certainement. Cherchant des sujets de reportages afin d'illustrer le festival de Cannes, la rédaction de *Paris-Match* avait imaginé de les faire se rencontrer. Le prince Rainier, qui sortait de l'affront que lui avait causé Onassis en ayant voulu le caser avec Marilyn Monroe, y vit le moyen de rétablir la situation à son avantage. Contrairement à Marilyn, Grace Kelly avait le physique de l'emploi pour jouer les princesses. Il tenait sa revanche.

Grace se prêta à la séance de photos avec le prince sans y attacher beaucoup d'importance. Pourquoi pas ? Elle s'amusait de la coïncidence qui la ramenait deux ans en arrière. À l'époque où elle tournait *La Main au collet*, sous la direction d'Hitchcock. Comme elle s'y attendait, son retour aux États-Unis avait précipité sa rupture avec Oleg Cassini. Compte tenu de son âge et de son éducation, Grace Kelly pensait qu'il lui fallait maintenant fonder un foyer. Cette fille de maçon pensait que le bonheur, ça se construit. « Cœur à cœur et brique à brique. » Elle avait toujours voulu réussir sa vie. Sans trop savoir en quoi consistait cette réussite puisque après être devenue une vedette, puis une star de cinéma, elle éprouvait toujours le même sentiment de frustration. Elle ressentait parfois l'impression de s'être fourvoyée à Hollywood. Sa vie sentimentale en avait fait les frais. Sa mère ne se gênait pas pour lui faire sentir qu'elle gâchait ses chances de bonheur. Sur ces entrefaites, le prince Rainier était venu la retrouver aux États-Unis. Avec une principauté clé en main. Après une cour accélérée, il l'avait demandée en mariage. Il représentait plus qu'un beau parti. Il incarnait le rêve de toutes les petites filles. Un prince charmant. « Je vais apprendre à l'aimer », répondait Grâce à ceux qui s'étonnaient de la soudaineté de sa décision. Elle épousa Rainier en pensant qu'il lui offrait son plus grand rôle, sans s'inquiéter de la minceur du script. Fallait-il qu'elle soit naïve et romanesque pour se lancer dans une telle aventure ? Fallait-il aussi qu'elle soit vaniteuse ? Vaniteuse comme une petite fille. Elle n'avait que vingt cinq ans. Elle s'enterrait vivante.

Voyant bientôt Onassis et Tina escorter le prince Rainier et la princesse Grace à leur place, chacun se rua sur sa table. Tout le monde avait faim. Les conversations malveillantes reprirent avec le caviar dont Onassis abreuvait ses invités. Le jeune maharadjah de Boroda n'en revenait pas de la liberté avec laquelle chacun commentait les amours du maître de maison. « À Milan, ce week-end, on ne parlait que de cela », lui assura sa voisine (une princesse italienne d'origine russe qui s'était fait un nom dans la mode, en Italie, en transformant son palais en maison de couture). « Certains n'hésitaient pas à affirmer qu'ils s'étaient mariés en secret, à Constantinople, sous prétexte qu'ils avaient rencontré l'archimandrite.

— C'est quoi un archimandrite ?

— Une sorte de pape de la religion orthodoxe.

— Ah bon, les orthodoxes, comme les musulmans, ont le droit de se marier plusieurs fois ? demanda naïvement le maharadjah.

— Bien sûr que nom, mais les gens disent n'importe quoi dans ces cas-là. Votre Altesse conviendra…

— Appelez-moi Princie, lui dit le maharadjah.

— Alors appelez-moi Principessa », répliqua la princesse. Élevé par une mère tyrannique, le jeune Boroda était sensible à l'autorité qui émanait de cette femme entre deux âges, mais encore séduisante. Elle arborait un diadème dans son chignon de boucles auburn, dont un des copeaux, en se détachant, lui barrait l'œil. Tina Onassis avait connu Princie chez *Castel*. Transfuge des Mille et une nuits, il était rapidement devenu une des nouvelles coqueluches du Tout-Paris. Il formait avec sa mère un couple excentrique qui plaisait aux échotiers. On les invitait partout. La maharani en sari et son fils couvert de bijoux rehaussaient le premier rang d'un gala à l'Olympia ou la table d'honneur d'une soirée au Lido. On racontait à voix basse qu'ils avaient déposé dans le coffre de leur hôtel une fortune colossale en pierres précieuses – servant de caution aux dépenses de la maharané – alors que la loi leur interdisait de sortir leurs bijoux des Indes. De l'avis général, Princie forçait un peu sur le maquillage, mais compte tenu de ses origines exotiques, personne ne trouvait rien à y redire.

« Mon médecin m'interdit les œufs, plaisanta la *principessa* en s'abstenant de reprendre du caviar. Je refuse de me laisser gaver. Je vais m'en tenir au champagne. Je vous serais reconnaissante, jeune homme, de faire remplir mon verre.

— Oh ! pardon, s'excusa Princie en faisant signe à un des garçons. » Tout en lui parlant, la princesse ne pouvait se retenir de tripoter les boutons de diamants qui fermaient sa veste indienne. « Ce sont des vrais, lui demanda-t-elle ? Et une émeraude de cette taille, c'est tordant. Moi, c'est tout du toc, sauf mes pendants d'oreilles. » Princie avait du mal à suivre la conversation. Tout le monde passait de l'anglais à l'italien et de l'italien au français en employant des expressions imagées dont le sens lui échappait. « La réponse de la bergère, qu'est-ce que cela veut dire ?

— La réponse du berger à la bergère ? Hum, et bien : il lui a imposé la Callas, elle lui colle Herrera. C'est de bonne guerre.

— Œil pour œil, approuva quelqu'un.

— La loi du talion.

— Très bonne famille, surenchérit la *principessa* à propos de Reynaldo Herrera. Je connais les parents, des gens charmants. Peut-être pas aussi riches qu'Onassis, mais personne n'est aussi riche qu'Onassis, n'est-ce pas ? Et puis on ne peut pas tout avoir. Lui, il est beau tout court. Pas comme Crésus.

— Oh ! oui, tellement beau, acquiesça Princie en rougissant. L'amant de Tina ? enchaîna-t-il en cherchant à masquer son trouble, mais je le croyais avec Peggy Scott Duff...

— Pas du tout ! Peggy est la maîtresse du prince Aldobrandini. J'ai l'impression, jeune homme, qu'il va me falloir faire votre éducation, murmura la *principessa* en posant sa main sur l'avant-bras du maharadjah.

61

Tina Onassis. Ses coups de canif dans le contrat. Porfirio, José-Luis, Reynaldo. Les « MachOcambos ». Ascension sociale d'Onassis. Les armateurs grecs. Origine de la rivalité d'Onassis et de Niarchos. Tina devient marquise de Blandford.

Tina trompait Onassis qui la trompait depuis toujours. Depuis le début de leur mariage. La coupe déborda le jour où elle surprit Onassis dans les bras d'une de ses meilleures amies, Jeanne Rhinelander, qu'elle avait connue au collège. Tina souhaitait divorcer, mais Onassis ne voulait pas en entendre parler. Comme beaucoup d'hommes qui trompaient leur femme à l'époque, il s'accrochait aux liens sacrés du mariage. Tina restait la mère de ses enfants. Même s'il lui reprochait par ailleurs d'être une mauvaise mère. Onassis n'était pas à une contradiction près. L'instinct maternel de Tina se heurtait à la laideur de Christina. Elle n'en revenait pas d'avoir fait des enfants aussi laids et en voulait secrètement à Onassis dont ils étaient le portrait craché. Pour Alexandre qui était un garçon cela pouvait passer, mais Christina ! La laideur adipeuse et olivâtre de sa fille lui tournait les sangs. Aussi préférait-elle la voir le moins possible pour échapper au sentiment de culpabilité que ne pouvait manquer de lui infliger une réaction aussi indigne. S'il n'avait tenu qu'à elle, Tina aurait divorcé en laissant la garde des enfants à Onassis. Seulement ni son mari ni son père ne voulaient entendre parler d'un divorce. Il ne lui restait pas trente-six solutions : elle prit des amants. Est-ce pour se venger qu'elle mettait un point d'honneur à ne choisir que des hommes dont la beauté ravalait Aristote au rang de gargouille ? Dans le genre *latin lover*, son tableau de chasse se signalait par l'étonnante beauté de ses plumages : José Luis de Vilallonga, Porfirio Rubirosa, Reynaldo Herrera... Elle aurait pu monter un orchestre : Tina et les « machOcambos ». Une de ces formations latino-américaines, très rose et noire, avec des chemises à jabots et des volants. De l'avis général, Porfirio Rubirosa était le plus « volanté » des trois. Torride, sensuel, frivole. Porfirio, dont c'était le métier, n'aurait pas mieux demandé que d'épouser Tina. C'est d'ailleurs l'insistance de Porfirio à lui proposer le mariage qui mit fin à leur aventure. Elle avait l'impression qu'il la prenait pour une idiote.

Onassis s'était consolé de la liaison de sa femme avec Porfirio Rubirosa en se disant qu'il valait mieux avoir à faire à un professionnel. Sa réputation de gigolo n'en faisait pas un concurrent dangereux. José Luis de Vilallonga n'avait pas non plus les moyens d'épouser Tina. Quand à Reynaldo Herrera, dont Onassis connaissait les parents, il était bien heureusement trop jeune. Leur idylle durait depuis maintenant trois ans. On la disait très heureuse. Reynaldo appartenait à ces riches Vénézuéliens qu'on rencontre plus fréquemment à l'étranger que chez eux. Après des études aux États-Unis – Harvard et Georgetown – il poursuivait en Europe une vie insouciante qui l'avait conduit à faire la connaissance de Tina. Très simplement, lors d'un bal chez les Rothschild. Tina sortait de sa liaison avec Rubirosa. Elle n'avait pas, ce soir-là, de chevalier attitré, aussi se laissa-t-elle courtisée par Reynaldo. En le quittant, elle lui demanda s'il allait le lendemain à la réception du prince Ali Khan. Comme il acquiesçait, elle ajouta : « Pourquoi ne viendriez-vous pas me chercher ? » Ils étaient plutôt bien assortis. En dépit d'une petite différence d'âge. À vingt-deux ans, Reynaldo restait proche de l'adolescence, mais comme Tina, à vingt-sept, en paraissait vingt, cela ne choquait personne. À la suite d'un accident de voiture, Tina avait subi une petite intervention de chirurgie esthétique et son nez, très légèrement raccourci, la rajeunissait encore. Onassis ne l'appelait jamais autrement que « ma *baby-doll* ».

Onassis tenait d'autant plus à son mariage qu'il avait représenté une étape importante de son ascension sociale. En épousant

Tina Livanos, il était entré dans le club très fermé des armateurs grecs. Les Livanos, les Goulandris, les Embiricos, etc. Tous armateurs de père en fils. La seule forme d'aristocratie que connaissait la Grèce, assez en retard du point de vue de la société. Ils se partageaient les océans et regardaient d'un mauvais œil tous ceux qui cherchaient à marcher sur leurs brisés. Pour eux Onassis n'était qu'un *tourkosporos*. Une insulte à caractère raciste – pire que d'être comparé à une crotte – désignant les Grecs d'Anatolie venus se réfugier dans leur mère patrie à la suite d'un de ces petits holocaustes dont les Ottomans avaient le secret. Que pouvait-on attendre d'un Grec de Smyrne, ayant fait ses classes en Argentine et qui avait appris les bonnes manières à Hollywood ? La question déclenchait l'hilarité de la vieille garde des armateurs. Quelle mouche piquait Livanos d'accorder la main de sa fille à ce nabot dont les dents rayaient le plancher ? D'autant qu'il avait promis son autre fille à Niarchos. Tout en profitant d'une meilleure réputation, Niarchos ne faisait pas non plus l'unanimité. Livanos faisait entrer les loups dans la bergerie. Se sentir exclu du club rapprocha dans un premier temps Niarchos et Onassis. Ils étaient devenus amis. Pas très amis, mais suffisamment pour en savoir assez l'un sur l'autre pour bientôt se détester. Ils n'attendaient plus qu'une occasion pour se haïr. Tina allait la leur fournir. La présenter comme l'instrument du destin reviendrait à lui donner une importance qu'elle n'avait peut-être pas. Encore qu'il suffise souvent d'un grain de sable. Dans le rôle du grain de sable, Tina se surpassait. Une délicieuse paillette de mica.

Eugénia et Tina Livanos passaient pour les deux plus beaux partis de la diaspora grecque des États-Unis. Leur dot n'était rien en comparaison de l'appui financier que représentait une alliance avec Stavros Livanos. Onassis et Niarchos s'étaient mis sur les rangs. Seulement tous les deux prétendaient à la main de Tina, plus piquante qu'Eugénia, sa sœur aînée. Respectueux des traditions, Livanos refusait de donner sa fille cadette en mariage tant que l'aînée n'était pas casée. Il n'en démordait pas. Question de principe. Niarchos s'était vu éconduire pour cette raison. On comprend sa fureur d'apprendre, à quelque temps de là, qu'Onassis avait, lui, réussi. Avec la complicité de Tina qui se prétendait follement amoureuse. Ses larmes avaient su fléchir la détermination de son père. Il ne restait d'autres solutions à Stravros que d'épouser Eugénia. Telle était l'origine du conflit qui depuis les opposait. Encore que pour ce type d'homme, la vie ne vaut pas la peine d'être vécue sans un adversaire à sa taille. Ils s'étaient trouvés. Depuis, ils se livraient un duel à mort. À coups de milliards et de coups tordus. Les affaires leur offraient un terrain de jeu où tout était permis. Leur combat élevait la bataille navale au rang d'une odyssée sanglante et meurtrière. Les dieux ont inventé la haine pour aider les hommes à se dépasser. En dépit de ce qu'on raconte aux enfants, la haine produit un carburant autrement plus puissant que toutes les bonnes intentions et autres connaissances positives dont s'enorgueillit l'espèce humaine. Seulement ça pue et ce n'est pas sans danger.

À la différence d'Onassis, Niarchos se voulait chic. Il jouait les chic. Il avait reçu une meilleure éducation. Il s'adressait aux meilleurs décorateurs (Emilio Terry, Henri Samuel). Il avait de meilleures manières. Il s'habillait à Londres chez les meilleurs tailleurs. Il offrait une imitation assez réussie d'un Anglais de la City (« Je vais le lui ouvrir son parapluie dans le cul », hurlait Onassis en colère). Niarchos peaufinait la ressemblance jusqu'à reproduire cette sorte de bégaiement caractéristique de la bonne société britannique. D'une manière si outrée que beaucoup de gens le croyaient affligé d'un défaut de prononciation. Tina attisait la haine de ces beaux-frères ennemis en affirmant à Onassis que Niarchos continuait de lui faire la cour. Sans doute pour l'exciter. Elle pouvait être garce. On a déjà dit qu'elle avait été élevée dans l'idée de devenir la femme d'un riche armateur. Ayant atteint ce but très tôt, Tina, depuis, se laissait vivre. La mégalomanie de son mari la maintenait sous les feux de l'actualité. Tout ça n'était pas franchement désagréable, même si elle se plaignait, pour la frime, de ne pouvoir divorcer. L'aventure tapageuse d'Aristote avec Maria Callas la força à réagir. Elle exigea le divorce. Onassis ne pouvait plus le lui refuser.

Habituée à vivre sous les projecteurs, l'obscurité où la rejetait sa nouvelle vie la surprit désagréablement. Depuis qu'elle avait quitté le *Christina*, elle se sentait exclue. La pièce se jouait sans elle. La Callas et Onassis tenaient les grands rôles. Elle n'était plus qu'une comparse. Tina se dépêcha de se remarier. Seize mois exactement après son divorce, elle épousait, à Paris, dans la plus stricte intimité, le marquis de Blandford, fils aîné du dixième duc de Marlborough. Un mariage bâclé. Son idylle avec Reynaldo Herrera n'avait pas résisté à la pression médiatique. La perspective de se retrouver duchesse ne laissait pas Tina indifférente, mais c'est l'idée de faire enrager Onassis en devenant la cousine de Churchill (proche parent des Marlborough), qui emporta sa décision. Onassis continuait de lui boucher la vue. Pour rien au monde elle n'aurait reconnu qu'il lui manquait, mais il lui manquait. Le luxe dont il l'entourait lui manquait. Sa vulgarité lui manquait. Ses colères lui manquaient. Même absent, Ari s'arrangeait pour occuper le terrain. Le marquis, c'était le contraire. Elle avait lâché la proie pour l'ombre. Marlborough passait pour un des plus beaux châteaux d'Angleterre. Un week-end suffit à Tina pour comprendre qu'on pouvait y mourir d'ennui. Et de froid ! Elle n'avait rien à reprocher à son mari ni à son entourage. Elle s'étonnait cependant qu'on puisse tenir pour une distraction le fait d'aller donner à manger aux carpes des bassins. Et la roseraie ! Qu'est-ce qu'on fait dans une roseraie ? Pour une femme qui avait passé la majeure partie de sa vie sur un yacht dont le port d'attache était Monte-Carlo, les us et coutumes de l'aristocratie britannique relevaient d'une forme d'aberration mentale proche de la trisomie. Des attardés.

62

Première rencontre de Greta Garbo et de Onassis. George Schlee et Valentina. Contradictions de Garbo. Mercedes de Acosta. Marlène Dietrich. Jalousie de Beaton. Garbo laisse le cadavre de Schlee aux bons soins du personnel du Crillon.

Le premier contact entre Garbo et Onassis n'augurait rien de bon pour la suite de leurs relations. En faisant faire le tour du bateau à ses hôtes, Aristote Onassis ne manquait jamais d'attirer l'attention sur les détails les plus atroces. Comme ces tabourets de bar, tendus de peaux de prépuce de baleine : « Madame, vous êtes en ce moment assise sur la plus grande bite du monde », avait déclaré l'armateur à la Divine. Tête de Garbo ! Que peut éprouver une lesbienne à l'idée d'être assise sur la plus grande bite du monde ? *No comment.* Garbo ne commentait jamais. Entre elle et l'armateur, les choses avaient donc plutôt mal commencé. D'autant qu'en la raccompagnant, il avait cru bon de faire tirer, sous les fenêtres de sa villa, un feu d'artifice à tout casser. Tout le Cap-Martin illuminé. La honte pour Garbo qui n'aimait pas se faire remarquer. Aujourd'hui, ils en riaient. Garbo faisait partie, avec Winston Churchill, des têtes d'affiche du cirque flottant d'Onassis. Garbo et sir Winston cohabitaient en bonne intelligence. Mais sans plus. Dans les mémoires apocryphes qu'il prétend avoir écrits sous la dictée de la star (mais qu'il publiera prudemment au lendemain de sa mort), Antoni Gronowiez décrit Garbo, sur le *Christina*, aux prises avec sir Winston, cherchant, dans une crise de concupiscence sénile, à lui arracher son soutien-gorge pour voir ses seins. C'est d'autant moins crédible que Garbo ne faisait pas mystère de sa nudité. En bonne Suédoise, elle n'aimait rien tant que bronzer à poil et nager toute nue. Du moment qu'on la laissait tranquille, elle était facile à vivre. Toujours dans son coin, à rêvasser au soleil. Le tonnage du *Christina* l'autorisait largement à s'isoler. Elle regrettait cependant qu'il ne soit pas un peu plus grand pour son jogging. Typique de la snob de plein air !

Garbo avait connu Onassis par George Schlee. Un de ses amants supposés. On les accusait de former un couple à trois avec Valentina, la femme de Schlee, célèbre couturière new-yorkaise. La presse raffolait de Valentina qui forgeait à son intention des déclarations à l'emporte-pièce : « Le vison, c'est bon pour le football, l'hermine, pour la salle de bains. » Dans les années 40, la reine Marie de Roumanie (en exil), la duchesse de Windsor, Rosalind Russell, Irène Selznick, Norma Shearer fréquentaient sa maison de couture, située au-dessus du magasin *À la vieille Russie*. Gaylord Hauser, qui cornaquait Garbo dans le monde, s'était chargé des présentations. Encore qu'on ne présentait pas Greta Garbo ! Avide de publicité, Valentina et George Schlee virent le parti qu'ils pourraient tirer de son amitié. Valentina se surpassa pour l'habiller et Schlee, qui aimait se poser en homme d'affaires, lui donnait des conseils pour ses placements. L'atmosphère étrange qui flottait chez eux plut à Garbo. Après Hollywood, elle voulait changer d'air. Une aura mondaine et interlope s'attachait à ce couple d'émigrés russes. Des aventuriers naviguant en eaux troubles sur des bas-fonds d'améthyste et de turquoise. Avec un côté « Tovaritch » qu'ils cultivaient. Les Schlee s'étaient rencontrés dans une gare en fuyant les bolcheviques. Valentina n'avait pas quinze ans. Une vraie jeune fille avec une masse incroyable de cheveux auburn qui lui tombaient jusqu'au pied. Comment s'y prenait-elle pour se coiffer pendant leur exode jusqu'à Sébastopol ? La débâcle de l'armée russe les poussait toujours plus au sud. À Schlee qui l'exhortait de l'épouser, Valentina répondit : « Je ne peux pas te donner mon cœur, mais si tu veux de mon amitié, je veux bien t'épouser. » « Épouse-moi, répondit Schlee, et je veillerai sur toi le reste de ma vie. » Ce qu'il fit pendant quarante ans avant de s'éclipser avec Garbo.

Selon Irène Selznick – la fille de Louis B. Mayer mariée à David O. Selznick – qui voyait beaucoup Garbo chez Cukor, Valentina et Garbo prirent l'initiative. Les choses allèrent très vite très loin : les deux femmes habillées de la même robe encadrant Schlee lors d'une première à Broadway ! Pour Garbo qui vivait dans la hantise d'être reconnue, cette manière de s'afficher allait à l'encontre de ses principes. Mais Garbo n'était pas à une contradiction près. À Hollywood, tout le monde savait que Garbo était lesbienne, mais elle refusait d'aborder la question. Autant Marlène n'avait aucun problème avec l'homosexualité qui ne représentait à ses yeux qu'une distraction, autant Garbo faisait un blocage. La célébrité de Garbo attisait cette paranoïa. Sa peur maladive d'être reconnue se calquait en fait sur sa psychose d'être découverte. Avec des bizarreries comme dans n'importe quelle névrose puisqu'elle passait son temps à envoyer des messages de nature à la démasquer. Pourquoi s'habillait-elle en homme ? Pourquoi lui arrivait-il de parler au masculin ? Après *La Reine Christine* elle voulut interpréter Jeanne d'Arc ou George Sand. Ou encore Hamlet ou Dorian Gray. On comprend que Louis B. Mayer en ait eu marre. « Avec ou sans barbe ? » s'enquit Aldous Huxley à qui on demandait un scénario sur la vie de saint François d'Assise pour Garbo. Ce qui ne veut pas dire qu'elle couchait avec Valentina. Rien n'est moins sûr. Pas sûr non plus qu'elle ait couché avec Schlee. Garbo était vraiment très compliquée. Tout laisse à supposer qu'elle appartenait à ces lesbiennes convaincues, mais lucides, qui, tout en aimant les femmes, regrettent cependant qu'elles ne soient pas mieux outillées et n'hésitent pas, afin de pallier cette carence, à s'envoyer en l'air avec des inconnus. Brefs orgasmes ne prêtant pas à conséquences. Question d'hygiène. En bonne Suédoise, Garbo se montrait très pointilleuse sur l'hygiène.

Garbo quitta bientôt le Ritz Tower pour s'installer dans un appartement de quatre pièces, juste au-dessus de celui de ses nouveaux amis. De ce point de vue, elle les dominait. Garbo n'était pas tombée chez les Schlee tout à fait par hasard. Dans les années 20, les Schlee avait beaucoup fréquenté Mercedes de Acosta, qui était la grande amie de Garbo. Pour la postérité, Mercedes de Acosta restera prise en sandwich entre Garbo et Marlène Dietrich. Une rude position. A-t-elle réellement couché avec les deux ? Baisoté ? Baisouillé ? Elle avait su rester leur amie. À Hollywood, Mercedes tenait le rôle de la lesbienne de service. Elle sentait le soufre et s'habillait en conséquence : cape de velours noir, chaussure à boucles d'argent, feutre timbalier, robe de bure, sandalettes. En plus de la panoplie, elle avait le manuel qui allait avec : astrologie, yoga, méditation transcendantale, cri primal, diététique... À l'époque, ce n'était pas si courant. On la disait également féministe, mais pour une lesbienne, c'est un concept flou. La seule faiblesse de cette intello était de collectionner les célébrités. D'où Marlène et Garbo. Marlène, qui se trompait rarement, tenait Garbo pour sa seule rivale. Lui piquer Mercedes était une façon de marquer son territoire. Elle lui avait déjà piqué John Guilbert pour les mêmes raisons. Avec Marlène, on irait plus vite en se demandant avec qui elle n'avait pas couché. Garbo et Marlène devaient encore se partager Erich Maria Remarque. Ce qu'il en restait. Paulette Godard, qui après son divorce avec Charlie Chaplin épousa Remarque, affirmait que ce dernier lui avait confié que Garbo était un mauvais coup. Ce qui repousse les limites de la médisance sans convaincre puisque l'on sait par Marlène que Remarque était impuissant. Quel crédit accorder aux paroles d'un impuissant qui accuse une lesbienne d'être un mauvais coup ?

Ayant partagé pendant quarante ans la vie d'une femme qui ne pouvait pas lui donner son cœur, Schlee s'accommoda des étrangetés de Garbo. Le couple à trois vola rapidement en éclats. Schlee resta avec Garbo. Valentina, folle furieuse, menaçait de fermer la maison de couture pour rentrer au couvent. Très russe. En public, Valentina sauvait les apparences. Garbo restait sa meilleure cliente. Son enseigne. Elle ne pouvait se passer de cette publicité. Garbo était à la célébrité ce que l'uranium enrichi est à la matière. Irradiant d'une extraordinaire phosphorescence, elle renvoyait toutes les autres célébrités au néant. Personne ne résistait à cette phosphorescence. Garbo en était parfaitement consciente. Elle jouait continuellement de cet atout. D'aucuns l'accusaient d'avoir un pois chiche dans la tête, mais avec ce pois chiche elle avait inventé un truc formidable : l'incognito. Le concept de l'incognito. Tous les signes extérieurs définissant l'incognito : les lunettes noires, les chapeaux à large bord, les cols relevés, les pseudonymes, les portières qui claquent, les courses-poursuites en voitures… et cette main tendue, la paume ouverte, pour se protéger des flashs des photographes. Toutes choses censées la préserver alors qu'elles ne faisaient que la désigner à l'attention du public. Garbo arrivait à s'appuyer sur du vide et ce vide lui ménageait le plus solide des piédestaux.

On se souvient que Beaton était un de ses admirateurs les plus acharnés. Comment aurait-il résisté à cette phosphorescence ? Seulement, était-il en état de domestiquer la matière ? De son côté, Garbo n'était pas insensible aux relations du photographe. Pour comprendre ce qu'elle lui trouvait, il faut accepter l'idée que Garbo était, elle aussi, assez snob. Peut-être pas aussi snob que Beaton, mais plus snob que la moyenne. Pourquoi cette grande fille toute simple, qui prétendait fuir le monde, fréquentait-elle tous les endroits à la mode de la planète : Capri, Portofino, Crans-sur-Sierre, Monte-Carlo, Kloster… Que faisait-elle sur le yacht d'Onassis ? Dans les salons de Mona Bismarck ? Chez les Rothschild ? (L'affection que lui portaient Cécile de Rothschild et Cecil Beaton lui valait d'être désignée comme « La reine des deux Cécile ».) Beaton désapprouvait les croisières de Garbo sur le *Christina*. M. et Mme Onassis n'appartenaient pas à son cercle d'amis. Il se bouchait les oreilles pour ne pas entendre les descriptions idylliques que lui faisait Garbo de la vie à bord. Même le tableau du Gréco déclenchait son rejet. « De la peinture pour boutonneux, décrétait-il avec mépris. Je ne sais pas pourquoi le Gréco reste associé pour moi à l'acné juvénile. J'ai dû adorer ça quand j'avais quatorze ans. » L'aversion de Beaton pour le *Christina* tenait au fait que Garbo avait fait la connaissance d'Onassis par George Schlee. Sa bête noire. Il y avait souvent du tirage dans la garde rapprochée de Greta Garbo. Ses amis, qui la traitaient avec la déférence due à une reine en exil, se jalousaient entre eux. Au grand dam de Beaton, Schlee profitait d'un traitement de faveur. Garbo était sensible à son autorité. Leur aventure devait se terminer tragiquement. Un soir, à Paris, alors qu'ils séjournaient au *Crillon*, Schlee mourut subitement d'une crise cardiaque. Garbo, paniquée à l'idée d'affronter la presse, prit la poudre d'escampette. Elle appela Cécile de Rothschild au secours et déguerpit en laissant Schlee aux bons soins du personnel de l'hôtel. Valentina, qui lui avait prêté un mari, récupéra un cadavre. Ce qui n'arrangea pas les relations entre les deux femmes qui mettront à s'éviter toute la ruse qu'il faut à deux personnes habitant le même immeuble.

63

Elizabeth Taylor et Peter Lawford au Betty Ford Center. Retour sur les stars en herbe de la MGM Nicky Hilton. Zsa Zsa Gabor joue les Phèdre à la ville. Entêtement d'Elizabeth à vouloir se marier. Triste fin de Peter Lawford.

En 1983, Elizabeth Taylor, poussée par son entourage, rejoignit le Betty Ford Center pour une cure de désintoxication. Sa consommation de médicaments dépassait tout ce qu'on peut imaginer, mais elle avait aussi des problèmes avec l'alcool, la drogue et la nourriture. Bref, la totale. Elle atteignait quatre-vingt quatre kilos. Pour un mètre soixante, c'était pas terrible. Surtout en survet' et santiags. Pourquoi affectionnait-elle les survêtements roses et les santiags violettes ? Le centre décida de la traiter à la dure, lui refusant tout traitement de faveur. Elle jouait le jeu. Elle faisait son lit, nettoyait sa salle de bains, se tapait la corvée de vaisselle, assistait aux thérapies de groupe, aux séances d'autocritique... Là s'arrêtait sa ressemblance avec les autres patients. Elle restait Elizabeth Taylor. La star la plus célèbre du monde. Les infirmières s'évertuaient à se conduire avec elle comme avec une malade ordinaire, mais elles ne pouvaient faire abstraction de sa célébrité. Personne ne le pouvait. L'arrivée de Peter Lawford acheva de mettre en péril la quiétude de l'établissement. Apprenant par la télévision l'admission d'Elizabeth Taylor au centre, sa femme l'avait supplié d'essayer. Sa dépendance empirait chaque jour. Il sifflait quotidiennement plusieurs litres d'alcool et sniffait en permanence. De la coke principalement. Peter ne pouvait avoir qu'une mauvaise influence sur Elizabeth.

N'appartenant pas à la même section, ils n'avaient normalement pas le droit de se voir. Il eût mieux valu. Contrairement à Elizabeth, Peter ne faisait aucun effort. Il n'y croyait pas. Il s'en foutait complètement. Il avait atterri là pour faire plaisir à sa femme, sans aucun espoir de guérison. Il était tellement bourré en débarquant qu'il croyait rencontrer Betty Ford en personne. À peine arrivé, il fugua pour essayer de trouver un débit de boisson (en plein désert de Californie). Il mit ensuite au point un système pour se faire livrer de la cocaïne par hélicoptère. De la cocaïne qu'il payait avec sa carte bleue. Est-ce qu'on paye la cocaïne par carte bleue ? Il coupait à toutes les corvées, en dehors de l'aspirateur. Après une ligne de coke, il adorait passer l'aspirateur. Elizabeth Taylor trouvait sa manie du ménage hilarante. « Peter, tu ne peux pas arrêter de passer l'aspirateur », lui demandait-elle. Il ne pouvait pas. C'était la coke.

Peter Lawford et Elizabeth Taylor se connaissaient depuis leur adolescence. Dans les années 40, ils avaient tous les deux fait partie de l'équipe des stars en herbe de la MGM Une sacrée équipe : Mickey Rooney, Judy Garland, Jane Powell, Dick Powell, June Allyson, Janet Leigh, Deanna Durbin, Natalie Wood… Depuis le début de la guerre, Hollywood, coupé du marché européen, retombait en enfance. Tout se passait comme si les studios refusaient d'affronter la réalité. Ils ne produisaient plus que des séries B. Des comédies sentimentales où la pureté des sentiments le disputait à l'indigence de l'intrigue. Une régression qui s'accordait au nouvel ordre moral imposé par l'actualité. La MGM se voulait irréprochable. Elle avait ouvert une petite école pour ses enfants de la balle et leur imposait des règles de conduite très strictes : pas d'alcool, pas de cigarettes, pas de tenues provocantes. Louis B. Mayer veillait personnellement à faire respecter cette discipline. Surpris un jour en train de se faire sucer par une jeune recrue, il l'avait très mal pris. « Mademoiselle, vous devriez avoir honte », s'était-il écrié hors de lui en se reboutonnant. Comme toutes les filles de sa génération, Elizabeth Taylor en pinçait pour Peter Lawford. C'était le joli garçon de la bande. Il servait de faire-valoir à Mickey Rooney dont la personnalité écrasante le cantonnait au second rôle. Mickey Rooney était la star, Peter Lawford le jeune premier romantique. Ses yeux bleus et ses cheveux blonds faisaient fantasmer les adolescentes. Élevée dans le sérail, Elizabeth n'en partageait pas moins ces rêveries. Peter la regardait du haut de ses vingt ans. Il la trouvait trop jeune. Il s'intéressait d'avantage à ses aînées : Lana Turner, Rita Hayworth, Ava Gardner, etc. De son point de vue Elizabeth manquait de sex-appeal. Les hommes plus âgés ne partageaient pas cet avis. Orson Welles, en particulier, la trouvait très à son goût. Déjà juteuse sous sa peau de pêche. On ne peut mieux résumer l'effet qu'elle faisait aux hommes qu'en reprenant la description d'un producteur de la MGM : « Une fille de quatorze ans qui va en avoir trente l'année prochaine. »

Curieux dénouement : c'est Peter Lawford qui devait lui présenter son premier mari. Nicky Hilton en pinçait pour Elizabeth sans oser l'aborder. Il lui avait suffi de la voir pour en tomber follement amoureux. Comme dans *La Princesse de Clèves*. Sauf que c'était au *Mocambo* pour la fête du mariage de Jane Powell dont Elizabeth était une des demoiselles d'honneur. Avec du mimosa et un ruban mauve dans les cheveux. Nicky demanda à Peter Lawford de lui arranger un rendez-vous où il arriva en tremblant. La célébrité d'Elizabeth lui en imposait. Promue star à douze ans, Elizabeth profitait d'un statut assez peu fréquent pour une gamine. Et en même temps c'était une gamine. Elle attendait son prince charmant. Plutôt joli garçon et riche à millions, Nicky pouvait faire l'affaire. Du point de vue de la fortune, le nom de Hilton se passait de commentaires. Surnommé Monsieur 100 000 lits, Conrad Hilton, régnait sur un empire hôtelier. Nicky pâlissait en comparaison de son *self-man made* de père. Son complexe d'infériorité débouchait sur un manque d'ambition dont son éducation était responsable. Une victime du *too much too soon*. « S'il voulait une voiture, son père lui achetait une voiture. S'il demandait un avion, il l'avait », se souvenait Zsa Zsa Gabor, un temps mariée à Conrad Hilton. Nicky méritait l'étiquette de fils à papa. Mais aussi celle de bon à rien. Il ne s'intéressait qu'aux filles et aux voitures de sport. Il courait les boîtes de nuit, il buvait, il jouait et se droguait. Bref, tout pour plaire. Elizabeth ne pouvait pas savoir qu'il arrivait encore à Zsa Zsa Gabor, entre-temps remariée à George Sanders, de coucher avec

Nicky dont elle était devenue la maîtresse à l'époque où elle était sa belle-mère ! Zsa Zsa, qui aurait été incapable de jouer *Phèdre* sur scène, s'était laissé enflammer, dans la vie, par la passion que lui portait Nicky. Il faut dire pour sa défense que Conrad Hilton n'était pas drôle tous les jours. La soudaineté de sa réussite ne lui avait pas laissé le temps de s'affiner. Il ne faisait pas mentir la réputation des Texans multimilliardaires d'être « brut de décoffrage ». Il rotait et pétait à table. Elizabeth qui fermait déjà les yeux sur les défauts de son fiancé n'avait pas pu ne pas l'entendre. D'autant que la salle à manger en marbre de l'hacienda familiale résonnait comme une chapelle funéraire.

Tout cela aurait dû la faire réfléchir. Elle ne voulait pas réfléchir, elle voulait se marier. Elle cherchait à s'émanciper. Des studios comme de la tutelle de sa mère. Sarah Taylor n'avait jamais douté que sa fille deviendrait la plus grande star de tous les temps. Elle s'extasiait en permanence sur les perfections physiques d'Elizabeth. Sur ses yeux, mais aussi sur son nez parfait, sa bouche admirable. Sa carrière lui tenait d'autant plus à cœur qu'elle-même espérait dans sa jeunesse devenir comédienne. Elle prenait sa revanche en forçant les studios à accepter ses conditions. À mesure qu'Elizabeth gagnait ses galons de vedette, la sollicitude de Sarah devenait gênante. Elizabeth s'affirmait comme la star en herbe dont on parlait le plus. En gros plan face à la caméra, elle écrasait toutes les autres actrices. Pour admirer son regard violet, le public aurait ingurgité n'importe quel navet. On ne la désigna bientôt plus autrement que comme la petite fiancée de l'Amérique. Pour Nicky qui cherchait à s'affirmer, c'était valorisant d'épouser la petite fiancée de l'Amérique. Conrad Hilton, que le désœuvrement de son fils inquiétait, pensa que le mariage viendrait y mettre bon ordre. Bref, tout le monde s'accordait à trouver qu'ils formaient un couple épatant et les attachés de presse de la MGM se frottaient les mains. Elizabeth achevait le tournage du *Père de la mariée*, avec Spencer Tracy. Le studio s'arrangea pour faire coïncider la sortie du film avec la date du mariage et produisit, à cette occasion, une cérémonie digne des plus gros budgets. Peter Lawford conduisait les garçons d'honneur.

Après cela, Peter Lawford et Elizabeth Taylor ne devaient plus se voir que de loin en loin. Elizabeth tournait la plupart de ses films à l'étranger, alors que Peter Lawford, totalement immergé dans le clan Kennedy, ne quittait pas les États-Unis. L'ascension foudroyante d'Elizabeth Taylor laissait tous ses anciens camarades loin derrière. Sa célébrité écrasait toutes les autres célébrités. Elle était, avec Marilyn, la première star de la société de consommation. Andy Warhol, qui les avait prises pour modèles, ne s'y était pas trompé : Elizabeth, Marilyn et une boîte de soupe Campbell. Le message était clair. Quand la route d'Elizabeth recroisa celle de Peter Lawford, dans les années 80, celui-ci était déjà mal en point. À quel moment la vie bascule-t-elle ? Peter Lawford n'osait plus se regarder. Il se levait de plus en plus tard, comme pour reculer la confrontation avec son miroir. Ses cheveux blonds avaient jauni. Son éternel bronzage faisait sale comme s'il s'agissait d'un vieux bronzage. On préférait ne pas penser à son foie. Dans quoi n'avait-il pas macéré ? Une ligne au réveil. Et puis une bière. Et ensuite une vodka. Et ainsi de suite jusqu'au soir. À force de rendre service, il s'était collé sur le dos une étiquette de dealer. L'idée que Peter savait toujours où « en » trouver était solidement établie parmi les gens à la mode. D'abord associé au plaisir, il s'était retrouvé associé à la drogue quand le plaisir s'était radicalisé. On pouvait aussi lui demander des filles. Il avait un carnet d'adresses plus rembourré que celui d'une mère maquerelle. Les gens l'adoraient quand ils avaient besoin de lui. Ils le vomissaient le lendemain.

Alors que beaucoup de ses anciens amis lui tournaient le dos, Elizabeth continuait de le voir quand elle passait par Los Angeles. Elle profitait de ses connexions, mais n'en abusait pas. Elle faisait ce qu'elle pouvait pour l'aider. Elle chercha à lui procurer un rôle dans un téléfilm dont elle était la vedette, mais il arriva le jour du tournage avec une jaunisse. Dans un état tellement pitoyable qu'il fallut abandonner l'idée de le faire jouer. L'année d'après il était hospitalisé. Si on reconnaît ses vrais amis dans l'adversité, Elizabeth méritait d'être considérée comme la meilleure des amis. Elle pouvait accourir de l'autre bout du monde pour secourir un proche. Dans les moments difficiles, elle était toujours là. Et elle avait du cran. Elle accompagnait les mourants et soutenait les blessés. Elle l'avait déjà prouvé avec Montgomery Clift. Elle avait été au côté de Lawrence Harvey pendant sa maladie, comme plus tard elle sera au côté de Rock Hudson. De ce point de vue, c'était presque une sainte. Elle débordait de compassion. Elle était pleine de compassion comme la Sainte Vierge est pleine de grâce. Rien ne la rebutait. Quand Peter Lawford entra dans la phase terminale de sa maladie, Elizabeth accourut à son chevet. Elle venait tous les jours. Comme il se plaignait que la nourriture de l'hôpital ne lui convenait pas, elle composa un menu de fête, avec le homard qu'il lui avait demandé. Trois domestiques venus de chez elle le servaient comme dans un grand restaurant. Au dessert, l'un d'eux posa devant Peter une petite boîte rose avec un ruban doré qui contenait son gâteau préféré, un éclair au chocolat.

64

Peter Lawford entre sa mère et les Kennedy. Entre Sinatra et les Kennedy. Le Rat Pack. L'impact de Sinatra. Son piège à filles. Des lendemains qui déchantent. Mafia. F.B.I. Hoover. Marilyn. Rose Kennedy regarde ses hommes tomber.

Brother-in-Lawford. La *joke* de Sinatra le poursuivait. Peter Lawford restait le beau-frère du président. Il avait toujours été quelque chose par rapport à quelqu'un. Le fils de sa mère déjà ! Le faire-valoir de Mickey Rooney, le copain de Franck Sinatra et maintenant le beau-frère du président. Toujours derrière de fortes personnalités qui lui menaient la vie dure. Souvent entre le marteau et l'enclume quand les choses tournaient mal. Entre les Kennedy et Sinatra. Entre sa mère et les Kennedy. C'était toujours lui qui prenait les coups. Pourquoi sa mère s'était-elle braquée contre les Kennedy ? Elle les détestait autant qu'ils la détestaient. Lady Sydney Lawford appartenait à ces Anglaises excentriques qui ne reculent devant rien. Certains s'interrogeaient sur son titre. *The lady is a tramp* ? Son culot ne manquait pas de classe. Pendant la campagne présidentielle, lors du passage de John Kennedy à Los Angeles, elle avait loué un éléphant pour descendre Wilshire Boulevard en brandissant une pancarte appelant à voter Nixon. Elle se répandait en calomnies sur sa belle-fille. Joe Kennedy s'était mis en rogne : « Trouve un moyen de calmer ta mère, avait-il intimé à Peter Lawford. Je ne veux plus en entendre parler.

— Mais c'est ma mère, Joe, je ne peux tout de même pas la supprimer.

— Eh ! bien moi, je peux, menaça Kennedy. File-lui de l'argent. Achète-la. Fais n'importe quoi. Qu'elle dégage, sinon c'est moi qui m'en occuperai. » Peter Lawford ne se faisait pas d'illusions sur les sentiments que lui portait son beau-père. Joe Kennedy ne lui pardonnait pas d'avoir épousé sa fille. Il le poursuivait de son mépris. Un acteur anglais ! Il méprisait les acteurs. Il détestait les Anglais. Les prétendues origines aristocratiques de Peter achevaient de l'agacer. Au sein du clan, il passait pour un amuseur. Il n'avait pas fait d'études. Les autres le lui faisaient sentir. Il compensait en rendant service. Il cherchait à s'attirer les bonnes grâces de ses beaux-frères. Il encaissait leurs prétentions. Élevé par une mère autoritaire, Lawford gardait l'habitude de plier devant l'autorité. Il aurait fait n'importe quoi pour les Kennedy. Ces putains de fils à papa lui en imposaient. Il prenait du plaisir à leur lécher les bottes.

La carrière de jeune premier romantique de Lawford touchait à sa fin quand Sinatra lui donna une seconde chance en le prenant avec lui dans le Rat Pack. Le succès du Rat Pack avait surpris Sinatra lui-même. Au départ, il s'agissait de renouveler son tour de chant en y incluant des numéros comiques. Dean Martin et Samy Davis s'étaient retrouvés, un soir, sur scène, en train de faire les idiots aux côtés de Sinatra : c'était né comme ça. Par hasard. Peter Lawford complétait agréablement le groupe, même s'il en était le maillon faible. Sinatra s'affirmait déjà comme le plus grand chanteur de sa génération. Il faisait partie de l'histoire. « Frankie ! Frankie ! », les cris des *bobbysoxers* résonnaient encore dans la mémoire collective des Américains. Bien avant Elvis, Sinatra avait déclenché des vagues d'hystérie chez les adolescentes. Aujourd'hui, l'ex-idole des jeunes faisait rêver dans les chaumières. D'autant qu'avec la télé, il s'invitait souvent à dîner. Au bout de la table. Lui et sa bande de rats. Leur style de vie frisait le fantasme : l'argent facile, les filles faciles, les cocotiers, les piscines en forme de haricot, les succès à gogo. Joe Kennedy flaira que le Rat Pack pourrait devenir un merveilleux outil de propagande. Il avait compris le rôle que jouerait la télévision dans la prochaine campagne présidentielle. La poussée démographique du *baby-boom* commençait à se faire sentir. Il était bien décidé à vendre son putain de fils comme un paquet de lessive. La jeunesse et la décontraction faisaient partie de cette lessive qui rendrait aux couleurs leur éclat naturel. Après les années de plomb de l'après-guerre, ce n'était pas du luxe. À côté des Kennedy, tout paraîtrait vieux et démodé. Par ailleurs, Sinatra occupait une position stratégique. À la croisée des chemins entre le *showbiz*, les affaires, la politique, la légalité, l'illégalité et la mondanité *made in Hollywood*. Il brassait beaucoup d'air. Il connaissait un monde fou. Il serait leur agent en Californie.

En outre, Sinatra servirait d'intermédiaire avec la Mafia. Les Kennedy avaient besoin de la Mafia. De l'argent de la Mafia, mais aussi de son emprise sur les syndicats. Personne ne prenait à la légère les consignes de vote de la Mafia. Joe n'aurait eu qu'à claquer des doigts pour renouer avec l'organisation – ils avaient travaillé ensemble à l'époque de la prohibition –, mais il jugea préférable – plus discret – de passer par Sinatra. La Mafia veillait sur Frankie depuis ses débuts de crooner. Pour un Italo-Américain c'était normal. Selon la légende, la Mafia l'avait remis en selle après une courte traversée du désert, au lendemain de la guerre, en s'arrangeant pour lui faire obtenir le rôle qu'il désirait dans *Tant qu'il y aura des hommes* (on voit ça dans un film de Coppola : une tête de cheval décapité jetée dans le lit d'un producteur récalcitrant). Depuis, tout ce que touchait Sinatra se transformait en succès. Il fut bientôt à même de racheter son studio d'enregistrement. Avec l'argent de la Mafia ? Disons qu'il n'avait plus besoin de gérer sa fortune. La Mafia s'en chargeait. On lui collait des participations dans des boîtes de nuit, des hôtels, des restaurants dont il ignorait à peu près tout. Et pas moyen de remercier. « Laisse tomber Frankie, on fera les comptes après. » Mais ils ne faisaient jamais les comptes. Lui, son boulot, c'était de chanter. Sa voix d'or couvrait le bruit des machines à sous et peut-être de deux ou trois coups de feu. Mais vraiment au lointain. Il y avait longtemps que la Mafia ne dessoudait plus à tout-va. En comparaison des règlements de comptes des années 30, c'était de la frappe chirurgicale. Sinatra ne blanchissait pas seulement leur argent, il blanchissait aussi leur mauvaise réputation. Il blanchissait et assouplissait.

Moins motivé politiquement que son père, John voyait dans l'amitié de Sinatra un moyen de rencontrer de nouvelles filles. Le futur président était resté très potache. Un affreux Jojo. Il ne pensait qu'à s'envoyer en l'air. Orgiaque sans être pervers. Un peu de sadomasochisme *soft* et des parties fines. Mais en tout bien tout honneur : que des filles. Une libido d'ado. Il lui fallait simplement toujours plus de filles. De ce point de vue, Sinatra était la bonne personne. Il passait pour avoir un piège à filles d'une exceptionnelle vigueur. Son lit était une plaque tournante. Tout ce que Vegas et Los Angeles comptaient comme minettes lui était passé entre les bras. Un défilé de danseuses, de starlettes, de belles de jour, de belles de nuit, de reines du strip-tease, d'espoirs de la chanson… Sinatra partageait avec les Kennedy la mauvaise habitude de considérer les filles comme du bétail. Il se les tapait et les refilait à ses potes. Bourse commune, comme qui dirait. Ce qui n'excluait pas le romantisme. Comme tous les ritals, Sinatra avait même un versant sentimental très escarpé, mais il ne s'y aventurait plus guère depuis son histoire avec Ava Gardner. Il ne s'était jamais remis de sa rupture avec Ava. Il l'aimait encore. Elle restait la seule. Sa liaison avec Lauren Bacall s'était terminée lamentablement. De par sa faute. Sa liaison avec Gloria Vanderbilt ne dura pas plus de dix jours (alors que Gloria avait, en partie, quitté Stokowski à cette occasion). Zsa Zsa Gabor se contenta d'une nuit pour le détester. Elle prétendait qu'il avait cherché à la violer – ce qui prête à rire connaissant Zsa Zsa. Avec Marlène Dietrich, cela ne comptait pas. C'était pour passer le temps. Lana Turner, qui y avait cru au début, n'en attendait plus rien. Pour sauvegarder la mémoire de Marilyn, d'aucuns ont prétendu que Sinatra pensait l'épouser. Un type comme Sinatra n'épousait pas une fille comme Marilyn. Un Italo-Américain grand teint n'épousait pas une fille avec laquelle il avait partouzé. Depuis Ava Gardner, il ne connaissait que des aventures sans lendemain. Les femmes passaient dans sa vie sans avoir le temps de se poser. Souvent, il les prenait debout, entre deux portes, avant d'entrer en scène. À la mort de Leland Hayward, Pamela (ex-Churchill) s'était ajoutée à sa liste. Elle avait besoin de consolation. En apprenant la fin prochaine de Leland, Sinatra avait couru à L'hôpital pour récupérer une veuve éplorée, mais encore chaude. Il y a souvent des dérapages dans ces moments-là. Dans les couloirs. Les larmes. L'émotion. Ne pouvant décemment pas la laisser seule, il la conduisit chez lui, à Palm Springs, dans son avion privé. Qu'est-ce qu'on peut faire pendant quatre heures dans un avion aménagé comme une chambre à coucher ? On disait que Pamela n'avait pas été déçue du voyage, mais Sinatra n'avait pas donné suite. Il restait un chanteur solitaire.

Pendant toute la campagne électorale, Sinatra ne ménagea ni son temps ni sa peine. Il se donnait à fond. Chaque soir il mouillait sa chemise. Il organisa un dernier gala, la veille de l'investiture, où plus de mille personnes payèrent chacune mille dollars pour apercevoir Jackie resplendissante dans une robe d'organza blanc. Dégoulinant d'orgueil, Franck Sinatra lui donnait le bras. Il méritait une récompense : les Kennedy l'avaient autorisé à escorter la première dame. Mais c'était un cadeau d'adieu. Après l'euphorie décoiffante qui marqua l'élection, la politique reprit ses droits. Était-ce bien raisonnable, monsieur le président, de nommer Bobby au ministère de la Justice ? Joe ne lui en avait pas laissé le choix. « Tu prendras ton frère comme District Attorney. » On ne discutait pas les ordres de Joe. Bobby aurait fait des dégâts n'importe où, mais le nommer à la justice revenait à dégoupiller une grenade. Edgar Hoover se retrouvait sous ses ordres. Le patron du FBI détestait les Kennedy. Il gardait par-devers lui des dossiers plutôt croustillants. Il y en avait pour tous les goûts. Et pour toute la famille. Il détenait assez d'informations sur le vieux Joe pour le faire coffrer – bootlegger, briseur de grève, admirateur d'Hitler, isolationniste, grand ami du sénateur McCarthy... Joe trimbalait des tas de casseroles –, mais Hoover avait préféré l'intégrer au FBI. Une sorte d'agent dormant. Quand à John, le FBI le suivait et l'écoutait depuis l'époque où il entretenait une liaison avec une Danoise, Inga Arvad, soupçonnée d'être une espionne à la solde des nazis. À tort. Les écoutes n'avaient pas cessé pour autant. Hoover était donc quelqu'un qu'il aurait fallu ménager. Bobby décida de lui rentrer dedans. Il voulait faire le ménage au FBI et s'attaquer à la Mafia. Le FBI pactisait avec la Mafia qui en échange rendait pas mal de services. Une machine extrêmement complexe et bien huilée. Bobby ignorait la souplesse. Il manquait d'humour. Complexé par sa petite taille, il rêvait d'en découdre. En lui, le sang irlandais avait tourné vinaigre. Il était teigneux. D'autant plus incontrôlable qu'il pensait avoir le bon droit pour lui. Il s'imposait par sa formidable capacité de travail. Contrairement à son frère, il ne lâchait jamais le morceau. Comme un roquet. Quand il avait planté ses dents dans un dossier, rien ne pouvait le lui faire abandonner.

Connaissant le passé de son père, l'opération mains propres de Bobby prêtait à sourire. Hoover s'inquiétait. Qu'est-ce qu'on pouvait espérer d'un monde où les voyous avaient plus de respect de la parole donnée que les politiques ? En premier lieu, Bobby décida de couper les ponts avec Sinatra en raison de ses liens avec la Mafia. Alors que c'était la raison qui avait décidé Joe Kennedy à le prendre comme *guest-star* pendant la campagne ! En remerciement des services rendus, les Kennedy lâchèrent Sinatra. Comme une merde. (Entre autres griefs, on lui reprochait d'avoir poussé Judith Campbell Exner dans le lit du futur président, alors qu'elle couchait déjà avec Sam Giancana, un des patrons supposés de la Mafia.) John, qui devait descendre pour un week-end de détente chez Franck, à Palm Beach, choisit à la dernière minute, en raison des pressions de Bobby, d'annuler son séjour. Si bien que Marilyn qui devait retrouver le président chez Sinatra le retrouva finalement chez Bing Crosby. Ce qui la foutait plutôt mal puisque c'est Sinatra qui avait présenté Marilyn au président et que Crosby était un de ses concurrents. Tout cela faisait un sac de nœuds drôlement bien ficelé. Chacun tenait l'autre par la barbichette. Le premier de nous deux qui rira ? Dans *La Malédiction d'Edgar*, Marc Dugain dénoue une partie de ce sac de nœuds en révélant l'homosexualité d'Edgar Hoover. Le chef du FBI, qui se posait en champion de l'ordre moral, n'était qu'une tapette. Une tapette honteuse manipulée par la Mafia. Lui qui possédait des dossiers sur toutes les huiles de la planète s'était fait piéger comme un bleu. La main dans la culotte d'un zouave. Le diable en riait encore. La Mafia savait pour Hoover, Hoover savait pour les Kennedy. C'était sans fin.

Seul son père aurait pu ramener Bobby à la raison. Mais entre-temps Joe avait eu une attaque. Rose l'avait récupéré dans un fauteuil roulant. Elle le faisait toiletter. Elle le sortait pour le mettre au soleil. Quand on a des domestiques, un mari dans un fauteuil ne pose pas de problèmes insurmontables. Rose savourait-elle le plaisir de l'avoir sous sa coupe ? On ne savait jamais ce qu'elle pensait. Elle ne se confiait guère. C'est une bonne chose de ne pas se plaindre, mais il ne faut pas en abuser : le stoïcisme de Rose touchait à l'insensibilité. Elle ne bronchait pas. Tout se passait comme si elle s'était inventé un jeu à elle. Les filles comptaient si peu chez les Kennedy ! Alors Rose ne jouait pas au même jeu que les garçons. C'était un jeu de filles. Un jeu à l'usure. Il suffisait de durer. Avec son mari elle venait de remporter une manche. La vie n'avait pas été tendre avec elle : la maladie mentale de sa fille Rosemarie, la mort de Joe Jr., de Kathleen. Elle ne se plaignait jamais. Elle s'en remettait au Seigneur. En toutes circonstances, elle restait totalement impénétrable. À l'époque où son mari la trompait avec Gloria Swanson, celle-ci, interloquée par la placidité de Rose, s'était étonnée devant une de ses amies : « De deux choses l'une, ou elle est complètement idiote ou c'est une sainte.

— À moins qu'elle ne soit meilleure actrice que toi.

— Dans ce cas-là, il faudrait lui donner un oscar », répliqua Gloria Swanson. Avec les assassinats à répétition de ses fils, le stoïcisme de Rose allait être mis à rude épreuve, mais elle ne bronchera pas davantage. Elle les avait vus grandir, elle les regarderait tomber. C'était le jeu des hommes. À la mort de Bobby, elle demandera à Givenchy de lui coudre son collier de perles à même la robe de deuil qu'il lui confectionnait. Devant l'air interloqué du couturier, elle précisa qu'elle ne voulait pas qu'il vienne frapper le cercueil quand elle se pencherait pour l'embrasser. Une pro. La douleur n'égarait pas Rose Kennedy.

65

Spyros Skouras et Aristote Onassis. Panique à la 20 th Century Fox. Rome, unique objet de mon ressentiment. La Rome de César et de Fellini. Gabegie sur le tournage de Cléopâtre. *Elizabeth Taylor en reine d'Égypte. Ras le bol de Skouras.*

Depuis le début du repas, Spyros Skouras remâchait sa rancœur en termes peu amènes. Il s'en prenait à la Ville éternelle où le tournage de *Cléopâtre* virait à la catastrophe, mais il maudissait également Hollywood. Il vomissait les acteurs (Elizabeth Taylor en particulier), les metteurs en scène, les scénaristes, les scripts, les coiffeurs, les maquilleurs. Il n'en pouvait plus de ce boulot. Aristote Onassis se gardait de l'interrompre : si cela pouvait lui soulager le cœur… Ils s'étaient retrouvés à l'*Osteria dell'Orso* dans le Trastevere. Le repas touchait à sa fin, mais ils avaient l'habitude de jouer les prolongations en se faisant resservir des bricoles avec les digestifs. La colère de Skouras ne lui coupait pas l'appétit. Il parlait le plus souvent la bouche pleine, ce qui achevait de rendre ses explications inaudibles. Il s'exprimait dans un curieux sabir mâtiné de grec et d'anglais qu'Onassis était pourtant un des seuls à comprendre. Déraciné à l'adolescence, Skouras ne savait pas mieux parler anglais qu'il ne parlait grec. Son père gardait les chèvres et son grec était celui que parlaient les bergers de Corfou. Un dialecte. Il n'avait pas eu ensuite le temps d'aller à l'école. Ce qui ne l'empêchait pas de diriger, depuis vingt-cinq ans, la 20 th Century Fox. Aujourd'hui, son inculture divertissait le milieu du cinéma, mais à l'époque de ses débuts, personne ne trouvait rien à y redire : ils étaient tous au même niveau. « Tu veux dire que moi aussi je suis balkanique ? », s'était écrié Skouras outré en apprenant que la Grèce faisait partie des Balkans. Sa prononciation lui jouait également des tours. Il disait *Benzédriniens* pour Byzantins, *Kurillo* pour Utrillo. « Utrillo ! On prononce Utrillo », lui fit un jour remarquer un de ces blancs-becs sortis de l'université. « C'est ça, toi tu les prononces, moi je les achète, connard », rétorqua Skouras.

Pour un analphabète qui avait commencé au plus bas de l'échelle, Skouras s'était bien débrouillé. Coursier, magasinier, distributeur, patron de salle, producteur, directeur de studio et directeur « du » studio. Compte tenu de son gabarit, on imaginait cette course au pouvoir comme la charge aveugle d'un rhinocéros dans la brousse. Il avait dû en piétiner plus d'un avant de réussir la fusion de la William Fox et de la 20 th Century. Ses collaborateurs le décrivaient comme une brute épaisse, doublée d'un Machiavel. On aurait pu dire la même chose d'Onassis. Sans se ressembler, ils n'en avaient pas moins un air de famille. Skouras dépassait Ari d'une tête, mais ils étaient foutus pareil : en lutteurs de foire. La tête enfoncée dans les épaules et le torse plus développé que le reste du corps. À soixante-treize ans, Skouras faisait front avec courage, mais Onassis comprenait que sa situation devenait problématique. On lui reprochait d'avoir engagé en même temps trois défis dont un seul aurait suffi à ruiner le studio : *Cléopâtre*, à Rome, avec Taylor, *Le Jour le plus long*, à Paris, avec une pléiade de vedettes, et *Something's Got to Give* à Hollywood, avec Marilyn. L'intendance ne suivait pas. Pour ne pas effrayer les actionnaires on le laissait en place, mais il ne détenait plus le pouvoir. Le contrôle de la Fox lui échappait. Il connaissait même le nom de son successeur. Cela ne pouvait être que Zanuck. Cette seule pensée le mettait dans une rage noire. Il écumait. La prédilection bien connue de Zanuck pour les lesbiennes le désignait pour servir de cible à ses grossièretés. « Comme s'il n'y avait pas assez de gentilles putes à Hollywood pour se brouter le minou devant lui, s'emporta Spyros en ingurgitant une olive noire alors qu'il venait de terminer un gâteau à la crème. Monsieur a besoin d'une Française. Qu'est-ce qu'elles ont de mieux les goudous françaises ? C'est moi qui ai tort, Ari ? C'est moi qui ai l'esprit mal tourné ? »

Onassis chercha à lui remonter le moral avec de bonnes nouvelles. L'argent qu'il avait investi pour lui dans ses pétroliers rapportait gros. Depuis la fermeture du canal de Suez (dont il avait été informé à l'avance par une indiscrétion de Randolph Churchill, l'alcoolique le mieux informé de Londres), la fortune déjà considérable d'Onassis se multipliait à l'infini. Personne ne savait exactement combien il pesait, mais c'était colossal. Onassis pressait Spyros de rejoindre le clan des armateurs. Après tout, il était grec. Skouras s'était fait des couilles en or comme producteur, mais il s'agissait pour Onassis de petits profits. Il ne tenait pas le cinéma en grande estime. D'ailleurs, si Onassis laissait croire à la Callas qu'il allait financer une version cinématographique de *La Tosca*, il n'en avait pas vraiment l'intention. Skouras avait été le premier à fourrer cette idée dans la tête de la cantatrice. Onassis désirait en parler avec lui, mais l'humeur du producteur ne s'y prêtait guère. « Au diable *La Tosca* », pensa Onassis en se faisant resservir une grappa. Il venait de rencontrer la princesse Lee Radziwill dont il avait fait sa maîtresse. Lee Radziwill n'était autre que la sœur de Jackie Kennedy. « Tu n'as jamais couché avec une princesse ? », demanda-t-il tout à coup en pensant faire diversion, mais Skouras ne lui répondit même pas. Encore qu'il avait dû entendre – dans son subconscient – puisque sa colère rebondit tout à coup sur les Kennedy qu'il accusait de tourner la tête de Marilyn. Elle déraillait complètement. Elle était, paraît-il, à deux doigts d'être virée de *Something's Got to Give*.

Son aventure avec les Kennedy dépassait les bornes. « Tu sais qu'elle est comme ma fille... », protesta Skouras la main sur le cœur. Onassis savait aussi qu'elle avait été sa maîtresse. Il l'avait baisée comme tous les dirigeants de la Fox. Leur différence d'âge, presque trente ans, expliquait son paternalisme. « Comment ça "les" Kennedy ? Bobby aussi ? demanda Onassis soudain très intéressé.

— S'il la baise ? Plutôt deux fois qu'une. La Bible dans une main et sa queue dans l'autre. » Contrairement à la plupart des hommes d'affaires, Onassis n'avait jamais l'impression de perdre son temps en papotant. Il appréciait les *gossips*. Chaque fois qu'il déjeunait avec Skouras, il engrangeait des dizaines de ragots sensationnels. Onassis gardait dans un coin de sa tête ces données qui pouvaient toujours servir. Au cas où ? Et le cas se présentait souvent. À quelque temps de là, Bobby Kennedy lui téléphona pour le mettre en garde contre le scandale que représentait son aventure avec la princesse Radziwill. Une femme mariée. La belle-sœur du président, etc. À mesure qu'Onassis lui opposait une fin de non-recevoir, Bobby s'énervait. Il en arriva assez vite aux insultes et passa des insultes aux menaces. « Écoutez, Bobby, lui répondit calmement Onassis, je n'ai pas pour habitude de m'occuper des affaires des autres et je répugne à donner des conseils, mais comme on dit : "Chacun chez soi et les vaches seront bien gardées." Le président et vous-même, Bobby, n'avez qu'à continuer de baiser votre reine de l'écran, et pendant ce temps-là, mon cher, laissez-moi sauter ma princesse. »

En vingt ans, Skouras et Onassis ne s'étaient disputés qu'une seule fois. Quand Ari avait refusé de participer à une collecte au profit du Fonds de secours de guerre grec dont s'occupait le producteur. « J'ai toujours résisté à la tentation d'être un type bien », se défendit Onassis. Skouras l'avait mal pris. Onassis s'était entendu traiter de « merde de Smyrne montée en graine », mais il en avait l'habitude. Leur amitié datait des années 40. À l'époque où Los Angeles servait de plaque tournante à une faune interlope venue des quatre coins du monde. La colonie grecque siégeait un peu à l'écart. Même à Hollywood où l'absence de bonnes manières ne posait généralement pas de problème, les Grecs se faisaient remarquer par leur convivialité. À table, en particulier, où ils se tenaient comme des porcs. Le plus souvent, d'ailleurs, ils dînaient entre eux avant de sortir. Ils menaient la grande vie. Les boîtes de nuit, le champagne, les filles… En resquillant, ils se faufilaient dans les soirées de Dorothy di Frasso ou de Barbara Hutton. Toujours basé en Argentine, Onassis lorgnait maintenant sur les États-Unis. Il louait une maison à Long Island et conservait une suite à l'année au *Beverly Hills Hôtel* de Hollywood. Il multipliait les incursions dans le monde du cinéma où son entrain lui tenait lieu de passeport. Il faisait figure d'aventurier. *Womanizer* ou gigolo, on ne savait pas trop. On lui prêtait des aventures avec Paulette Godard, Veronica Lake et la star française Simone Simon. Mais c'est de sa liaison avec Gloria Swanson dont il était le plus fier. Vingt ans après, Skouras ne pouvait s'empêcher de le charrier : « Je me suis toujours demandé pourquoi tu avais pris la plus vieille ?

— En amour, les vieilles ont souvent plus de talent, répondit Onassis sans s'offusquer. Elle mouillait comme un tuyau, ajouta-t-il avec nostalgie. C'était une grande dame.

— Une grande dame ou un tuyau ? s'étouffa Skouras. En parlant de grande dame, tu te souviens de cette décoratrice complètement piquée.

— Si je me souviens ! ricana Onassis.

— Comment s'appelait-elle ? Lady quoi ?

— Lady Mendl.

— Quelle mémoire tu as, Ari. C'était le bon temps, non ? »

Les souvenirs du passé avaient détendu l'atmosphère, mais Skouras restait sur les nerfs. Il sortait d'une éprouvante réunion avec des gestionnaires de la Fox. En pointant, ils s'étaient aperçus qu'il manquait mille quatre cents épées, huit cents piques, des centaines d'armures, deux éléphants et quelque deux mille gobelets en cartons. Pourquoi deux mille gobelets en carton ? Malheureusement il manquait aussi des dizaines de millions de dollars qui s'étaient envolés comme par l'opération du Saint-Esprit. On ne parlait pas de vol ni de détournement, mais plutôt de négligence. Tous les dirigeants du studio étaient concernés. Skouras le premier qui facturait sur le budget de *Cléopâtre* des frais totalement étrangers au film. « Des jeux d'écriture », disait Skouras en balayant ces broutilles d'un revers de la main. Le choix de Rome pour terminer le film pesait certainement dans cette gabegie. Grâce à *Cléopâtre*, Cinecitta tournait à plein régime. Les Italiens s'en donnaient à cœur joie. L'incurie le disputait à la resquille. « Pour les éléphants, je ne sais pas, mais les épées, les piques et les gobelets en carton, cela ne peut être qu'eux », affirma Skouras. Dans les chutes de *Cléopâtre*, les Italiens taillaient des dizaines de péplums à trois sous. Des *Messaline* avec Belinda Lee, des *Jason* avec Jacques

Sernas, et des vierges de Rome, avec Mylène Demongeot. Tous les acteurs qui ne trouvaient plus de rôles dans leurs pays convergeaient vers Rome. On pouvait aussi bien croiser Clint Eastwood, à l'aube de sa carrière, qu'Errol Flynn, au bout du rouleau. Inventée deux ans auparavant par Fellini, *la dolce vita* se matérialisait chaque jour davantage. La via Veneto ressemblait à s'y méprendre au décor de la via Veneto. Les vrais paparazzi imitaient les faux et une faune bigarrée de starlettes, de gigolos et d'aristocrates en péril s'agglutinait aux terrasses des cafés. Ils formaient une curieuse société qui tenait de l'amalgame. Un amalgame de noms propres assez semblable à une poignée de verroteries trouvant à s'imbriquer parmi les strates des civilisations qui s'étaient succédé dans la ville éternelle depuis la nuit des temps : Silvana Pampanini, Eléonora Rossi-Drago, Rosana Schiafino, Jacqueline Sassar, Sandra Milo, Philippe Leroy-Beaulieu, Anita Ekberg, Dado Ruspoli, Nico, Barbara Steel, Elsa Martinelli, la princesse Galitzine et Simoneta, duchesse di Cesaro, la princesse Soraya et le prince Orsini…

D'un naturel combatif, Skouras préférait accuser tout le monde, plutôt que de s'en prendre à lui-même. *Cléopâtre*, c'était pourtant son bébé. Une paternité qui le condamnait. À l'origine, il s'agissait, dans son esprit, de réaliser un remake de la *Cléopâtre* de Cecil B. De Mille. Presque une série B. La sortie de *Ben Hur* en décida autrement. L'esprit de compétition l'emporta sur la raison quand Skouras assista, en avant-première, à la fameuse course de chars. La 20 th Century Fox ne pouvait rester à la traîne de la MGM. Skouras révisa sa *Cléopâtre* à la hausse. En premier lieu, il se paya Elizabeth Taylor. Il voulait une bombe et aucune autre brune, à Hollywood, ne lui arrivait à la cheville. Liz, qui s'y entendait pour faire monter les enchères, accepta pour la modique somme de un million de dollars (le plus gros cachet jamais accordé à une actrice). À la suite de quoi la Fox se laissa gagner par une folie des grandeurs dont elle perdit bientôt le contrôle. Rien n'était assez beau pour *Cléopâtre*. Rien n'était assez luxueux pour *Cléopâtre*. Rien n'était assez grandiose. Un gâchis d'argent sensationnel qui avait servi à la publicité du film – le plus cher de toute l'histoire du cinéma, etc. –, mais qui prenait maintenant des allures de banqueroute. Quarante- deux millions de dollars pour un film pas terminé ! Difficile de jeter l'éponge après avoir dépensé quarante-deux millions de dollars.

Depuis le début du tournage, la malchance les poursuivait. Il y avait d'abord eu la maladie d'Elizabeth Taylor. Elle ne supportait pas le climat londonien où devait se dérouler initiallement le tournage. Sa trachéotomie leur avait coûté huit millions de dollars (dont les assurances ne couvraient qu'une partie). « Quand je pense que je lui ai prêté mon yacht pour sa convalescence ! », s'exclama Skouras. Une fois rétablie, elle exigea le renvoi du metteur en scène et de ses deux principaux partenaires. Elle imposa Mankiewicz (avec qui elle venait de terminer *Soudain l'été dernier*) et, pour lui donner la réplique, Rex Harrison et Richard Burton. Plus le temps passait, plus elle se comportait en reine d'Égypte. Elizabeth avait-elle fait engager Burton à dessein ? Elle en tomba rapidement amoureuse. La jupette de centurion seyait à son genre de beauté : il avait de bonnes cuisses. Il dégageait une force physique que rehaussaient sa peau vérolée et des yeux extraordinaires. Presque phosphorescents. Zsa Zsa Gabor, Claire Bloom, Jean Simmons avaient déjà succombé à sa virilité. Burton faisait partie de ces acteurs shakespeariens égarés à Hollywood. Son âme tourmentée le portait à l'excès. Ils allaient vivre avec Elizabeth une passion d'autant plus destructrice qu'ils étaient tous les deux portés sur l'alcool et la surenchère. Jusqu'à son aventure avec Elizabeth, il courait les filles, mais revenait toujours à sa femme, Sybil, qui avait sacrifié sa carrière pour s'occuper de leurs enfants. De son côté, Elizabeth restait mariée à Eddy Fischer, même si elle le traitait comme un larbin. Ils avaient cinq enfants à eux deux. Toutes les conditions d'un scandale se trouvaient réunies.

La Fox, qui n'en pouvait plus, sauta sur le prétexte de sa liaison avec Burton pour menacer Elizabeth Taylor d'un renvoi. Menaces qui la laissèrent de marbre. On ne remplaçait pas Elizabeth Taylor. Le studio allait l'apprendre à ses dépens. « Me remplacer alors que le film est au trois quarts terminé ? ironisa-t-elle, mais si je fichais le camp, la Fox n'aurait plus qu'à fermer ses portes. » Elle les tenait. La Fox dut faire marche arrière. S'être fait posséder par une femme ajoutait à l'affront. Skouras s'énerva contre Onassis qui cherchait à défendre Elizabeth Taylor : « Moi aussi je l'aimais bien, Ari, mais crois-moi, c'est une salope. » On avait l'impression en l'écoutant qu'Elizabeth Taylor et Cléopâtre ne faisaient plus qu'une seule et même personne. Que lui-même se prenait pour César en proie aux malveillances des sénateurs de la Fox qui l'attendaient dans les coins pour le poignarder. Toi aussi mon fils. À mesure qu'il s'emportait, ses métaphores tournaient au désastre scatologique. Il déversait des torrents de merde sur ses collaborateurs. Comment ne pas assimiler toute cette merde aux alluvions du Nil lorsque Skouras revenait sur *Cléopâtre* ? – décidément sa bête noire. Dans la crue constante de sa colère, cette marée noire montait en emportant dans son flux les temples et les éléphants, les mille quatre cents épées, les huit cents piques, les armures et les milliers de gobelets en carton qui flottaient à la traîne de ce cataclysme. « Dans la merde, Ari, jusqu'au menton, affirmait Skouras en tapant du poing sur la table. Encore une vague et on sera totalement submergé.

— Sauf si c'est toi qui claques la porte en t'en allant, lui fit remarquer Onassis. Tu ferais mieux de laisser tomber. »

66

Peter Lawford, l'homme des basses œuvres promu charognard. Le sex-symbol et le symbole du pouvoir. Une Marilyn-couche-toi-là. Le frère du président. Something's Got to Give. *Cukor.* Birthday party. *Peter Lawford au bord du Styx.*

La mort de Marilyn aurait dû inviter Peter Lawford à s'interroger sur sa propre chute. Sur la fascination qu'exerçaient sur lui les Kennedy. Sur l'allégeance et les servitudes qu'ils lui imposaient. En échange de quoi ? Les Kennedy le traitaient comme une merde. Il avait déjà fait les frais de leur dispute avec Sinatra. Depuis, sa carrière était au point mort. Et maintenant c'est lui qu'on chargeait de mettre une dernière fois la viande dans le torchon : direction la morgue. On l'avait réveillé en pleine nuit. On l'envoyait retourner le cadavre encore chaud de Marilyn. Les Kennedy ne savaient plus par quel bout la prendre. Sa mort réglait le problème, mais risquait d'en poser d'autres Peter Lawford semblait tout désigné pour se charger de la sale besogne. Ils étaient voisins. Une promotion au mérite : l'homme des basses œuvres promu charognard. Jusqu'où l'enfonceraient-ils ? Pendant que Bobby se carapatait, Lawford devait se rendre subrepticement chez Marilyn afin de passer la maison au peigne fin. Il fallait faire le ménage. Fouiller dans les poubelles. Regarder sous le lit, dans les tiroirs de la table de nuit. Détruire tout ce qui pouvait mettre les Kennedy en cause. On la soupçonnait d'enregistrer des bandes magnétiques. De noter ses états d'âme. Il fallait faire disparaître toutes les photos. Lawford lui-même n'avait-il pas pris une photo de Marilyn en train de faire une pipe au président ? Est-ce qu'on se souvenait de tout ce qu'on faisait dans ces moments-là ? Des fiestas entre Marilyn et le président, il y en avait eu quelques-unes. John et Marilyn s'étaient rencontrés chez Franck Sinatra en 1957. C'est là que débuta leur liaison. Elle se prolongea jusqu'en 1962. Lawford lui avait vendu le sénateur Kennedy comme le futur président des États-Unis. C'était pas un gros sacrifice de coucher avec lui : il passait pour l'homme politique le plus sexy de sa génération. Une fois John élu, Marilyn se prit au jeu. Quand Marilyn voyageait avec le président à bord de l'avion présidentiel, Air Force One, elle se faisait passer pour la secrétaire de Lawford. Elle adorait se déguiser pour aller le retrouver en secret. Elle s'affublait d'une perruque noire nouée dans un foulard et dissimulait ses yeux derrière des lunettes de soleil. Cela ajoutait du piment à leur relation. Kennedy était très porté sur le sexe, sans être une bête de sexe. Du travail bâclé (52 secondes de pur bonheur, selon Angie Dickinson). Marilyn avait connu mieux, mais la question n'était pas là. Pourquoi les femmes fantasment-elles à ce point sur le pouvoir ? Leur aventure était plutôt chargée en symboles. Le symbole du pouvoir et le sex-symbol *number one*.

Quand Peter Lawford ressortit de la maison de Marilyn, l'aube blanchissait déjà à l'horizon. Il portait son bermuda de la veille. Cela ne faisait pas sérieux. Lawford continuait de jouer le rôle du brave type dépassé par les événements. C'était comme une surprise-party qui se terminait mal. Quand les gens ont vomi partout et que les parents rentrent inopinément. Il avait beau se dire qu'il n'y était pour rien, il se sentait coupable. Il y avait longtemps que Marilyn avait perdu le contact avec la réalité. Elle clignotait dangereusement. Comme une luciole au-dessus d'un monde sans pitié. Combien de temps ça vit, une luciole ? Elle titubait sur la route. Ce n'était pas difficile de l'écraser. Elle perdait pied. Elle ne comprenait plus rien de ce qui lui arrivait. Plus rien au film. Dans ces moments-là, chercher à lui faire la conversation revenait à parler à quelqu'un en train de se noyer. Elle remontait à la surface en émettant de curieux gloussements et s'enfonçait à nouveau. Lawford ne lui avait pas tendu la main. Après son divorce avec Arthur Miller et le flop de sa liaison avec Yves Montand, son aventure avec le président des États-Unis ressemblait à une revanche. Pouvait-on encore parler de revanche quand elle couchait avec le frère du président ? Une revanche sur qui ? Sur le président ? C'est lui-même qui l'avait refilée à son petit frère. John Kennedy ne se donnait jamais le mal de rompre avec une femme. Il se contentait de couper les ponts. Marilyn, qui possédait un numéro direct pour le joindre, s'aperçut un jour qu'il s'était mis aux abonnés absents. Elle avait commencé à faire du grabuge. Le président envoya Bobby pour la calmer et Bobby se l'envoya. C'était dans la logique des Kennedy. C'était aussi dans la logique de Marilyn. Séduire la rassurait et elle avait toujours besoin d'être rassurée. Elle était loin d'être idiote et pas aussi naïve qu'elle le laissait supposer. Elle ne se conduisait généralement pas mieux avec les hommes qu'ils ne se conduisaient avec elle. Elle cherchait à les faire marcher. Ça ne marchait pas toujours. Bobby, qui n'avait pas l'expérience de son frère en matière de sex-symbol, tomba dans le panneau. Le président se contentait de la sauter, Bobby lui faisait la conversation. Marilyn reporta sur le cadet la fixation qu'elle faisait sur l'aîné. Dans ses délires, il lui arrivait de confondre les deux. C'était du pareil au même. Comment ne se rendait-elle pas compte de la monstruosité de cet échange ? Elle prétendait que Bobby allait l'épouser. Qu'il allait divorcer pour l'épouser. Elle disait déjà la même chose du temps de John, affirmant que Jackie était d'accord...

Il s'était passé au moins cinq heures entre la découverte du corps inanimé et le moment où on appela la police. Il fallait laisser le temps à Bobby de sauter dans un hélicoptère afin de rejoindre les siens pour assister en famille à la messe du dimanche. Qu'est-ce qu'il pouvait lui demander au bon Dieu, ce jour-là, Bobby ? Est-ce qu'il plaidait coupable ? Rejetait-il la faute sur son frère ? Bobby s'en voulait de s'être fait piéger comme un bleu. Il n'y a que la vérité qui blesse. Marilyn le tenait : chantage aux sentiments, chantage au suicide, chantage tout court. Elle menaçait de tout révéler. Elle parlait d'organiser une conférence de presse et de balancer ce qu'elle savait sur Cuba, sur les Russes, sur le syndicat du crime. Qu'est-ce qu'elle savait ? À quelles confidences s'était-il livré sur l'oreiller ? Il ne se souvenait plus de tout. Il n'avait pas l'habitude de boire autant de champagne. Bobby prenait les menaces de Marilyn d'autant plus au sérieux qu'elle perdait la boule. Elle devenait incontrôlable. Il avait mésestimé sa fragilité psychologique. S'il refusait de la prendre au téléphone, elle ameutait son secrétariat, mais s'il la prenait, c'était pire. Des insultes, des menaces, des ultimatums. Il ne savait plus comment s'en dépatouiller. Elle l'appelait jusqu'à dix fois par jour. Elle l'appelait jusque dans sa famille. Du harcèlement. Elle avait besoin de parler. Elle les accusait de s'être servis d'elle. De l'avoir exhibée dans leur saleté de fête d'anniversaire. De ne pas l'avoir défendue contre la Fox. Elle répétait toujours les mêmes choses. Elle vivait pendue au téléphone. Elle n'avait rien d'autre à faire. Elle lui arracha un week-end. Il promit de venir. Marilyn traversait un passage à vide. Sa carrière était au point mort. La 20 th Century Fox venait de la virer, renonçant au tournage de *Something's Got to Give*. En raison de ses retards, mais aussi parce qu'elle ne parvenait plus à mémoriser son texte. Cukor, qui dirigeait le film, devenait dingue. Il la détestait depuis le tournage du *Milliardaire* où elle lui en avait déjà fait voir de toutes les couleurs. Pourquoi la Fox s'obstinait-elle à les faire travailler ensemble alors qu'ils ne pouvaient pas se saquer. Une punition typique de la politique des studios. La sophistication de Cukor se heurtait à l'incompréhension de Marilyn. Ils ne parlaient pas la même langue. Même les costumes dont Cukor adorait s'entretenir d'ordinaire avec ses interprètes ne leur fournissaient aucun sujet de conversation. Marilyn s'habillait pour faire bander les hommes. Un point, c'était tout. Comment parler chiffon dans ces conditions ?

Tout le monde considérait Cukor comme la seule authentique « lady » de Hollywood. Il recevait divinement et savait comme personne disposer des gaufrettes sur un napperon. On pouvait d'autant moins lui reprocher d'avoir vieilli comme une vieille folle qu'il avait toujours eu quelque chose d'une vieille folle. Il ne cachait pas son homosexualité. Il s'affirmait comme l'exception qui confirmait la règle de cette métropole particulièrement homophobe. On lui devait quelques-uns des plus beaux films de Greta Garbo et de Katharine Hepburn – pour ne citer que les plus célèbres. Il passait, à juste titre, pour le meilleur directeur d'actrices du cinéma. Il s'entendait moins bien avec les acteurs.

Excédé par les papotages de Cukor et de Vivien Leigh, au début du tournage d'*Autant en emporte le vent*, Clark Gable était allé trouver Selznick pour lui mettre le marché en main : « Ou ce pédé s'en va ou c'est moi qui pars. » Demandé aussi gentiment, on ne pouvait pas le lui refuser. Clark Gable cartonnait au box-office. D'être passé aussi près d'*Autant en emporte le vent*, demeurait un des grands regrets de la vie de Cukor. Il appartenait à la vieille garde d'Hollywood. Limite cinéma muet. Il exigeait encore tous les privilèges qui avaient cours à l'époque. Le bungalow grand luxe, ses repas livrés chaque jour par son *butler*, etc. Il reprochait à Marilyn ses sautes d'humeur, alors que lui-même se comportait comme une diva. Entre autre caprice sur *Something's Got to Give*, il avait fait reconstruire sa propre villa pour servir de décor au film. Sur un plateau de la taille d'un terrain de football, la villa ne pouvait ressembler qu'à une maison de poupées. Même la piscine avait été reproduite à l'identique avec ses colonnades, ses bustes romains et son mobilier de jardin rococo. Sur le crépi rose meringué de la façade, les imprimés criards des robes de Marilyn achevaient de le décontenancer. Sa maison qu'il considérait comme la prunelle de ses yeux et qui passait pour une des plus belles villas de Sunset Boulevard lui paraissait soudain pathétique. Le crépi n'était pas du bon rose. Les arbustes et les plantes du jardin n'étaient pas du bon vert. Il demanda aux techniciens de les repeindre. En vain.

Les absences et les retards de Marilyn désespéraient toute l'équipe. Depuis le début du tournage elle traînait une mauvaise grippe que la Fox prenait pour de la mauvaise volonté. Marilyn ne venait qu'un jour sur deux. Toujours avec plusieurs heures de retard. Il lui fallait de telles doses de somnifères pour s'endormir qu'elle ne pouvait plus se réveiller. Marilyn vivait dans la hantise de devenir folle, mais elle ne faisait rien pour retarder ce processus. Elle était aussi normale qu'on peut l'être en se nourrissant de barbituriques, d'amphétamines et de champagne. Compte tenu de son hygiène de vie, elle ne s'en sortait pas trop mal. Les photos de Marilyn entièrement nue dans la piscine de *Something's Got to Give* prouvent qu'elle pouvait encore, à trente-six ans, rivaliser avec des jeunesses. En revanche, mentalement, elle déraillait.

Billy Wilder, qui l'avait dirigée dans *Certains l'aiment chaud* et qui l'aimait bien, disait qu'elle avait des seins comme du granit mais un cerveau plein de trous – comme du gruyère. Les rumeurs les plus alarmantes couraient sur son état de santé, orchestrées par la Fox qui cherchait à détourner l'attention des journalistes du gâchis de *Cléopâtre*. Sa fragilité la désignait comme le bouc émissaire idéal. Elle était condamnée depuis sa naissance : une mère internée dans un asile psychiatrique, un père absent, des familles d'accueil pas très accueillantes, un premier mariage à la puberté et un défilé d'hommes plus ou moins dégueulasses. Sa mauvaise réputation la poursuivait. Dans l'esprit des dirigeants de la Fox, elle restait la blonde plantureuse prête à coucher avec tout le monde pour obtenir un rôle. Une Marilyn-couche-toi-là. Après trois semaines de congés maladie, Marilyn demanda la permission de quitter le tournage pour aller, à New York, fêter l'anniversaire du président Kennedy dont elle était une des invités vedettes. Non seulement la Fox le lui défendit, mais elle menaça Marilyn de renvoi si elle passait outre cette interdiction. Colère de Marilyn. Elle téléphona au président qui demanda à Bobby de s'en occuper. Il supervisait l'anniversaire de son frère. Intervention de Bobby. Nouveau refus de la Fox. N'obtenant pas gain de cause, Bobby décida de faire enlever Marilyn, en hélicoptère, par Peter Lawford, sur le plateau même du film. La manière forte.

Sa prestation au *Madison Square Garden*, à l'occasion de l'anniversaire du président, aura été le dernier scintillement de Marilyn Monroe. Elle était arrivée très en retard. Une heure ou deux de retard. Au point que les organisateurs pensaient qu'elle ne viendrait plus. Marilyn traversa la scène en sautillant, auréolée d'un vison blanc qui poudroyait dans la lumière des projecteurs. Ses cheveux platine, crêpés à mort et rebiqués sur un côté, accusaient sa ressemblance avec une Barbie. Peter Lawford, qui présentait la soirée, se porta au-devant d'elle pour l'aider à avancer jusqu'au micro, l'étroitesse de son fourreau l'autorisant à peine à marcher. Elle se débarrassa de sa fourrure, découvrant une robe couleur chair, entièrement rebrodée de perles, qui ne laissait rien ignorer de son anatomie. Une robe de Jean-Louis. Non seulement Marilyn ne portait pas de sous-vêtements, mais elle enfilait ses fourreaux humides afin qu'ils collent parfaitement à sa peau. *« The late Marilyn Monroe »*, annonça Peter Lawford sous les ovations du public. Un jeu de mots, *late* signifiant à la fois en retard et sulfureux. Mais aussi ex, ce qui était prémonitoire. En entendant Marilyn susurrer : *Happy Birthday to you, Mister President*, Kennedy prit peur. Marilyn chantait d'une manière tellement suggestive que son interprétation revenait à lui faire l'amour devant des milliers de spectateurs et des millions de téléspectateurs. Un orgasme en direct à la télévision. Son numéro ne pouvait que confirmer les rumeurs qui commençaient à circuler dans les milieux autorisés. Pour un président des États-Unis, Kennedy vivait dangereusement. Sa conduite serait-elle venue à la connaissance du public qu'il ne finissait pas son mandat (quand la vérité rattrapa Kennedy, elle avait perdu de sa force. Sa mort dramatique le mettait à l'abri. Si la vengeance est un plat qui se mange froid, le scandale doit être servi brûlant. Tiédi, il appartient déjà à la petite histoire). En s'affichant aussi ouvertement avec Marilyn, John prenait également le risque de s'aliéner davantage sa femme. Apprenant la présence de Marilyn à la soirée d'anniversaire de son mari, Jackie refusa d'y assister. John se rendait compte qu'il était allé trop loin. Aussi loin qu'il pouvait aller avec Marilyn. Il avait assouvi tous ses fantasmes. Un peu plus tard dans la soirée, il lui présenta Bobby.

Peter Lawford ne devait jamais se remettre de la mort de Marilyn. Même s'il lui fallut du temps pour l'admettre. La culpabilité le rongeait. Le mal qu'il se donnait pour avoir l'air enjoué lui pesait chaque jour davantage. Après l'assassinat de John, Pat l'avait quitté. Ils avaient divorcé, comme beaucoup de couples proches de la présidence. Les Kennedy devaient continuer de l'entretenir, mais chichement. Avec l'excuse qu'il se défonçait et qu'on ne peut pas donner beaucoup d'argent à un défoncé. Il arrondissait ses fins de mois en dealant. Mais ce ne sont que des suppositions. Dans les dernières années de sa vie, il allait devenir un personnage shakespearien. Une sorte de zombie barbu et dépenaillé sorti de la brume. Son plus grand rôle ? La déchéance où il s'enfonçait le ramenait chaque nuit aux portes de l'enfer, mais l'enfer ne voulait pas de lui. Attendez le prochain bateau. Il restait au bord du Styx. Il tournait en rond, comme un damné, sans pouvoir trouver le sommeil. Il se louait les services de filles qu'il ne touchait même pas. Des filles à mille dollars la passe, juste pour pleurer dans leurs bras. Il pleurait beaucoup et il bandait mou. Il prenait plaisir à raviver ses blessures. Toujours la même chanson. Il pleurait sur Marilyn, sur John, il pleurait sur Bobby. Il pleurait sur Maf, le caniche blanc que Franck Sinatra avait offert à Marilyn (Maf, un diminutif de Mafia). Qu'est-ce qu'il était devenu le caniche de Marilyn ? Pour les filles qu'il ramenait, c'était juste un client. Un client chiant. Un de plus, un de moins... Tous les clients sont chiants. « Tu veux que je te suce ? », lui demandaient les plus godiches. « Parle, si ça peut te faire du bien », lui conseillaient les autres. Mais il ne pouvait pas plus parler qu'il ne pouvait bander. Simplement pleurer et geindre. « Alors pleure si c'est ce que tu préfères. »

67

Vacances de Jackie Kennedy sur la côte amalfitaine. Panique et embouteillages. Capri. Le yacht d'Agnelli. Mona Bismarck. On retrouve le marquis et la marquise de la Falaise. Hospitalité de Mona Bismarck. Son histoire mouvementée.

À Capri tout se sait. Les nouvelles vont et viennent à une vitesse incroyable. D'un bout à l'autre de l'île, comme de part et d'autre de la baie. Tout le monde parle. Les marins, les domestiques, les commerçants, les restaurateurs, les gigolos. Au *Fortino*, on savait six mois à l'avance que la sœur de Jackie Kennedy, la princesse Radziwill, avait loué, pour le mois d'août, la villa *Episcopio*, à Ravello. La comtesse Mona Bismarck s'attendait donc à une visite de Jackie. Construit à l'emplacement d'une résidence de l'empereur Auguste, transformé en palais par Tibère, le *Fortino* faisait partie d'un circuit touristique pour milliardaires. Sans une invitation de la comtesse Bismarck au *Fortino*, une escale à Capri ne ressemblait à rien. Dans une première vie, le raffinement de Mona Bismarck lui avait valu d'être régulièrement citée comme la référence absolue en matière d'art de vivre. Mariée alors à un des hommes les plus riches des États-Unis, sa frénésie de dépenses s'accordait à un besoin de perfection que l'on retrouvait dans tout ce qu'elle entreprenait. Fatiguée par la publicité faite autour de son train de vie, elle s'était réfugiée à Capri où elle cultivait désormais son jardin. Au propre comme au figuré. Encore que l'extrême sophistication qui la caractérisait éloignât parfois ces travaux botaniques de la philosophie de Voltaire. Elle s'amusait, par exemple, à faire changer dans la nuit tous les massifs du *Fortino* afin de surprendre, au matin, ses invités par une nouvelle décoration florale.

Comme prévu, l'arrivée de Jackie Kennedy et de sa fille Caroline provoqua une confusion pas possible. De mémoire de Vésuvio, on n'avait pas connu pareil embouteillage depuis la panique d'Herculanum. Il n'y avait plus moyen de circuler. À Positano, les hôteliers devenaient dingues. De l'avis général, les cinq kilomètres en épingles à cheveu qui séparaient Ravello de la mer ne pouvaient poser que des problèmes. Avec des enfants ! Chaque fois que Jackie voulait se baigner, il fallait évacuer la plage de ses touristes, établir un périmètre de sécurité, sur terre mais aussi à plusieurs milles des côtes, et contrôler la descente jusqu'à Amalfi en postant des hommes équipés de talkies-walkies à chaque virage. Des grandes manœuvres qui se répétaient jusqu'à deux fois par jour. En plein mois d'août ! Les services de sécurité s'arrachaient les cheveux. D'autant que Jackie et Lee se montraient rien moins que coopératives. Elles n'hésitaient pas à faire stopper un convoi d'une dizaine de véhicules dans le seul but d'acheter des *gelati* ou des cartes postales, alors que leur prédilection pour les couleurs *flashy* en faisait des cibles vivantes. On comprenait l'énervement des policiers qui devaient veiller à leur sécurité tout en supportant leurs récriminations. « Ce ne sont pas des vacances », s'impatientait Lee, qui adorait jouer les maîtresses de maison offensées.

Même si elle vivait le plus souvent repliée dans sa villa, la comtesse Bismarck n'ignorait rien de cette effervescence. Effervescence que l'arrivée de Jackie à Capri sur l'*Agnetta*, le yacht de Gianni Agnelli, porta à son paroxysme. Tout Capri ne parlait plus que de cela. On les avait vus, à l'heure de l'apéritif, sur la piazzetta et, plus tard, au *Number Two*, la boîte de nuit à la mode. Sur la terrasse qui dominait toute la baie de Naples, les invités de la comtesse écoutaient le marquis de Nunziante faire un compte rendu détaillé de la soirée : « Ils étaient au moins une dizaine et ils n'ont pas arrêté de danser. *Twist again and twist again*. Même Gianni dansait. Hier soir, chérie, le *Number Two* était *number one*. À une table, Elsa Martinelli, à une autre Dado Ruspoli et sa bande (dans un état pas possible !), un peu plus loin, le marquis Pucci. Tout le monde se parlait. C'était très gai.

— Et Jackie ? Comment était-elle ?

— Ravissante, mais très différente de sur les photos. Plus… comment dire… plus charpentée.

— Beaton prétend qu'elle chausse du 42 et qu'elle a des mains comme des battoirs, précisa la marquise de la Falaise.

— Et pas beaucoup de sein, ajouta la comtesse, mais c'est indéniablement une très jolie femme. » Tout le monde s'accorda néanmoins pour dire que Lee était plus jolie. Moins spectaculaire peut-être… « Lee n'a pas quitté la piste de danse, précisa le comte Capuano.

— Elle s'entendrait avec ma femme, soupira le marquis de la Falaise.

— Toi, tu ne perds rien pour attendre », répliqua la marquise, en déclenchant un éclat de rire.

Le marquis et la marquise de la Falaise séjournaient depuis une semaine chez la comtesse Bismarck. Les deux femmes ne s'étaient pas revues depuis un week-end chez le marquis de Cuevas, dans le New Hampshire, juste après la guerre. Chacune ne pouvait s'empêcher de trouver l'autre vieillie. La soixantaine et les années 60 menaient la vie dure à la comtesse. Elle venait à peine de digérer le new-look que la mode yéyé remettait en cause des choix qu'elle pensait définitifs. Elle restait fidèle à Balenciaga. En comparaison, la marquise de la Falaise faisait plus jeune. Elle arborait un chemisier de soie turquoise, noué sous la poitrine, avec un pantalon corsaire à rayures. Des bijoux en pièces d'or mexicaines et un chapeau noir, en paille vernissée, complétaient cette évocation discutable de la piraterie des Caraïbes. Mona avait connu le marquis dans les années 20, à l'époque de son mariage avec Gloria Swanson. En revanche, elle ne se souvenait plus à quel moment la marquise actuelle avait remplacé Constance Bennett, la seconde femme du marquis. Celui-ci restait le parfait galant homme manucuré de sa jeunesse. Contrairement à la marquise, il ne cherchait pas à rattraper la mode. Alors que les cheveux longs faisaient rage, il continuait à se coiffer à la gifle, avec deux grandes claques de brillantine qui lui maintenaient les cheveux en arrière. Il semblait très épris de sa troisième épouse qu'il suivait partout en tenant leur petit chien en laisse. Depuis leur mariage, le marquis, qui n'avait jamais fait grand-chose, ne faisait plus rien du tout. Il avait pris sa retraite. Et aussi sa retraite de *play-boy*.

« Emita Maldonado ! » Le nom de jeune fille de la marquise s'ouvrit dans la mémoire de Mona comme une fleur exotique dont elle avait oublié la fragrance. La *Coffee Heiress* ! Comme elle était jolie alors ! Et si parfaitement conforme à l'idée qu'on se fait d'une Américaine du Sud. Exubérante, volubile… L'espace d'une fraction de seconde, une cascade de souvenirs joyeux et rafraîchissants isola Mona de ses invités. Et tout rentra dans l'ordre. « Les Radziwill, c'est comme les Troubetzkoy, il y en a des tonnes », affirmait la marquise. La conversation tournait toujours autour de Jackie Kennedy et de sa sœur. La marquise avait entendu dire des choses terribles sur John. Tout le monde savait qu'il trompait sa femme, mais l'étendue de ses infidélités dépassait, paraît-il, les bornes. Elle affirmait qu'il ne pouvait pas voir une fille sans lui faire du gringue et qu'il ne s'embarrassait pas de préliminaires. « Direct la main aux fesses », ajouta-t-elle en faisant mine d'être choquée par cette précision. Même Marlène Dietrich qui aurait pu être sa mère y avait eu droit. « Vous imaginez, dans un ascenseur, à la Maison Blanche ! » Marlène lui en avait retourné une. D'où tenait-elle ces renseignements ? Elle prétendait encore que Jackie avait un jour forcé la porte du bureau ovale pour jeter un soutien-gorge à la tête de son mari en lui signifiant : « Tu le rendras à sa propriétaire, ce n'est ni ma taille ni mon style. » La marquise n'hésitait pas à comparer la sarabande qu'il organisait pendant les absences de sa femme au final de *What's New Pussy Cat*.

— Avec des filles à fortes poitrines dans tous les coins, poursuivit le comte Capuano.

— Parce que tu trouves que la baie des Cochons cela fait sérieux, répondit la marquise à son mari qui lui reprochait son manque de sérieux. Si j'étais président des États-Unis…

— Ce qu'à Dieu ne plaise…

— Je n'aurais pas choisi de partir en guerre dans un bled qui s'appelle la baie des Cochons. Il ne manque pas d'endroits paradisiaques. Par exemple la baie des Anges…

— Mais c'est en France ! ma chérie. »

Si l'hospitalité de Mona s'accompagnait du même raffinement qu'autrefois, la société qui se regroupait désormais autour des buffets du *Fortino* était assez mélangée. On y rencontrait toutes sortes de gens. La plupart appartenaient à ces individus dont la situation sociale s'affermit à mesure qu'une plus grande souplesse du tissu social favorise un certain relâchement des mœurs : « artistes », dilettantes, fils de famille (dont les familles n'étaient pas mécontentes d'être débarrassées), débris de toutes les royautés d'Europe englouties dans le naufrage des deux dernières guerres mondiales. En épousant Édouard von Bismarck, Mona était venue grossir la liste des femmes vieillissantes qui s'accommodent d'un mari homosexuel. Elle vivait entourée d'homosexuels. La comtesse vieillissait moins dans leur regard. L'intérêt passionné qu'ils éprouvaient pour ses robes et ses bijoux (ainsi que pour son style de vie) sonnait comme l'écho assourdi des déclarations passionnées qu'elle inspirait naguère aux autres hommes. La marquise de la Falaise, qui accaparait toujours la conversation, se désolait maintenant de l'absence d'Édouard, retenu à Rome pour une affaire de famille. Elle prétendait avoir rencontré, lors d'une chasse au château de Friedrichsruh, un de ses cousins qui lui avait dit le plus grand bien d'Eddy. La comtesse changea habilement de conversation. Elle préférait ne pas savoir ce que l'on disait de son mari en son absence. Elle se doutait qu'on parlait dans son dos. Son destin romanesque n'avait-il pas toujours excité l'imagination ?

Deux fois divorcée avant d'avoir vingt-quatre ans, son passé cataloguait Mona Travis Strader comme une aventurière. Originaire du Kentucky, elle avait épousé, à dix-sept ans, le propriétaire du domaine agricole où travaillait son père. Comme palefrenier, prétendaient les mauvaises langues qui ne manquaient pas d'ajouter, après ces considérations ancillaires, que Mona avait quitté le domicile conjugal trois ans plus tard en abandonnant, contre une forte pension alimentaire, le fils né de leur union. On l'accusait ensuite d'avoir dépensé avec son second mari, un fort bel homme, la pension que lui accordait le premier. La soudaineté de son mariage avec Harrison Williams n'était pas de nature à faire taire les commérages : de vingt ans son aîné, celui-ci était alors officiellement fiancé à une femme influente de la société qu'il laissa tomber pour Mona sans l'ombre d'une hésitation. Harrison Williams passait pour être le dernier *tycoon* de Wall Street. Une succession d'opérations réussies le propulsait en tête des plus grandes fortunes des États-Unis. On avançait le chiffre de 700 millions de dollars (de l'époque). Le scandale fut immense. La croisière autour du monde qu'ils entreprirent en guise de voyage de noces laissa aux esprits le temps de s'apaiser. En dépit de leur différence d'âge, ils formaient un couple assez harmonieux. Harrison Williams portait encore beau. Grand, athlétique, avec dans l'expression du visage quelque chose de dédaigneux qui ajoutait à sa distinction.

Dix ans plus tôt, Mona ne serait peut-être pas venue à bout des réticences de la société. Les anciens usages ne l'auraient pas permis, mais, dans les années 20, le monde d'Henry James laissait la place à la *café-society* dont Mona allait devenir une des reines incontestées. Chercha-t-elle à se venger en s'affirmant comme la maîtresse de maison la plus accomplie de New York ? Avec les moyens financiers dont elle disposait, elle n'eut aucun mal à écraser ses rivales. Chacune de ses réceptions surpassait la précédente. Entre 1927 et la guerre, elle allait connaître dix ans d'un règne sans partage. Harrison Williams la poussait à dépenser toujours davantage. On a calculé qu'ils employaient plus de cent personnes pour maintenir un train de vie comportant un hôtel particulier de trente pièces sur la Cinquième Avenue, une propriété à Palm Beach, un domaine de quatre cents hectares à Long Island, et un yacht, le *Warrior*, considéré comme le plus luxueux de son époque. Le krach de 1929 ne remit aucunement ce luxe en question. Même s'ils y laissent des plumes, les gens immensément riches sont généralement à l'abri des krachs boursiers. Ils se réveillent le lendemain un peu moins riches, mais comme entre-temps les pauvres sont devenus beaucoup plus pauvres, l'écart reste sensiblement le même. Et même plutôt en leur faveur. On pouvait tout acheter pour une bouchée de pain. D'ailleurs, quelque temps plus tard, Harrison Williams offrit à Mona, au cours d'une escale à Capri, le *Fortino* qui allait devenir vingt ans plus tard sa résidence principale.

On ne peut rester indéfiniment la plus belle femme de New York. Ni même la mieux habillée. Mona continuait de tenir son rang de femme à la mode, mais elle se disait fatiguée de la publicité tapageuse faite autour de ses dépenses. Moins on la photographiait, plus elle se disait fatiguée. Sa rencontre avec Édouard von Bismarck précipita sa décision de s'installer à Capri. Une brochure éditée par la Fondation Mona Bismarck donne une version aquatique de cette rencontre qui doit être vraie car elle est assez ridicule. Un jour qu'il prenait le soleil sur un bateau, Eddy entendit les appels de détresse d'une femme en train de se noyer. Il plongea pour lui porter secours, mais arrivant jusqu'à la malheureuse, il s'aperçut qu'elle avait, en fait, perdu le haut de son maillot de bain qu'elle ne parvenait pas à rattacher. Pour un homme peu porté sur la pêche au gros, il venait de ferrer une sirène internationale d'un calibre impressionnant. Compte tenu de la réputation d'Eddy, Harrison n'avait pas de raison d'être jaloux. Eddy et Mona partageaient la même passion pour la décoration et les mondanités. Même déclassé, Eddy restait apparenté à tout le gotha. Fuyant l'Allemagne nazie, il avait trouvé refuge en Italie (un Bismarck à voile et à vapeur n'était pas une bonne publicité pour le régime hitlérien). La mort d'Harrison Williams laissa Mona extrêmement riche et désemparée. Bismarck était déjà son chevalier servant, mais la rapidité avec laquelle Mona se remaria n'en surprit pas moins ses amis. Mona rétablit la vérité : elle avait épousé Eddy sur son lit de mort. Il souffrait d'un cancer. Une rémission dans sa maladie leur ménagea quelques années de bonheur.

Comme toutes les petites filles de sa génération, Jackie Kennedy avait rêvé devant les portraits de Mona. On la retrouvait dans presque tous les numéros de *Vogue* ou du *Harper's Bazaar*. Pour une enfant en âge de feuilleter les magazines, la photo de Mona Harrison Williams dans le salon blanc de son hôtel particulier équivalait à une apparition de la Sainte Vierge revue et corrigée par Brodowich. Les panneaux de verre dépoli décorés par Dunan, les peintures de José Maria Sert, les meubles tendus de satin blanc, les voilages drapés en coquille, les porcelaines de Chine regroupaient autour d'elle un luxe désincarné et pourtant bien réel qui invitait à la méditation. Jackie s'était promis en voguant vers Capri de lui rendre visite, mais elle sacrifia Mona à sa nouvelle bande d'amis. Le peu d'enthousiasme qu'avait rencontré sa proposition de monter au *Fortino* la renseigna sur la situation mondaine de la comtesse : elle était passée de mode. « On pourrait aussi bien déposer des cartes chez le comte de Fersen ou chez Axel Munthe, ironisa un des garçons.

— De toute façon on n'est pas assez habillée, enchaîna Marella Agnelli en finissant d'entortiller ses cheveux mouillés dans une serviette éponge orange.

— Chérie, à côté de toi, même Néfertiti aurait l'air d'une boniche, alors ce n'est pas…

— Non, je ne plaisante pas. La dernière fois qu'elle nous a reçus elle était en Balenciaga avec ses perles. Et toute la conversation a roulé sur un mausolée en porphyre qu'elle achevait de se faire construire.

— Le porphyre est pourtant très tendance, objecta Sandro d'Urso à qui Marella donna un coup sur la tête avec son magazine.

— Maintenant laisse-moi lire, tu me fatigues. » Et, au grand regret de Jackie, l'on n'entendit plus parler de Mona Harrison Williams, comtesse Bismarck. Son monde rejoignait déjà les civilisations disparues qui hantent encore le bassin méditerranéen.

68

Jackie Kennedy sur le yacht de Gianni Agnelli. John Kennedy s'inquiète. Un peu moins d'Agnelli, un peu plus de Caroline. Lee Radziwill, mauvais génie de sa sœur ? Avec un téléobjectif, on peut faire dire n'importe quoi à une photo.

Comble de la vulgarité estivale : un tube d'Adriano Celentano passait en boucle sur le petit pick-up qui ne les quittait jamais. « Il n'y a pas autre chose ? » demanda quelqu'un sans y croire. Lee Radziwill se leva pour fouiller dans les 45 tours éparpillés sur les coussins écossais. Ni le regard bleu de Ricky Nelson ni le sourire de Nat King Cole ne retinrent son attention. Elle se doutait que Sandro d'Urso la regardait du coin de l'œil et, tout en cherchant, elle prenait des poses avantageuses. Elle était charmante dans son maillot deux pièces à rayures. Mince comme un fil et délicatement bronzée. Le slow de l'été : voilà ce qu'il lui fallait. Elle retourna s'allonger au soleil en fredonnant : *Sapore di sale, sapore di mare*. Ils étaient une dizaine affalés à l'avant du bateau qui sautait et tapait sur les vagues. Une divine brise marine les protégeait de la chaleur. Ils passaient des vacances de rêve. Quand ce n'était pas les Agnelli qui montaient dîner à la villa *Episcopio*, c'était les Radziwill et Jackie qui descendaient sur l'*Agnetta*. Depuis quinze jours, ils ne se quittaient pour ainsi dire pas, formant une bande composée des meilleurs amis de Gianni (Beno Graziani et Sandro d'Urso entre autre), de quelques copains de Stas et de Lee (et d'un ou deux chaperons mandatés par la Maison Blanche, mais très sympas). Encore brûlants des ardeurs du soleil de l'après-midi, ils songeaient déjà à ce qu'ils allaient faire le soir, et le soir, ils se donnaient rendez-vous pour le lendemain. Cette manière de vivre en autarcie les rajeunissait. Ils abusaient de cette forme de régression qu'autorisent les vacances. Ils riaient des mêmes choses et ils riaient sans arrêt. Jackie prenait encore plus de plaisir que les autres à se fondre dans cette entité collective. Elle oubliait ses soucis. Sa vie de représentation. Les infidélités de John. Elle se sentait revivre.

Son flirt avec Gianni Agnelli s'inscrivait dans cette décontraction. Flirt entre guillemets. Gianni jouait le jeu. Il savait que ces enfantillages étaient bons pour son image de marque. Chacune des apparitions de Jackie provoquait le même enthousiasme. Instinctivement, Jackie recherchait sa protection. C'était lui le mâle dominant. Le chef de la meute. Elle se laissait guider. Confortablement installée dans des fauteuils d'osier, elle l'écoutait lui faire un cours sur le cinéma italien. Il fallait absolument qu'elle voie *L'Éclipse*, avec Delon et Monica Vitti. Gianni se proposait d'organiser une projection. Il ajouta *Le Fanfaron* au programme des films que Jackie se devait de voir absolument. Gassman était génial. Et si on parlait de Delon, *Plein Soleil* s'imposait… Jackie buvait ses paroles. Agnelli, c'était exactement sa pointure. Un homme aussi riche que puissant. Aussi snob que riche. Il profitait d'une célébrité qui, sans être égale à la sienne, l'équivalait en terme de snobisme. Avec les Brandolini (sa sœur Christiana) et les Furstenberg (sa sœur Clara), ils formaient un clan dans le clan. Ils étaient à l'origine de cette manière de s'exprimer dans plusieurs langues à la fois qui pendant une dizaine d'années allait être le comble du chic. Et du ridicule. Grâce à eux, cela devenait terriblement dans le coup d'être de supermilliardaires. Agnelli vivait le pied sur l'accélérateur. Il ne tenait pas en place. Il sautait dans des voitures de sport, dans des avions privés, sur des yachts. À côté de lui, l'homme pressé de Paul Morand se traînait. N'étais-ce pas la propre sœur de Gianni, Christiana, qui avait forgé l'expression *jet-society* ?

C'était un peu du vent ? Non, beaucoup de vent. Le souffle des épopées. Porté par l'embellie d'une réussite économique qui tenait à la conjoncture, il incarnait avec brio son époque : l'Italie florissante des années 60, comme Kennedy incarnait l'Amérique tout aussi florissante des années 60. L'Italie se cherchait un héros. L'Italie voulait son Kennedy. Non seulement Agnelli pouvait faire l'affaire, mais il présentait l'avantage du droit divin. C'était autre chose que le suffrage universel. Gianni formait avec sa femme un couple presque royal. Dans la cour qui se constituait autour des Kennedy, ils faisaient figure de puissance étrangère. John appréciait en connaisseur le parcours de ce fils à papa. Pour comprendre Agnelli, on peut se servir de la même grille de lecture que pour Louis XIV. Tenu dans sa jeunesse à l'écart des affaires, il avait pris du bon temps : godelureau, les quatre cents, des maîtresses à la pelle, il se blindait. « Il faut que le cœur se brise ou se bronze. » On se souvient du terrible accident de voiture qui avait, par ricochet, mit fin à son aventure avec Pamela Churchill. Quelque temps plus tard, son mariage avec une princesse Caracciolo annonçait le revirement spectaculaire qui allait permettre à ce fils à papa de prendre le contrôle du pouvoir. Il se rangeait. Alors qu'on le croyait perdu de frivolité, il démontra une force de caractère hors du commun. Alors qu'on le croyait incapable d'autre chose que de faire la bringue, il remodela la Fiat pour la hisser au rang d'une des plus grandes entreprises du pays. À partir de là, il ne songera qu'à affermir le piédestal sur lequel il allait se statufier de son vivant. « La Fiat, c'est moi. » Puant ? Alexandre le Grand devait l'être, et Napoléon aussi.

John Kennedy commençait sérieusement à s'inquiéter : la *First Lady* en bikini sur la côte amalfitaine avec le patron de la Fiat comme chaperon ! Jackie devenait folle. Se donner pareillement en spectacle ! En dehors de se baigner nue dans la fontaine de Trévi, elle ne lui avait rien épargné. « Un peu moins d'Agnelli, un peu plus de Caroline », câbla-t-il énervé. Seulement il était mal placé pour faire la morale à sa femme. Un peu moins de Marilyn, un peu moins de Jane Mansfield, etc. De ce point de vue, il se savait piégé. Elle le tenait. Elle lui faisait payer ses infidélités. John s'était révélé un mari déplorable. Une caricature de mari. Il courait comme le vent. Il mentait comme il respirait. Il ne s'intéressait qu'à sa carrière et à sa vie sexuelle. C'est une chose d'aimer les hommes dangereux, c'en est une autre d'être cocufiée à longueur de journée. Jackie envisagea même de le quitter. Joe Kennedy dut prendre une nouvelle fois les choses en main. Il n'eut pas grand mal à la convaincre. Ils parlaient la même langue. Il sortit son carnet de chèques. Personne ne saura jamais exactement combien il aligna de zéros – on a parlé de un million de dollars –, mais il savait en signant qu'il n'obligeait pas une ingrate. D'ailleurs, une fois que John eut pris la décision de se présenter à la présidence, il trouva en Jackie une alliée de poids. Encore plus photogénique qu'elle n'était jolie, elle avait l'étoffe d'une star. Elle subjuguait les foules. Elle enfonçait tous les Kennedy. John n'en revenait pas. « Un peu moins d'Agnelli... » Jackie relut le télégramme de son mari. Ne tenant aucun compte de ces adjurations, elle prolongea au contraire ses vacances d'une semaine.

Le président tenait Lee responsable de la conduite de sa femme. Il se méfiait de son influence. De sa mauvaise influence. Il était bien placé pour savoir le peu de confiance qu'on pouvait lui accorder : ils avaient eu une courte aventure alors qu'il était déjà marié. Ou plutôt, qu'*ils* étaient mariés. Lui avec Jackie, elle avec Michael Caufield. Pendant des vacances sur la côte d'Azur. Il lui avait fait du gringue, comme il en faisait à toutes les filles, et elle avait cédé. Kennedy avait donc des raisons de se méfier de Lee. En même temps, on pouvait difficilement la présenter comme le mauvais génie de sa sœur. Jackie était de taille à se défendre. Sa personnalité et ses capacités dépassaient de beaucoup celles de sa cadette. En revanche, pour la frivolité, Lee lui damnait le pion. Dans l'échelle des valeurs des sœurs Bouvier, la frivolité tenait une place importante. Et même prépondérante. Elles aimaient les belles maisons, les beaux habits, les belles manières, les beaux messieurs qui font comme çà et les belles dames comme ci. Elles étaient snobs comme des pots de chambre. Dans leur enfance, Lee passait pour la plus jolie. Ses cheveux châtain clair lui assuraient un statut de blonde qui convenait parfaitement à son tempérament. Elle était plus souple. Moins intelligente, mais plus maligne. Elle jouait son rôle de petite dernière à la perfection. Jackie intriguait, Lee séduisait. La plupart des garçons remarquaient l'aînée, mais s'éprenaient de la cadette.

L'élection de John à la Maison Blanche redistribua les cartes. Par son mariage avec Stas Radziwill, Lee était devenue princesse, mais comme dans le même temps Jackie s'était retrouvée première dame des États-Unis, le rapport de forces penchait nettement en sa faveur. La présidence rétablissait Jackie dans ses prérogatives d'aînée. Elle s'arrangeait de manière à ce que Lee ne l'oublie pas. Elle était la plus riche et la plus célèbre. Flattée d'être la *Sister* de la *First Lady*, Lee reprit son rôle de dame d'honneur. Elle suivait Jackie dans ses voyages officiels. Toujours dans la roue de sa sœur, mais toujours derrière. En dépit d'un parcours personnel haut en couleurs, Lee ne parvenait pas à s'imposer. Son premier mariage avec Michael Caufield passait pour une erreur de jeunesse. Très beau, mais ni assez riche ni assez dominateur pour résister à la frivolité dévastatrice de sa femme. Lee avait ensuite multiplié, avec d'autres hommes, les erreurs de jeunesse, avant de rencontrer Stas Radziwill. Un aristocrate polonais dont la réputation de *play-boy* avait su la séduire. « Une version européenne de ton père », décréta sa mère lorsqu'elle le lui avait présenté. Ce qui dans l'esprit de Janet signifiait : « Ton père en pire. » Janet ne se trompait pas beaucoup. Comme Black Jack, Stas Radziwill vivait au-dessus de ses moyens. Lee ne s'illusionnait plus sur la position de son mari. Il avait réussi de jolis coups dans l'immobilier, mais sa fortune ne reposait sur rien de solide. Il agissait comme un joueur. Leur train de vie donnait le change à la manière d'une luxueuse façade s'ouvrant sur un terrain vague. Leur couple aussi n'était plus qu'une façade. On leur prêtait l'intention de divorcer.

Il arrivait souvent à Jackie d'envier sa sœur. Lee voyait qui elle voulait, s'habillait comme elle voulait, faisait ce qu'elle voulait. Mongiardino avait décoré sa maison (dans les années 60, le libre arbitre, pour une mondaine, s'arrêtait à Mongiardino). À la Maison Blanche, c'était impensable. On reprochait déjà à Jackie d'avoir pris les conseils de Stéphane Boudin, le directeur artistique de Jansen, pour réaménager les salons d'apparat. Le président y perdait son latin. La chambre bleue devait être bleue et le salon vert, vert. Pourquoi turquoise ou céladon ? Kennedy n'avait pas de temps à perdre avec ces foutaises. Si Jackie avait réussi au-delà de toute espérance, elle avait aussi réussi à se faire une vie assommante. Le rôle de première dame comprenait autant de corvées que d'amusements. Pendant que Jackie travaillait à son image, à l'image de John, à l'image de la présidence, à l'image de l'Amérique… le rire cristallin de sa sœur résonnait au lointain. À quoi cela lui servait-il d'être la première de la classe si elle se retrouvait dans la position de la mauvaise élève qui sèche sur sa copie en entendant les enfants ayant déjà rendu leur devoir s'amuser dans la cour de récréation ? Les mondanités à la Maison Blanche restaient très convenues. De la grande musique, des causeries, des ballets. C'était gratifiant d'être vénérée par un génie comme André Malraux, mais pas toujours très rigolo (Jackie avait mis Malraux K.O. En échange, il lui avait servi la *Joconde* sur un plateau. C'était la première fois qu'elle quittait la France). Pendant ce temps, Lee menait à Londres une vie trépidante. Aux premières loges des bouleversements qui allaient transformer la société. Le *Swinging London* et tout le baratin sur King's Road et Carnaby Street. Lee sortait tous les soirs et le week-end leur maison de Tuberville ne désemplissait pas.

Chaque fois qu'elle le pouvait, Jackie s'envolait rejoindre sa sœur. Elles passaient la plupart de leurs vacances ensemble. Il leur arrivait fréquemment de se disputer, mais elles ne pouvaient se passer l'une de l'autre. Leur entente reposait sur une confortable intimité. Elles se comprenaient à demi-mot. Lee n'ignorait rien des infortunes de sa sœur et Jackie était au courant des incartades de Lee. Cela ne posait aucun problème à Lee de tromper son mari. Jackie hésitait encore. Elle s'arrêtait au flirt. Il y avait un tas de types qui lui faisaient la cour, mais ses aventures extraconjugales ne dépassaient pas le stade de la rêverie. En dépit de ce qu'on a pu raconter, elle ne trompait pas John. Elle s'était mariée vierge, ou quasiment. Les cours d'éducation sexuelle du président n'avaient pas dû l'aider à s'épanouir. Il la baisait mal. À la va-vite. Pendant que Lee filait le parfait amour avec Sandro d'Urso, Jackie avait ajouté Gianni Agnelli à la liste de ses amants de cœur. La princesse Galitzine et la comtesse Volpi se montraient à ce sujet catégoriques : il n'y avait absolument rien eu entre eux. Contrairement à John, Gianni savait se tenir : sa femme à bord, il ne l'aurait pas trompée ouvertement. Seulement, sur les centaines de photos que prenaient les paparazzi, il n'était pas difficile d'en trouver une qui prouvait le contraire. Avec un téléobjectif, on peut faire dire n'importe quoi à une photo. Deux mains qui se frôlent, un cou qui ploie, un profil flou qui semble accepter un baiser… Il n'y avait que la presse *people* italienne (très en avance à l'époque sur celle du reste du monde) qui passait ces horreurs, mais le côté *dolce vita* de Jackie mettait Washington dans l'embarras.

69

Porfirio Rubirosa s'accroche à sa vie de noceur. Du Bœuf sur le Toit aux minets de la bande du drugstore. Le succès de Régine. Mariage décevant de Rubirosa et d'Odile Rodin. Enterrements à la pelle. Le coup du lapin.

« Quand t'auras aimé à tous vents/Et que tes poules n'auront plus de dents/Tu diras qu'tu t'en es payé… payé ?/ Et puis après ?/ T'auras du plomb dans l'aile, mais rien dans la cervelle. » La chanson de Serge Gainsbourg ramenait Rubirosa à ses idées noires. Sur le juke-box du *Café de la Muette*, quelqu'un passait ce disque en boucle. Laissant sa Ferrari garée en biais sur le trottoir, Rubi était entré en coup de vent acheter des cigarettes avant de se retrouver au comptoir. Combien avait-il déjà pris de derniers verres depuis son départ du *New Jimmy's* où il avait fêté sa victoire au polo ? Il venait de battre à plate couture l'équipe conduite par son copain Élie de Rothschild. Le champagne avait coulé jusqu'aux premières lueurs de l'aube. Ils s'étaient ensuite transportés en bande à la *Calavados.* Maintenant il avait son compte. Les paroles de la chanson de Gainsbourg achevaient de lui bousiller le moral. « Quand t'auras aimé à tous vents./ Et que tes poules n'auront plus de dents./Tu diras qu'tu… » Il tenait encore debout, mais il n'en aurait pas fallu beaucoup pour qu'il s'écroulât le long du bar. Les autres clients le regardaient de travers. À une table isolée, au fond de l'établissement, des gamins du XVIe séchaient les cours en riant de tout. Leurs shetlands trop courts et leurs pantalons pattes d'éléphant les désignaient comme des minets de la bande du Drugstore. Chaque jeunesse a son uniforme. Lui aussi avait été ridicule à l'époque où il se plaquait les cheveux en arrière avec de la gomina et portait des chaussures bicolores. Au temps du *Bœuf sur le Toit*. Une boîte qu'il fréquentait en compagnie d'Igor Cassini et de Kit de Kapurthala. Ils étaient alors toute une bande, mais Rubi ne se souvenait plus que de ces deux-là. Il y avait près de trente ans de cela. Trente-cinq ans même.

Il était loin le temps où il pouvait faire la bringue plusieurs jours d'affilée. Sa vitalité l'abandonnait. Il puisait dans l'alcool l'énergie pour se dépasser, mais le lendemain il n'y avait plus personne. Son entrain légendaire se soldait désormais par des maux de tête pas possibles et une haleine de plomb. Un homme fait ! Fait comme un rat ! Cinquante-cinq ans, ce n'est pas si vieux, sauf si on cherche à prouver qu'on en a toujours vingt. Alors que la plupart de ses contemporains avaient raccroché, lui s'accrochait à son mode de vie de noceur. Le succès de Régine le maintenait à flot. La nouvelle reine de la nuit ne jurait que par lui. Il l'avait connue avant tout le monde. À l'époque où elle dirigeait le *Whisky à gogo* de la rue du Beaujolais. Une petite boite minuscule. Il lui amena des amis. Il lui donnait des conseils. La reconnaissance qu'elle lui portait dépassait la simple gratitude. Elle en pinçait un peu pour lui. Un soir de nouba, ils étaient rentrés ensemble. À la régulière. Dans son autobiographie, *Appelez-moi par mon prénom*, elle lui rend un hommage appuyé. Reconnaissante « d'avoir été baisée comme il faut, comme savent baiser les gigolos ». Un vrai gentleman. Après vous, je n'en ferai rien. Au lit, ce n'est pas si fréquent.

Horrifié par les embouteillages qui l'attendaient pour rentrer à Marne-la-Coquette, Rubi avait décidé de prendre encore un verre, alors qu'il était déjà complètement schlass. C'est comme cela qu'il s'était retrouvé au comptoir du *Café de la Muette*. Rien ne le pressait. Entre Odile et lui la différence d'âge aggravait les difficultés que rencontre n'importe quel couple après dix ans de mariage. Un couple sans enfant et sans autres intérêts dans la vie que les sorties et les mondanités. Odile avait son chiwawa, sa Facel Vega, son coiffeur, son masseur, sa manucure, ses essayages... Rubirosa lui avait enseigné la frivolité, le luxe et le plaisir. Il avait été un bon professeur. Les exigences d'Odile étaient maintenant à la hauteur de son éducation. Pourquoi lui avait-il fait arrêter sa carrière de comédienne ? La jeune et talentueuse Odile Rodin. L'oisiveté de sa femme, aujourd'hui, lui coûtait cher. Avait-il cherché à se venger en épousant une adolescente, après son juteux mais catastrophique mariage avec Barbara Hutton ? (L'épisode le plus court et le plus désespérant du *soap-opéra* de la vie de la milliardaire. Un casse dont la facilité déconcerte : trois millions cinq cent mille dollars pour cinquante-trois jours de mariage.) Aspirait-il à un peu de fraîcheur après sa liaison torride avec Zsa Zsa Gabor ? Il voulait refaire sa vie, mais ses mauvaises habitudes avaient été les plus fortes. Lui qui comptait sur l'innocence d'Odile pour ventiler son existence de *play-boy* devait reconnaître qu'il n'avait peut-être pas eu sur elle une très bonne influence. Leurs disputes se multipliaient. Souvent pour de stupides questions d'argent. La chute de Trujillo, le lâchage de Kennedy, des placements hasardeux l'obligeaient à ne plus jeter l'argent par les fenêtres avec la même désinvolture qu'autrefois. Sa femme ne le comprenait pas.

Autour de lui, les rangs se resserraient. Les enterrements, ce n'était pas une distraction pour un cavaleur. Trujillo, Kennedy, Ali Khan, Marilyn Monroe, Jean Cocteau, le marquis de Cuevas… Ils partaient les uns après les autres. Depuis la mort de Kennedy, Rubi n'hésitait pas à se présenter comme un grand ami du président défunt. C'était exagéré. Les relations qu'ils avaient entretenues restaient anecdotiques. Un *drink* au bord d'une piscine, un cocktail à la Maison Blanche, quelques filles en commun… Ils avaient tous les deux baisé Marilyn et Jane Mansfield, mais ils n'étaient pas les seuls. Sa réputation de Casanova amusait Kennedy, mais de là à lui accorder sa confiance, il y avait un pas que le président ne franchit jamais. Rubi cherchait à l'intéresser à un projet de développement du tourisme à Saint-Domingue. Kennedy était resté sur ses gardes. Est-ce qu'il lui avait servi Odile sur un plateau ? On l'a dit. L'assassinat de Kennedy marqua la fin des illusions qu'il pouvait entretenir sur sa reconversion dans le tourisme. « Pauvre John ! », soupirait Odile d'un air entendu chaque fois qu'on évoquait devant elle la mémoire du président. Rubi ne pouvait s'empêcher de penser que ce fils de pute avait baisé sa femme à l'œil. La disparition d'Ali Khan le toucha davantage. Ils devaient se retrouver, le soir même de sa mort, chez Loraine Dubonnet qui les attendait pour dîner. Un grand dîner en l'honneur d'Ali qui venait d'être nommé, par le Pakistan, ambassadeur en Argentine. Les retards d'Ali n'étonnaient plus personne à Paris, mais, à vingt-deux heures, la maîtresse de maison excédée décida de passer à table sans lui. « Il va encore arriver pour le café », pronostiqua-t-elle agacée. Il n'arriva jamais. Le lendemain dans le journal, Rubi avait appris les détails de l'accident. Il était mort en *play-boy*, le pied sur l'accélérateur. L'article était illustré d'une photo d'un amas de ferraille : tout ce qui restait de la Lancia qu'il étrennait ce jour-là. Il y avait aussi une photo de lui et une photo de Bettina, sa compagne, qui était sortie indemne de l'accident. Il était mort sur le coup en rentrant de plein fouet dans une Simca arrivant en sens inverse.

« Monsieur ! Ça va ? Monsieur ! Ça ne va pas ? Allons monsieur ! » Rubi trouva le courage de se redresser en se rendant compte qu'il piquait du nez sur le zinc de cuivre rose. Derrière le comptoir, le garçon le regardait avec inquiétude. L'air plutôt agacé qu'attendri. « Non, ça va aller, merci », dit-il en respirant un grand coup. Il régla son double Fernet Branca et sortit du café. Sur la place de la Muette, le petit matin argenté avait laissé la place à une matinée lumineuse et stridente. Il aurait menti en refusant d'admettre qu'il n'était pas en état de conduire. Il tenait à peine sur ses jambes et, malgré tous ses efforts pour marcher droit, il oscillait légèrement. Pourquoi vouloir aussi aller jusqu'au bout de la nuit ? Quelle idée de se traîner à la *Calavados* en sortant du *New Jimmy's* ? Quelle idée de s'arrêter dans ce café ? Que cherchait-il à se prouver ? Et là, maintenant, que cherchait-il à se prouver en prenant le volant alors qu'il n'était pas en état de conduire ? Et que cherchait-il à se prouver en fonçant en direction du bois de Boulogne ? Curieux détour pour un homme pressé de rentrer chez lui. Avec 170 km au compteur, on pouvait penser qu'il était pressé. Pressé d'en finir peut-être ? On n'en aura jamais la certitude. Pas de pitié pour les *play-boys*. Avec une précision étonnante, il s'écrasa de plein fouet contre un platane et mourut sur le coup. Le coup du lapin : les cervicales. Comme Ali Khan.

70

Position humiliante de Maria Callas. Lee Radziwill et Onassis. La Sister *de la* First Lady. *Jackie encourage le flirt de sa sœur. Fausse couche de Jackie. Invitation d'Onassis. Comment faire couler ce putain de yacht ?*

Après le départ de Tina, la position de Maria Callas sur le *Christina* était devenue problématique. Plus rien n'empêchait Onassis de l'épouser, et pourtant il ne l'épousait pas. Il avait toujours une bonne raison (en particulier le rejet de ses deux enfants qui poursuivaient la Callas de leur haine). Il ne se chercha bientôt plus d'excuses. Il ne l'épousait pas, point. Le mariage ne pouvait rien lui apporter qu'il n'eût déjà. Il la savait à sa merci. Il la tenait. Corps et âme. Mais aussi pieds et poings liés : il gérait maintenant sa fortune. Maria était certainement la femme de sa vie, mais il s'ennuyait avec elle. Qu'est-ce qu'il y pouvait ? Elle n'était vraiment pas drôle. Ses idées ne s'élevaient jamais au-dessus des lieux communs. Ses plaisanteries tombaient à plat. Qu'était-il advenu de cette femme qu'il avait vue sur scène égorger ses enfants ? De ce monstre sacré qui domptait son public d'un regard ? Avec ses extinctions de voix à répétition, sa pauvre diva ne faisait plus le poids. Tous les hommes d'un certain âge ont besoin de fantasmer. Onassis peut-être encore plus que les autres. En fait de fantasmes, son aventure avec Maria équivalait maintenant à du champagne éventé. Elle rêvait d'être une femme au foyer. Sur un yacht, ce n'était pas malin. Elle n'avait pas su s'imposer. Ni auprès des enfants ni auprès de l'équipage. Même pour les menus, le personnel continuait de s'adresser à monsieur Onassis. Elle restait une invitée.

Onassis se gardait de changer son statut. À mesure que le temps passait, sa mauvaise éducation reprenait le dessus. Il la traitait mal. Il lui parlait mal. Il n'hésitait pas à l'insulter en public. Il ne se gênait pas pour lui demander de s'éclipser lorsqu'il voulait faire monter à bord des invités que leur faux ménage pourrait incommoder (les Churchill, par exemple, qui avaient pris le parti de Tina au moment du divorce). D'aucuns prétendaient qu'il la battait. Mais pour un Grec, cela faisait partie de l'amour. Il avait toujours battu ses femmes comme des tapis. Maria se conduisait comme une carpette. Comme une femme trompée. Fouillant un jour, en son absence, dans le bureau d'Onassis, elle avait trouvé un écrin, de chez Cartier, renfermant un charmant bracelet de diamants. « À mon plus doux amour », avait griffonné l'armateur sur une carte. Croyant à une surprise pour son prochain anniversaire, Maria, très émue, avait remis le bracelet à sa place. Si elle s'attendait à une surprise, elle en eut une de taille en découvrant, quelques jours plus tard, le bracelet au poignet de Lee Radziwill. Elle avait failli mourir. Sans rien oser dire pour autant. Elle ne se faisait plus d'illusions sur la fidélité de son amant, mais sa duplicité lui perça le cœur. Depuis quelque temps, Onassis l'obligeait à sortir avec Lee Radziwill. Il prétendait que c'était bon pour ses affaires d'être ami avec la sœur de Jackie Kennedy.

Lee et Stas Radziwill participaient maintenant à toutes les croisières du *Christina*. Dans la cour qui entourait l'armateur, ils occupaient une position privilégiée. La nouvelle avait déjà transpiré dans les journaux. « L'ambitieux homme d'affaires grec nourrit-il l'espoir de devenir le beau-frère du président américain ? », s'était interrogé Drew Pearson dans le *Washington Post*. La médisance le disputait à la calomnie dans les rumeurs qui circulaient sur les Radziwill. On accusait Stas de malversations : des fonds placés pour la Croix-Rouge qui se seraient volatilisés. On l'accusait surtout de fermer les yeux sur les infidélités de sa femme pour en tirer profit. Onassis ne venait-il pas de le nommer à la tête d'une antenne d'Olympic Airways ? Il s'abritait derrière son titre de prince qui ne valait plus rien depuis qu'il avait la nationalité britannique. C'était mesquin de lui en faire grief. Il était né Radziwill, il mourrait Radziwill. Onassis les avait rencontrés à Londres où le couple menait grand train. Depuis son arrivée en Angleterre (à l'époque de son mariage avec Michael Caufield), Lee faisait partie des personnalités en vue. Un peu trop même, de l'avis de la *gentry* qui la trouvait tape-à-l'œil. Mais plutôt sympathique. Comme elle était américaine, on lui pardonnait son élégance spectaculaire. Très *beautiful people*. Très *one shoulder*. Très 60 en fait, alors que les Anglaises chic retardaient. En revanche, on continuait de lui tenir rigueur du peu d'intérêt qu'elle avait manifesté pour le sort de leurs animaux de compagnie au moment de son divorce avec Michael Caufield. « Mais qu'est-ce que vont devenir les chiens ? », s'inquiétait la bonne société. « Que vont devenir les chiens ? », lui demandait-on partout avec insistance. « Je crois qu'on va les donner », répondit-elle un jour, sans se rendre compte du scandale provoqué par sa réponse. L'élection de John balaya cet impair sans l'effacer totalement. Elle était maintenant la *Sister* la plus célèbre du monde, mais à chaque nouvelle extravagance de Lee, les chiens remontaient à la surface : « Souvenez-vous des chiens ! »

Onassis aurait été de mauvaise foi en refusant d'admettre que la parenté de Lee avec la première dame des États-Unis, ne jouait pas un rôle dans l'intérêt qu'il lui portait. En dépit de ses réseaux, les Kennedy restaient hors de porté. Ils manquaient à sa collection de célébrités (Liz Taylor, Noureev, Cary Grant, Tito, Gina Lollobrigida etc.). Leurs chemins s'étaient pourtant déjà croisés. « Le type à qui je n'ai pas proposé de rester dîner ! », plaisantait Onassis avec un rire qui sonnait faux. Le « type » en question était devenu président des États-Unis. L'histoire remontait à l'époque ou John Kennedy n'était encore qu'un jeune sénateur plein d'avenir. On répétait partout qu'il avait l'étoffe d'un président. Churchill qui séjournait sur le yacht d'Onassis, avait voulu tâter de cette étoffe. Il s'amusait à l'idée de rencontrer le fils de Joe Kennedy, son vieil ennemi politique. John et Jackie s'étaient retrouvés sur le Christina pour prendre un verre. Mais curieusement, Churchill qui avait tout fait pour le rencontrer, n'adressa pas la parole au sénateur. Sans être complètement gâteux, il avait des absences. « Il a dû te prendre pour un des serveurs », insinua Jackie à son mari qui étrennait, ce soir-là, un smoking blanc. Onassis n'avait rien fait pour arranger les choses. Au contraire. Prétextant que sir Winston dînait de bonne heure, il leur avait demandé, sur le ton hypocrite d'une garde-malade, de ne pas s'attarder après huit heures. Aujourd'hui il s'en mordait les doigts. En devenant ami avec les Radziwill, Onassis entrevoyait une occasion de rattraper cette bourde. Lee ignorait qu'il venait d'entamer avec elle une partie dont Jackie était l'enjeu.

Lee tenait pour acquis qu'Onassis allait la demander en mariage. Dans son esprit cela ne faisait pas un pli. Déduction un peu rapide, mais Lee était rapide. Alors que les Kennedy s'escrimaient à faire annuler son premier mariage pour l'autoriser à épouser religieusement Stas, elle pensait, elle, à s'en débarrasser afin d'épouser Onassis (de son coté Stas ne cachait pas ses vues sur Charlotte Ford). Les Kennedy ne l'entendaient pas de cette oreille. Ils n'avaient pas besoin d'un divorce dans la famille à la veille des élections. Pour eux, Aristote Onassis représentait le plus mauvais parti de la terre. Un compromis de *play-boy* et de *mafioso*. Il sentait le soufre. Pire que le soufre. Une sale odeur : coups fourrés, trafics, combines, prévarications, magouilles empuantissaient sa réputation. Il sentait également le stupre : on le voyait régulièrement photographié dans les magazines, sortant de boîtes de nuit entouré de pin-up. Sa liaison avec la Callas était de notoriété publique. Les Kennedy s'inquiétaient à tort. Lee allait plus vite que la musique. Elle prenait pour argent comptant les balivernes qu'Onassis lui troussait sur l'oreiller. Onassis n'attachait aucune importance à ce qu'il disait. Il mentait comme il respirait. Lee, qui parlait à tort et à travers, répétait maintenant partout qu'elle allait épouser Onassis. Bobby demanda à Jackie d'intervenir auprès de sa sœur. Qu'elle retarde son projet. Qu'elle la boucle. Au moins jusqu'à la réélection de John, en avril.

En vérité, Jackie encourageait la liaison de sa sœur. Elle ne pouvait pas ne pas le savoir : elles se disaient tout. Leur solidarité remontait à l'enfance. À l'époque du divorce de leurs parents. Avant d'être une Kennedy, Jackie restait une Bouvier. Pour une Bouvier, le butin de l'armateur représentait un centre d'intérêt autrement plus excitant que la politique américaine. L'insistance de Black Jack à décrire les hommes comme des salauds qu'il fallait arraisonner restait gravée dans la mémoire de ses filles. Quant à leur mère, si elle y mettait un peu plus de délicatesse, son discours n'en stigmatisait pas moins la gent masculine. « Épousez le fric », leur disait Janet en substance. De ce point de vue, Lee s'était débrouillée gentiment mais, comparée à Jackie, on pouvait se demander si elle savait planter les choux ? Son mariage avec Onassis comblerait ce retard. Comme sa sœur, elle aimait l'argent. Comme sa sœur, elle savait le dépenser. Comme sa sœur, elle s'était rendu compte que chez les riches, il y en avait de plus ou moins riches. Et Onassis passait pour l'homme le plus riche du monde ! La fortune d'Onassis méritait l'approbation de Jackie. Elles avaient grandi, mais tout se déroulait encore comme si Lee continuait à vouloir attirer l'attention de sa sœur aînée : « Regarde ce que moi aussi je suis capable de faire. »

En accouchant prématurément d'un bébé mort-né, Jackie allait flanquer par terre les châteaux en Espagne de sa sœur. Profitant de ces circonstances tragiques, Onassis proposa à Lee d'inviter Jackie sur le *Christina*. Pour lui changer les idées : Jackie associait Washington à tous ses malheurs. Elle tenait la politique et les journalistes responsables de la perte de son bébé... Lee s'étonna de la proposition. Jackie sur le *Christina* ? C'était énorme. Mais, après tout, pourquoi pas ? Elle n'était pas toujours très maligne. Elle était surtout très vaniteuse. Elle pensa faire d'une pierre deux coups : épater sa sœur et obliger son amant. En même temps, elle redoutait la réaction des Kennedy. Pour le président dont la cote de popularité baissait dans les sondages, c'était un coup de Jarnac. Bobby faillit s'étrangler en apprenant la nouvelle. Non seulement elle lui restait en travers de la gorge, mais il n'arrivait pas à reprendre son calme. Au point de répondre à un de ses collaborateurs qui lui demandait des instructions concernant la sécurité de la première dame au cours du voyage : « On aura fait avant couler ce putain de yacht ! » Bobby allait mettre tout en œuvre pour faire obstacle à cette croisière. Il lui en coûtait d'appeler l'armateur. Il n'en décrocha pas moins son téléphone pour lui proposer un marché : s'il renonçait à inviter la première dame, les Kennedy ne s'opposeraient plus à son mariage avec Lee. Onassis se contenta de rire. Décidément Bobby retardait. Il riait encore quand il entendit raccrocher brutalement après s'être fait traiter de « sale con de Grec ».

En transmettant l'invitation d'Onassis à Jackie, Lee avait ajouté que le milliardaire se proposait de mettre le *Christina* à sa disposition. Il s'effacerait devant son bon plaisir. Elle pouvait inviter qui elle voulait. Elle serait « seul maître à bord ». On ne pouvait être plus galant. Non seulement Jackie accepta l'invitation, mais elle insista pour qu'Onassis les accompagne. « Je ne peux décemment pas annexer le bateau de cet homme et lui demander de rester à terre. Ce serait trop cruel », répondit-elle à sa sœur. Il fallait simplement que Jackie en informe John. Mais elle en parlait comme d'une formalité. Après sa fausse couche, il ne pouvait décemment pas lui refuser une petite croisière. D'autant qu'il avait besoin qu'elle le suive à Dallas. Un voyage qui marquerait le début de la campagne présidentielle. Ce serait donnant donnant. Dallas contre le *Christina*. « Tu vas adorer », gloussa Lee avant de se lancer dans une description hyperbolique du navire. Elle s'extasiait sur des détails idiots comme, par exemple, la teinturerie qui permettait de faire nettoyer ses vêtements à sec. Ou encore la masseuse, les coiffeurs, l'orchestre, les sept sortes de caviar, les fleurs renouvelées chaque jour et les fruits à profusion alors que le navire voguait en pleine mer. « C'est super, non ? » dit-elle en partant d'un fou rire nerveux qui englobait l'excitation que lui procuraient le luxe clinquant du navire et l'excitation, encore plus grande, qu'elle éprouvait à l'idée de faire les honneurs du yacht à sa sœur. Elle se voyait déjà jouant les maîtresses de maison sous l'œil approbateur d'Onassis. « Oh ! Jackie, comme on va s'amuser », conclut-elle.

71

Déambulations de Serge Lifar. Mai 68. Une poignée d'os en robe à fleurs devant le Ritz. *Chanel sur son canapé de daim beige. Chanel et Lifar dans un numéro de duettistes qui sent le faisandé. Le patron m'attend à Munich.* Come-back *de Chanel en 1957.*

Serge Lifar aimait le quartier de l'Opéra. Toute sa vie s'y était déroulée. Ce jour-là il devait déjeuner chez Chanel et il avait décidé de rejoindre la rue Cambon à pied. Mai 68 paralysait encore la capitale. N'étant pas sorti de chez lui depuis huit jours, Lifar s'attendait à pire. La rive droite se tenait encore debout. Le général de Gaulle devait s'adresser en fin de journée à la nation. Comme souvent les personnes âgées, Lifar ne tenait pas compte des saisons. En plein mois de mai, il portait un manteau, d'un bleu un peu trop soutenu, qui le désignait à l'attention des passants. Si ses vêtements faisaient preuve d'une certaine recherche, comme il ne les renouvelait plus guère, même cette élégance dénonçait sa décrépitude. Sa chemise blanche donnait l'impression d'avoir jauni en même temps que lui et ses chaussures vernies étaient légèrement craquelées par endroits. On perd difficilement l'habitude de plaire : Lifar souriait à tort et à travers, mais compte tenu de son aspect général, ses dents blanches ne pouvaient être que fausses. Seuls ses yeux, encore brillants, conservaient des traces de sa légendaire beauté. Ses cheveux, qu'il teignait, tiraient maintenant sur le roux et son teint virait à l'olivâtre. S'il lui arrivait encore parfois d'être reconnu dans la rue, c'était davantage en raison de ses passages à la télévision, dans l'émission d'Aimée Mortimer, *L'École des vedettes*, que pour sa carrière de danseurs.

D'ailleurs il quêtait souvent en vain cette reconnaissance. Surtout auprès des jeunes gens qu'il ne pouvait s'empêcher de dévisager.

En passant devant les vitrines du magasin *Old England*, Lifar se retourna sur un adolescent blond dont il avait cherché à croiser le regard. Machinalement il le suivit jusqu'à la place de l'Opéra où il lâcha sa filature en se rendant compte de l'heure. Pour ne pas revenir sur ses pas, il décida de descendre la rue de la Paix jusqu'au *Ritz*, dont une des sorties débouchait rue Cambon. Devant l'hôtel, il remarqua un attroupement. Les portiers avaient replié en deux les battants de la porte à tambour pour laisser le passage à un homme, dans la force de l'âge, portant dans ses bras une vieille femme. Elle s'accrochait à lui comme une petite fille. Ou une jeune mariée. À la différence qu'elle n'était plus qu'une poignée d'os. Ses pieds semblaient trop petits pour ses chaussures neuves qui n'emboîtaient pas son talon. Tous ses vêtements donnaient pareillement l'impression d'être trop grands. Elle portait une robe voyante, imprimée de grosses fleurs, et un chapeau ridicule, genre camembert, posé en équilibre sur ses cheveux laqués. Des lunettes noires lui mangeaient le visage et un collier de chien en perles lui enchâssait le cou à la manière d'un garrot qui aurait aidé à maintenir sa tête branlante attachée au reste du corps. Plusieurs chasseurs encombrés de paquets les suivaient. Cette procession, déjà étrange, s'affirmait presque surréaliste dans Paris que la révolution de 68 mettait sens dessus dessous (depuis trois semaines les éboueurs ne ramassaient plus les ordures. Même la place Vendôme en était jonchée). L'homme qui portait la femme dans ses bras la déposa précautionneusement sur la banquette arrière d'une Rolls en stationnement (Lifar comprit qu'il devait s'agir du chauffeur en le voyant faire le tour du véhicule pour s'installer au volant). Une fois assise, le visage émacié de la vieille femme arrivait à peine à la hauteur de la vitre comme si l'automobile qui allait l'emporter l'avait déjà engloutie dans les profondeurs de la banquette en cuir rouge.

Lifar, qui connaissait la maison Chanel, emprunta l'escalier aux miroirs après être entré par la boutique. Personne ne lui avait rien demandé. Lifar admirait une fois encore le luxe immuable de la décoration, quand il s'aperçut, en pénétrant dans le salon, que Chanel dormait sur son somptueux canapé de daim beige. Recroquevillée et vulnérable dans le sommeil, Mademoiselle semblait s'agripper à son sac à main. Sa tête penchait dangereusement en avant, comme entraînée par le poids de ses bijoux baroques. Elle portait toujours beaucoup de bijoux. Des bracelets, des colliers, des bagues. Et même une broche sur son chapeau. Cela faisait partie de son image de marque. Chanel se vantait d'avoir inventé la bijouterie fantaisie. Si on l'écoutait, elle avait tout inventé. Rien n'existait avant elle. À force de voir ses mérites étalés dans la presse féminine, elle avait fini par être elle-même persuadée de son génie. Génie qui ne l'immunisait pas contre un petit roupillon. En dépit de ce qu'on racontait sur sa forme époustouflante, elle donnait des signes de fatigue. Terrassée par le sommeil, il lui arrivait de piquer du nez. Elle s'endormait si soudainement qu'elle n'avait pas le temps de rectifier sa position. Comme frappée par une malédiction qui la figeait dans l'acte d'un instant. Parfois même avec une cigarette à la main. Ou son poudrier. Elle se réveillait tout aussi soudainement, ramenée à la vie sans comprendre ce qui lui était arrivé. Son premier réflexe était de vérifier que personne ne l'avait vue dormir.

Lifar, gêné, s'apprêtait à faire marche arrière quand une voix rauque lui ordonna de rester. « Non reste ! Ah, c'est toi », ajouta Chanel comme si elle venait seulement de le reconnaître. Elle toussa à plusieurs reprises pour s'éclaircir la voix. « Quelle idée aussi d'arriver si tard !

— Mais il est à peine une heure, protesta Lifar.

— Alors où sont-ils tous passés ? s'énerva Mademoiselle. On rentre chez moi comme dans un moulin, tu comprendras que je m'énerve. Cette Lilou n'est jamais là quand il le faut. C'est insupportable.

— Personne, absolument personne, même dans la boutique, acquiesça Lifar qui, toujours debout, faisait semblant de s'intéresser aux précieuses reliures ornant les rayons de la bibliothèque. Mais tu sais avec ce qui se passe en ce moment…

— Qu'est-ce qui se passe ?, demanda Chanel.

— Tu sais bien, la révolution…

— Ne me fais pas rire avec ta révolution. Assieds-toi, lui conseilla-t-elle, tout en continuant à maudire son personnel. Quand je pense que je leur ai légué ma villa de Mimizan pour qu'elles puissent profiter de leurs congés payés. Est-ce qu'on a besoin de congés payés ? »

Se rendant compte que Chanel se croyait revenue au temps du Front populaire, Lifar, pour faire diversion, lui raconta précipitamment l'étrange spectacle dont il avait été le témoin en passant devant le *Ritz*.

— Tu ne l'as pas reconnue ! s'esclaffa Chanel ragaillardie. Tu étais pourtant très ami avec elle. Quelle idiote c'était celle-là : ta grande amie, Barbara Hutton. À l'hôtel, tout le monde ne parle que de son arrivée (Chanel dormait au Ritz où elle conservait une suite à l'année). Non seulement elle refuse de marcher, mais elle ne supporte plus la lumière. Elle fait tapisser les vitres de sa chambre avec du papier argent et demande à ce qu'on enveloppe les lustres dans du crépon rose. Tu imagines le genre ! Elle passe son temps à se maquiller. Comment a-t-elle encore le courage de se regarder dans un miroir ? demanda Chanel en faisant une moue dégoûtée (alors qu'elle-même, passablement ridée, se fardait maintenant outrageusement).

— Elle qui avait une si belle peau, soupira Serge Lifar. Une peau de lait…

— Du lait caillé, trancha Chanel satisfaite.

— Pauvre Barbara, s'écria Lifar en se prenant la tête dans ses mains.

— N'en fais pas trop. Ta pauvre Barbara n'a que ce qu'elle mérite. Je l'ai eue comme cliente. Assommante. Elle faisait l'aimable, mais elle ne pouvait s'empêcher de faire la comtesse. Seulement avec moi, ça ne prenait pas ces grands airs. Et la voilà maintenant amoureuse de son chauffeur. C'est bien fait pour elle. À Venise, cet été, elle en était réduite à payer des gigolos pour lui faire la conversation. Plus personne ne voulait la voir. Tu sais comme sont les Italiens. Ils prétendaient qu'elle avait le mauvais œil. La *strega*. Si tu veux du champagne je vais en faire déboucher une bouteille, mais moi je n'y tiens pas. »

En dépit de la carrière exceptionnelle de Serge Lifar, Chanel continuait de le traiter comme un gamin. Il restait à ses yeux l'enfant vaniteux qu'elle avait connu, à l'époque des Ballets russes, dans l'entourage de Diaghilev. Dans le harem de Diaghilev. Quel âge pouvait-il avoir alors ? Dix-sept ou dix-huit ans. Une beauté. Plus byzantine que slave, mais une beauté. Un corps parfait, des yeux d'almée, un sourire éclatant... Elle se rendait compte qu'il avait vieilli, mais le prisme des souvenirs plaquait sur son image de vieux monsieur de bondissantes visions de faune énamouré. Elle le revoyait arrivant dans une fête au bras de la princesse Nathalie Paley ou bien en maillot à bretelles sur la plage du Lido. Toujours en train de se donner en spectacle. Et puis il y avait eu la guerre dont ni lui ni elle n'étaient sortis grandis, mais qui les avait encore rapprochés. Ils faisaient à ce sujet un numéro de duettistes qui sentait le faisandé. « Tous les Allemands n'étaient pas des monstres, commençait Lifar. – Loin de là, il y en avait même de très corrects », réagissait Chanel en feignant une partialité qui n'abusait pas grand monde. Personne n'ignorait leurs prises de position. À la libération, Lifar n'avait dû son salut qu'au peu de considération qu'on accordait à ses propos. Quel crédit accorder aux délires d'une folle qui se pâmait quand elle croisait un uniforme ? Il aurait pu se passer de dire à propos d'Hitler : « Le patron m'attend à Munich. » Les versions de son voyage outre-Rhin variaient en fonction de son auditoire. À certains moments, il affirmait n'être allé en Allemagne que dans l'intention de tuer Hitler et à d'autres, il prétendait n'avoir jamais autant joui que sous les caresses du Führer. Pur fantasme, dans les deux cas. Les FFI s'étaient contentés de lui cracher au visage. Chanel, encore plus compromise, avait choisi l'exil.

Son *come-back* de 1957 avait prouvé sa détermination. À Paris, personne ne croyait au retour de cette vieille femme. Selon la légende, c'est à New York, en aidant Maggie van Zuylen à choisir une robe pour sa fille (la future Marie-Hélène de Rothschild), que Chanel avait pris la décision de revenir à la couture. Une légende qui empruntait à *Cendrillon* comme à *Autant en emporte le vent* : devant le peu de choix de modèles, Chanel aurait décroché les rideaux de taffetas du salon pour tailler, dans la nuit précédant le bal, une toilette éblouissante. Le succès de sa robe avait décidé Chanel à reprendre son activité. En vérité elle avait eu tout le temps d'y penser. Après la victoire des Alliés, la décence lui commandait de se faire oublier. Son attitude pendant la guerre la désignait comme une collabo. Tout le monde savait pour son Von Spatz. Un général allemand (Hans Gunther von Dincklage, surnommé Spatz – le moineau – en raison de son habitude de voler de cœur en cœur). Sans la protection du duc de Westminster, elle y passait. Il s'en était fallu de peu qu'elle ne soit tondue comme un œuf à la Libération. On lui conseilla la Suisse. Demander à une femme comme elle de se faire oublier revenait à lui demander l'impossible. Elle n'en pouvait plus. La Suisse l'emmerdait, l'inaction lui pesait et le triomphe du *new-look* la crucifiait. Elle vomissait le *new-look*. Elle vomissait les homosexuels qui tenaient maintenant, dans la mode, le haut du pavé. Chanel, qui avait toujours vécu entouré d'homosexuels, ne se gênait pas pour les accuser de tous les maux quand cela l'arrangeait. Il lui prenait de loin en loin contre eux des colères terribles. Les Bérard, les Cocteau, les Beaumont, tout le monde y passait. Même Lifar en prenait pour son grade. Il n'en continuait pas moins à lui donner la réplique. En souvenir des jours anciens.

72

Chanel réinvente sa vie. Jacques Chazot. Lilou Grumbach. Mai 68 s'incarne par le verbe. Tournée des barricades. Castel, *un Q.G. idéalement situé. Le général de Gaulle. « Tu crois qu'il va encore nous sauver ? »*

Lifar connaissait la plupart des histoires de Chanel par cœur. Il en connaissait même plusieurs versions. Alors que sa vie ressemblait à un roman-fleuve, Chanel ne pouvait s'empêcher d'en rajouter. Elle brodait. À plusieurs reprises elle avait cherché à écrire ses mémoires (avec Louise de Vilmorin entre autres), mais elle était incapable de s'en tenir à la vérité. Elle n'aimait revenir ni sur son enfance miséreuse ni sur sa jeunesse galante : des sables mouvants où elle ne s'aventurait qu'avec précaution. Elle préférait oublier l'orphelinat où son père l'avait abandonnée. Elle rayait pareillement le beuglant de Moulins, où, à peine sortie de l'adolescence, elle reprenait en cœur « ta-ra-da-boum-di yé » avec d'autres jeunes femmes du demi-monde. Moulins, une ville de garnison. Des officiers de cavalerie. Son surnom de Coco… On lui a beaucoup reproché d'avoir renié son passé. D'avoir trahi les siens. Édmonde Charles-Roux en particulier. Alors qu'elle-même – Édmonde – n'avait pas de mots assez durs pour la grande bourgeoisie dont elle était issue. Pourquoi une prolo n'aurait-elle pas les mêmes droits qu'une bourgeoise ? Vouloir être fier d'être pauvre ? C'est bien une idée de riche. Qu'est-ce qu'elle en savait, Édmonde, de la misère ? Chanel, c'était même pas la misère, c'était la mouise. Cette odeur insidieuse qui s'incruste dans la mémoire olfactive et ne vous lâche plus. À la seule idée des pauvres, Chanel se bouchait le nez. Elle les haïssait. Elle ne voulait plus en entendre parler. Elle ne retrouvait la mémoire que pour se souvenir de son chagrin à la mort tragique de Boy Capel, son premier amant de cœur. Un chagrin de veuve qui la grandissait à ses propres yeux. « Elsa Maxwell a raconté, dans un journal de New York, que faute de pouvoir porter le deuil de Boy Capel, n'étant pas mariée avec lui, je le faisais porter au monde entier. Tout cela parce que je venais de mettre le noir à la mode. Aux États-Unis ils appelaient cela le style *"poor girl"* ... »

Interrompue par l'arrivée tonitruante de Lilou Grumbach et de Jacques Chazot, Chanel ne termina pas son monologue. Comme si le *Gone with the Wind* de Mai 68 s'était engouffré avec eux dans la pièce, une forme d'anarchie balaya la torpeur qui régnait précédemment. Chargée des relations publiques de la maison Chanel, Lilou Grumbach cornaquait deux journalistes du *Vogue* américain, assez proches, derrière leurs lunettes de soleil, des caricatures imaginées par William Klein dans *Polly Magoo*. Elles n'avaient pas osé mettre des minijupes – Chanel les condamnait avec véhémence –, mais leur accoutrement bigarré participait des pires excès de King's Road. Très excités, Chazot et Lilou se coupaient la parole pour expliquer leur retard. Tout le monde parlait en même temps. Il se préparait quelque chose. Quelque chose de monstre. Partout des barrages de police. Sur la rive gauche principalement qui semblait s'être vidée de ses habitants pour laisser la place à des CRS. « Les vases communicants », hasarda Lifar avec un sourire qui se voulait désarmant. « CRS : SS », scanda une des journalistes avec un accent américain à couper au couteau. Pas moyen de traverser la Seine. Même à pied. Lilou, qui habitait du côté de Notre-Dame, se vantait d'avoir réussi à se glisser sur le pont Henri-IV. « Je vous assure, Mademoiselle, qu'ils ne voulaient pas me laisser passer » insistait-elle. « Si vous voulez du champagne, proposa Chanel, je vais faire déboucher une bouteille, mais moi je n'en prends pas. » « Paris semble endormi dans l'attente du discours du général », surenchérit Chazot. « C'est la première fois que j'entends comparer le général de Gaulle à un prince charmant » ricana Chanel (elle évitait d'ordinaire de parler du Général qui ne lui pardonnait pas son attitude pendant la guerre). Lilou parlait du calme qui précède la tempête, quand Chanel lui coupa la parole pour donner le signal de passer à table. « J'ai faim, moi, tant pis pour le champagne », dit-elle en les poussant vers la salle à manger.

Nouvel arbitre des élégances, la position de Jacques Chazot s'appuyait sur une incroyable suffisance qui elle-même ne reposait pas sur grand-chose. Il faisait illusion. « Tout le monde connaît Chazot », avait ajouté perfidement Chanel en le présentant à Serge Lifar. Depuis quelque temps on le voyait beaucoup chez Chanel. Les mauvaises langues insinuaient qu'en lui faisant sa cour, il espérait hériter de quelque chose. Lifar, qui se prenait pour le dieu de la danse descendu sur terre, ne pouvait avoir que du mépris pour ce danseur mondain. Chazot n'était pas un danseur mondain au sens gigolo – années 20 – du terme, mais un mondain qui dansait. Il faisait surtout profession de bel esprit. On doit trouver dans l'œuvre de Sagan, qui était sa meilleure amie, des dizaines de folles snobs qui lui ressemblent. Mai 68 le laissait perplexe. Il ne pouvait s'empêcher d'être sensible à la folie dévastatrice et rigolote qui régnait dans Paris, tout en la condamnant. Il réagissait comme une folle de droite. Quand il parlait des Pompidou, il disait Georges et Claude. Chanel que la révolution assommait cherchait à changer de conversation, mais ils étaient trop excités pour parler d'autre chose : les barricades, les pavés, etc. Mai 68 ne pouvait pas atteindre Chanel. C'était trop loin d'elle. Elle n'aimait pas le gâchis. Pour la chienlit, elle était d'accord avec le Général. Au début des événements, elle avait demandé à Lilou de la conduire au Quartier latin. Arrivée au pied d'une barricade, elle s'était fait apostropher : « Qu'est-ce que tu fous là, la vieille ? Pousse-toi », lui cria un manifestant. « On m'y reprendra à descendre dans la rue », bougonna Chanel, en paraphrasant les journaux qui titrait régulièrement à propos de sa mode : « Chanel est descendue dans la rue. » « Rentrons », dit-elle en serrant le bras de Lilou.

Comme souvent les révolutions, 68 arrivait à la traîne d'une évolution des mœurs qui avait commencé, au début des années 60, avec les yéyés. Le twist, c'était autre chose que l'Internationale. La minijupe, les collants, la pilule, la marijuana, l'ecstasy : la révolution avait ses avancées derrière elle. En revanche, alors que les yéyés n'avaient pas beaucoup de texte, les étudiants, qui formaient le gros des troupes révolutionnaires, maniaient la syntaxe avec dextérité. Mai 68 allait s'incarner par le verbe. Cela sentait déjà la pub. Des slogans, des accroches, mais pas grand-chose derrière. « Sous les pavés la plage », « Il est interdit d'interdire », etc. « On en reparlera quand ta révolution aura accouché d'autre chose que de la jupe escargot, répondit Chazot à Lilou qui vantait la poésie que dégageaient les revendications des étudiants.

— Jacques, j'ai honte pour toi, s'emporta Lilou. Comment oses-tu employer de tels arguments ?

— Tu devrais expliquer à Mademoiselle ce qu'est une jupe escargot, se contenta de répondre perfidement Jacques Chazot.

— *Escargot* ? s'étrangla Chanel. Pourquoi ? Elle bave ?

— Comme une omelette dans une poubelle », s'esclaffa Chazot...

Quand on demandait à Lilou Grumbach quel poste elle occupait chez Chanel, elle répondait qu'elle aurait bien aimé le savoir. Chargée des relations publiques, elle faisait surtout de la présence. Elle supportait le mauvais caractère et les manies de Mademoiselle. Lilou était la sœur de Christian et de Serge Marquant. Avec Roger Vadim, ils formaient une bande dont *Castel* était le Q.G. (et Marlon Brando la *guest-star*). Chanel qui ne sortait plus guère de chez elle continuait ainsi d'être au courant de ce qui se passait dans Paris. Et il s'en passait ! On taxait Vadim et sa bande de tous les vices.

Dans les années 60, Les boîtes de nuit tenaient la place qu'occupaient les salons au XVIIIe siècle. C'est là que se retrouvait la société. En comparant Régine à Mme du Deffand et Castel au baron Helvétius, on pouvait avoir une idée assez précise du nivellement de la France depuis le siècle des Lumières, mais le snobisme et le libertinage restaient inchangés. Idéalement situé entre la Sorbonne et l'Odéon, *Castel* accueillait tous les snobs qui faisaient la tournée des barricades. On racontait que Marie-Laure de Noailles avait failli être prise à parti par la foule en cherchant à jouer les cantinières. Elle demandait à *Castel* de lui préparer des *doggy-bags* pour aller ravitailler la jeunesse. Dans sa Rolls ! « Quelle idée de porter un collant Pucci ! À son âge, avec son bide. Sans l'intervention d'Aragon, elle se faisait écharper, précisa Chazot.

— L'intervention d'Aragon ! On dirait que vous parlez de l'opération du Saint-Esprit, s'esclaffa Chanel. Ni chair ni poisson, c'est tout Aragon.

— Elle s'accroche Marie-Laure, remarqua Serge Lifar admiratif. Mais que veulent-ils au juste tous ces jeunes gens ?

— Rien. Tout. Changer le monde. La société. C'est une révolution des mœurs… mâchonna avec son fort accent une des journalistes américaines.

— Quelque chose comme *demain on baise gratis*, ironisa Chazot

— Mai 68 a démodé Courrèges, poursuivit la journaliste sans tenir compte de l'intervention de Chazot. Complètement démodé, insista-t-elle avec une satisfaction perverse qui le disputait à un sentiment d'inquiétude. On en a marre des minis. On rallonge ! » On sentait la révolution en marche.

Lilou, qui s'était levée de table pour prendre un appel téléphonique, annonça en revenant s'asseoir qu'il se préparait une énorme manifestation sur les Champs-Élysées. Une manifestation de soutien au général de Gaulle.

— Manquait plus que cela, dit Chanel.

— Mais c'est à côté d'ici, s'écria horrifiée une des journalistes. Et mon chauffeur qui m'attend dans la voiture…

— Tout cela va finir dans un bain de sang. Si les contre-révolutionnaires rencontrent les révolutionnaires…

— Les pauvres chéris ne seront jamais levés », ironisa Chazot.

L'idée d'un affrontement n'en avait pas moins fait son chemin dans les esprits. Le repas se termina dans l'affolement. Tout le monde ne pensait plus qu'à s'en aller. La rédactrice en chef du *Vogue* se leva à peine la dernière bouchée avalée. Les autres la suivirent sans demander leur reste. « Serge, tu vas prendre un café », ordonna Chanel. Lifar n'osa pas se défiler. Déjà à la traîne pendant le déjeuner, il éprouvait maintenant un sentiment d'abandon. Il se sentait exclu. Contre toute vraisemblance, il croyait percevoir les rumeurs de la foule qui devait commencer à s'assembler sur la place de la Concorde. « Tu as vu Dalí faire de la réclame à la télévision pour le chocolat ? demanda Lifar pour rompre le silence oppressant.

— C'est une honte, approuva Chanel. Quel besoin a-t-il de se donner pareillement en spectacle ? C'est comme de Gaulle », ajouta-t-elle tout à coup comme si le rapprochement s'imposait. Le retour du Général l'agaçait. On a déjà signalé que de Gaulle ne lui pardonnait pas son attitude pendant la guerre. Elle restait à l'index. On la traitait encore à l'Élysée comme une pestiférée. N'aurait-elle pas mérité une décoration pour tout ce qu'elle avait fait ? Au lieu de cela, que du mépris. En même temps elle en avait soupé de la révolution. Elle se sentait plus proche d'un homme de sa génération que de ces jeunes gens hirsutes et dépenaillés qui voulaient refaire le monde. Elle partageait avec le Général une certaine idée de la France. De la grandeur de la France. Du génie de la France. « Tu crois qu'il va encore nous sauver ? » demanda Chanel assez piteusement, après un temps de réflexion.

— Qui ça ?

— Le Général pardi. Qui veux-tu qui nous sauve ?

— Si on écoutait la radio, proposa Lifar. Il doit s'adresser aux citoyens. »

Chanel le foudroya du regard : « Je n'ai pas la radio et je ne suis pas un citoyen. Tu te crois où ? »

73

Infortunes de Maria Callas. Désarroi de Lee. Désespoir de Jackie à la mort de John. Son long travail de deuil. L'argent lui file entre les doigts. Mariage sous la pluie à Skorpios. Première rencontre d'Onassis et de sa future belle-mère.

À l'époque où Maria Callas avait rencontré Onassis, son besoin de s'étourdir tenait aussi à l'angoisse qu'elle éprouvait au sujet de sa voix. Elle savait qu'elle était finie comme cantatrice. Les problèmes qu'elle rencontrait dans les aigus se répétaient régulièrement. À partir du *si* bémol, elle ne contrôlait plus son *vibrato*. Son régime amincissant en était-il la cause ? D'aucuns l'ont affirmé, mais la blessure, en fait, remontait à son enfance. Elle avait trop poussé sa voix avant de savoir chanter correctement. Elle hurlait en mettant à mal ses cordes vocales. Maria accusait sa mère d'en être responsable. Une raison de plus pour la détester. (La haine que portait Maria à sa mère alimentait les rumeurs les plus désobligeantes. Comment pouvait-elle refuser d'aider cette pauvre femme, alors qu'elle vivait maintenant avec l'homme le plus riche du monde ?) Sa liaison avec Onassis détourna Maria de travailler. Elle restait des mois entier sans ouvrir un piano. Sans regarder une partition. 1965 marqua les adieux de Maria à sa carrière. Elle remporta, cette année-là, de nombreux succès, mais connut également des revers cuisants. Elle dut annuler plusieurs représentations. Elle s'évanouit une fois en scène. Ses nerfs lâchaient. Les critiques les plus avisés se rendaient compte de ses problèmes. « Son jeu est sublime, inoubliable, mais du point de vue vocal, Maria Callas n'est plus, hélas, que l'ombre d'elle-même » pouvait-on lire dans le *New York Time*, alors qu'elle venait de remporter un triomphe au Met. Elle se savait maintenant incapable de chanter un opéra dans son intégralité. Elle laissera passer huit longues années avant de remonter sur scène, ne donnant plus alors que des séries de concerts qui n'ajoutèrent rien à sa gloire. Son espoir de revenir à l'opéra par le biais du cinéma était tombé à l'eau en raison des tergiversations d'Onassis qui s'était pourtant engagé à produire une *Tosca*, mise en scène par Zeffirelli.

Sa carrière était donc au point mort quand Onassis commença à s'intéresser à Jackie Kennedy. On sait qu'il ne se gênait pas pour demander à la Callas de quitter le *Christina* quand il voulait faire monter à bord des invités que leur faux ménage pouvait déranger. Onassis, qui n'était pas à un mensonge près, prétendit qu'il attendait John et Jackie Kennedy et que lui-même s'effacerait pour ne pas gêner le Président. La Callas n'eut donc pas le plaisir d'assister à la déconfiture de Lee Radziwill. Pour cette dernière, la croisière *first lady* tourna rapidement au désastre. Au naufrage. Une fois Jackie à bord, l'attitude d'Onassis changea du tout au tout. Il n'avait plus d'yeux que pour Jackie. Il se désintéressait complètement de Lee. Elle n'existait plus. Elle se rendait compte que la situation lui échappait, mais elle refusait de l'admettre. Quand elle comprit sa douleur, il était trop tard. Onassis ne la voyait plus. Ne la touchait plus. Non seulement il ne cherchait pas à coucher avec elle, mais il s'arrangeait pour ne pas se retrouver seul avec elle. Il se tenait sur la défensive. Comme si la présence de Jackie les empêchait d'avoir des relations sexuelles. Lee ne savait plus quoi faire. Elle ne savait plus vers qui se tourner. Sa sœur qui la défendait d'ordinaire, l'enfonçait chaque jour davantage. À son mari qui s'étonnait de l'intimité grandissante de Jackie et d'Onassis, Lee répondit en cherchant à avoir l'air sûr d'elle : « Tu n'oublies qu'une chose : Jackie est la première dame des États-Unis. » Un argument qui semblait imparable. Personne ne pouvait savoir que John allait se faire tirer dessus quelques jours plus tard, à Dallas.

La vie de Jackie vola ce jour-là en éclats. Tous ses repères volèrent en éclats. Toutes ses certitudes. Elle se retrouvait seule face à son destin. Elle rejoignait les héroïnes tragiques de l'histoire. Elle était entrée dans la légende en tailleur Chanel rose (un faux grossier, selon Chanel, mais c'est une autre histoire). Un tailleur de tweed rose matelassé et maculé de sang. Le sang et la cervelle de son mari. Un drôle de gaspacho. Jackie se débattait depuis dans le noir. Le noir d'un deuil qu'elle ne parvenait pas à faire. La mort de John l'avait complètement anéantie. Détruite. Comme elle aurait détruit n'importe qui dans les mêmes circonstances. Et, comme n'importe qui dans les mêmes circonstances, Jackie idéalisait son mari défunt. Elle se réfugiait dans des mensonges. Sur leur amour, leur vie de couple, leur vie de famille. Elle pleurait un saint. Cette douleur sincère servait aussi à masquer l'insidieux sentiment de culpabilité qui s'empare des survivants au lendemain d'un attentat. Elle se reprochait d'être vivante. Elle se reprochait de ne pas avoir été toujours à la hauteur. Elle se reprochait jusqu'à cet instant d'égarement, pendant l'attentat, où, cherchant à échapper aux balles qui sifflaient à ses oreilles, elle s'était retrouvée à quatre pattes sur le coffre de la limousine en suppliant qu'on lui vienne en aide. Avec son tambourin de travers et ses talons Louis XV. Elle si digne d'ordinaire. Si soucieuse de son image. On peut avoir les nerfs solides et craquer en voyant la cervelle de son mari s'échapper de sa boite crânienne comme d'un mixer mal fermé.

Il lui fallut plusieurs années pour sortir de cette dépression. Onassis, qui avait repris sa liaison chaotique avec la Callas, gardait un œil sur Jackie. Lui qui faisait déjà le dos rond devant la *First Lady*, l'arrondit encore pour courtiser la veuve du Président. Courtiser n'est d'ailleurs pas le mot qui convient. Il se tenait en retrait tout en s'arrangeant pour lui faire comprendre qu'il était là. Qu'elle pouvait compter sur lui. Tout le monde assurait Jackie de son soutien, mais venant d'Onassis, il ne s'agissait pas de paroles en l'air. Jackie n'en revenait pas de la facilité avec laquelle il pouvait régler n'importe quel problème. Il trouvait toujours une réponse appropriée. Le plus souvent en liquide. Des enveloppes de liquide. Quand on aime l'argent, le liquide dépasse en volupté tous les autres plaisirs. Ce n'est pas attenter à sa mémoire de dire que Jackie aimait l'argent. Elle aimait l'argent sous toutes ses formes : le veau d'or et l'argent de poche. Elle n'en avait jamais assez. Il lui filait entre les doigts. Elle avait pris à la Maison Blanche le goût de dépenser l'argent du contribuable. Une fois veuve, son budget lui posa rapidement un problème. Depuis son attaque, Joe n'était plus en état de la défendre. Les factures s'entassaient. « Il faut dire à Jackie de se calmer. Maintenant que John n'est plus là, elle doit apprendre à vivre sur un autre pied », tempêtait Rose en menaçant de lui couper les vivres.

À plus de soixante ans, Onassis tirait encore des plans sur la comète. De tous ses projets, son mariage avec Jackie n'était pas le plus inconsidéré. En comparaison de son projet d'implantation à Haïti ou du projet Oméga (un programme d'investissement de 400 millions de dollars en pourparler avec la junte militaire au pouvoir en Grèce), c'était un coup facile. Qui ne demandait que du temps et de la prudence. Onassis tenait au secret de leurs rendez-vous. Il se doutait que les Kennedy ne le verrait pas d'un bon œil tourner autour de Jackie. Au lendemain de l'attentat, l'implacable machine électorale des Kennedy s'était remise automatiquement en marche. Bobby s'était retrouvé en première ligne. Il considérait le président Johnson (qui, en tant que vice-président, avait naturellement succédé à son frère) comme un usurpateur. Il ne pensait plus qu'à le bouter hors de la Maison Blanche. Reconverti en fervent défenseur des droits civiques, il épousait toutes les revendications qui fleurissaient dans le pays. Il pouvait d'ores et déjà compter sur les voix des Noirs, des femmes, de la jeunesse, mais il devait consolider sa position dans l'Amérique profonde. Pour ça, il avait besoin de Jackie. La veuve et les orphelins de son frère ne pouvaient qu'ajouter à sa panoplie de héros sans peur et sans reproche. Jackie était devenue incontournable. Ses habits de deuil la grandissaient. Bobby cherchait à la contrôler. Lui aussi ne la quittait pas des yeux. On disait qu'il y avait quelque chose entre eux. Pas grand-chose, mais quelque chose. Un flirt assez tordu puisqu'il se nourrissait de leur désarroi, mais aussi de la culpabilité qu'ils éprouvaient l'un et l'autre depuis la mort de John.

Peter Evans, à qui l'on doit une des meilleures biographies d'Aristote Onassis, a plus récemment commis un livre de politique-fiction, *Vengeance*, dans lequel il prétend que l'armateur aurait commandité l'assassinat de Bobby Kennedy à travers un groupe de terroristes palestiniens. Dans le même ouvrage, il dépeint Jackie sous les traits d'une moderne Messaline, l'accusant d'avoir été en même temps la maîtresse de Bobby et celle d'Onassis. Il lui déterre au passage une kyrielle d'amants et affirme qu'elle couchait déjà avec l'armateur du vivant du président Kennedy. Tout ce qui est excessif étant insignifiant, Peter Evans nous pardonnera de préférer sa première version des faits à ces révélations tardives arrachées à des témoins qui risquent d'autant moins de le contredire qu'ils sont tous morts entre-temps. Cela dit, on se souvient qu'un lourd contentieux pourrissait la relation entre Bobby et Onassis. Ils se haïssaient. Ils se méprisaient. Ils se jalousaient. Onassis ne croyait pas aux chances de Bobby de remporter les élections. À ses chances tout court. D'ailleurs, quand quelques mois plus tard Robert Kennedy fut, à son tour, abattu à l'*Ambassador Hôtel* de Los Angeles, Onassis se contenta de déclarer sans manifester autrement d'émotion : « « Il me semble que ce garçon a tout eu dans la vie, sauf de la chance. » Plus rien ne retenait désormais Jackie d'épouser Aristote Onassis.

Quelle idée de se marier en octobre ! Alors que les jours raccourcissent. Ils n'avaient choisi ni le bon mois ni la bonne année : l'euphorie dévastatrice de 1968 retombait déjà. En s'éteignant, les brasiers allumés un peu partout dans le monde par la jeunesse laissaient un goût de cendre. L'ambiance du mariage s'en ressentait. D'autant qu'il pleuvait alors qu'il ne pleut jamais sur les îles de la mer Ionienne. L'orage qui avait dévasté Skorpios la veille s'était transformé en une pluie fine et désespérante. « Le premier qui répète que les mariages pluvieux sont des mariage heureux aura affaire à moi », plaisantait Onassis. Sur les rares photos de la cérémonie, il a l'air préoccupé. Comme conscient du piège qui se refermait sur lui. Néron regardant brûler Rome devait avoir ce sourire gêné. Jackie, à ses côtés, ouvrait des yeux encore plus grands qu'à l'ordinaire. Des soucoupes. Mais sans que l'on puisse dire si le ravissement ou l'effroi provoquait la fixité de son regard. À moins que ce ne soient les flashs des appareils photos. (Un accord passé avec les médias autorisait quatre reporters à prendre des clichés qui devaient être ensuite distribués aux agences de presse.) Dans son ensemble ivoire de Valentino, incrusté de rubans de dentelle comme une robe de communiante, elle donnait l'impression d'avoir cherché à se rajeunir, mais la mode de l'époque déguisait les femmes en petites filles. Le nœud de satin qu'elle arborait dans ses cheveux lâchés (mais très coiffés) n'en était pas moins discutable pour une veuve qui frisait la quarantaine.

Un article dans le *Herald Traveller* de Boston avait précipité la date de la cérémonie : « Jacqueline Kennedy s'apprête à épouser l'armateur grec milliardaire Aristote Socrate Onassis. » En première page. D'aucuns ont accusé Jackie d'avoir elle-même provoqué cette indiscrétion pour forcer la main d'Onassis. Un mariage à l'arraché. Tout le monde semblait mal à l'aise. Les enfants de Jackie avaient l'air apeurés, et ceux d'Onassis furieux. Christina en particulier qui contrôlait mal sa nervosité. Dépêchées par le clan Kennedy, Pat Lawford et Jean Smith – les sœurs de John – se contentaient de faire de la figuration. Lee aussi était là en service commandé. Elle s'efforçait de sourire, mais on la sentait tendue. Elle se raidit encore davantage en regardant Jackie entrer dans la chapelle au bras de son beau-père. Devant elle, Janet, leur mère, ne pouvait dissimuler le mépris que lui inspirait son futur gendre. Elle ne lui pardonnait pas leur première rencontre, à Londres, quelques années auparavant. La rumeur d'une liaison entre Lee et l'armateur lui étant revenue aux oreilles, elle avait pris son courage à deux mains, pour aller frapper à la porte de la chambre d'Onassis, au *Claridge*. Celuici lui avait ouvert en robe de chambre, les pieds nus dans des pantoufles. À une heure où un gentleman aurait dû être habillé depuis longtemps. « Monsieur, je cherche ma fille », déclara Janet sur le ton d'une mise en demeure. Onassis accueillit cette requête avec un large sourire. « Chère madame, vous faciliteriez ma réponse, si vous commenciez par me dire qui est votre fille ?

— La princesse Radziwill, précisa Janet furieuse de s'être fait piéger.

— Ah !... dans ce cas, chère madame, vous jouez de malchance. Elle vient, en effet, de sortir d'ici. Vous l'avez ratée de cinq minutes. » Cet homme était le diable. Après avoir déshonoré la cadette, il se mariait avec l'aînée.

74

Tina Fulmine. Son ex-mari avec Jackie Kennedy. Son fils avec Fiona Thyssen-Bornemisza. Éducation bâclée des enfants Onassis. Alexandre découvre l'amour à Gstaad. Tina offense les dieux en épousant Niarchos.

Tina crut devenir folle en apprenant, par la presse, la liaison de son ex-mari avec Jackie Kennedy. Même si ce n'était encore que des rumeurs : Jackie et Onassis ! Tina fulminait. Un *scoop* aussi sensationnel la rejetait définitivement dans l'ombre, alors qu'elle vivait déjà en retrait depuis son mariage avec le marquis de Blandford. C'est le moment que choisit son fils, Alexandre, pour afficher une passion inattendue pour la baronne Fiona Thyssen-Bornemisza. Une sirène internationale d'une beauté à couper le souffle. Que celle-ci soit une grande amie de sa mère – amie entre guillemets – ne gâtait rien dans l'esprit d'Alexandre qui en profitait pour assouvir, au passage, un complexe d'Œdipe. Alexandre aimait les femmes plus âgées. Fiona avait seize ans de plus que lui, mais elle assurait. Avec des yeux verts et une cascade de cheveux roux, elle enfonçait encore, à trente-cinq ans, la plupart des autres femmes. Fille d'un amiral de l'armée britannique, Fiona Campbell-Walter avait abandonné une épisodique carrière de mannequin en épousant le baron Heinrich Thyssen-Bornemisza. Un multimillionnaire allemand, grand amateur d'art et de jolies femmes. À leur divorce, elle avait obtenu la garde de leurs deux enfants et une pension alimentaire qui lui permettait de vivre à sa guise. Tina, qui ne s'était jamais beaucoup préoccupée d'Alexandre, s'aperçut à cette occasion qu'il n'était encore qu'un adolescent. Fiona le lui prenait au berceau. Cette sale femme allait gâcher la vie de son petit garçon, etc. Elle bombardait Onassis de coups de téléphone. « Tu ne vas pas laisser faire une chose pareille ! Il est capable de l'épouser. Tu sais comme il est entêté », aboyait-elle en brandissant leur différence d'âge. L'idée qu'Alexandre recherchait dans l'affection d'une femme plus âgée l'amour maternel dont il avait cruellement manqué dans son enfance ne lui effleurait pas la conscience. Elle préférait rejeter la faute sur son ancien mari.

Du temps où ils étaient mariés, Onassis reprochait à Tina de ne pas s'occuper assez de Christina et d'Alexandre, mais lui-même ne s'en occupait pas du tout. Ses affaires et une vie mondaine proche du noctambulisme ne lui en laissaient guère le temps. Il les couvrait de cadeaux et les poussait dans la piscine, mais c'était à peu près tout. Pourtant les enfants l'adoraient. Christina en particulier. Ils étaient sensibles à son charme. Le divorce de leurs parents acheva de les déstabiliser. Ils devinrent haineux. Pour tout arranger, ils ne s'entendaient pas spécialement bien entre eux. Leur seul point commun était la haine qu'ils vouaient, l'un et l'autre, à la Callas. Un lien des plus malsains. Leur différence de caractère n'avait fait que s'accentuer à mesure qu'ils grandissaient. Christina cherchait à s'étourdir alors qu'Alexandre gardait la tête froide. Il restait fasciné par son père, mais le jugeait assez durement. Les résultats scolaires d'Alexandre laissant à désirer, Onassis lui avait fait quitter le collège, à seize ans, pour le prendre dans son staff. Un moyen, selon Alexandre, pour l'empêcher d'être plus instruit que lui et le garder ainsi sous sa coupe. Comme tous les monarques, Onassis ne pouvait s'empêcher de voir dans son fils un usurpateur en puissance. Alexandre n'en demeurait pas moins la prunelle de ses yeux. L'héritier. Onassis ne se préoccupait pas particulièrement de ses études, mais prenait, en revanche, le plus grand intérêt à sa vie sexuelle. Pourquoi vivait-il dans la hantise de le voir devenir pédé ? Afin d'empêcher cette malédiction, il l'avait fait dépuceler de bonne heure par une fille de chez Madame Claude. Expérience dépourvue de romantisme, mais concluante. Si Alexandre aimait les filles, ce n'était pas un *play-boy* au sens exubérant du terme. On ne lui connaissait pas d'aventure scandaleuse en dehors d'une courte liaison avec Odile Rodin, la veuve de Porfirio Rubirosa (liaison contrôlée par Onassis ?). Il restait un jeune homme plutôt solitaire et renfrogné. Ayant été élevé parmi des adultes, il se croyait plus malin que les adolescents de son âge qu'il méprisait. Il ne se confiait guère. Il n'avait pas d'amis, alors que Christina en avait trop.

Contrairement à sa sœur, Alexandre savait parfaitement ce qu'il voulait et il agissait en conséquence. On conviendra de sa détermination en apprenant qu'il était tombé amoureux de Fiona alors qu'il venait d'avoir treize ans. C'était à Gstaad. Elle marchait sous la neige qui tombait depuis le matin, ensevelissant la station sous un épais molleton. Rares étaient les promeneurs qui bravaient cette tempête. Consigné dans sa chambre, Alexandre avait déjoué la surveillance de sa bonne pour sortir jouer devant l'hôtel. Il faisait exprès de s'éloigner, autant pour se faire peur que par esprit d'insubordination. Le silence ouaté plongeait la station dans le coma. Alexandre éprouvait l'impression exaltante d'être le seul survivant d'un cataclysme ou d'une guerre particulièrement meurtrière, quand il aperçut Fiona qui marchait à sa rencontre. Encapuchonnée de vison, des boucles de ses cheveux roux venaient mourir sur sa fourrure qui tombait jusqu'au sol. L'histoire ne dit pas si elle s'est arrêtée pour poser sa main sur l'épaule du petit garçon qui était le fils d'une de ses amies. Si elle ne lui a pas alors caressé la joue. Si son parfum capiteux triomphait du froid. Si elle était seule. On sait simplement qu'Alexandre, éperdu d'admiration, la regarda s'éloigner. L'amour devait rester pour lui associé à l'apparition de cette femme qui s'éloignait le long d'un chemin bordé de sapins croulant sous la neige. Il conservait au fond de son cœur cette vision dont il pouvait à tout moment agiter le souvenir pour voir tomber cette neige apaisante. Il attendait son heure. Il se doutait bien qu'un petit garçon de treize ans ne pouvait sortir avec une dame aussi belle. Il priait chaque soir le bon Dieu de la lui conserver. Quand il eut dix-huit ans, il s'arrangea pour la revoir. Fiona étant une amie de sa mère, cela ne posa pas de problèmes. Fiona ne se laissa pas séduire facilement. Elle le trouvait beaucoup trop jeune, même si la passion de ce grand dadais l'amusait. Un soir Fiona baissa la garde. Peut-être avait-elle trop bu. Ils rentrèrent ensemble.

Au début, Fiona regretta de lui avoir cédé. Elle éprouvait un sentiment de culpabilité par rapport à ses enfants. Elle n'y croyait pas. Elle se rendait compte des obstacles que soulevait leur différence d'âge. Mais l'amour d'Alexandre l'enfermait dans un piège dont elle ne chercha bientôt plus à sortir. Avec sa mèche sur l'œil, son nez refait et ses Ray Ban, il ressemblait assez à un minet, mais il agissait comme un homme. Il l'aimait avec une violence déconcertante. Tina, qui jalousait Fiona en secret, se mit à la haïr quand elle découvrit les projets matrimoniaux de son fils. Alexandre voulait absolument se marier. Tina craignait que sa détermination ne triomphât des hésitations de Fiona. Elle enrageait à l'idée de devenir la belle-mère d'une de ses amies. Elles n'avaient que trois ans de différence. Elle enrageait au sens propre. Elle devenait folle. Folle de rage. Elle accusait Fiona de vouloir mettre le grappin sur Alexandre en raison de la fortune d'Onassis. Elle aurait inventé n'importe quoi pour salir sa réputation. Elle répétait partout que Fiona n'était qu'une pute. Elle prétendait qu'à dix-sept ans elle couchait pour 50 livres sterling. Que le roi Farouk l'avait eue pour 100 000 dollars. Et qu'on pouvait encore aujourd'hui la sauter contre une Patek Philippe. Pour finir, elle affirma à Onassis que Niarchos payait Fiona pour coucher avec Alexandre afin de lui soutirer des renseignements sur ce qui se passait dans ses affaires. Cette version rassurait Onassis, lui aussi piqué dans son amour-propre (Fiona n'était pas une femme pour son fils, c'était une femme pour lui).

Tina harcelait chaque jour Onassis au téléphone, alors qu'il se débattait déjà avec la Callas et Jackie Kennedy. Onassis en avait par-dessus la tête. « Si tu n'agis pas maintenant, après il sera trop tard », s'énervait Tina. La violence du ressentiment de son ex-femme étonnait l'armateur. Il ne pouvait pas savoir qu'elle trouvait dans les amours d'Alexandre une manière de détourner l'attention de sa propre vie sentimentale. Elle venait, en effet, de se lancer dans une aventure invraisemblable. Avec Niarchos, son ex-beau-frère. Elle avait toujours prétendu que celui-ci lui faisait la cour.

Qu'il avait continué de lui faire la cour bien après son mariage. Il devait y avoir du vrai. Elle jubilait à l'idée de faire enrager Onassis, mais en même temps elle avait peur de sa réaction. À la mort de sa sœur Eugénia, Tina se décida à commettre l'irréparable. Elle quitta Blandford pour épouser Niarchos. Elle devenait autre chose qu'un grain de sable. Elle franchissait la limite à ne pas dépasser. Elle brisait un tabou vieux comme le monde. D'une manière générale, les dieux n'aiment pas trop que les hommes épousent la sœur de leur femme. Surtout si celle-ci a trouvé la mort dans des conditions mystérieuses. Le décès d'Eugénia restait suspect, même si la police avait conclu à un suicide. Les bleus qui couvraient son corps laissaient les médecins perplexes. Niarchos prétendait ne l'avoir frappée que dans l'intention de la réanimer après l'absorption d'une dose massive de barbituriques. La violence des coups témoignait d'un acharnement inquiétant (il lui avait éclaté le foie). Et pourquoi avait-il mis plusieurs heures avant de prévenir la police ? Pourquoi avait-il fait venir d'Athènes son médecin personnel alors qu'il y en avait un au village voisin ?

Toutes ces questions n'empêchèrent pas Tina de se marier. Elle prétendait avoir promis à sa sœur de veiller sur ses enfants (alors qu'elle n'avait que des problèmes avec les siens). Elle savait que ce mariage porterait un coup terrible à Onassis. C'était la pire chose qu'elle pouvait lui faire. Elle ne résista pas au plaisir d'assouvir sa vengeance. Les dieux se sentirent gravement offensés. Le malheur qui avait commencé avec la mort d'Eugénia allait se poursuivre, décimant bientôt toute la famille : Alexandre, Tina, Onassis, et finalement Christina. Une hécatombe. Du grec *hekatombê* : immolation, sacrifice, massacre, tuerie, boucherie, carnage, selon la définition du dictionnaire. Alexandre trouva la mort le premier. Dans un accident d'avion. Alors qu'il pilotait le Piaggio de son père dont il dénonçait depuis plusieurs années la vétusté. Une raison supplémentaire pour Onassis de se sentir coupable. La mort d'Alexandre déclencha, chez Onassis comme chez Tina, le compte à rebours de leur propre mort. Rongés de culpabilité, de remords, de chagrin, la vie leur devint insupportable. Ils n'avaient jamais pensé qu'à satisfaire leur vanité. Ils ne s'étaient jamais préoccupés de leurs enfants. Alexandre les avait reniés (il n'adressait plus la parole à sa mère depuis son mariage avec Niarchos et cherchait par tous les moyens à échapper à l'emprise de son père). Pendant qu'Onassis s'entêtait à rechercher les traces d'un attentat, Tina se réfugia dans les médicaments et l'alcool. Son mariage avec Niarchos tournait au désastre. Il continuait d'avoir des maîtresses. On le voyait dans les magazines photographié en compagnie de Doris Brynner ou d'Hélène Rochas. Pourquoi l'aurait-il mieux traitée qu'Eugénia à qui il en avait fait voir de toutes les couleurs ?

Tina avait cru éblouir par une union dont le public ne retenait que l'indignité : qu'attendait-elle d'un bonheur construit sur la tombe de sa sœur ? Elle avait voulu marquer sa maturité d'un coup d'éclat. La maturité ne change pas grand-chose pour une femme enfant. Tina s'obstinait. La réponse des dieux ne s'était pas fait attendre. La mort d'Alexandre rappela Tina à l'ordre. Elle la mettait devant le gâchis de sa vie. Pour Onassis comme pour Niarchos, elle n'était qu'une poupée de chiffon. Une poupée Livanos à 270 millions de dollars, mais une poupée. Les poupées de chiffon ne gagnent rien à vieillir. À trente-quatre ans, sa beauté de nymphette se fanait déjà. Le chagrin, l'alcool et les médicaments précipitèrent cette dégradation. Elle n'osait plus se regarder dans son miroir. Elle restait enfermée dans sa chambre. Elle vivait maintenant dans ce merveilleux hôtel de Chanaleilles où Eugénia avait habité avant elle. Comment n'aurait-elle pas ressenti la présence de son fantôme ? Eugénia avait-elle découvert que Tina, sa propre sœur, couchait avec son mari ? On l'a dit. D'aucuns ont même prétendu que c'était la raison qui l'avait poussée à se suicider. Tina évitait la grande galerie décorée par Emilio Terry dans le goût de la galerie des Glaces de Versailles. Avec ses torchères, ses miroirs et ses girandoles, trop de scintillements favorisaient ses hallucinations. Elle voyait des ombres glisser sur le parquet de bois fruitier. Elle entendait des murmures. On l'avait retrouvée un jour inanimée au milieu des cristaux et des dorures. Comme elle cherchait l'oubli dans l'alcool, on mit cet évanouissement sur le compte de la boisson. Il lui arrivait assez souvent de perdre connaissance. Il fallait l'aider à se mettre au lit. Et le matin, la supplier de se lever. Deux heures avant la mort d'Alexandre, elle avait laissé un message à sa secrétaire : « Dites-lui de me rappeler, mademoiselle », supplia-t-elle. On la retrouva morte dans sa chambre. Une overdose de barbituriques.

75

Maria Callas apprend le mariage de Jackie et d'Onassis par la presse. Moins d'un mois plus tard, Onassis cherche à la revoir. Dilapidations de Jackie Kennedy. En comparaison, la Callas a le beau rôle.

Comme tout le monde, Maria Callas apprit par la presse qu'Aristote Onassis et Jackie Kennedy s'étaient finalement mariés à Skorpios. Sous la pluie. Elle savait maintenant à quoi s'en tenir. Jusqu'à la dernière minute, Onassis lui avait promis que le mariage ne se ferait pas. Il lui avait même demandé de venir à Athènes pour l'aider à rompre. Il misait sur le fait que sa présence rendrait Jackie furieuse et qu'elle repartirait *illico*. Il risquait de se ridiculiser en trébuchant sur les marches de l'autel, mais à mesure que la date de la cérémonie approchait, il se rendait compte de l'erreur qu'il commettait. « Tu n'as pas eu besoin de moi pour te mettre dans le pétrin, débrouille-toi tout seul pour t'en sortir » lui répondit Maria en colère. Onassis s'était finalement marié. Alors que Maria se refusait pourtant à tout commentaire, les journalistes ne se gênaient pas pour mettre dans sa bouche des propos désobligeants : « Jackie a trouvé un grand-père pour ses enfants », ou encore : « Beau comme Crésus », qui n'était pas bien son genre et qui avait déjà beaucoup servi. Elle se contenta de faire, le lendemain du mariage, une apparition très remarquée au cours d'une soirée de gala, clôturée par un dîner chez *Maxim's* dont on fêtait le soixante-quinzième anniversaire. Elle s'habillait et se coiffait maintenant à la perfection. Elle ne portait que du bleu marine ou du noir et des bijoux très simples. « On voit encore qu'elle a été très laide », s'était écriée une mauvaise langue comme elle arrivait chez *Maxim's.* Une vacherie qui valait tous les compliments de la terre. Mais dans l'ensemble, à Paris, les gens lui témoignaient plutôt de l'affection. Elizabeth Taylor, Richard Burton et tout le clan Rothschild faisait, ce soir-là, bloc autour d'elle (Maggie van Zuylen, la mère de Marie-Hélène de Rothschild, était une des meilleures amies de la Callas).

Moins de huit jours après son mariage, Onassis se présenta à son domicile. Il la supplia de le laisser entrer. En vain. Les jours suivants il revint à la charge. Il ne la lâchait pas. Pendant le tournage de *Médée*, en Turquie, Onassis continuait de la harceler au téléphone (elle avait accepté de jouer sous la direction de Pasolini dans l'espoir de relancer sa carrière, mais les films de Pasolini s'adressaient à un public élitiste alors qu'il lui aurait fallu l'adhésion d'un vaste public). Il l'avait prévenu : il la retrouverait n'importe où et la poursuivrait jusqu'à ce qu'elle lui accorde son pardon. « Pourquoi ce vieillard ne me laisse-t-il pas tranquille ? se plaignait-elle. Il a eu ce qu'il voulait. Il a le statut social dont il rêvait. Que souhaite-t-il de plus ? Il n'est pas heureux avec sa première dame ? » Elle crânait. Elle savait bien qu'elle finirait par lui céder. On les revit bientôt dîner en tête à tête chez *Maxim's.* Leur cantine des jours meilleurs. Aussi cabossée que soit leur relation, elle roulait toujours. Il n'était pas question d'en changer. Ni même de la faire repeindre. Chaque fois qu'il passait par Paris, il s'arrangeait pour la voir. La Callas n'espérait plus vraiment qu'il lui reviendrait. Elle n'avait plus le courage de faire des projets. Elle prenait les choses comme elles venaient. Parfois elle les prenait mal. Une fois au moins, il fallut la transporter d'urgence à l'hôpital. Lavage d'estomac. On parla de suicide. Maria affirma qu'il n'en était rien. Elle opposait toujours la même dignité offensée aux rumeurs qui couraient dans la presse.

Une seule fois Maria sortit de sa réserve en déclarant, au cours d'une émission de télévision, à la journaliste qui lui demandait si elle en voulait à Jackie : « Pourquoi donc ? Bien sûr, si elle traitait mal M. Onassis, je pourrais me mettre en colère. » Les médias se faisaient maintenant régulièrement l'écho des problèmes que rencontrait le couple le plus célèbre du monde. Le gâchis d'argent qu'était devenue la vie de Jackie s'étalait dans tous les journaux. Au début, Onassis avait laissé faire. Il l'avait même encouragée. S'il pensait encore que les dépenses de sa femme accréditaient le mythe de sa toute- puissance, il allait être servi. La première année de leur mariage, elle renouvela sa garde-robe pour un montant estimé à 250 000 dollars. « Elle a l'œil pour repérer l'objet le plus précieux et le plus cher », remarquait admirativement Onassis. L'admiration céda vite le pas à la perplexité : « Je suis peut-être colossalement riche, mais je n'arrive pas à comprendre comment on peut acheter deux cents paires de chaussures en une seule fois », s'étonnait-il. Les factures du couturier Valentino le plongeaient dans la même incompréhension. Elle commandait toute la collection. Elle laissait partout des ardoises faramineuses et totalement inexplicables. L'ex-première dame représentait désormais la cible favorite de la presse *people*. Sur la grandeur déchue, Jackie en connaissait un rayon. Drapée dans ses crêpes et sa dignité, elle avait incarné, à la mort de Kennedy, l'image même de la douleur. Une douleur dont le grand public raffolait. L'annonce de son mariage avec Onassis avait tout foutu par terre. Les gens refusaient d'y croire. Ils lui en voulaient terriblement. Ils perdaient une sainte. Même ceux qui la défendaient encore au lendemain du mariage finirent par convenir qu'elle n'était descendue de son piédestal que dans l'intention de faire du shopping. Un shopping monstrueux. Comme si une malédiction la condamnait à dépenser toujours davantage. Comme si elle cherchait à se punir elle-même en se vautrant dans une fange de dépenses dont l'inutilité soulevait le cœur. Elle donnait l'impression de ne plus pouvoir s'arrêter. Une boulimie d'achats comparable à n'importe quelle addiction. On ne va pas la plaindre, mais c'est quand même dégoûtant d'acheter autant de choses. Sans réel plaisir. Sans être jamais satisfaite.

En comparaison, la Callas ne pouvait avoir que le beau rôle. Les épreuves qu'allait bientôt traverser Onassis devaient encore les rapprocher. Après la mort de son fils Alexandre, il se tourna naturellement vers Maria. Qui d'autre aurait pu le consoler ? Il trouvait auprès d'elle le réconfort que lui refusait Jackie. En sa compagnie, il pouvait manifester bruyamment son chagrin. Jackie ne supportait pas de l'entendre renifler. Maria l'acceptait comme il était. Avec tous ses défauts. Ils pleuraient ensemble. Même s'ils ne pleuraient pas tout à fait pour les mêmes raisons. Quand il était à New York, il lui téléphonait pendant des heures et pendant des heures elle l'écoutait parler d'Alexandre ou se plaindre de Jackie. Onassis voulait en finir avec elle. Pour Maria, c'était trop tard. La question du divorce ne se posait plus. En revanche elle s'inquiétait de la santé d'Onassis. Elle n'ignorait pas qu'il déclinait. Il partait en morceaux. De son côté, elle tenait grâce aux médicaments. Elle se rendait compte qu'il s'agissait d'une drogue dont elle était dépendante, mais elle n'avait plus la force de réagir. Pour dormir, on lui prescrivait du Mandrax. Elle en prenait des quantités déraisonnables. Et sans aucune espèce de discipline. Elle en avalait trois ou quatre, mais comme elle oubliait les avoir pris, elle en reprenait une poignée un quart d'heure plus tard. Il lui en fallait toujours davantage. Elle se bourrait également de coupe-faim, ce qui achevait de mettre son cœur à mal. « Tu as pris tes pilules ? » lui demandait Onassis. Ils n'en revenaient pas d'en être réduits à comparer leurs maladies. Des petits vieux. De vieux amants. Ils n'avaient pourtant pas le cœur à rire, mais il leur arrivait de s'en amuser. « Ah ! Maria, Maria, gémissait Onassis, que nous est-il arrivé ? » À la veille d'entrer à l'Hôpital américain, il l'avait longuement appelée pour lui faire ses adieux. Il s'exprimait déjà avec difficulté et c'est dans un souffle qu'il lui dit avant de raccrocher : « Je t'ai aimée, pas toujours bien, mais autant et du mieux que je suis capable. J'ai essayé Maria. J'ai essayé. »

76

Onassis dévasté après la mort d'Alexandre. Il crie vengeance. Jackie refuse d'entrer dans sa paranoïa. Onassis décide d'en finir avec elle. La maladie le prend de court. L'Hôpital américain. C'est dur de rester debout.

À la mort d'Alexandre, les années qu'Onassis s'appliquaient à cacher s'abattirent sur lui comme la foudre. Et avec l'âge, les maladies. Du jour au lendemain il était devenu méconnaissable. Comme décoloré : le teint blême, les cheveux blancs, le regard vitreux. Ses collaborateurs n'en revenaient pas de sa transformation. Les plus optimistes pensaient que cela s'arrangerait avec le temps, mais le temps ne fit qu'empirer l'état du patron. Il se laissait mourir. Il ne s'alimentait plus guère. Il transpirait d'une manière inquiétante. Lui qui avait toujours été insomniaque, atteignait maintenant les limites de ce qu'on peut supporter par manque de repos. Le sommeil se refusait à lui. Tout ce qui aurait pu l'apaiser se refusait à lui. Il n'arrivait même plus à se saouler. Il buvait en vain. Cela ne lui faisait plus rien. La mort d'Alexandre ne lui laissait aucun répit. Aucun repos. Il ne pouvait penser à autre chose. Il ne pouvait faire autre chose que d'y penser. Alexandre était mort. Il aurait voulu le venger. Il s'accrochait à la thèse d'une machination. Il ne pouvait s'agir que d'un sabotage destiné à l'atteindre lui. C'est lui qui devait mourir. C'est lui qui était visé. Alexandre était mort à sa place. Il s'agissait d'une erreur. Il allait réparer cette erreur. Il devait venger son fils. Il ne pensait plus qu'à cela. Il offrit une récompense de un million de dollars à qui lui apporterait la preuve d'un attentat.

Jackie refusait de rentrer dans sa paranoïa. Elle restait imperméable à ses divagations. Elle n'y croyait pas. Au milieu d'une famille en pleurs, sa raison gardée sonnait comme de l'indifférence. Onassis devait prendre sur lui pour la supporter. L'idée d'un divorce faisait son chemin dans son esprit. Il y pensait déjà depuis quelque temps. Il l'avait même, paraît-il, promis à Alexandre au cours d'une de leurs dernières conversations. Le couple qu'il formait avec Jackie ne ressemblait plus à rien. Devant le peu d'échos que rencontrait sa douleur, il décida d'en finir avec elle. Jackie se doutait de quelque chose. Pendant qu'ils attendaient dans le couloir de l'hôpital où Alexandre agonisait, elle s'était rapprochée de Fiona Thyssen. Traitée en paria par Onassis, celle-ci restait blottie dans son coin. Elle était tellement sonnée qu'elle ne souffrait pas de ce rejet. Au contraire. Profitant d'une absence d'Onassis, Jackie était venue s'asseoir à côté d'elle. Mais alors que Fiona s'attendait à des paroles de consolation ou à un geste d'affection, elle entendit Jackie lui demander, avec sa voix de petite fille, si elle savait quelque chose à propos des intentions d'Onassis. « Est-ce que tu crois qu'il veut divorcer ? Alexandre ne t'aurait rien dit ? —Ah ! Mon Dieu, soupira Fiona incrédule, tu ne penses pas que ce serait plus simple de le lui demander directement ? »

Au lendemain des funérailles, Onassis chercha dans un premier temps à se débarrasser d'Olympic Airways dont Alexandre dirigeait une des filiales. La compagnie lui rappelait trop son fils. Il la vendit à perte au gouvernement grec. Cette vente n'écarta pas le fantôme d'Alexandre. Il avait choisi de le faire enterrer à Skorpios. Cette île déserte, dont il avait voulu faire à grands frais un paradis pour ses vieux jours, se transformait en cimetière. Une île de la mort. À Skorpios, Onassis passait le plus clair de son temps sur la tombe d'Alexandre. La nuit, les domestiques l'entendaient maudire le sort qui lui avait pris son enfant. Il lui parlait, le suppliait, le dorlotait comme s'il cherchait à le border dans sa tombe. Il pleurait. Il gémissait dans le noir. C'est dur pour un vivant de vivre avec un mort, mais Onassis ne se décidait pas à l'abandonner. S'il n'avait tenu qu'à lui, il serait resté là. Seulement il lui fallait reprendre en main ses affaires. Il venait de subir plusieurs revers de fortune qui, sans remettre son empire en jeu, en ébranlaient les bases. Son projet colossal avec la dictature des colonels, en Grèce, était tombé à l'eau à la chute du régime. Ses autres grands projets (une raffinerie dans le New Hampshire et son implantation à Haïti) s'enlisaient pareillement. L'Olympic Tower, construite à grand renfort de publicité, risquait de ne pas être aussi rentable qu'il l'espérait. Tout cela représentait des centaines de millions de dollars. Il pouvait se le permettre : on estimait sa fortune à un milliard de dollars.

Tant qu'à faire le ménage, il consulta des avocats pour mettre fin à son union avec Jackie. Il ne supportait plus son indifférence. Ses grands airs et sa cupidité. Loin de les rapprocher, la mort d'Alexandre n'avait fait qu'accuser leur antagonisme. Leurs rapports se limitaient à la présentation mensuelle des factures de Jackie. Ils se voyaient très peu. En dehors des croisières et des séjours à Skorpios, ils n'habitaient jamais ensemble. Quand Onassis passait par New York, il descendait toujours à l'hôtel *Pierre* où il conservait une suite à l'année. « J'en ai marre d'elle », répétait-il à tout propos. Il engagea des détectives pour voir s'il n'y avait pas moyen de la coincer. Il cherchait à la mettre dans son tort. Il laissait filer des informations pour tenir la presse au courant de ses dilapidations. Il se doutait qu'elle lui ferait cher payer leur divorce. Il craignait des révélations. Peut-être même un chantage. La maladie le prit de vitesse. Sentant ses forces décliner, il rédigea en catastrophe un testament pour l'éloigner de sa succession. « Ayant déjà pris soin de ma femme Jacqueline Bouvier et ayant conclu, devant notaire, avec elle, un accord au terme duquel elle renonce à tout droit sur mon héritage, je limite sa part et celle de ses deux enfants, John et Caroline… » Il lui accordait le minimum. Une pension de 200 000 dollars pour elle, 25 000 pour chacun des enfants. La portion congrue (pour avoir la paix Christina, qui ne voulait plus entendre parler de Jackie, lui accorda, à la mort de son père, beaucoup plus. On a calculé que son mariage avait rapporté en tout à Jackie 42 millions de dollars).

La mort de Tina ne fit que confirmer ce qu'Onassis savait déjà : il avait le mauvais œil. Les dieux lui en voulaient. Christina ne croyait pas au suicide de sa mère. Persuadée de la culpabilité de son beau-père, elle criait vengeance. Elle réclama une autopsie. Ce qui revenait à accuser Niarchos. Onassis sortit de sa torpeur pour rédiger un communiqué qui blanchissait son rival. Il ne croyait pas au meurtre de Tina. Le châtiment venait de plus haut. Il était le prochain sur la liste. Il attendait son tour. Les avertissements se multipliaient. Des malaises à répétitions. Christina l'obligea à consulter. Un premier bilan, effectué dans une clinique new-yorkaise, révéla une insuffisance surrénale. Après des examens plus approfondis, les médecins diagnostiquèrent une myasthénie aiguë. Un dysfonctionnement du système immunitaire. Il partait en morceaux. Il eut plusieurs accidents cardiaques. Ses muscles ne répondaient plus. Ses mâchoires se bloquaient. Il fallait lui coller les paupières avec du sparadrap. Le poumon, le foie, le cœur, l'estomac, aucun organe ne restait à l'abri. Une nouvelle attaque du mal qui le rongeait le terrassa à Athènes (des douleurs d'estomac faisant penser à une colique hépatique). À l'annonce de ce nouveau malaise, Jackie, qui s'inquiétait pour son avenir, le rejoignit. Des spécialistes accourus du monde entier se relayaient à son chevet. Ils le firent transporter à l'Hôpital américain de Paris. D'aucuns voulaient tenter une opération. « Où est l'intérêt », répondait Onassis aux médecins qui le pressaient de se faire opérer. Opérer de quoi ? Qu'est-ce qu'on pouvait espérer d'une opération de la vésicule alors qu'il ne demandait qu'à mourir.

En arrivant à Paris, il lui fallut affronter une dernière fois la presse. Amaigri de vingt kilos, défiguré par la cortisone, Onassis chercha à donner le change. Alors qu'il tenait à peine sur ses jambes, il refusa l'aide de Christina et de Jackie pour franchir la haie de journalistes venue assister à sa dégradation. En plus des paparazzi habituels, cinq chaînes de télévision l'attendaient pour filmer son chemin de croix. Ce déchaînement médiatique renseignait sur le peu de chances de survie qu'on lui accordait au sein des salles de rédaction. Dans le crépuscule d'une fin d'après-midi de février, les flashs s'acharnèrent sur la frêle silhouette d'Onassis qui marchait les mains dans les poches. On le reconnaissait grâce à ses lunettes sombres. Des lunettes encore plus grosses que celles qu'il arborait d'ordinaire. Onassis aurait préféré mourir dans son lit, avenue Foch, mais il n'était plus en état de décider. On ne lui demandait plus son avis. Les médecins s'adressaient directement à Christina. Il ne s'appartenait déjà plus. Il appartenait déjà au corps médical. Cela ne se fait pas de laisser mourir un homme qui a les moyens de se faire opérer. Pour l'Hôpital américain, c'était impossible d'envisager qu'Onassis se laisse mourir de chagrin. On ne meurt pas de chagrin. Pas à l'Hôpital américain. Ce n'était pas le genre de la maison.

Pendant que son mari agonisait, Jackie continua de courir les magasins. Jusqu'à la dernière minute. Une forme de névrose. C'est la seule explication à l'indignité de sa conduite dans les mois qui précédèrent le décès d'Onassis. Encore aujourd'hui, Jackie Kennedy-Onassis demeure une énigme. Un mystère. Une reine d'Égypte murée dans son silence au plus profond d'une pyramide de suppositions. Muette et d'autant plus difficile à comprendre qu'elle change radicalement d'une décennie sur l'autre. Chacun évolue à mesure qu'il avance en âge, mais dans le cas de Jackie ces changements s'affirment tellement outrés qu'on peine à les expliquer. Bouvier, Kennedy, post-Kennedy, Onassis, Jackie O., post-Onassis… Ni tout à fait la même ni tout à fait une autre. Qui était vraiment Jackie ? La monstruosité du battage médiatique fait autour de son nom rend toute analyse discutable. On a écrit tellement de mensonges. On a dit tellement de bêtises. Tout le monde a participé à cette désinformation. Les Kennedy, Onassis, Jackie elle-même. Elle savait tirer parti de ses défauts. C'est mieux que de gâcher ses qualités. On peut penser que c'est une forme d'intelligence. Une intelligence très terre à terre. En dépit d'une vie follement romanesque, Jackie était assez terre à terre. Elle avait raflé la mise avec un très petit jeu. Elle était ravissante, sans être sublime. Elle avait une jolie silhouette, sans être spécialement bien foutue. Elle était cultivée, mais comme une mondaine pour qui les expositions, les films, les livres restent des sujets de conversation. Elle avait du goût, mais sans pouvoir prétendre avoir révolutionné *le* goût. Toujours est-il qu'elle n'en demeure pas moins la référence absolue en matière de *First Lady.* Si la présidence de Kennedy demeure associée, dans l'esprit du public, à une époque heureuse et pleine d'allant, c'est en grande partie à Jackie qu'elle le doit. À ses défauts. On peut applaudir.

Contrairement à Jackie qui se contentait de faire chaque jour une brève apparition à l'hôpital, Christina disposait d'une chambre contiguë à celle de son père où elle restait souvent dormir. Elle ne le quittait pour ainsi dire plus. Elle s'interposait entre lui et le reste du monde. Entre lui et Jackie principalement. En menant la vie dure à sa belle-mère, elle ne faisait que respecter la volonté d'Onassis. Il ne désirait pas voir Jackie à son chevet. Tant qu'il avait pu parler, il ne se gênait pas pour lui dire de s'en aller. Christina prit le relais. Elle s'arrangeait pour empêcher Jackie de rester dans la chambre du malade. Elle l'obligeait à attendre dans la pièce voisine où elle n'était guère mieux reçue. Les collaborateurs d'Onassis lui faisaient payer le mépris avec lequel elle les avait toujours traités. Toute la famille faisait bloc contre elle. Entre eux ils parlaient grec comme pour mieux la tenir à l'écart. Personne ne lui adressait la parole. Personne ne lui proposait de s'asseoir. Elle restait debout. C'était dur, mais elle tenait. Elle attendait le temps qu'il fallait pour ne pas avoir l'air de prendre la fuite. En sortant de l'hôpital, elle respirait. Mais le lendemain il lui fallait recommencer. Elle lui rendait visite chaque jour. Avec une ponctualité qui renseignait sur son flegme. Habitués à manier l'euphémisme sans beaucoup de délicatesse, les médecins parlaient maintenant d'une lente mais constante amélioration. Ils le prolongèrent comme ça d'un mois. Un mois, c'est long quand on ne peut pas s'asseoir. Jackie prenait son mal en patience : en devenant veuve, elle touchait le gros lot.

77

Chute de Truman Capote. Tous ses amis le lâchent. Bal noir et blanc. Procès contre Gore Vidal. Lee Radziwill le laisse tomber à son tour. Retour sur leur amitié. Truman la pousse sur scène. Elle se plante.

Truman Capote ne comprenait pas ce qui lui arrivait. Il persistait à dire qu'il s'agissait d'un malentendu. Comment s'imaginait-il passer entre les gouttes après avoir déclenché une telle tempête ? La parution dans *Esquire* d'un des chapitres de son prochain livre, *Prières exaucées*, avait fait l'effet d'une bombe. D'un point de vue mondain, cet extrait équivalait à un massacre à la tronçonneuse. Il y mettait en cause nombre de ses amis qu'il traînait dans la boue. Il déterrait des secrets de famille et balançait toutes sortes de ragots et d'anecdotes scabreuses sur un milieu dont il était depuis maintenant près de vingt ans l'enfant chéri. Pourquoi crachait-il dans la soupe ? Quelle mouche le piquait de s'en prendre à ceux qui l'avaient choyé, dorloté et considéré comme un des leurs ? Ulcérées de retrouver imprimées certaines de leurs confidences, ses meilleures amies criaient vengeance. Des femmes qu'on n'avait jamais entendu élever la voix aboyaient des injures. Gloria Vanderbilt jurait que si elle le revoyait, elle lui cracherait à la figure. Slim Howard ne décolérait pas. Babe Paley refusait de le prendre au téléphone. Même Marella Agnelli était sortie de sa réserve pour déclarer : « Capote méprise les gens dont il parle. Il met ses amis sur un piédestal en privé et les descend en flèche en public. » Pamela Churchill se félicitait de ne pas figurer dans sa galerie de portraits (même si beaucoup estimaient qu'elle lui avait inspiré les côtés les plus « salope » de son héroïne, la scélérate Kate McCould). Avait-il cherché inconsciemment à défier les dieux ? La société ? Comme Oscar Wilde provoquant sa chute ? La réponse de la société ne s'était pas fait attendre. Toutes les portes se fermaient devant lui. Tous ses amis le lâchaient. Cecil Beaton, qui n'attendait que cela, hurlait avec les loups. Haro sur le nabot. Tout ça pour rien : son roman devait rester inachevé et les morceaux choisis qui parurent dans la presse ne justifiaient en rien l'outrecuidance dont il avait fait preuve.

En vedette depuis la parution des *Domaines hantés* et de *Breakfast at Tiffany*, Truman Capote n'avait jamais ensuite quitté le devant de la scène. Tout ce qu'il touchait se transformait en feu d'artifice et retombait en pluie de dollars. *De sang-froid* acheva d'asseoir sa notoriété. Alors qu'on le croyait incapable d'écrire autre chose que de tout petits chefs-d'œuvre, il apportait la preuve du contraire en produisant une enquête, aussi épaisse qu'approfondie, servie par une prose impeccable à la sensibilité parfaitement maîtrisée. En se basant sur des faits réels, il inventait un nouveau concept qu'il baptisa antiroman. *De sang-froid* relatait le meurtre particulièrement atroce d'une famille d'honnêtes péquenots par des voyous de grands chemins. Pour l'écrire, Truman s'était volontairement coupé du monde. Enterré parmi les bouseux du Kansas. Une plongée en apnée dans l'Amérique profonde d'où il resurgit avec un grand livre. On le saluait maintenant comme l'un des meilleurs écrivains américains. La soirée qu'il organisa dans la salle de bal du *Plazza* acheva d'asseoir sa notoriété. Elle se présentait comme le pendant mondain de sa réussite littéraire. Une manière exquise de rendre, en un soir, vingt ans d'invitations. « Les pique-assiettes reçoivent », s'étrangla Cecil Beaton en déchiffrant le bristol doré sur tranche. Quel affront : son petit protégé lui donnait maintenant des leçons. Non content d'étaler sa réussite, Truman lui empruntait pour sa fête le thème noir et blanc qu'il avait immortalisé, quelques années plus tôt, dans *My Fair Lady*. Cecil crevait de jalousie. Truman, qui continuait de se confier à lui, versait de l'huile bouillante sur cette blessure en lui soumettant la liste étourdissante des invités.

Truman qui n'avait rien négligé pour le succès de sa soirée, connut à cette occasion un nouveau triomphe. Il reçut des lettres de remerciements du monde entier et pendant plusieurs semaines le joindre au téléphone releva de l'exploit. Ses amis intimes ne se lassaient pas de commenter avec lui les moments forts de la soirée. On se récriait sur le masque en vison blanc, surmonté d'oreilles de lapin, de Candice Bergen, sur celui en forme de tête de licorne que le décorateur Billy Baldwin avait commandé chez Tiffany. On louait le savant dosage d'intellectuels, de beautés et d'artistes. Le mélange des jeunes et des vieux. C'était trop chou d'avoir déterré Claudette Colbert ! Franck Sinatra et Mia Farrow, n'était-ce pas amusant de les voir mariés ? « Ne me dis pas qu'ils n'avaient pas répété ! », se récriait-on à propos du numéro de claquettes de Lauren Bacall et Jerome Robins. Gloria Guinness l'avait appelé dans les premières pour se plaindre : elle s'était crue assez forte pour porter deux énormes colliers, l'un en rubis, l'autre en diamants, mais la fatigue la condamnait maintenant à garder la chambre.

« Moi, c'est plutôt la gueule de bois, soupira Truman.

— Tu as beaucoup bu ? Tu t'es couché tard ?

— Je suis parti sur la pointe des pieds, à cinq heures, prendre un petit déjeuner à la brasserie avec Lee, Stas et Henri Ford.

— Quand je pense que Pamela répétait partout que ta fête allait être un fiasco.

— On connaît Pamela et on l'adore pour sa franchise », se contenta de répondre Truman sans y attacher d'importance.

Très en verve, Truman roda à cette occasion plusieurs sketchs dont il se resservit pendant des années. Il y avait l'histoire de cette actrice célèbre s'apercevant au matin que l'homme avec qui elle avait passé la nuit n'était qu'un des détectives chargés de la surveillance. « Un détective en smoking !, s'indignait-elle. – Chérie, c'est le jeu, lui faisait remarquer Truman. Et puis quel mal y a-t-il à ça ? Tu as pris ton pied, n'est-ce pas ? » Il y avait le sketch des filles de trois présidents des États-Unis (Alice Roosevelt, Margaret Truman et Linda Bird, la fille du président Johnson) cancanant sur la Maison Blanche à la manière des *Joyeuses Commères de Windsor*. Il y avait aussi l'histoire de Tallulah Bankhead s'apercevant, alors qu'elle était allée se repoudrer, qu'il n'y avait plus de papier toilette. Truman imitait le phrasé parfait de sa vieille copine : « J'ai alors baissé les yeux et j'ai aperçu deux pieds dans la cabine voisine. J'ai frappé très discrètement à la cloison : "Excusez-moi ma chère, mais je n'ai pas de papier toilette, et vous ?" Truman changeait d'intonation pour imiter le grasseyement d'une voix typiquement américaine : "Non.

— Excusez-moi d'insister, ma chère, mais peut-être auriez-vous un Kleenex ?

— Non.

— Bon… c'est très embêtant, mais dans ce cas-là, ma chère, n'auriez-vous pas cinq billets de vingt dollars pour un billet de cent ?" »

Le concert de louanges qui prolongea la soirée maintenait Truman Capote en état d'apesanteur. Il annonçait son intention d'écrire un livre sur la haute société qui laisserait loin derrière tout ce qu'il avait déjà fait. Il n'ambitionnait pas d'écrire ses mémoires, mais bien de produire un chef-d'œuvre digne de lui assurer, au panthéon des écrivains, une place entre Proust et Henry James. Il avait déjà touché une confortable avance de son éditeur et vendu pour près de un million de dollars les droits à la 20 th Century Fox. Avant même d'avoir écrit une ligne. Dans les interviews qu'il accordait, il continuait d'entretenir le mythe du grand écrivain en présentant son futur roman, *Prières exaucées*, comme la *Recherche du temps perdu* du siècle finissant. Tiré d'une lettre de sainte Thérèse d'Avila, le titre s'expliquait mieux lorsqu'on prenait connaissance de la citation en entier : « Il y a plus de larmes versées sur les prières exaucées que sur celles qui ne le sont pas. » Le désenchantement que laissait supposer ce constat faisait planer une ombre sur les intentions de l'auteur, mais la référence à Proust était de nature à rassurer ses amis de la *jet-set* qui attendaient impatiemment la sortie de son livre, sans penser une seconde que Truman risquait de les surprendre autrement que par la beauté de son style.

À mesure que le temps passait, les bavardages de l'écrivain ressemblaient à des vantardises. Dans le milieu de l'édition, beaucoup n'y croyaient plus. Pour donner des gages de ce qu'il avançait, Truman se décida à laisser paraître dans la presse des morceaux choisis de son futur roman. Un premier extrait passa comme une lettre à la poste, mais la parution du second, *La Côte basque* (du nom d'un célèbre restaurant de New York), provoqua le tollé qu'on évoquait au début de ce chapitre. De l'avis général, il s'était tiré une balle dans le pied. Alors qu'il avait dépensé des trésors d'intelligence et d'énergie pour gravir l'échelle sociale qui menait au séjour des dieux, il redescendait de cet Olympe sur les fesses. Avec un coup de pied au cul. Comme propulsé dans un vide-ordures. Casse-toi, tu pues. Le plus grand gadin jamais enregistré dans l'histoire depuis la chute d'Icare. À la différence d'Icare, Truman Capote n'était pas mort sur le coup. Il s'était relevé en titubant. Hébété. Il tituba ensuite jusqu'à la fin de ses jours. D'ailleurs à l'époque de son décès, c'était déjà un homme mort. Il n'était plus rien. Même plus un écrivain. Un type qui passe trop à la télé. Une vedette de *talk-show*.

Le coup de grâce lui fut porté, quelques années plus tard, par sa grande amie Lee Radziwill. Elle se retourna contre lui alors qu'il lui avait demandé de témoigner en sa faveur dans un procès en diffamation que lui intentait Gore Vidal. Truman s'en était pris à celui-ci dans une interview parue dans *Play-Boy*. Il l'accusait de s'être fait virer ivre mort de la Maison Blanche après une altercation avec Bobby Kennedy. Gore Vidal qui n'attendait que cela lui colla un procès. Considérés comme les deux meilleurs écrivains de leur génération, Truman Capote et Gore Vidal se détestaient comme seuls deux jeunes espoirs de la littérature peuvent se détester. Comme seuls deux homosexuels peuvent se détester. Gore Vidal jubilait à l'idée de coincer Truman qui parlait sans tenir la preuve de ce qu'il avançait. Il ne trouverait personne pour témoigner dans son sens. En s'en prenant à Gore Vidal, il s'en prenait aussi aux Kennedy. Cette histoire de beuverie à la Maison Blanche n'était pas une bonne publicité pour Bobby qui ne désespérait pas d'y remplacer un jour son frère. En désespoir de cause, Truman avait demandé à Lee Radziwill de l'aider à rétablir la vérité, mais elle le lâcha à la dernière minute pour ne pas s'attirer les foudres des Kennedy (et de Gore Vidal qu'elle craignait. La mère de Gore Vidal avait été mariée au beau-père de Lee et de Jackie). Truman n'en revenait pas. Ce revirement s'inscrivait pourtant dans la logique de la princesse. Il ne pouvait s'en prendre qu'à lui-même. Il ne l'avait pas aimée seulement pour sa droiture, sa grandeur d'âme ou son quotient intellectuel. Mais aussi pour ses défauts : snobisme, frivolité, coquetterie. Non contente de le lâcher, elle l'acheva en déclarant à une amie commune : « J'en ai assez de voir Truman s'accrocher à mes basques pour maintenir sa réputation. Et puis, au fond, quelle différence ? Ce ne sont que deux pédés, voilà tout. »

Truman feignit une fois encore de n'y rien comprendre. C'était pourtant facile : la princesse, qui l'adorait à l'époque où il régnait sur la société, profitait de cette occasion pour se débarrasser de lui maintenant qu'il n'était plus rien. Truman laissa éclater sa colère au cours d'une émission de télévision. « Si la ravissante, la divine, la sensible princesse Radziwill à une si basse opinion des homosexuels, pourquoi m'a-t-elle pris pour confident au cours de ces vingt dernières années ? », siffla-t-il en insinuant qu'il en savait assez sur elle pour lui faire regretter son affront. (C'est vrai qu'il en savait long : son *quickie* avec John, son amour stupide pour Noureev, ses déconvenues avec Peter Beard et surtout la rancœur féroce qu'elle portait à sa sœur depuis que celle-ci lui avait piqué Onassis.) On a déjà évoqué l'habileté de Truman Capote à s'insinuer dans les secrets les plus intimes de ses amies. Lee n'était pas de taille à lui résister. Truman n'en avait fait qu'une bouchée. Elle était devenue sa nouvelle meilleure amie. De dix ans sa cadette, Lee le maintenait dans l'illusion de la jeunesse. Il traînait les pieds à l'idée de devenir adulte. Lee lui servait d'alibi pour ne pas travailler. Elle le poussait à sortir, à faire la fête. Leur alcoolisme mondain masquait une dépendance affective qui allait, dans les années à venir, leur poser des problèmes. Truman se promettait régulièrement d'arrêter de boire et de se mettre sérieusement à écrire. Un coup de téléphone de Lee remettait en question ses bonnes résolutions.

Leur amitié passionnée avait surpris tout le monde. Elle ressemblait presque à une histoire d'amour. Un de ces coups de foudre de l'amitié qui ne sont généralement pas faits pour durer. Comme une pochette d'allumettes s'enflammant accidentellement. On les voyait toujours ensemble. Il lui avait sacrifié Jackie. On pouvait difficilement être ami avec les deux. La *First Lady* réclamait la primeur. « Il faut que quelqu'un dise à Truman que Lee Radziwill ne peut pas l'annexer tout le temps », écrivait une chroniqueuse du *Womans' Wear*. Ils formaient un couple à la mode que l'on retrouvait régulièrement en photo dans les magazines. Truman, qui n'avait jamais été très élégant, s'habillait maintenant chez Cardin, ce qui n'arrangeait rien. En cosmocorp zippé de partout, il ressemblait d'avantage à un bonzaï tarabiscoté qu'à un minet. De l'enfant prodigue, Truman n'avait plus que la petite taille. Il arrivait à peine à la hauteur du volant de sa Jaguar Type E. Le modèle suppositoire. Beaucoup de ses amis trouvaient que Lee ne méritait pas le culte que lui vouait l'écrivain. Il chantait ses louanges avec une insistance un peu gênante. Comme s'il cherchait à s'en persuader. Ce n'était ni Karen Blixen ni Diana Vreeland ni Marella Agnelli. Elle n'avait pas l'élégance de Babe Paley ni le chic de Gloria Guinness. Elle n'avait pas la décontraction de Slim Hayward ni l'aisance de Pamela Churchill, ni la position de sa sœur Jackie, etc.

Truman prétendait que les femmes belles et riches agissaient sur son imagination comme le mécanisme d'un tiroir secret s'ouvrant sur des ruissellements de pierres précieuses. Pourquoi les collectionnait-il ? Pourquoi collectionne-t-on les papillons ? Lee s'ajouta à sa collection. À mesure que leur relation s'approfondissait, Truman se rendait compte qu'elle était en proie à de la jalousie. La claque du *Christina* lui avait laissé sur la joue une marque cuisante. Onassis avait dû la dédommager contre son silence (on a parlé de deux millions de dollars), mais elle en avait gros sur la patate. L'annonce, à quelque temps de là, du mariage de Jackie et d'Onassis, raviva sa blessure. Elle ne supportait plus d'être la *Sister* (sans avoir cependant le courage de couper les ponts). Elle ne voulait plus vivre dans son ombre. Elle voulait exister. Truman lui prédit une carrière au théâtre. Il avait eu beau se décarcasser les méninges, il n'avait rien trouvé d'autre à lui proposer. À trente-quatre ans, elle ne pouvait décemment pas se mettre au piano ou à la danse classique. Elle ne savait ni écrire, ni peindre, ni chanter. En revanche, elle avait un physique et elle se comportait déjà dans la vie comme une actrice. Elle allait brûler les planches. Le rôle de Tracy Lord dans *Philadelphia Story* semblait avoir été écrit pour elle. La comparaison avec Katharine Hepburn, qui avait immortalisé le personnage au cinéma, ne les inquiétait absolument pas. Truman était sûr de lui. Avec ses relations dans le monde du spectacle et son culot, il ne lui fut pas difficile de trouver un commanditaire. On choisit même une date. Mi-juin, c'était parfait.

L'avant-première devait avoir lieu à Chicago. L'arrivée de Truman et de la princesse au théâtre souleva une tempête digne d'une star. Kenneth était venu spécialement de New York pour la coiffer. Un célèbre maquilleur d'Hollywood avait lui aussi fait le déplacement. Même Stas était là pour soutenir sa femme. Avec de tels supporters, les scènes qui se déroulaient en coulisse dépassaient en loufoquerie les meilleurs moments de la pièce. La palme de la drôlerie revenait au maquilleur qui poussait des cris stridents (Stas, excédé, lui demanda d'arrêter de l'appeler « Princie »). Il prétendait que les imprimés des robes, signées Yves Saint-Laurent, ressemblaient à de la pâtée pour chien. Le moutarde et le fuchsia le désespéraient. « Si on essayait du nacré sur les paupières, avec une touche de rose, là ? », proposa-t-il. On apportait des fleurs, des télégrammes. Les pékinois de la princesse aboyaient. Au milieu de ce tohu-bohu, le calme de Lee rassurait son entourage. Elle ne semblait pas plus émue que si elle devait se rendre à un cocktail. « C'est maintenant ou jamais, dit-elle avant de monter en scène. Je ne crois pas avoir d'autre solution que de me pincer le nez et de plonger. » Et on s'aperçut qu'elle ne savait pas nager. Elle coula à pic sans jamais toucher le fond pendant toute la durée du spectacle.

78

Marie-Hélène de Rothschild s'emballe. Ferrières raccord avec À la recherche du temps perdu. *Proustomania des années 60. Quatre cents invités pour le dîner et autant de cure-dents. La duchesse de Windsor, Elizabeth Taylor, la princesse Grace…*

Ressusciter le monde de Proust ? Même Luchino Visconti qui cherchait à transposer *La Recherche* à l'écran n'y était pas arrivé. Marie-Hélène de Rothschild s'était décidée sur un coup de tête en regardant tomber les premières feuilles de l'automne. L'anniversaire du centenaire de la naissance de l'écrivain lui donnait l'occasion de faire revivre, pour un soir, les fastes du château de Ferrières, dont les heures étaient comptées. La banlieue parisienne gagnait chaque jour du terrain et le domaine risquait de se retrouver rapidement coincé entre des zones pavillonnaires et des HLM. Les Rothschild pensaient à s'en défaire au profit d'une institution médicale. C'était donc maintenant ou jamais. Refusant de céder à la nostalgie, Marie-Hélène s'enthousiasma pour son nouveau projet : un grand dîner suivi d'un bal comme on en donnait du temps de Proust. Marie-Hélène de Rothschild recevait divinement. Comme plus personne ne savait le faire à Paris. Elle en avait les moyens, mais elle en avait aussi le goût et la culture. Elle pensa d'abord au menu. Un menu proustien ? Des asperges en décembre ? Il ne fallait pas y songer. Le bœuf en gelée de Françoise qui plaisait tant à M. de Norpois fut pareillement abandonné. Trop téléphoné, trop *popote*. Marie-Hélène trancha pour des quenelles de sole et des médaillons de homard, suivi d'un canard désossé farci de foie gras. Une recette divine, avec des morceaux d'ananas, des mirabelles, du gingembre et des cerises confites. On commencerait par un consommé et on sauterait le fromage. Pour le dessert ? Des madeleines forcément, mais fourrées de glace au marron et érigées en pièce montée. Et des violettes de Parme... Marie-Hélène notait ses idées comme elles lui venaient. Elles se bousculaient dans sa tête. Les jeunes gens pourraient porter des uniformes. Les messieurs arboreraient des moustaches, des monocles. Sur les tables, des cattleyas s'imposaient. D'où l'idée des nappes mauves en mousseline de soie plissée. Marie-Hélène ne voulait pas d'un bal masqué, mais d'une évocation plus subtile du monde de Proust. Les hommes en habit, les femmes coiffées dans le goût de la Belle Époque avec des plumes et des bijoux. Il lui fallait de toute urgence téléphoner à Yves Saint-Laurent. Il chérissait Proust. Il saurait l'habiller.

La société s'accrochait à Proust comme à une bouée de sauvetage. Tous les snobs trouvaient dans son génie une justification à leur frivolité. Yves Saint-Laurent se mourait d'amour pour lui. Sagan aussi. Truman Capote délirait à son sujet en se prétendant son héritier. Au bord du précipice que venait de creuser Mai 68, la société voulait encore y croire. Parfaitement raccord avec *À la recherche du temps perdu*, la décoration du château n'avait pas posé de problème. Mais pour que la magie de la fête opérât, Marie-Hélène avait demandé aux décorateurs Jean-François Daigre et Valérian Rybar de faire éclore, dans le grand hall, un jardin d'hiver dans le goût de celui de la princesse Mathilde : une forêt de plantes rares et de fleurs exotiques que l'on découvrait à travers de grands panneaux vitrés. C'est là que devait se dérouler le dîner. Les valets à la française, en livrée rouge galonnée d'or, s'agitaient dans cette forêt vierge comme des perroquets. Après avoir fait le tour des salons, le baron et la baronne sortirent jeter un dernier coup d'œil aux illuminations du parc. Se détachant sur le crépuscule d'un bleu encore vif, les branchages des arbres dénudés accusaient la pâleur argentée du château. Derrière chaque fenêtre un lustre ruisselant de pampilles se découpait dans un halo de givre recréé artificiellement. C'était féerique. « Il aurait quand même pu neiger, se plaignit Marie-Hélène de Rothschild, agacée.

— Le mieux est l'ennemi du bien, lui fit remarquer son mari. Pense aux embouteillages. Pense à la gadoue. Et puis ton mérite n'en sera que plus grand.

— Je ne vois pas en quoi. Si on pouvait seulement dérouler un peu de neige dans les allées.

— Ah ! Marie-Hélène, tu exagères ! »

À moins de trois heures du début de la fête, tout était *under control*, en dehors de quelques modifications de dernière minute concernant le plan de table. La princesse Grace, qui avait d'abord dit non, annonçait maintenant sa venue. En revanche, Bardot s'était décommandée. Derrière Elizabeth Taylor, elle risquait de passer inaperçue. On ne parlait dans les journaux que d'Elizabeth Taylor. C'était vexant pour Bardot, déjà en perte de vitesse. Marie-Hélène de Rothschild s'y entendait pour clouter son Tout-Paris diplomatique et aristocratique d'acteurs célèbres et de gens à la mode. Elles attendaient huit cents personnes : trois cent cinquante pour le dîner, autant de cure-dents et des amis d'amis. Le reflux des dîneurs devait, à la fin du repas, rencontrer le flux des nouveaux invités prévus aux alentours de minuit. Toute la jeunesse dorée se joindrait alors à la fête. Cela demandait une organisation sans faille. Marie-Hélène courut dans sa chambre porter sa tête à Alexandre pour se faire coiffer à la brioche. Quand elle redescendit, deux heures plus tard, dans une robe de satin blanc, pour accueillir les premiers invités, elle donnait une interprétation de la princesse de Guermantes qui en valait d'autres (beaucoup de femmes, ce soir-là, avaient choisi la princesse pour modèle). Afin de permettre aux invités de trouver leur place, chaque table portait le nom d'un des personnages du roman : Odette, Oriane, Gilberte, Morel, Charlus… Ce qui donnait lieu à d'amusantes interpellations : « T'es Charlus toi ?

— Non, Swann.

— Qui est Verdurin ? criait la duchesse de Windsor. Je suis la seule Verdurin ? » En société, la duchesse arborait toujours cet air de contentement de soi et de gaieté factice qui caractérise les meneuses de revue. Elle parlait fort, apostrophait tout le monde, riait de ses propres plaisanteries. Elle semblait d'autant plus satisfaite que depuis son dernier lifting, un sourire béat lui fendait la figure d'une oreille à l'autre. Les mauvaises langues disaient qu'elle ne pouvait plus fermer les yeux. Ce soir-là, l'abattage de la duchesse servait à dissimuler l'inquiétude qu'elle éprouvait à propos de la santé du duc. On le disait au plus mal. Depuis plusieurs semaines, la duchesse ne sortait plus. Poussée par le duc lui-même, elle avait fait une exception en l'honneur des Rothschild qui la traitaient comme une altesse royale. Le baron Guy la prenait toujours à sa droite. Leur table était un condensé de célébrités puisque trois des femmes qui avaient fait couler le plus d'encre de toute l'histoire du XXe siècle se trouvaient réunies sous l'égide du baron : la duchesse de Windsor, Elizabeth Taylor et la princesse Grace de Monaco.

Sans considérer la duchesse comme une vieille copine, Elizabeth Taylor pouvait faire remonter le souvenir de leur première rencontre à l'époque de son mariage avec Nicky Hilton. Sur le paquebot qui les conduisait en Europe pour leur voyage de noces, le duc et la duchesse l'avaient prise sous leur protection. Si la duchesse semblait, au premier abord, dans une forme épatante, on se rendait vite compte qu'elle sucrait les fraises. Elle se répétait continuellement. Dix fois elle avait demandé à Elizabeth Taylor si Richard était là. Dix fois elle les avait invités à dîner. Pour voir le duc. Il fallait venir voir le duc. La duchesse baissait la voix pour parler de la santé de son époux, mais du coup ses phrases se perdaient dans le brouhaha. On pouvait lire de l'angoisse dans ses yeux prisonniers du masque impassible que lui imposait la chirurgie esthétique. « Je vais vous donner mon nouveau numéro », conclut-elle. « Une plume ? Quelqu'un aurait-il une plume pour que je note un numéro de téléphone ? », demanda la duchesse à la ronde. Retrouvant sa vivacité, elle agitait, pour faire le clown, la plume d'autruche piquée dans son chignon. « Une plume. Il me faut une plume » criait-elle, comme si c'était la chose la plus drôle du monde. Elle riait et dut bientôt essuyer une larme qui pointait au bord de sa paupière. Est-ce d'avoir été secouée qui provoqua son fléchissement, mais Richard Burton, assis à une table voisine, prétend, dans son journal intime, que la plume qui ornait le chignon de la duchesse penchait dangereusement. Au point, écrit-il, de tremper dans les sauces que lui présentaient les serveurs.

Les Burton se comportaient dans le grand monde comme dans un parc d'attractions. Une sorte de Disneyland où Elizabeth pouvait exhiber ses bijoux. Ce soir-là, avec la complicité du coiffeur Alexandre, elle réussissait le tour de force de porter plus de diamants que n'importe qui. Une rivière s'égouttait sur son front, une autre s'entortillait dans ses cheveux torsadés, tandis qu'un poitrail de diamants et d'émeraudes ornait son décolleté. Elle n'avait pas non plus lésiné sur le maquillage. Elle partageait la fascination du public pour ses yeux violets. (Après *Cléopâtre*, toutes les femmes se mirent à ressembler à des pots de peinture.) En dépit de ses efforts, Elizabeth Taylor n'arrivait pas à s'enlaidir. Même harnachée comme un cheval de cirque, elle était sublime. Tout le monde se bousculait pour lui être présenté. Des ministres, des banquiers, des femmes de ministre… Elle écoutait sans les entendre les précisions que le baron Guy lui soufflait à l'oreille. Toutes les subtilités protocolaires auxquelles le baron semblait attacher tellement d'importance lui échappaient. Elle ne faisait pas la différence entre les gens importants, les gens très importants ou très très importants. Pour elle, ce n'étaient que des admirateurs. Elizabeth Taylor arrivait chez les Rothschild en pays conquis. Un jour que Marie-Hélène se plaignait de la charge que représentait une demeure comme Ferrières, elle s'était écriée : « Vous n'avez qu'à nous la donner. On se débrouillera. » Un peu agacée, la baronne n'en avait pas moins admiré le culot de sa nouvelle amie. La relation qu'entretenaient les deux femmes reposait sur un échange de bons procédés : chacune représentait pour l'autre une forme d'exotisme dont l'attrait les dépassait.

Ce soir-là, Richard Burton n'était pas au mieux de sa forme. Il cherchait à arrêter de boire. Faut-il le croire lorsqu'il affirme, toujours dans son journal, ne pas avoir reconnu Andy Warhol, assis en face de lui ? Il se demandait quel était cet albinos, coiffé d'une moumoute neigeuse, quand « la chose » se pencha pour lui demander : « Mais où est mon Elizabeth ? » Cette manière de se l'approprier agaça prodigieusement Burton. Il était comme intoxiqué par sa femme. Toujours en manque. Il ne pouvait plus se passer d'elle. Même quand il la trompait. La célébrité d'Elizabeth Taylor rejaillissait sur Burton qui sans y être préparé se trouvait exposé à des radiations d'une violence inouïe. Il pétait souvent les plombs. Il ne résistait pas à une occasion de se faire remarquer. Il s'arrangeait, par exemple, lorsqu'il couvrait Elizabeth de bijoux, pour que leur prix parvienne à la connaissance du public. Tout le monde savait que le diamant Krupp lui avait coûté 305 000 dollars, la Pérégrina, une perle baroque du XVIe siècle, 37 000 dollars, et le diamant Cartier, en forme de poire, un million de dollars. Il aimait se retrouver pendant les enchères en compétition avec Aristote Onassis. Il surenchérissait aussi sur la vie. Sa consommation d'alcool renseignait sur son insécurité. En parlant d'eux, on disait les Burton, mais il savait qu'il n'était qu'un monsieur Taylor de plus. Dans ses moments de lucidité, il se rendait compte qu'ils n'opposaient plus de résistance au courant qui les emportait. Leur carrière était devenue une planche à billets. Ils enchaînaient les navets. Avait-il vendu son âme au diable en épousant Elizabeth Taylor ? Lui, l'acteur shakespearien ?

Le service avait pris du retard. Marie-Hélène de Rothschild se rendait compte que les invités du bal n'allaient pas tarder à arriver et qu'ils les surprendraient encore à table. Cette fausse note la contrariait. Un murmure approbateur salua l'apparition des pièces montées, composées de centaines de madeleines capitonnées de violettes de Parme. Jacques Chazot s'écria : « Ce n'est plus Marie-Hélène, c'est Marie-Madeleine qu'il faut t'appeler. Avec toi le temps perdu ne perd rien pour attendre. » Il allait maintenant de table en table répéter ses bons mots. Il n'était pas le seul à se lever, mais le dessert autorisait cette décontraction. Loin de casser l'ambiance, la confusion qui régna bientôt produisit le miracle qu'espérait Marie-Hélène : la soirée passait sans encombre à la vitesse supérieure. L'apparition d'un orchestre tzigane acheva de rendre les invités euphoriques. Le champagne coulait à flots. Les gens fredonnaient. L'écho assourdi d'une musique plus rythmée provenait d'un des salons transformé en boîte de nuit. Ce que Marie-Hélène désignait comme le « night-club ». Dans un autre salon, les invités pouvaient se faire tirer le portrait par Cecil Beaton qui officiait derrière une chambre noire. C'était gagné. « Qu'ils se débrouillent pour le café », pensa Marie-Hélène en relâchant son attention. Pendant tout le dîner, elle était restée sur le qui-vive, surveillant d'un œil d'aigle les allées et venues des serveurs. Elle arrivait à communiquer avec eux sans cesser de sourire, de répondre à ses voisins de table, de s'esclaffer… mais maintenant elle se sentait complètement vidée, à la manière d'un magicien après un numéro de transmission de pensées. Elle commençait à se détendre quand elle s'aperçut que la duchesse de Windsor, restée seule à sa table, s'était endormie.

79

Algarade entre la duchesse de Windsor et la princesse Grace. Richard Burton récupère Grace. Bousculade dans le salon de musique. Bousculade dans le studio photo où Beaton officie. Le syndrome de Cendrillon. Retour en Rolls.

« Quelle dynastie ? s'emporta la duchesse de Windsor. Les grands-parents tenaient une loge de concierges ou quelque chose comme cela. C'est à pleurer de rire d'entendre parler de dynastie. » Depuis le début du repas, la princesse Grace s'extasiait assez naïvement sur les fêtes organisées par le shah d'Iran, à Persépolis, à l'occasion du millième anniversaire de sa dynastie. Elle cherchait à poursuivre son récit, quand la duchesse l'avait prise à partie. Avec sa plume qui s'agitait au-dessus de sa tête et ses yeux courroucés, elle ressemblait assez à un coq de combat prêt à en découdre. Une prise de bec qui mettait le baron Guy au supplice. Il essayait de faire diversion, mais en vain. Comme la duchesse devenait sourde, elle ne se rendait pas compte qu'elle criait et ses apartés ne faisaient qu'ajouter à la confusion de la princesse qui s'entendait traiter de « snob ennuyeuse », « d'Américaine idiote » ou encore « d'actrice de cinéma ». Pour répondre à un de ses voisins de table qui lui demandait si tout cela n'était pas un peu poussiéreux, la princesse Grace se récria qu'au contraire… et, comme preuve à l'appui, elle précisa qu'on avait dansé le jerk à Persépolis. « Qu'est-ce que c'est que cela ? », demanda la duchesse en essayant de contrefaire une grimace de dégoût. « Mais le jerk… répéta la princesse incrédule, vous savez cette danse à la mode chez les jeunes. – Les jeunes dansent le twist », trancha la duchesse péremptoire, avant de se lancer dans des explications confuses où elle n'hésitait pas à se présenter comme une pionnière du twist (à l'époque, une photo du duc twistant avec Régine avait fait le tour du monde). Et aussi la première à avoir raccourci ses jupes plus haut que le genou. « Là », affirmait-elle en désignant le milieu de sa cuisse. Chacun se rendait compte qu'elle débloquait, mais personne n'osait la faire taire. En raison de son âge, mais aussi à cause de la fascination qu'elle exerçait sur la société depuis maintenant près d'un demi-siècle.

Comme le repas touchait à sa fin, la princesse Grace quitta la table. Après vingt-cinq ans passés en France, elle ne s'habituait toujours pas à la tournure d'esprit des gens du monde. À leur arrogance. À leur manque d'indulgence. Elle n'en revenait pas de l'agressivité de la duchesse. S'entendre traiter d'actrice de cinéma alors qu'elle avait sacrifié sa carrière pour s'enterrer à Monaco ! On lui reprochait d'être toujours en représentation, mais c'était le rôle qui le demandait. Elle ne se voyait pas l'interpréter autrement. Qu'y pouvait-elle si dans la vie les vraies princesses ne ressemblaient plus à des princesses ? Encore bouleversée, elle marchait droit devant elle, en cherchant à avoir l'air naturel. Seulement sans ses lunettes, elle avançait à l'aveuglette. Dans un brouillard doré. Dans un bourdonnement doré. Sa myopie ajoutait au moelleux de la décoration en faisant se fondre entre eux les lambris, les miroirs, les colonnades, les draperies, les fleurs… Même sans y voir clair, Grace se rendait compte de la beauté que produisaient les taches de couleurs vives des robes du soir au milieu des groupes d'hommes en habit. Le kitsch absolu du château de Ferrières lui en imposait. Comme chaque fois chez les Rothschild, elle était bluffée. À table, le service de la Compagnie des Indes l'avait particulièrement impressionnée. Un service sublime. Les assiettes chaudes renouvelées tout au long du repas. Trois cent cinquante personnes… Combien cela faisait-il d'assiettes ? Les plats, les saucières, les légumiers… Il n'existait rien de semblable à Monaco. En comparaison, son propre palais lui paraissait triste et démeublé. Toute à ses pensées, elle serait passée devant Burton sans le reconnaître, s'il ne l'avait arrêtée : « Où allez-vous comme cela ?

— Oh ! Richard, dit-elle en reprenant son souffle. En vérité je n'en sais rien. J'aurais aimé prendre l'air. Je pensais même rentrer.

— La nuit commence à peine, déclama-t-il. Vous n'avez pas vu Elizabeth ?

— La dernière fois, elle dansait. Mais sans mes lunettes...

— Venez, nous allons la chercher », dit-il en lui tendant solennellement le bras.

Burton hésita à demander à Grace si elle avait lu Proust. Lui-même qui dévorait un ou deux livres chaque jour, n'avait fait que le parcourir. Pour se mettre dans l'ambiance avant le bal, il avait, l'après-midi même, parcouru le passage de *La Prisonnière* où le baron de Charlus sort de chez les Verdurin au bras de la reine de Naples. « Appuyez-vous sur mon bras... Vous savez qu'autrefois à Gaète il a déjà tenu en respect la canaille, etc. » Burton se disait, en déambulant à ses côtés, que Grace aurait très bien pu interpréter la reine de Naples. Peut-être un peu grande... Comme tous les acteurs, Burton s'était intéressé au projet de Visconti de transposer *La Recherche* à l'écran. Marlon Brando avait été pressenti pour jouer Charlus alors qu'à l'évidence le rôle était fait pour lui (ne venait-il pas d'interpréter un homosexuel, au côté de Rex Harrison, dans *L'Escalier*, sous la direction de Stanley Donen ?). Il se sentait de taille à relever le défi. Il en parla finalement à Grace, mais sans rencontrer aucun écho de sa part. Elle restait évasive. Comme si elle ne se sentait pas concernée. Burton regrettait d'avoir abordé le sujet. En vérité, Grace n'entretenait plus aucune illusion sur son retour à l'écran. Les Monégasques s'y opposaient. Le prince Rainier ne l'avait même pas autorisée à interpréter la Vierge Marie dans une fresque biblique que cherchait à monter l'incorrigible Spyros Skouras (avec la Callas dans le rôle de Marie-Madeleine). La princesse venait de fêter ses quarante ans. Elle était encore très belle, mais elle avait perdu cette luminosité qui la distinguait naguère des autres actrices.

Ils retrouvèrent Elizabeth Taylor dans le salon de musique en grande conversation avec Bettina. Depuis la mort du prince Ali Khan, l'ancien mannequin traînait dans le monde un statut de fausse veuve qui ajoutait une aura tragique à son passé d'égérie de la mode. Elizabeth et Bettina s'étaient connues à Hollywood. Dans une autre vie. Bettina visitait la capitale du cinéma en compagnie de Peter Viertel à qui elle était fiancée. (Peter se trouvait être le fils de Salka Viertel, scénariste attitrée et grande amie de Greta Garbo avec qui Bettina avait sympathisé.) Toute chose qui invitait à s'interroger sur le tourbillon de la vie. Mais le tourbillon de la vie prenait ce soir-là la forme d'une bousculade qui ne leur laissait pas le temps de s'interroger. La présence d'Elizabeth Taylor, de la princesse Grace et de Richard Burton drainait jusqu'au salon de musique une foule de curieux. La mauvaise éducation des gens du monde se vérifiait une nouvelle fois à cette occasion. Beaucoup ne se gênaient pas pour les dévisager comme des bêtes curieuses. L'arrivée de Marie-Hélène de Rothschild rétablit un peu d'ordre. « Elizabeth, Richard, je veux une photo de vous deux », cria-t-elle du plus loin qu'elle les aperçut. La baronne avait demandé comme une faveur à Cecil Beaton de reprendre le rôle d'un photographe mondain de la Belle Époque. Avec une chambre noire. « Vous savez, le petit oiseau va sortir... » Beaton avait eu l'élégance d'accepter. Le thème du bal le ramenait à son point de départ. Le monde de Proust ? Il n'avait fait que l'entrapercevoir. Le croiser à la porte. Des portes qu'on lui claquait encore parfois au nez. Il mesurait le chemin parcouru. Sa réussite, mais aussi la dégringolade de la société. Tous ses fantasmes s'étaient réalisés, sans le rassurer pour autant. Il restait sur le qui-vive. Inquiet, jaloux, mécontent d'une vie dont l'insatisfaction demeurait le moteur. Aux yeux des nouvelles générations, il passait pour un des survivants de cette société aristocratique qui l'avait snobé à ses débuts dans le monde. Il en imposait. Il profitait de cet ascendant pour faire régner une discipline très stricte dans le studio de photos. Il n'avait voulu d'autre décor qu'une douche de lumière qui intimidait les arrivants. Ses assistants se relayaient pour aller chercher, un par un, les invités.

Dans un petit salon, transformé en salle d'attente, Marie-Hélène de Rothschild jonglait avec les présentations. « Hélène Rochas, la vicomtesse de Ribes, Jacqueline Delubac », énuméra-t-elle à l'attention d'Elizabeth Taylor. Celle-ci se souvenait d'avoir vu une photo de la vicomtesse dans *Vanity Fair* où on la présentait comme une des femmes les mieux habillées du monde. « Tu la trouves si bien habillée que cela ? », demanda-t-elle à Bettina. Le crépitement des rires et des conversations rechargeait continuellement la pièce en électricité. On venait d'apprendre le mariage d'Onassis et de Jackie Kennedy. Marie-Hélène de Rothschild affirmait qu'ils ne seraient jamais reçus chez elle. Elizabeth défendait l'armateur. « Je connais des détails qui font frémir. Un être abject, se récriait Marie-Hélène, très liée à la Callas. – Vous exagérez, lui reprochait Elizabeth. – La robe, c'est Valentino, cria une femme en domino. – Pauvre Maria, soupira une autre derrière un éventail de plumes roses, pourquoi n'est-elle pas là ? » Elizabeth Taylor tomba dans les bras d'Audrey Hepburn qui venait poser pour son vieil ami Beaton. Jacqueline Delubac demanda s'il était vrai que la duchesse de Windsor s'était endormie sous une plante verte. L'histoire avait déjà fait le tour des salons. « Voulez-vous vous taire », ordonnait Marie-Hélène à ceux qui brocardaient la duchesse. « Elle ne risque pas de faire de l'ombre aux jeunes filles en fleur », pouffa quelqu'un. Richard Burton enfonça le clou en racontant une histoire drôle qui courait dans Paris : « Deux Rolls se présentaient de front sur un pont trop étroit pour leur laisser le passage. Aucun des chauffeurs ne voulant reculer, l'un d'eux sort de sa voiture pour s'expliquer en le prenant de haut : "Vous ne pouvez, mon cher, connaître l'identité de mes patrons, mais quand vous saurez que je suis le chauffeur de la duchesse de Windsor, vous conviendrez que c'est à vous de me laisser la priorité." Descendant à son tour de son véhicule, le second chauffeur se contente d'ouvrir en grand la porte de sa Rolls : "Et ça, c'est de la merde ?", dit-il en désignant la reine d'Angleterre assise sur la banquette arrière avec sa couronne sur la tête, son sceptre et son manteau d'hermine. » « Oh ! Richard, tu exagères, lui reprocha Elizabeth Taylor en hurlant de rire. "Et ça, c'est de la merde ?", il faut absolument que Grace entende cela. C'est trop drôle. » Mais quand on chercha la princesse, on s'aperçut qu'elle avait disparu. « Pauvre Grace, toujours le syndrome de Cendrillon », plaisanta un invité.

Dans sa Rolls, la duchesse de Windsor regagnait la capitale emmitouflée dans une petite veste de chinchilla avec, sur les genoux, une autre couverture en fourrure. Comme elle avait un peu dormi pendant la soirée, elle était maintenant parfaitement réveillée. Elle portait régulièrement la main à ses diamants pour se rassurer. Elle vivait désormais dans la hantise d'avoir oublié quelque chose d'important sans arriver à se souvenir de quoi il s'agissait. Ses bijoux lui causaient des frayeurs à répétition. Elle ne savait plus où elle les avait mis ou bien les cherchait partout alors qu'elle les portait encore. Elle demandait cent fois par jour à sa femme de chambre où étaient ses bijoux. Ses bijoux et le duc représentaient ses principaux sujets de préoccupation. Elle faisait de son mieux pour rassembler quelques souvenirs de la fête afin de les raconter au duc, mais elle n'arrivait décidément pas à fixer son attention. Sa mémoire se dérobait continuellement. Elle confondait tout. Quand on lui avait presenté Marisa Berenson, déguisée en marquise Casati, la duchesse l'avait prise pour la vraie marquise. Le nom de la marquise lui était familier. Et cette Marisa Berenson, qui c'était ? La fiancée d'un des fils de la maison. Lequel ? Ce garçon devait bien avoir un prénom ? Elle ne se souvenait plus si elle avait réellement connu la marquise Casati où si elle n'avait fait qu'en entendre parler. Et les Rothschild ? Il y en avait tellement. Il y en avait toujours eu tellement. Une entité collective. Comment s'appelaient ces Rothschild qui, en Autriche, avaient hébergé le duc au moment de l'abdication ? Des pans entiers de sa mémoire s'écroulaient en soulevant des nuages de poussière. Et les morceaux restés intacts ne correspondaient plus à rien. Comme dans une ville en ruine, après un bombardement, où des menhirs dressés vers le ciel semblent interroger les dieux en vain (l'annonce du suicide de Jimmy Donahue l'avait d'autant moins touchée que ce jour-là, elle ne se rappelait plus qui il était. Jimmy ? Jimmy ? Un écho dans la nuit de sa mémoire). En revanche, la duchesse avait des flashs qui la ramenaient dans le passé avec une précision étonnante. Elle se retrouvait propulsée, à Baltimore, dans sa petite enfance. Elle se revoyait en train de faire des pansements à des grenouilles. Le roi, le jour de son couronnement, venait aussi traverser fréquemment ses souvenirs. Elle aimait se souvenir qu'elle avait épousé un roi. Un empereur. Même à la casse, un empereur restait un empereur. Elle se rappela soudain que le roi était malade et qu'il lui fallait rentrer au plus vite. S'il lui arrivait quelque chose… Le roi se flattait de pouvoir encore enfiler son costume de l'ordre de la Jarretière. Avec son lourd manteau ourlé d'hermine. Il n'avait pas pris un gramme depuis soixante ans. Il avait su rester si mince. Chétif comme un petit oiseau. Pourquoi fallait-il que les gens meurent ? Qu'est-ce qu'elle ferait de toutes les cravates que le roi avait conservées ? Il y en avait des milliers. Pourquoi la mort n'épargnait-elle pas les rois ? L'idée de se retrouver seule lui glaçait le sang. Mais tout le monde devait y passer. C'était écrit. Comme sur ces magasins qui, à l'époque des soldes, placardent en gros caractères, en travers de leur devanture, cette prophétie, en l'état un peu racoleuse, mais inhérente au genre humain : « TOUT DOIT DISPARAÎTRE ».

TABLE

Cet ouvrage a été imprimé par

Mesnil-sur-l'Estrée

pour le compte des Éditions Flammarion
en avril 2009

Composition réalisée par IGS-CP

Imprimé en France

Dépôt légal : avril 2009
N° d'édition : L.01ELKN000207.N001 – N° d'impression : 95157